D1319277

DE LA GUERRE
EN AMÉRIQUE

DU MÊME AUTEUR

Le Réseau Carte. Histoire d'un réseau de la Résistance antiallemand, antigaulliste, anticommuniste et anticollaborationniste, Perrin, 2008.

« Obama et la culture de guerre américaine », *Le Débat*, n° 155, Gallimard, 2009.

« André Girard. Orphelin de guerre, peintre et résistant », in Lucien Faggion et Christophe Regina (dir.), *La Violence. Regards croisés sur une réalité plurielle*, CNRS Editions, 2011.

Pour en savoir plus
sur les Editions Perrin
(catalogue, auteurs, titres,
extraits, salons, actualité...),
vous pouvez consulter notre site Internet :
www.editions-perrin.fr

Thomas Rabino

DE LA GUERRE EN AMÉRIQUE

Essai sur la culture de guerre

PERRIN
www.editions-perrin.fr

« Le langage politique [...] est destiné à rendre vraisemblables
les mensonges, respectables les meurtres,
et à donner l'apparence de la solidité
à ce qui n'est que du vent. »

George ORWELL

« Un peuple qui oublie son passé
se condamne à le revivre. »

Winston CHURCHILL

« De tout temps, les Américains ont aimé se battre. »

Général PATTON

AVANT-PROPOS

Une culture de guerre américaine

Les Etats-Unis et la guerre forment, depuis 1774, et en dépit de brouilles passagères, un des couples les plus solides qui soient. Certes, tous les empires, voire les grandes puissances coloniales que furent l'Angleterre et la France, eurent recours aux armes des siècles durant pour asseoir leurs prétentions hégémoniques. Aucun Etat fort n'a pu prospérer sans que son existence soit émaillée de conflits plus ou moins marquants. Deux siècles et demi d'histoire américaine parlent d'eux-mêmes : avec une soixantaine d'interventions sur différents théâtres, des missions navales aux frappes aériennes en passant par nombre de déploiements massifs, ce pays s'est lancé, en moyenne, dans une campagne tous les quatre ans. L'accession au rang de première puissance économique et militaire, sur fond de guerre froide, a accentué le phénomène : depuis l'attaque de Pearl Harbor, les Etats-Unis ont projeté vingt-cinq fois leurs forces à l'étranger, atteignant le ratio d'un déploiement par tranche de trente mois sur la période 1941-2003 (hors opérations occultes). Au-delà du sensationnalisme statistique, le constat est sans appel : la guerre fait partie intégrante de l'histoire du pays. Car, si les Etats-Unis ont fait la guerre depuis leurs origines, c'est avant tout la guerre elle-même qui a fait les Etats-Unis. Soyons plus précis : les guerres américaines font les Etats-Unis d'aujourd'hui, et feront les Etats-Unis de demain.

Nés d'une guerre d'indépendance, façonnés au gré d'un expansionnisme fatal aux peuplades indiennes et aux nations limitrophes, reconstruits par une guerre civile qui fut le premier conflit moderne et par une politique extérieure conquérante, portés au pinacle par deux guerres mondiales et renforcés durant plus de quatre décennies de guerre froide, les Etats-Unis, lancés après le 11 septembre 2001 dans la « guerre contre le terrorisme », revendiquent et occupent un leadership mondial que le déploiement permanent de leurs armées continue d'assurer. Les administrations américaines successives ont atteint, depuis 1945, un potentiel d'action inédit. Allemagne et nazisme, bloc soviétique, « Etats voyous » et terrorisme islamiste ont alimenté un répertoire d'ennemis donnant corps et légitimité aux velléités hégémoniques de leurs élites. Parvenus, avec l'effondrement de l'URSS, au stade ultime d'« hyperpuissance[1] », les Etats-Unis offrent le spectacle unique d'un pays doté d'institutions démocratiques disposant en même temps d'une force militaire démesurément redoutable et exempte de concurrent sérieux. Dans un Etat qui compte, bon an mal an, un million de soldats en service actif, et dont les crédits alloués à la défense voisinent depuis plus d'un demi-siècle avec 50 % du budget, la frontière entre les sphères civile et militaire devient fictive, à tout le moins poreuse. En résulte une situation prophétisée par le président Eisenhower dans son célèbre discours d'adieu, le 17 janvier 1961[2] : pendant quarante années de course aux armements, l'imbrication des intérêts entre les industries de défense, le Pentagone et le Congrès s'est intensifiée. Les grandes entreprises d'armement disposent d'une influence sans précédent sur la vie politique dont elles financent légalement partis et candidats, mais aussi sur les citoyens vivant directement ou non de l'activité de leurs usines. Les questions militaires, qu'elles soient humaines ou matérielles, pèsent sur la société et l'économie américaines comme dans nul autre pays, y compris durant des périodes de paix d'ailleurs très brèves.

A l'instar des empires d'antan, de la *Pax romana* à la « démocratisation du Moyen-Orient », les intérêts stratégiques propres à une grande nation sont indispensables au maintien, voire à l'accroissement de sa puissance. Du Mexique, victime en 1848 de l'expansionnisme américain, au Panama, dont le contrôle offre un atout commercial considérable, en passant par l'Irak, objet de toutes les convoitises depuis que l'or noir y est exploité, les exemples ne manquent pas. Assurer la croissance de son territoire, la maîtrise des matières premières et des débouchés économiques pour la production nationale sont autant d'enjeux qui requièrent parfois l'usage de la force. Le déclin relatif de l'économie américaine, l'explosion d'un déficit commercial apparu dans les années 1970, la contraction de son produit national brut à l'échelle mondiale et l'émergence d'un concurrent comme la Chine[3] rendent, depuis les années 1990, la consolidation et l'extension de ses positions stratégiques plus vitales que jamais. La guerre n'est-elle pas, selon les mots du théoricien militaire Clausewitz, la « politique continuée par d'autres moyens » et un « véritable instrument de la politique » ? Le maniement de l'outil militaire occupe ainsi une place de premier plan dans la gouvernance de la politique extérieure américaine et, par-delà, de la société américaine elle-même, d'où sont par définition extraits les contingents de l'armée. Sachant qu'aucune puissance démocratique ne saurait mettre en avant les vraies raisons du recours à la force, l'équation reste simple : comment transformer ponctuellement en communauté belliciste un peuple marqué par l'histoire de ses propres luttes émancipatrices et donc réticent à cautionner toute action suspecte de velléités coloniales ? Comment convaincre l'opinion de sacrifier les siens en envahissant une nation souveraine ?

Entraîner une population dans un conflit requiert, pour son gouvernement, l'assurance d'un soutien majoritaire, par la construction d'un discours qui légitime l'entreprise guerrière. Autrefois déclinés par les puissances coloniales justifiant l'asservissement de peuplades indigènes, les idéaux universalistes des Pères fondateurs doublés d'une rhétorique libératrice et civilisatrice ont systématiquement servi de référence aux partisans d'une guerre, y compris et surtout au cours d'agressions caractérisées : « Aux Philippines, déclarait le vice-Président Theodore Roosevelt, nous avons apporté la paix et [...] une liberté [...] qu'elles n'auraient en aucun cas pu obtenir dans d'autres circonstances[4]. » Après quatre années de guerre et plus de 200 000 morts philippins, les Etats-Unis assuraient en 1902 leur mainmise sur un archipel stratégiquement trop proche de la Chine pour accéder à l'indépendance. Augmentés de considérations défensives, les exemples du même type jalonnent l'histoire américaine. A ce titre, l'aventure irakienne de 2003 constitue un véritable sommet, désiré de longue date par des cercles politiques influents[5].

Think tank conservateur dont les ténors joueront un rôle central au sein de l'administration Bush, le fameux Project for a New American Century (PNAC) expose *a posteriori* et avec un certain cynisme les mécanismes du choix gouvernemental : « Le 11 septembre 2001, moins de cinq heures après l'attaque, Donald Rumsfeld ordonn[ait] à ses assistants de rassembler des informations à charge pouvant justifier une offensive contre Saddam Hussein. Bien qu'aucune preuve de son implication n'existât [...], Rumsfeld savait qu'il tenait l'opportunité rêvée [...] pour accroître de manière significative le contrôle exercé par les Etats-Unis sur les ressources énergétiques mondiales et y implanter la démocratie[6]. » Outre un ordre des priorités révélateur – le « contrôle des ressources » précédant la « démocratie » –, rappelons que la forme de régime évoquée ici doit être, selon le terme en vigueur chez les stratèges gouvernementaux, synonyme d'« ami des Etats-Unis[7] », statut dont les critères se révèlent aussi utilitaires que ceux des « Etats voyous ».

Aussi large soit-il, l'éventail de justifications brandi au gré des adversaires désignés ne suffit pourtant pas à créer le consensus national qui accompagne, à quelques exceptions près, chaque entrée en guerre. D'autres vecteurs, plus profonds mais également moins détectables, constituent le terreau psychologique sur lequel prospèrent les discours officiels. Ingrédients de la persuasion, ces vecteurs sont ceux de la culture de guerre[8].

L'intensité des conflits menés par les Etats-Unis suit une courbe parallèle à leur ascension dans la hiérarchie des grandes puissances. De batailles mineures en affrontements de plus en plus importants, la population américaine, vivier des premières forces armées du monde, s'est lancée dans une multitude de conflits. Chaque génération ou presque subit les conséquences des bouleversements politiques, économiques et sociaux qu'ils induisent. Séquence de « retour en arrière » et « faillite de la civilisation[9] » pour le prix Nobel de la paix Romain Rolland (1916), une guerre crée son lot de législations liberticides, d'arbitraire gouvernemental, de contagion militariste et d'acclimatation à la violence contre un ennemi déshumanisé, sur fond de propagande que le progrès technique rend toujours plus efficace ; l'impact des lois sur l'espionnage (juin 1917), l'internement des Américains d'origine nippone (1941-1945), l'hystérie maccarthyste, la conscription au temps du Vietnam, les censures et autocensures diverses, rencontrent un impact dont l'écho résonne bien au-delà des circonstances qui les ont vu naître. Avec des dossiers aussi polémiques que le vote du *Patriot Act*, la zone de non-droit instituée à Guantanamo, les transferts secrets de présumés terroristes vers des régimes dictatoriaux, les détentions extrajudiciaires d'individus suspects, les écoutes illégales au profit de la National Security Agency (NSA) et autres tortures d'Abu Ghraib, l'ère post-11 Septembre creuse ce sillon. Même condamnés par des médias et une opinion guéris de toute fièvre guerrière, ces coups portés à la démocratie américaine laissent des traces juridiques et morales plus ou moins visibles. La répétition des situations de guerre produit ainsi un ensemble de doctrines politiques, de textes législatifs, de comportements, de croyances, de représentations, de discours, d'esthétique et autres produits matériels imprégnés de l'idée de guerre marquant profondément le corps social : construit et reconstruit au fil des conflits, modifié et vivifié par la modernité, cet ensemble est une culture de guerre.

Culture au sens large qui se nourrit de la guerre et inversement... elle infuse l'ensemble de la société et pèse sur son fonctionnement. Par son canal, l'idée de guerre autrefois rejetée par l'opinion devient acceptable. Quoique omniprésente, elle reflue de manière cyclique en temps de paix, se fait plus discrète tout en maintenant l'apologie d'une histoire nationale dénuée de critique, la conviction de l'existence d'une mission civilisatrice à accomplir, le nationalisme radical et le culte d'une armée forte. Inscrite dans le temps, la culture de guerre prépare les nouvelles générations aux prochains conflits. Réactivée par des instances officielles et conjuguée aux émotions populaires, elle doit sa force à l'hétérogénéité de ses intervenants. Ces derniers ont trouvé, avec l'avènement des guerres modernes et totales, un terrain d'expression étendu aux moindres espaces de la vie quotidienne : patriotisme démonstratif, fidélité revendiquée au Président comme aux responsables de l'administration, indéfectible soutien aux troupes, mutation militariste d'une société de consommation toujours plus vivace. A l'approche d'une nouvelle guerre, sous l'influence d'institutions gouvernementales et médiatiques unies, l'opinion subit différents stimuli qui rendent toute sa vigueur hégémonique à cette culture assoupie. Baignant dans une atmosphère quotidienne liée à la guerre, une majorité plus ou moins large finit par adopter les desseins de l'exécutif, eux-mêmes soumis à des intérêts économiques et stratégiques parés de considérations morales ou sécuritaires. Auréolées d'un climat d'exception, les mesures les plus extrêmes – des libertés individuelles restreintes et l'envoi de troupes par-delà les frontières – finissent par faire l'objet d'un consentement.

Très présente dans les grandes nations européennes du XXᵉ siècle naissant, la culture de guerre y connut son apogée lors du premier conflit mondial. L'enracinement et la capacité de croissance voire d'excroissance de cette culture permirent, par un curieux paradoxe, d'opposer pendant quatre longues années les peuples parmi les plus « civilisés » du globe dans un déchaînement de violence sans précédent. Dans chaque camp, des leitmotive fédérateurs, telles la défense de la civilisation, l'exaltation du sacrifice, l'héroïsation des combattants et la barbarie de l'ennemi furent synonymes de lutte à mort. L'ampleur des massacres et des destructions, reproduits à plus grande échelle dès 1939, eurent peu à peu raison en Europe d'une culture de guerre passée, avec l'hégémonie mondiale, de l'autre côté de l'Atlantique. Au contraire de leurs « cousins » du Vieux Continent, les familles américaines n'ont jamais vraiment connu les ravages intérieurs des conflits, acceptés grâce à cette même culture de guerre. Son épanouissement actuel ouvre donc la voie à toutes les dérives.

La résurgence de la culture de guerre américaine commence sur les ruines encore fumantes du World Trade Center. En l'espace de dix-huit mois, les Etats-Unis envahissent et occupent l'Afghanistan, puis l'Irak. Pendant toute cette période, les multiples symptômes inhérents à cette culture connaissent un niveau de prolifération inédit.

Tout semble avoir été dit sur l'instrumentalisation politique du 11 Septembre. Le gain tiré du trauma national et les multiples dérives de la « guerre contre la Terreur[10] » sont devenus, depuis 2002, les thèmes récurrents d'un torrent éditorial. Selon une idée bien ancrée, l'affaire des armes de destruction massive irakiennes, alliée au climat post-attentats, aurait convaincu l'opinion de soutenir une guerre dite préventive. Délicate, la question restera longtemps impopulaire. Avant que les symboles de la puissance américaine ne soient réduits en cendres, la seule perspective d'opérations militaires dans un pays grand comme la Californie et le maintien sur place de troupes en nombre important heurtaient violemment la mémoire nationale, meurtrie par la débâcle vietnamienne. Le spectre du bourbier asiatique avait déjà fondu sur l'opinion lors de l'attentat de Beyrouth, qui fit 241 morts parmi les Marines le 23 octobre 1983, et surtout avec le désastre somalien de 1993 : en vingt-quatre heures, les Rangers censés capturer le général Aïdid enregistraient 19 tués et 84 blessés, tandis que les images de leurs cadavres traînés dans les rues de Mogadiscio tournaient en boucle sur les *networks* américains[11]. Si la catastrophe libanaise avait pu être exorcisée par la victoire remportée quelques jours plus tard lors de l'invasion de la Grenade, il n'en fut rien après 1993. Des militaires du journal *Army Times*, passant outre leur devoir de réserve, qualifièrent même la politique étrangère américaine de « nulle[12] ». Depuis, seules les opérations à dominante aérienne, à l'instar des campagnes de bombardement sur la Serbie (1995), l'Irak de « *Desert Fox* », l'Afghanistan, le Soudan (1998) et le Kosovo (1999) trouvent grâce auprès des autorités américaines. Brèves et peu coûteuses en hommes, celles-ci restent susceptibles d'obtenir l'assentiment de la population, très réticente lorsqu'il s'agit de cautionner des déploiements terrestres.

La tendance remonte aux années 1970, lorsque l'administration Nixon choisit de combiner vietnamisation du conflit et pilonnages massifs. En ligne de mire, une réduction des pertes américaines dont le niveau alimentait le mouvement antiguerre. Des décennies plus tard, la décision d'envoyer à la fin de 1995 une force de 20 000 hommes en Bosnie-Herzégovine fut soutenue par 38 % des Américains, d'ailleurs très pessimistes sur le succès de leur mission[13]. Même désaccord à l'exposition des troupes au Kosovo, avec 62 % des personnes « opposées, en mars 1999, à l'utilisation des forces pour mettre un terme aux combats[14] ».

Contre toute attente, le choc du 11 Septembre n'influe pas directement sur la donne irakienne : après un premier élan belliciste né du contrecoup des attentats et rassemblant près de huit Américains sur dix[15], l'option militaire recueille de mois en mois un soutien qui fléchit sous le poids des déconvenues enregistrées par l'administration Bush aux Nations unies[16]. L'été précédant la guerre, nombre de sondages soulignent qu'une large majorité d'Américains, atteignant parfois les trois quarts, restent opposés à toute action unilatérale[17]. Moins de deux mois avant le déclenchement des opérations, aucun consensus n'a été dégagé. Plus significatif, le clivage entre républicains et démocrates disparu lors de l'offensive afghane d'octobre 2001 a resurgi, avec respectivement 44 % et 77 % de personnes favorables à une solution diplomatique[18]. Dans les semaines qui suivent, alors que les préparatifs militaires et le discours officiel rendent l'engagement inéluctable, la tendance proguerre gagne irrésistiblement du terrain. Le processus rappelle ce qui eut lieu en France en août 1914 : chute radicale des actions de protestation, auxquelles succède une acceptation résignée[19]. Le 19 mars 2003, les premières opérations d'envergure donnent le signal du rassemblement patriotique, moment charnière au cours duquel une large majorité se range derrière le gouvernement et soutient les « *boys* » déployés sur le théâtre d'opérations. Mais, là encore, ce ralliement d'ordinaire massif demeure en deçà des statistiques habituelles : en 1991, au moment des premières frappes, la guerre du Golfe emportait 90 % de partisans, ratio qui stagne cette fois aux alentours de 70 % et subit une érosion constante. Dès novembre 2003, l'absence d'arsenal irakien fait les gros titres et l'occupation paraît se muer en bourbier. Quelques semaines plus tard, l'opération « *Iraqi Freedom* » ne recueille plus qu'un appui minoritaire[20].

Jamais l'Amérique n'avait décidé d'entrer en guerre avec un soutien intérieur aussi réduit, mais également aussi fragile. Quand Donald Rumsfeld, pris de vertiges guerriers, menace début avril 2003 la Syrie et l'Iran[21], accusés des mêmes maux que l'Irak baasiste à peine terrassé, moins d'un quart de l'opinion acquiesce[22]. On ne peut donc dire que la guerre, ni même l'apparente victoire, aient provoqué un enthousiasme débordant. Pourtant, en dépit de réticences manifestes, l'offensive d'Irak a pu compter sur une adhésion à l'idée plus globale de « guerre contre le terrorisme[23] », largement majoritaire celle-là, alliée au patient travail de persuasion officiel et médiatique qui, nous le verrons, doit autant aux méthodes de propagande les plus éprouvées qu'à l'héritage historico-culturel des Etats-Unis, enrichi d'un ultime épisode : le 11 Septembre.

Depuis cette date, et sur décision du pouvoir politique, l'Amérique est en guerre. Au contraire des Etats européens, enclins à combattre les auteurs d'attentats par un patient travail d'investigation policière, l'administration Bush opte pour l'intégration de l'événement à une pure logique de guerre. Approuvée par une opinion traumatisée, cette logique constitue alors la réponse à une attaque et à un ennemi qui, eux, n'ont rien de conventionnel. En vertu du nouvel état de guerre, le contexte change, avec tout ce que ce postulat implique en termes de bouleversements politiques, sociétaux et moraux : ce choix ressuscite automatiquement une culture de guerre marquée par la reprise de ses acquis historiques, augmentés de spécificités conjoncturelles et techniques propres au nouveau siècle. Par un effet d'entraînement, cette nouvelle culture de guerre progresse dans toutes les strates de la société, connaît un développement paroxystique et construit un environnement psychologique propice à l'acceptation des prochains déploiements militaires : l'Afghanistan, et surtout l'Irak.

Les raisons profondes du consentement belliciste doivent donc être cherchées ailleurs que dans la seule campagne de manipulation gouvernementale. Efficace, ladite campagne et ses mensonges avérés ont escamoté la perspective historique des faits en lien avec la « nouvelle normalité[24] » post-11 Septembre. Pour comprendre cette période, on ne peut se contenter des seules références aux actions gouvernementales répercutées par les médias, de surcroît soumis aux contraintes éditoriales de l'actualité. Au-delà des scandales qui ont émaillé la présidence Bush, la profusion d'initiatives officielles mérite d'être confrontée aux évolutions sociales : consommation, publicité, produits culturels et divertissements deviennent ainsi des objets d'histoire à part entière dont l'analyse apporte un regard neuf sur les mécanismes d'entrée en guerre. Vecteur essentiel du consentement, cette culture influe en outre sur le conflit lui-même, marqué, au terme du second mandat Bush, par plusieurs centaines de milliers de victimes irakiennes, 4 000 soldats américains tués et au moins 40 000 blessés. La légitimation de l'action militaire, ses enjeux et la représentation de l'adversaire rejaillissent, on le verra, sur les attitudes du contingent. La « course à la guerre » apparaît bien comme la matrice d'un conflit où combattent des individus qui, avant de s'affirmer comme les volontaires et réservistes d'une armée de métier, sont d'abord issus d'un peuple perméable à la rhétorique officielle et au contexte belliciste.

Quel rapport les Américains entretiennent-ils avec la guerre ? Comment se matérialise, au XXIe siècle, la culture de guerre propre à ce pays ? Quels sont ses points communs et ses différences avec les cultures guerrières forgées par les grands belligérants du siècle dernier ? Quels bouleversements politiques et sociétaux le 11 Septembre lui a-t-il imprimés et quels seront ses effets sur le long terme ?

Loin des discours formatés et officiels sur « l'avant et l'après-attentats » selon lesquels « rien ne sera plus comme avant », une prise en compte des mécanismes propres à l'histoire américaine fait apparaître de multiples passerelles entre l'Amérique post-11 Septembre et un passé parfois lointain. Après le temps journalistique, fait de révélations, doit donc venir celui de l'histoire, éclairant l'aube guerrière d'un nouveau siècle.

I

NOUVELLE UNION SACRÉE
NOUVELLES GUERRES

1

Une osmose politico-médiatique

Le mythe du sanctuaire américain

« Il y a un avant et un après-11 Septembre »... L'expression nous est familière. Et pour cause, son usage fait presque office de figure imposée dans les discours, débats, articles, reportages ou livres qui traitent du célèbre « Mardi noir ». De phrase choc, ces quelques mots se sont mués en un dogme dont usent et abusent avec une même délectation politiques et journalistes. Personne ne doute alors que l'événement sera lourd de conséquences, mais, hormis l'évidence manifeste d'un régime taliban suspecté et sursitaire, le flou reste alors entier quant à la nature et l'amplitude des réactions washingtoniennes. Or, d'après un refrain maintes fois entendu, ces spectaculaires actes terroristes marquent l'entrée dans une « nouvelle ère » et constituent une sorte de point zéro au-delà duquel « rien ne sera jamais plus comme avant ». Sortie de son contexte initial, cette formule fourre-tout, aussi incontournable que les précédentes, a de quoi surprendre : elle refait surface avec une régularité métronomique lorsqu'il s'agit, pour le pouvoir politique, de légitimer ses actions controversées de l'après-11 Septembre, des restrictions liberticides du *Patriot Act* à l'arbitraire de Guantanamo, sans oublier, bien sûr, la décision unilatérale de renverser le régime de Saddam Hussein.

Exercice périlleux s'il en est, le découpage de l'histoire en périodes se fait rarement à chaud. Face aux images des tours en flammes et du Pentagone éventré, peu résistent à la tentation. Sans le moindre recul, alors que le choc des attentats accapare les esprits, le

11 Septembre est promptement consacré « tournant historique du nouveau millénaire ». Parmi les éléments à l'origine de cette affirmation, l'idée selon laquelle les Américains ont désormais conscience de leur vulnérabilité occupe une place centrale. Une évolution radicale de leur perception du monde serait donc inéluctable. En tant que superpuissance porteuse d'une tradition interventionniste, ce changement de statut promet de peser sur le cours des événements ; à première vue, l'analyse est séduisante. A première vue seulement.

Le 26 février 1993, après l'explosion d'une bombe dans les soussols du même World Trade Center, des prédictions sur d'hypothétiques bouleversements postattentats fleurissaient déjà dans les médias[1] et chez quelques hommes politiques d'envergure. A cette époque, James Florio, gouverneur du New Jersey, y voyait le point de départ de l'« écriture d'un nouveau chapitre du mode de vie américain que le passé avait préservé [de ce type de méfaits][2] ». Abondant dans le même sens, Mario Cuomo, son homologue de l'Etat de New York, ajoutait : « Aucun pays ni aucune force étrangère ne nous ont jamais fait cela. Jusqu'à présent, nous étions invulnérables[3]. » Sentencieuse à souhait, cette dernière phrase ne semblait avoir d'autre ambition que de donner corps au séisme psychologique produit par l'événement. Son postulat de départ, la brutale découverte de la « vulnérabilité » du pays, est néanmoins erroné : il escamote des pans entiers de l'histoire américaine, vieux de deux siècles. Sans remonter jusqu'à la guerre anglo-américaine de 1812 et la destruction des bâtiments publics de Washington par les troupes britanniques, évoquons simplement la journée du 5 mars 1945 et la bombe volante nippone qui, près de Bly dans l'Oregon[4], tua 6 personnes (c'est-à-dire autant que le premier attentat newyorkais du 26 février 1993) : dans le but de faire naître un climat de panique chez son ennemi, l'armée japonaise tenta, à la fin de la guerre, d'utiliser des ballons chargés d'explosifs capables d'atteindre les Etats-Unis grâce à l'ingénieuse utilisation des trajectoires suivies par de très puissants vents stratosphériques, les « courants jets ». Sur les 9 000 ballons « tirés », 300 atteignirent leur cible, provoquant quelques incendies de forêts. Un seul fit des victimes.

Si d'un point de vue militaire l'événement fut bénin, sa portée symbolique fut énorme : dès la fin de la Seconde Guerre mondiale, et non cinquante ans plus tard, le territoire « métropolitain » des Etats-Unis avait perdu sa position de sanctuaire. En outre, l'absence d'attaque majeure des puissances de l'Axe découlait plus d'insuffisances matérielles que de la capacité américaine à les entraver : l'absence de bombardiers stratégiques des flottes militaires japonaise, allemande et italienne suffit à expliquer cette immunité. Devenus la première puissance mondiale, les Etats-Unis allaient devoir le maintien de cette situation à l'« équilibre de la terreur » instauré par la menace d'une apocalypse nucléaire. Pendant le renouveau de guerre froide qui marqua le début des années 1980, le projet d'Initiative de défense stratégique, plus connu sous le nom de « Guerre des étoiles », était censé mettre à l'abri le territoire américain des missiles soviétiques grâce à la création d'un réseau de défense satellitaire. Surtout, ce programme tentait d'emporter l'adhésion d'un peuple attaché à préserver la supposée inviolabilité des Etats-Unis. Sa résurrection, on l'oublie souvent, fut initiée en 1998 sous l'ère Clinton, avec la création d'une commission présidée par Donald Rumsfeld et comptant parmi ses membres Paul Wolfowitz[5]. Le « Bouclier national antimissile » *(« National Missile Defense »)* eut pour effet, de façon assez paradoxale, de revigorer ce sentiment d'inviolabilité avant que celui-ci ne vole en éclats le 11 Septembre. Ce qui, tout aussi paradoxalement, permit au projet, impuissant contre des attaques du type 11 Septembre, d'entrer dans sa phase de développement sans véritable opposition. Or, de Reagan à Clinton, la nation américaine a porté le feu en différentes parties du monde sans que son peuple ait à en souffrir chez lui. En résulte un contrat tacite entre les acteurs de la politique étrangère nationale et la population, jusqu'alors épargnée et toujours encline à cautionner les choix de ses responsables.

Pris sous cet angle, l'événement du 11 Septembre fait figure d'aléa géostratégique lié aux actions passées. Cette coupure artificielle et rhétorique rejette dans l'oubli l'enchaînement de faits, pourtant cohérent, qui en explique les origines : appui à des dictatures moyen-orientales, installation, au terme de manœuvres subtiles, de l'armée américaine en Terre sainte, et déclenchement d'une guerre larvée contre l'ex-allié fondamentaliste, soutenu pendant les années 1980 dans sa lutte contre l'ennemi soviétique. Les Talibans représentaient alors un obstacle au contrôle de la future route du gaz turkmène que devait ouvrir un pipeline contournant la Russie *via* l'Afghanistan. Ce gazoduc faisait partie d'un projet monté par la firme Unocal Corporation[6], dont l'un des membres du conseil d'administration, Hamid Karzaï, allait être imposé à la tête du pays dans la plus pure tradition impérialiste, au sens romain du terme.

Ces rappels soulignent la part de représentations faussées à l'origine des emportements rhétoriques qui nous intéressent. La charge émotionnelle des actes terroristes perpétrés en 1993 et 2001, déjà considérable, s'en est trouvée alourdie. Coup sur coup, un courant de pensée dominant nie des faits historiques, couverts par le fracas d'une explosion puis ensevelis sous les décombres des plus hautes tours de la Grosse Pomme. Des commentaires inexacts instillent dans les esprits des contrevérités criantes qui construisent une mémoire collective orientée, bien aidés en cela par la sécheresse de l'enseignement historique, souvent facultatif, prodigué depuis des décennies aux jeunes Américains[7] : l'impact du terrorisme acquiert une dimension supplémentaire. La faute à une – fausse – « première » qui pousse les médias adeptes du raccourci à en faire un « tournant historique », aussi bien par volonté politique qu'économique, dans le cadre d'une course à l'audience. Par ce biais, les suites de l'événement s'imposent comme une évidence : à situation exceptionnelle, mesures d'exception. A « nouvelle menace », « guerre nouvelle »... et « préventive ».

Revenons à l'attentat de 1993 : le président Clinton s'était contenté de le mentionner brièvement à l'occasion de son allocution radio hebdomadaire du lendemain, consacrée à des questions d'économie. Evoquant une « tragédie », Clinton rendait hommage aux victimes ainsi qu'aux personnels de secours, puis annonçait une enquête fédérale avant de se concentrer sur son programme économique[8]. Derrière la relative minoration de l'événement – simplement évoqué dans le discours sur l'état de l'Union de 1994 à travers des « fanatiques qui tentent de paralyser les grandes villes par la terreur[9] » –, les propos tenus par Clinton ne laissaient entrevoir à aucun moment le clash géopolitique annoncé de toutes parts.

Le président Bush et son administration abordent le problème d'une tout autre façon. Les deux attentats n'ont certes pas le même impact. D'une ampleur destructrice sans commune mesure avec la déflagration de 1993, le 11 Septembre a fait l'objet, de la part de l'ensemble de la classe politique et des médias, d'une lecture centrée sur ses répercutions probables, comme si les « attentes » déçues huit ans auparavant devaient cette fois se matérialiser de manière certaine. Les deux attentats de New York se différencient, avec huit années d'écart, par une gradation dans l'indicible : l'attentat du

26 février 1993 tue 6 personnes, cause un millier de blessés et 500 millions de dollars de dégâts. Celui du 11 septembre 2001 cause 400 fois plus de morts, rase deux symboles du pays et en éventre un troisième, le tout sous le regard ébahi des citoyens américains et du monde entier. A première vue, seule la ligne d'horizon de Manhattan n'est plus « comme avant ». Deux guerres en dix-huit mois, leur cortège de bouleversements politiques et sociétaux venus se greffer sur un climat de psychose donne des gages aux spéculations relatives à l'« événement fondateur[10] » ; un « nouvel âge » marqué par l'apparente inflexion du niveau d'engagement extérieur des Etats-Unis que George W. Bush avait promis, lors de sa campagne présidentielle, de diminuer, renouant ainsi avec les théories isolationnistes du Parti républicain[11]. Moins d'un an plus tard, les mêmes analystes brandissent l'exemple de l'Irak passé au crible de la doctrine de guerre préventive, elle-même recyclée à l'aune de l'omniprésente « menace terroriste ». Fondamentale dans « la plus importante politique étrangère des cent dernières années[12] », l'intransigeance affichée par l'administration Bush à l'égard de l'Etat paria qu'est l'Irak serait la conséquence directe du 11 Septembre. Selon un argumentaire vite mis à mal par le caractère sélectif de l'inflexibilité américaine – la Corée du Nord est un contre-exemple parfait –, le maintien de Saddam aurait constitué « une menace pour les Etats-Unis et le monde[13] ». L'horreur vue à New York et Washington implique alors de ne plus tolérer ce type de péril, en raison des moyens militaires qu'une dictature mise au ban des nations pourrait, explique-t-on, fournir à des organisations préparant d'autres attentats.

Le dictateur irakien n'est pourtant pas le premier chef d'Etat, despotique ou non, à être renversé par les Etats-Unis. De même, l'Irak n'est pas le premier pays à subir l'invasion unilatérale de la puissance militaire américaine. Du côté des Mésopotamiens, placés une nouvelle fois sous le feu de sa puissante armée, l'évolution géopolitique ne renvoie-t-elle pas davantage au passé, celui du colonialisme jusqu'à la guerre du Golfe, qu'elle ne les projette dans un contexte inédit ? Pour les Irakiens, ne peut-on pas plutôt dire que les choses sont exactement « comme avant » ?

La présentation du 11 Septembre comme moment fondateur d'une nouvelle politique s'effondre d'elle-même tant sa subjectivité américanocentrée la cantonne aux médias et à la propagande. L'appréciation de la singularité géostratégique du 11 Septembre relève d'abord et surtout, si l'on observe les sondages de l'époque, d'un état d'esprit transitoire façonné par l'émotion[14]. La « rupture » du 11 Septembre est d'abord psychologique. Vécus et suivis par tout un peuple prompt à s'identifier aux victimes, les attentats frappent les cœurs et les consciences. Ils font l'objet d'un traitement médiatique particulier, en direct, dont on retrouvera des traces des mois durant : le rassemblement autour de la personne du Président, l'union sacrée et le soutien massif qui lui fut accordé se sont forgés à la télévision. Le caractère formatant du média prend toute sa mesure dans la foulée des attentats.

L'événement, un choc mis en scène

Après qu'un avion a percuté la tour nord, nombre d'équipes de télévision se sont rapidement rendues sur place, assurant aux suites de l'événement une couverture instantanée. Loin d'être un détail, la présence de caméras en décuple le retentissement psychologique. Grande première, le crash, en l'occurrence du Boeing d'United Airlines sur la tour sud, suivi de l'effondrement du World Trade Center, ont pu être vus et vécus par un nombre croissant d'Américains stupéfaits, figés chez eux des heures durant, sur leur lieu de travail, en pleine rue ou dans une enseigne de matériel hi-fi. Drainé au cours d'une retransmission ininterrompue de quatre-vingt-treize heures par la quasi-totalité des chaînes, l'audimat atteint des pics inédits : frappée de plein fouet par un effet de surprise mâtiné d'effroi, une part importante de la population sera durablement marquée par les images des *Twin Towers* percutées puis s'effondrant, diffusées jusqu'à trente fois l'heure[15]. « Le 11 Septembre a été un choc, témoigne l'écrivain new-yorkaise Arlette Kahn. Je n'ai pas quitté ma télé et j'ai pleuré pendant trois jours[16]. »

La destruction de symboles nationaux – le World Trade Center, pour la puissance économique du pays, et le Pentagone, image de sa force militaire – couplée à la vision apocalyptique de milliers de morts violentes – individus sautant des tours et ceux tués sur le coup, prisonniers des flammes ou broyés sous les décombres –, plus généralement la confusion totale née de ces scènes et le sentiment de vulnérabilité provoquent des effets psychologiques que les spécialistes qualifient de stress post-traumatique. Dans les cinq jours qui suivent la tragédie, plus de 90 % des Américains se plaignent de symptômes habituellement observés chez les soldats ou civils confrontés à des violences guerrières… ou à des attentats[17] : bouffées d'angoisse, crises de peur, troubles du sommeil, état dépressif et cauchemars récurrents qui ne vont pas sans altérer la capacité d'analyse des sujets. Présente sous une forme et un fonds dévolus à la fiction, la mort est également perçue de manière sous-jacente et non explicite : recevant de plein fouet l'instantanéité d'un drame spectaculaire, le spectateur doit réaliser un effort d'interprétation et d'imagination pour comprendre ce que ces images impliquent en termes de tragédie humaine : le lien entre l'état psychologique de la population et le spectacle médiatique subi ce jour-là est évident, bien plus que la seule nouvelle des attentats[18]. Il paraît néanmoins difficile de concevoir que de tels événements n'aient pu se dérouler, au cœur de Manhattan comme à Washington, hors de toute couverture journalistique. L'impact de ces quelques heures est-il la seule résultante d'un compte rendu ? D'autres éléments, comme l'angle de leur présentation, le ton des commentaires et une succession d'informations, ont-ils pesé dans le processus ?

Les trois journées de direct donnent à voir un glissement rapide de l'information, au sens journalistique du terme, vers un cocktail d'*entertainment* et de propagande. Ce travers, généralisé dans les années 1980-1990, change de dimension après le 11 Septembre.

Dans un premier temps, la rigueur, la prudence et une certaine retenue priment chez les professionnels de l'information. Les plans des *Twin Towers* restent lointains et les commentaires sans fioriture. Au fil des heures, forme et fonds mutent : avec la diffusion généralisée, en cours de matinée, de nouvelles images tournées au pied des tours, l'apparition d'individus affolés en gros plan, de corps désarticulés plongeant dans le vide, la rumeur, les cris de panique, les plans de Manhattan couvert d'une poussière blanchâtre, les sirènes et les visages des premières victimes recensées achèvent de rendre l'horreur concrète. A partir du 12 septembre, la retransmission de messages téléphoniques laissés par quelques passagers, accompagnés de leurs photographies, et les questions concernant leurs proches accélèrent l'évolution de la couverture médiatique vers un registre compassionnel, commun aux talk-shows. Histoires de victimes, anecdotes et témoignages des familles se hissent au deuxième rang des thèmes développés à l'antenne, soulignant le « choc » et la supposée « colère » ressentis par un peuple américain qu'aucune enquête d'opinion, même partielle, n'est encore venu sonder[19] : des présentateurs n'hésitent pas à laisser parler leur cœur, à devancer les attentes réelles ou supposées du public. Cette suppression physique de la distance avec *Ground Zero* entraîne la perte du recul nécessaire à la présentation journalistique des événements. En raison d'une absence de questionnement, télévisions, presse et radios entrent dans une logique circonscrite au mouvement de solidarité qui esquisse l'union sacrée à venir (le peuple rassemblé autour des institutions et de ses politiciens), et que les médias contribuent à créer puis à entretenir ; les renseignements issus d'entités officielles sont absous du traitement analytique qui s'impose. Le citoyen spectateur, déjà sous le choc, est privé des éléments d'information indispensables à une opinion impartiale. Plus grave, une déferlante de contre-vérités et d'omissions impose une grille de lecture et un cadre de référence.

Dès 9 h 17, soit moins de trente minutes après le premier crash, le nom d'Oussama Ben Laden revient sur l'ensemble des chaînes et accède de manière fulgurante à la célébrité[20]. L'Amérique a un nouvel ennemi, personnifié et prêt à tout. Ce point de l'événement, couplé au sort des victimes, monopolise l'attention au détriment d'une évidence dont le potentiel analytique paraît considérable pour des citoyens avisés : aussi ignobles que soient ces attentats, ils n'en renvoient pas moins aux destructions et aux victimes civiles provoquées par l'armée américaine en diverses régions du globe. Dès lors, le moment semble idéal à une vaste réflexion sur l'engrenage du fanatisme ou la politique nationale au Moyen-Orient. Or, si l'occultation de ce genre de vérité passe pour logique dans la bouche des représentants du pouvoir, il n'en va pas de même chez ceux dont le métier consiste à replacer les faits en perspective. Et pourtant, instaurée par une série de sujets télévisés montrant Ben Laden, mitraillette à la main, pendant une visite de camp d'entraînement, cette focalisation sur une personnalité si conforme à l'ennemi idéal – Ben Laden, islamiste radical en exil, milliardaire dont la fortune finance les plus noirs desseins – jette dans l'ombre son passé commun avec la CIA (seule la chaîne PBS rediffuse le 12 septembre un documentaire fort instructif, bien accueilli par de rares journaux[21]) et donne lieu à la construction d'un adversaire fantasmé : son organisation, Al-Qaida, est décrite comme tentaculaire, structurée, construisant le cliché d'une sorte d'armée occulte bien éloigné de la réalité. Enclenché le 11, ce processus connaîtra, jusqu'à l'affaire irakienne, une suite d'épisodes significatifs, à l'image des grottes de Tora Bora, anfractuosités sommairement aménagées mais transformées, dans les grands médias américains prompts à crédibiliser des « fuites » gouvernementales, en un réseau de « forteresses bunkerisées » et labyrinthiques tout confort, réputées inexpugnables car de « conception soviétique » – images de synthèse en trois dimensions à l'appui[22]. Cette représentation crée un ennemi fidèle aux poncifs de l'imaginaire de guerre américain et s'approche de la légende d'une forteresse alpine hitlérienne tant redoutée en 1945[23] : « Leurs armements seront frabriqués dans des usines à l'abri des bombes, la nourriture et l'équipement seront stockés dans de vastes grottes souterraines et un corps de jeunes soldats spécialement sélectionnés sera entraîné à la guérilla[24] », pensait-on à l'époque côté américain. Guère éloignée non plus de certains standards cinématographiques, la « forteresse » de Tora Bora prend le pas sur le réel, légitime par avance la stratégie gouvernementale, et éclipse de vrais problèmes. Les fondamentaux d'une information de guerre reviennent à l'honneur.

La mise en accusation rapide de Ben Laden pose d'emblée une question de poids et de bon sens : comment désigner si vite une culpabilité qui n'aurait pas été préalablement démontrée par de sérieux indices, en l'occurrence les dizaines d'alertes reçues dans les mois, semaines, jours et même heures qui ont précédé les attentats ? Jusqu'à la fin 2002 et la création d'une commission, celles-ci ne feront l'objet d'aucune enquête officielle, ni dans le camp démocrate, ni dans la sphère journalistique, en dépit d'exceptions notables. Quelques professionnels de l'information ont en effet pointé, à chaud, « un véritable échec de la lutte antiterroriste », quand la majorité d'entre eux s'arrêtent plus volontiers à une sécurité aéroportuaire défaillante. La contradiction gouvernementale tombe moins d'un quart d'heure plus tard : aux alentours de 9 h 20, John McWethy, un journaliste d'ABC proche du pouvoir, certifie à l'antenne, sources « officielles » à l'appui, qu'« il n'y avait aucun signal, aucun renseignement » permettant d'anticiper l'attaque. Peu crédible, l'affirmation ricoche sur d'autres canaux et se mue en « vérité ». Ce propos mensonger est étayé de multiples témoignages, à l'instar de Colin Powell, le secrétaire d'Etat, ou Robert Mueller, le directeur du FBI, qui tiennent le 12 et le 17 un discours identique[25]. Dûment révélée, l'évidente incurie gouvernementale aurait frappé l'ensemble de la haute administration d'une image d'incompétence fatale à son action future. A court terme, l'union sacrée ne se serait pas cimentée face à Ben Laden et aux Talibans, mais bien contre l'occupant de la Maison-Blanche. Or, c'est précisément le contraire qui se produit. L'absence prolongée du Président, ballotté de base en base, atteste d'un effet de surprise généralisé aux plus hautes instances en même temps qu'elle donnera à son retour une dimension nouvelle.

En quelques heures se construisent des normes télévisuelles qui resteront en vigueur plus de deux ans, atteignant leur paroxysme avec l'opération « *Iraqi Freedom* » lancée le 19 mars 2003. Par leur absence initiale de réflexion, les médias dominants prennent le pli de l'union sacrée : loin de refléter l'opinion, ils contribuent à la fabriquer.

La nature cinématographique de l'événement, dans son déroulement comme dans sa transcription médiatique, va marquer les consciences. Signé Al-Qaida, produit à l'américaine, ce scénario catastrophe s'inscrit dans la tradition du cinéma hollywoodien à grand spectacle, fasciné depuis ses débuts par la vulnérabilité fantasmée de ses métropoles. Le public aime assister à la mise en péril voire à l'anéantissement de ses flamboyants gratte-ciel dans *San Francisco* (1936), *La Tour infernale* (1974), *Meteor* (1979), la série des *Die Hard* (1988-2007), *Deep Impact, Armageddon, Godzilla* (1998), *Couvre-feu* (1999) ou la soixantaine de longs métrages du même genre. Avec le 11 Septembre, l'horreur cinématographique devient une réalité visible, elle aussi, par écran interposé et en direct. Pour une personne non avertie, ces séquences tiennent plus de la fiction à gros budget que de l'événement tangible. L'imaginaire et le réel s'entrechoquent, se dédoublent, se confondent et se questionnent, pour donner naissance au « *reality show* » de tous les superlatifs.

Du brouillage des repères émerge une perception exacerbée du crime : le premier crash lance un récit ouvert, sur lequel se greffent rendu médiatique et réponses gouvernementales. Les épisodes s'enchaînent au rythme d'une progression dramatico-narrative (l'impact sur la tour nord, la tour sud, le Pentagone et la destruction d'un quatrième avion en Pennsylvanie, le spectacle des bâtiments en feu, leur effondrement), et s'accompagnent d'obsédantes questions auxquelles les médias répondent sur la foi d'informations officieuses et officielles que délivrent au compte-gouttes différents organes du pouvoir. S'agit-il d'un accident ? Le doute subsiste jusqu'au second crash. Combien d'avions ont été détournés ? On l'ignore pendant plus de trois heures. Combien de morts ? Peut-être 30 000, d'après le nombre de linceuls commandés par la mairie de New York. Qui sont les pirates de l'air ? Des militants du Front démocratique de libération de la Palestine, puis d'Al-Qaida. Qui est ce mystérieux Ben Laden ? Un milliardaire saoudien déjà responsable de centaines de morts américains. D'autres immeubles vont-ils s'effondrer ? Sans doute. D'autres attentats sont-ils possibles ? L'impossible s'étant produit, tout porte à le croire. Dans l'immédiat, l'espace aérien américain est fermé, comme nombre d'universités et de commerces, les plus hauts gratte-ciel évacués, les lignes téléphoniques perturbées ou coupées à New York, les événements sportifs et autres cérémonies annulés, le pays au bord de la paralysie. Les informations alarmantes mais démenties, notamment sur l'explosion de bombes à proximité du Département d'Etat et dans d'autres hauts lieux de la capitale fédérale, achèvent de donner au drame une atmosphère de chaos.

Images et questions se parent, à l'écran, d'un enrobage télévisuel qui assure au scénario de Ben Laden une production, une mise en scène et une promotion à la hauteur de ses multiples audaces. Rayonnant alors sur plus de 80 millions de foyers, Fox News Channel, chaîne d'information en continu, se situe à l'avant-garde de l'adaptation aux événements. Sa charte graphique, déjà vive, frappe dès l'après-midi du 11 par une allure criarde : jingles animés, sonores et accrocheurs d'une « Amérique attaquée », codes couleurs agressifs à dominante de dégradés rouge et noir, montage serré, incrustation d'un décor reprenant le dôme du Congrès entouré d'un ciel rougeoyant, typographies choc sur fond de musiques dignes des *blockbusters* hollywoodiens – et composées par les spécialistes du genre[26] – à base de cuivres tonitruants et de stridences électriques soulignés par des tempos tantôt lents, tantôt frénétiques qui dramatisent, au sens télévisuel du terme, le versant spectaculaire d'images mises en scène. Par intermittence, l'écran est séparé pour retransmettre en simultané des vues de *Ground Zero* et du Pentagone, les foules fuyant Manhattan, les agents du Secret Service sur le toit de la Maison-Blanche et autres scènes extraordinaires, avec pour effet de démultiplier le choc jusqu'à saturation. Fox News inaugure dès 10 h 49 un bandeau appelé « *news ticker* », sur lequel défilent en continu les gros titres du moment, jaunes sur fond noir, soit les couleurs des cordons que déroule la police pour clôturer une scène de crime.

Le style et le ton de la chaîne de Rupert Murdoch, en tête des audiences, sont copiés par la concurrence. Affichés sur toute la longueur de l'écran, les titres de Fox, CNN ou MSNBC fleurent l'univers cinématographique (« *Day of Terror* » puis « *Attack on*

America » sur Fox les 11-12 septembre, « *America Unites* » le lendemain, « *America at War* » à partir du 15), chaque fois ornés de bannières étoilées en mouvement et sporadiquement floutées par des
volutes de fumée. Au soir du 11, toujours sur Fox News, des inter-
mèdes présentent, au son d'une musique de film d'action, les images
choc des attentats en alternance avec des silhouettes ombrées traver-
sant l'écran au pas de course : les spectateurs du 11 Septembre se
trouvent plongés dans un monde jusqu'alors issu de ressorts fiction-
nels, renforcé voire entériné par le traitement inapproprié que lui
appliquent les grandes chaînes. Les événements de la matinée ne
manquant pas de sensationnalisme, ces artifices destinés à en accroître le retentissement semblent incongrus. Leur représentation
médiatique, corrélée à l'alliance objective entre société du spectacle
et monde de l'information, appelle instinctivement une riposte militaire conforme à certaines normes du Septième Art. Dans l'inconscient collectif, la réaction américaine peut obéir aux règles d'un
scénario plus que jamais hollywoodien, comme en attestent les dernières minutes du *Pearl Harbor* de Michael Bay, sorti trois mois
auparavant : en riposte au raid nippon, une héroïque escouade bom-
barde le Japon et donne le signal de la revanche. Le décalque des
conventions fictionnelles trouvera, nous le verrons, un écho dans la
parole présidentielle. D'autant que le 11 Septembre ne tarde pas à
être rapproché de Pearl Harbor.

Le mélange des genres bat son plein, tant ces séquences reprennent les ficelles d'une bande-annonce dont chacun voudrait voir le
film. Pour les hiérarques de l'administration Bush, à commencer par
ceux issus du fameux Project for a New American Century, le scénario en est déjà écrit[27] : les Etats-Unis entreront en guerre contre
l'Irak au terme d'une veillée d'armes longue de dix-neuf mois. Les
gros titres des journaux télévisés apparus peu après le drame, tel
« L'Amérique s'unit », sont donc moins une information qu'un mot
d'ordre.

La précocité des appels à la guerre

L'information et le pouvoir politique sont alors en parfaite
osmose. Osmose de fait, d'abord, puisque les sources gouvernementales constituent la matière première de sa parole ; osmose patriotique ensuite, commune ici à une large fraction de la population,

renforcée par la localisation de la capitale des médias américains implantée au cœur de Manhattan ; osmose pragmatique enfin, notamment pour la presse quotidienne : une conjoncture difficile l'a amputée de 10 millions de lecteurs en vingt ans[28] et il devient vital de suivre le courant, ici patriotique et nationaliste.

Passé l'effroi, un doute surnage quant à la réaction du gouvernement. Mais, avant même que le Président ait pris solennellement la parole, celle de son administration circule, voilée derrière le paravent des sources journalistiques – ici « un officiel », là « un membre du gouvernement » anonyme – ou assenée directement par diverses personnalités politiques en retraite, comme James Baker, secrétaire à la Défense de Bush senior, Vincent Cannistraro, ex-responsable de la CIA, ou Lawrence Eagleburger, ancien sous-secrétaire républicain, tous restés proches des rouages du pouvoir, auréolés d'une supposée expertise, et en tournée des plateaux télévisés. Un thème domine, celui de nécessaires représailles.

Côté coulisses gouvernementales, la question d'une entrée en guerre ne se pose déjà plus[29]. Inutile, donc, de revenir sur les objectifs militaires définis au cours des années 1990 par différentes figures républicaines et néoconservatrices parvenues, avec l'élection de George W. Bush, aux responsabilités. Rappelons seulement que le 11 Septembre revêt, dans cette optique, un intérêt capital. « Nous sommes en guerre[30] », glisse, aux alentours de 9 h 30, George W. Bush à son équipe, imité, un quart d'heure plus tard, par son vice-Président Richard Cheney, Donald Rumsfeld et consorts[31]. Par effet d'engrenage, un relais informel s'instaure entre l'exécutif et les médias. Des journalistes dépêchés dans différents cercles du pouvoir – treize d'entre eux sont à bord d'*Air Force One* – recueillent des propos officieux, relayés, répétés et commentés par des consultants. A 9 h 30, Tom Brokaw, présentateur vedette de NBC, inaugure deux formules à succès : « La face des Etats-Unis a changé, assène-t-il en commentant le second attentat. Les terroristes ont déclaré la guerre aux Etats-Unis[32]. » Candidat malheureux aux dernières primaires républicaines, le sénateur McCain est le premier personnage politique d'envergure nationale à considérer publiquement les attentats comme un « acte de guerre[33] ». En conséquence, la réponse idoine se situe sur le terrain militaire, grâce à la mobilisation de la formidable puissance américaine que différentes figures de la télévision, de la radio et de la presse réclament bruyamment, de concert avec les personnalités nommées plus haut.

La litanie d'appels virulents à une entrée en guerre semble uniforme. En temps réel, les professions de foi ne sont pas rares. Citons Howard Stern, animateur de radio connu pour ses provocations, qui se rallie sans coup férir au consensus : « Nous sommes en guerre », déclare-t-il, avant d'ajouter, quelques minutes plus tard : « C'est différent du Vietnam. Là, je pourrais m'engager dans la seconde[34]. » Dans une édition spéciale du *Time* parue le 12, le journaliste Lance Morrow signe un article titré « Un cas de rage et de châtiment[35] », dont le contenu exhorte ses concitoyens à retrouver les « vertus oubliées de la haine » et « l'Amérique à découvrir les nombreuses possibilités d'une *fatwa* réciproque [par] une politique de brutalité ciblée ». Sur la très républicaine Fox News, Bill O'Reilly estime que « les Etats-Unis doivent réduire en cendres les infrastructures de l'Afghanistan[36] », sans omettre de « pilonner l'Irak et la Libye ». Andrew Rosenthal, ancien pilier du *New York Times*, se déclare, lui, favorable à des bombardements massifs sur les Etats évoqués plus haut, mais étend la liste des cibles à l'Iran, la Syrie et le Soudan[37]. Steve Dunleavy, du *New York Post*, en appelle « au meurtre de bâtards », tandis que son collègue Rich Lowry juge l'« anéantissement d'une partie de Damas ou Téhéran [...] comme une partie de la solution[38] ». Enfin, Dan Rather explique aux téléspectateurs d'*Entertainment Tonight* : « Si [le Président] a besoin de moi en uniforme, qu'il me dise où et quand. » Une telle volonté d'engagement, manifestée par une star des médias alors âgée de 60 ans, indique le cap à suivre aux Américains et aux équipes placées sous sa direction. Recenser l'ensemble de saillies va-t-en-guerre relève de la gageure, tant leur nombre et leurs formats les inscrivent dans une campagne à laquelle les hausses d'audiences télévisuelles et le triplement du lectorat enregistré par la presse papier[39] garantissent une diffusion accrue.

L'effervescence belliciste se veut d'abord radicale : dirigées vers un monde musulman dont la désignation ouvre la porte à tous les amalgames, les représailles américaines, telles que les conçoivent ces commentateurs, entraîneront des victimes civiles et diverses destructions – proscrites par les conventions de Genève – dont le bilan pèsera, d'après eux, bien peu au regard des morts enregistrés le 11 septembre. Ces médias ne délivrent plus l'information, ils matraquent un message.

Cette mélopée proguerre des milieux journalistiques s'inscrit dans une longue tradition. En 1846, la guerre contre le Mexique, née de provocations répétées des Etats-Unis, déclenchait une salve de commentaires identiques : « Le Mexique doit être sévèrement châtié. Que nos armes soient portées de manière à apprendre au monde entier que [...] l'Amérique sait comment frapper[40] », s'exclamait le poète et écrivain Walt Whitman. Un tel phénomène n'a donc rien de nouveau. Pourtant, son succédané post-11 Septembre s'en différencie sur un point crucial : l'éventail des nouvelles technologies de l'information permet de relayer son message par d'innombrables canaux et lui offre un impact surpuissant. Marqueurs d'une époque, les unes de la presse écrite déclinant le mot « guerre » se comptent par dizaines, lorsque celui-ci n'est pas remplacé par l'un ou l'autre de ses synonymes : « Guerre en Amérique[41] », « Guerre sur le sol national[42] », « C'est la guerre », « La première guerre du XXIe siècle », « Nous sommes en guerre[43] », « Actes de guerre[44] », « Les Etats-Unis se préparent à la guerre[45] ». Toujours au chapitre de la presse quotidienne, notons également les très nombreuses occurrences du terme « terreur », à laquelle George W. Bush déclare la guerre.

Six mois durant, l'actualité est dominée par le 11 Septembre : plus de 60 % des dépêches d'agences s'y réfèrent[46] et entraînent un effet de loupe sur les événements auxquels sont reliés, par capillarité, d'autres faits sans rapport direct, du Moyen-Orient à l'affaire des enveloppes à l'anthrax jusqu'à la fameuse question irakienne. Loin de diminuer, les résonances des attentats se font plus profondes.

Parfaitement synchrones, les interventions présidentielles donnent le ton.

2

George W. Bush, « *Born Again President* », ou l'état de grâce par l'état de guerre

L'homme circonstanciel

« Comme beaucoup d'autres après le 11 Septembre, j'ai profondément ressenti l'unité du pays. [...] J'ai soutenu la décision d'intervenir en Afghanistan », déclare le chanteur Bruce Springsteen[1]. A elle seule, cette confession d'une figure historiquement associée à la gauche contestataire synthétise l'élan d'union sacrée du peuple américain, mais aussi son adhésion aux projets militaires du gouvernement. Jusqu'au 10 septembre, nombre d'observateurs croyaient pourtant George Bush junior condamné à suivre le destin présidentiel de son père : quatre ans d'un mandat non renouvelé.

Après son accession mouvementée à la Maison-Blanche et une période de huit mois dénuée du traditionnel état de grâce, George W. Bush divise la population américaine plus qu'aucun de ses prédécesseurs[2] : s'il parvient à satisfaire 88 % de l'électorat républicain, le chef d'Etat ne rallie, en juin 2001, que 31 % des démocrates[3]. L'imbroglio de l'élection de 2000 et les choix budgétaires de l'administration ont accentué la polarisation, tandis que la personnalité et les bourdes du Président inspirent critiques, plaisanteries, sarcasmes et émissions satiriques. En mars 2001, seuls 25 % des démocrates jugent légitime son accession à la Maison-Blanche et 78 % d'entre eux doutent de ses capacités à gérer une crise internationale[4]. Jamais président n'avait à ce point cristallisé de sentiments aussi contradictoires. Rarement le corps social américain avait été scindé de la sorte.

Le 11 Septembre inverse la tendance de façon spectaculaire : le capital sympathie de George W. Bush bondit d'une quarantaine de points, pulvérisant cette fois les records de popularité de ses plus illustres prédécesseurs. Un choc traumatique – ou thaumaturgique, selon le point de vue – a fait son œuvre : abasourdis, happés par une lame de fond compassionnelle à l'attention de victimes dont on ignore encore le nombre, sensibles à l'élan patriotique national et à ses admirables témoignages de solidarité, des millions de pacifistes patentés tel Springsteen, d'autres démocrates pure souche ou d'historiques militants de gauche se rangent derrière une administration dont ils n'avaient cessé de dénoncer la prise de pouvoir. Avec 90 % d'opinions favorables, George W. Bush acquiert le statut d'« homme providentiel » qu'accordent les populations commotionnées par un coup frappant le pays tout entier : dans une telle situation, la communauté nationale s'abandonne à celui qu'elle estime capable de la protéger ; les Français traumatisés par l'incroyable débâcle de 1940 se sont jetés dans les bras du maréchal Pétain, le vainqueur de Verdun ; vingt-huit ans plus tard, sous la menace d'un effondrement de l'Etat, ils accordaient une même confiance au général de Gaulle, lui aussi symbole de salut pour la nation. Aux Etats-Unis, stabilité constitutionnelle oblige, l'opinion se rallie à un homme déjà en poste et dénué du glorieux passé qu'ont incarné les exemples cités plus haut. Ses fonctions de « commandant en chef » le prédisposent à répondre aux attentes de ses concitoyens en quête de perspectives rassurantes et prêts à cautionner une personnalisation effective du pouvoir, centrale dans la culture politique américaine. En vertu d'un arrêt de la Cour suprême défavorable au démocrate Al Gore, ce rôle fut attribué à George W. Bush le 12 décembre 2000.

Cette popularité est aussi médiatique. Nombreuses sont les personnalités influentes qui proclament leur attachement au chef de l'Etat, à l'image du célèbre Dan Rather, présentateur sur CBS du troisième journal télévisé le plus regardé du pays : « George Bush est le Président, répète le journaliste à l'occasion du très suivi *David Letterman's Show*. Il prend les décisions. Il n'aura qu'à me demander ce qu'il attend de moi[5] », ajoute-t-il, au garde-à-vous. En fait, George W. Bush apparaît comme un homme « circonstanciel » qui ne mérite l'attribut de « providentiel » qu'à la condition de se placer du côté des promoteurs des guerres futures.

Toute population informée d'une agression étrangère contre un symbole de sa souveraineté peut souscrire, pendant un certain laps de temps, à une politique tournée vers la guerre. En février 1898, l'explosion – en vérité accidentelle – du croiseur *Maine* dans le port de La Havane, le torpillage du paquebot *Lusitania* par un sous-marin allemand le 7 mai 1915 ou l'attaque japonaise contre Pearl Harbor ont tour à tour persuadé la population de faire l'union sacrée et d'abandonner ses penchants isolationnistes pour une attitude résolument guerrière : en 1917, le service militaire put être rétabli sans que les « émeutes de la conscription » vues à New York en 1863 ne se reproduisent. Preuve des vertus embrigadantes de ce type d'incident et de leur prise en compte par les autorités, l'administration Johnson montait, en août 1964, l'attaque Viêt-cong contre le croiseur *Maddox* afin que s'amorce un large mouvement de cohésion nationale en faveur de l'engagement militaire au Vietnam. Avec le « Mardi noir », les faucons américains du Project for a New American Century tenaient le « nouveau Pearl Harbor[6] », ce *casus belli* que leurs têtes pensantes semblaient attendre pour justifier une hausse drastique des dépenses militaires et les projets de guerre. L'événement seul ne devait pourtant pas suffire, de la même façon que l'incident de Gleiwitz – la fausse attaque polonaise du 31 août 1939 contre un émetteur allemand utilisée par le régime nazi pour légitimer l'invasion de la Pologne – n'avait fait que parachever un processus de persuasion bien plus complexe.

Dans les mentalités, les stigmates du 11 Septembre sont sans commune mesure avec les événements précités, déjà très mobilisateurs malgré une visibilité confinée à des témoignages de seconde main et livrés sous la forme très convenue du reportage. Le choc sensoriel des images, leur nombre ainsi que les multiples rebondissements de cette matinée ont donné aux actes terroristes une place unique dans la mémoire collective américaine. Les réactions politiques se sont développées sur une même échelle. « Nous sommes en guerre et, quels que soient nos sentiments à l'égard de Bush, témoigne un citoyen, nous devons respecter et prier pour qu'il ait le courage et la sagesse de nous guider, ainsi que le monde libre, à travers cette épreuve[7]. »

L'exact reflet du peuple ? Perplexité, douleur et colère

Dans un sondage réalisé au soir des attentats, 90 % des personnes interrogées déclarent « approuver le travail de George W. Bush en tant que Président[8] ». Or, faute de temps, l'action plébiscitée se résume à un travail de communication et d'annonce. Foncièrement amnésique, le verdict populaire se fonde donc sur deux éléments : le « pouvoir charismatique » de Bush, pour reprendre le concept de Max Weber, qui émane d'abord des attentes populaires placées en lui, et l'action rhétorique de cette dernière journée. Une heure avant que le Président ne s'exprime, ils n'étaient d'ailleurs que 60 % à l'« approuver[9] », témoignant d'un sursaut notable mais point extraordinaire par rapport au 10 septembre. Au soir du 11, les 90 % de satisfaits créent un écart de 30 points, trop éloigné des traditionnelles marges d'erreur pour ne pas attester de l'effet brut du discours.

Lorsque Bush prend la parole, le 11 et à trois reprises, tous les esprits sont tournés vers lui, tant son absence prolongée de Washington et le flou qui entoure ses déplacements n'ont pas manqué d'ajouter à la confusion. Jusqu'au soir des attentats, le Président ne s'est exprimé qu'au travers de très courtes allocutions, à 9 h 30, en direct, puis dans le cadre d'un seconde intervention, enregistrée à 12 h 30 dans les locaux de la base militaire de Barksdale et diffusée aux alentours de 13 heures, avant le discours solennel de 20 h 30 depuis le bureau Ovale.

Sur la forme, les *spin doctors* de la Maison-Blanche calibrent les premières interventions du chef de l'Etat au format des chaînes d'information. Ses phrases chocs, brèves et définitives, sont promises à de hautes rotations médiatiques. Sur le fond, qu'il s'agisse de Karl Rove ou Dan Bartlett, les rédacteurs des discours présidentiels trouvent les mots qui permettront aux Américains de se retrouver en leur « commandant en chef ». Ajoutons à cette communication millimétrée la personnalité de George W. Bush, dont les sentiments s'expriment à fleur de peau. « Le Président est visiblement sous le choc », constate, sur ABC, le commentateur de sa toute première allocution, donnée à l'école primaire Emma Booker où il était en visite. Outre une résolution apparente, sa mine compassée, quelques larmes rentrées, ses silences, ses hésitations et sa voix chevrotante traduisent un malaise qui le place parmi la masse de ses concitoyens. En ne tentant pas de dissimuler son état, ce Président jusqu'alors contesté et raillé pour ses maladresses témoigne d'une troublante sincérité à laquelle le pays frappé d'effroi ne peut qu'être sensible. Plébiscité pour son rôle, il incarne la détresse de tout un peuple, sans pour autant paraître abattu ou dénué de stratégie. « Il avait l'air très triste mais néanmoins résolu à pourchasser, coûte que coûte, les auteurs de ces actes[10] », résume un Américain anonyme par la voie d'un forum de discussion sur Internet. « Un discours très fort et plein de compassion[11] », souscrit-on plus loin. Personne n'a oublié que la campagne présidentielle de George W. Bush reposait, en 2000, sur sa faculté à personnifier une Amérique travailleuse, traditionnelle, éloignée au possible des élites. Forcé ou non, ce talent mimétique joue le 11 septembre.

Après deux courtes interventions dignes d'un « *teaser* » sans cesse rediffusé, le discours tant attendu arrive telle la conclusion d'une folle journée, à 20 h 30, en direct de la Maison-Blanche enfin réinvestie. Les ingrédients dialectiques des deux années à venir sont là, énumérés face à une audience toute disposée à les assimiler. Pendant sept minutes, le Président tâche d'être en phase avec les Américains. C'est le volet sentimental de son allocution, sans lequel les passages doctrinaux, annonciateurs d'un nouveau programme d'action, perdraient une grande part de leur assise didactique : « Les images d'avions s'écrasant dans les tours, les flammes et l'effondrement d'immenses édifices nous ont laissés dans un état d'incrédulité, de terrible tristesse, mais aussi d'une calme et inébranlable colère[12] », rappelle George W. Bush, attaché à faire revivre le scénario et les émotions de la matinée. Par l'emploi récurrent du pronom personnel « nous », il souligne son appartenance à la communauté d'émotions née des attentats. Ce procédé rhétorique marche également dans l'autre sens : par la magie d'une phrase, les Américains dans leur totalité sont affublés d'une « calme et inébranlable colère » calquée sur celle qu'aurait éprouvée le chef de l'Etat. On notera que la juxtaposition des notions de « tristesse » et de « colère » figure, pendant ces quelques jours, au menu de toutes les interventions présidentielles. Lorsqu'il se déplace sur les lieux des attentats, George W. Bush confie par exemple que « venir ici [l]'emplit de tristesse [...] et accroît [s]a colère[13] ». Devant le Congrès, le 20 septembre, il répète : « Notre douleur s'est muée en colère, et notre colère en détermination[14]. » A la compassion, aux interrogations et à la solidarité se mêlent ainsi des pulsions vengeresses – encouragées par les discours gouvernementaux –, une soif de représailles d'individus blessés en leur for intérieur que ces paroles tendent à épancher. La lecture des forums de discussion mis à la disposition des internautes par les médias américains offre une illustration du phénomène : « Je prie pour que les Etats-Unis ripostent, quel que soit l'auteur de cet acte empreint de lâcheté, s'emporte l'un d'eux. Surtout, n'épargnez aucune âme, car eux [...] n'ont épargné personne. » « L'Amérique ne cédera jamais et nous, le peuple américain, nous ferons tout pour que les terroristes ne survivent pas longtemps. » « Je ne sais pas quelle est la solution, mais il faut vraiment riposter par la force. » « La justice [...] nécessite des représailles contre nos ennemis. » « Nous devons trouver ces types et bombarder leur pays jusqu'à le transformer en cendres[15]. »

Une enquête d'opinion menée le 11 septembre à 19 h 30 (heure de la côte Est), soit une heure avant l'intervention solennelle du Président, laissait pourtant entendre un autre son de cloche. Si le « chagrin envers les victimes et leurs familles » représente le sentiment le plus éprouvé pour 82 % des personnes interrogées, la « colère » et le « désir de vengeance » ne sont respectivement éprouvés que par 42 % et 34 % du panel[16] : la revanche était loin de représenter, à cet instant précis, une aspiration majoritaire. Toujours sur Internet, les réactions modérées ne manquent pas, à l'image d'un certain Ron, pour qui « répondre par la violence n'est pas la bonne solution. Cela ne fait que perpétuer la violence pour, finalement, mener à une nouvelle vague de terrorisme[17] ». Des manifestations spontanées, bien que réduites, porteront cette volonté d'apaisement à New York et dans quelques grandes villes.

La mutation belliciste, fondée sur la colère, n'est pas le tribut direct des attaques terroristes. Cette évolution en faveur de la guerre s'est concrétisée quelques jours plus tard : interrogés entre le 20 et le 23 septembre, plus de deux Américains sur trois se déclarent prêts à soutenir des représailles militaires contre les commanditaires des attentats, même si « plusieurs milliers de civils innocents devaient être tués[18] ». L'opinion exprime désormais un réel désir de vengeance, né d'une colère instillée par le discours officiel et dominant. Dans la bouche du Président, seule la « colère » contre les auteurs des attentats a été évoquée, au détriment d'une autre, tout aussi légitime, provoquée cette fois par le relâchement des services de sécurité ou les origines profondes de telles actions, indissociables des dernières décennies de politique étrangère américaine. Ces cas de figure sont niés par une parole officielle destinée à capter l'émotion populaire pour mieux l'aiguiller ensuite. Le message est donc clair : selon le locataire de la Maison-Blanche, les Américains se doivent d'être « tristes » et « en colère ». Dans ce but, la dérive compassion-nelle relevée au cours d'une journée de retransmission télévisuelle se retrouve au cœur du discours : « Les victimes étaient dans des avions ou dans leurs bureaux – secrétaires, hommes d'affaires et femmes, soldats et fonctionnaires. Mamans et papas. Amis et voisins. » Au-delà d'une parole quelque peu infantilisante, l'intérêt d'un rappel confinant à l'évidence par la « rediffusion verbale » d'images vues et revues n'a d'autre intérêt que d'ancrer les événements dans un regis-tre émotionnel.

Pour cela, Bush exhume des références inscrites dans le patri-moine mémoriel de son peuple grâce à un *remake* des discours don-nés par Roosevelt depuis Pearl Harbor, dont les tournures ont été adaptées sans vergogne. Le 9 décembre 1941, Roosevelt expliquait ainsi : « De puissants [...] gangsters se sont associés pour faire la guerre à toute l'espèce humaine » ; le 20 septembre 2001, Bush reprend : « Al-Qaida est à la terreur ce que la mafia est au crime. [...] Son but est de transformer le monde et d'imposer ses croyances radicales à l'ensemble des peuples. » Le 7 décembre 1941, Roosevelt assurait : « En tant que commandant en chef [...], j'ai ordonné que toutes les mesures pour assurer notre défense soient prises. » Le 11 septembre, Bush confirme : « J'ai mis en œuvre nos plans d'urgence gouvernementaux. Notre armée est forte, et prête à com-battre. » Les rappels historiques étant bien plus nombreux que ces quelques exemples[19], nous nous contenterons de souligner que les conséquences guerrières suggérées par ce calque événementiel sont logiques : « Jamais les Américains [...] n'ont connu la guerre sur leur propre sol, sauf un dimanche de 1941[20] », rappelle George W. Bush, en prenant soin de ne pas citer explicitement l'épisode. La mémoire de ce « jour marqué à jamais du sceau de l'infamie », qui fit en son temps basculer les Etats-Unis dans la guerre, se trouve convoqué pour sa symbolique. Lors du lancement de *Spoutnik*, en 1957, le succès soviétique était qualifié de « Pearl Harbor technologique », nécessitant un surcroît d'efforts dans la course aux armements. En 1980, Ronald Reagan usait d'une même instrumentalisation histori-que pour relancer la grande peur du bloc communiste : le supposé « déclin de l'Amérique » – qualifié ainsi au regard de crédits militai-res en diminution constante – aurait exposé le pays à « un plus grand péril qu'[...] au lendemain de Pearl Harbor[21] ». A elle seule, l'invocation conditionne l'auditoire et constitue un argument massue, comme en atteste la dialectique du Project for a New American Century, publiée en 2000, sur le potentiel militaire et politique d'un « nouveau Pearl Harbor ». Pour les mêmes raisons, le 11 Septembre deviendra à son tour une référence plaquée sur différents événements...

La religion nationale

Connu pour sa dévote piété de « Born Again Christian », George W. Bush propose, au soir du 11, une lecture des événements à l'aune de ses sentiments religieux. Sous l'apparente spontanéité, la stratégie de communication fonctionne : prenant appui sur les traditions américaines, l'administration offre à une population assaillie par le doute les certitudes apaisantes de la religion. En ces circonstances, croyances et dogmes binaires apparaissent comme un refuge, voire une posture défensive : frappé par une catastrophe nationale, un peuple manifeste volontiers de vives aspirations spirituelles, à plus forte raison lorsque celles-ci pèsent historiquement de tout leur poids sur sa société. « Fille aînée de l'Eglise », la France de 1871 amputée de l'Alsace-Lorraine fit pénitence. Ses élites et son peuple vaincus édifièrent sur la butte Montmartre, lieu de culte ancestral, un « sanctuaire dédié au Sacré-Cœur de Jésus » grâce à une souscription nationale. Auparavant, des projets similaires avaient pris forme à Lyon sur la colline de Fourvière, à Lille, Nantes, Angers ou Nevers. Ici, les Américains ne font pas exception : dans la foulée des attentats, au moins 90 % d'entre eux se tournent vers la religion[22], un chiffre à mettre en parallèle avec les 81 % de croyants relevés en 2000-2001. Le trauma du 11 Septembre fait donc revenir ces statistiques, déjà élevées, à leur niveau de 1991[23]. Dans ce contexte de ferveur religieuse intensifiée – le Congrès transforme, le 12, la rotonde du Capitole en lieu de veillée funèbre et de prière pour les parents des victimes[24] –, l'obsédante question sur le « pourquoi » des événements trouve, en lieu et place d'une réponse géopolitique raisonnée, la réaffirmation d'un postulat manichéen, là encore consubstantiel à la nation américaine. Les Etats-Unis sont la seule grande puissance démocratique et de constitution laïque a n'avoir jamais abandonné l'adhésion à une transcendance religieuse depuis leur autoproclamation « sous protection divine », ajoutée en 1954 au

« serment d'allégeance à la Nation et au Drapeau ». Cette tradition, caractéristique des royaumes et empires médiévaux jusqu'aux gouvernements européens du premier XXe siècle, démontre son caractère le plus néfaste dans les préliminaires guerriers. Cette fois, « c'est le Mal qui a frappé les Etats-Unis », assure le Président. En conséquence, tel un prêtre du sommet de sa chaire, il lance de sentencieux appels à la piété : « Ce soir, je vous demande de prier pour tous ceux qui pleurent leurs disparus, pour ces enfants dont l'univers a été bouleversé. [...]. Je vais prier pour qu'une force plus puissante que la nôtre vienne les réconforter. » Puis, se fondant un peu plus dans son rôle de prêcheur, le chef de l'Etat cite la Bible : « Psaume 23 : "Quand je marche dans la vallée de l'ombre de la mort, je ne crains pas le Mal, parce que [Dieu] es[t] avec moi." »

Réitérant la proclamation officielle d'un jour de prière nationale programmé le 13 septembre[25] – suivant une tradition qui remonte aux premières guerres de la nation –, le chef de l'Etat se pose en chef spirituel. Il « remercie » ses ouailles citoyennes pour leurs prières, comme s'il était en mesure d'en apprécier la valeur. N'invoque-t-il pas volontiers une « relation personnelle avec Dieu », censé lui « inspirer » sa politique ? Comme dans les temps les plus reculés, l'autorité temporelle en retire un surcroît d'autorité et de pouvoir, y compris face aux instances religieuses. Car l'influence de celles-ci n'est pas négligeable : quelques mois plus tard, la plupart des Eglises américaines, y compris celle, méthodiste, à laquelle appartient George W. Bush, se déclareront opposées à une guerre contre l'Irak. Symboliquement, cet extrait impromptu de l'Ancien Testament et l'omniprésence des références religieuses dans les discours présidentiels placent leur auteur sous la protection et l'inspiration divines qu'il n'a jamais cessé de revendiquer. De même, l'évocation répétitive de la « cause de la paix[26] » dans le discours annonçant, en mars 2003, le déclenchement de la guerre contre l'Irak, puise aux sources d'une tradition de piété martiale inspirée de saint Augustin (354-430), en vertu de laquelle le désordre des conflits armés poursuit un objectif pacifique, la paix elle-même étant « fille de Dieu[27] ». Jamais, pourtant, cette posture archaïque n'avait cohabité avec une telle modernité, tant en termes sociétaux que militaires. Le Président devient un prêcheur qui convertit en masse à l'idée de guerre.

L'histoire personnelle de Bush junior, celle d'un Président gaffeur confronté au plus grave attentat jamais vécu par les Etats-Unis, joue un rôle déterminant dans cette brusque popularité. La dimension

prise par le personnage, au centre de l'attention, accentue le décalage. Désormais, il sera un chef de guerre bienveillant à l'égard de
ses concitoyens, vengeur et impitoyable pour leurs ennemis. Cette
transformation constitue à elle seule une histoire, suivant un phénomène de communication dit de « *storytelling* », très répandu dans la
politique américaine depuis les années 1980[28]. En lieu et place
d'arguments et d'analyses, l'opinion écoute « une histoire qui [dit]
aux gens ce qu'est le pays et comment [son auteur] le voit[29] », explique James Carville, un des responsables de la campagne victorieuse
de Bill Clinton en 1992. A partir de cette époque, des spécialistes
en récit, notamment quelques scénaristes professionnels, ont investi
le champ de la communication présidentielle. Le 11 Septembre crée
une nouvelle histoire, à laquelle George W. Bush s'intègre à merveille. Conditionnés par la confusion entre réalité et fiction des
attentats, le public s'imprègne des premiers commentaires officiels,
qui, à leur tour, incorporent à leur discours des éléments scénaristiques typiquement hollywoodiens : dans le prolongement d'attaques
si télévisuelles, le pouvoir ancre son auditoire au cœur du cinéma
américain, dont les codes sont assimilés depuis longtemps. En prise
directe avec les souvenirs d'enfance, la référence permanente aux
« *good guys* » en lutte à mort contre les « *bad guys* » infantilise en
même temps qu'elle simplifie une situation des plus complexes. Ces
stimuli cinématographiques rencontrent un écho particulier auprès
de générations qui ont baigné dans la dialectique des « gentils » et
des « méchants » à la base des jeux vidéo, dessins animés et autres
éléments de distraction en phase avec une représentation bipolaire
du monde. Ne nous étonnons donc pas d'entendre les hommes
d'« *Enduring Freedom* » et d'« *Iraqi Freedom* » – des opérations militaires titrées, là encore, sur un mode très hollywoodien – désigner
leurs ennemis par le truchement d'une formule enfantine. Mâtinée
de sentiments religieux, la complexité de la réalité est traitée selon
les ressorts simplificateurs de la fiction : « Nos forces sont mobilisées », lance le Président, qui promet vite de « traquer et punir les
coupables » avant de lancer « un fantastique combat contre les forces
du Mal ». L'armée mise en alerte, chacun s'attend à une riposte qui
verra l'Amérique terrasser, par sa puissance, les terroristes réfugiés
dans leur « tanière ». Toutes ces expressions renvoient à autant de
films dans lesquels les Etats-Unis attaqués mènent la contre-
offensive et remportent la victoire – *Airport* (1969), *Piège de cristal*
(1988), *Independance Day* (1996)... – grâce à l'intervention salvatrice

du héros américain. Qui d'autre ici, pour jouer ce rôle, que le Président lui-même ? *« I'm a good guy »* (« Je suis un bon gars ») déclare, les larmes aux yeux, George W. Bush au soir du 11 septembre. Pour les communicants de la Maison-Blanche, ce genre de confession, rare dans la bouche d'un chef de l'exécutif, doit mettre un terme aux sarcasmes qui accompagnent les maladresses du chef de l'Etat, et consacrer un visage que peu lui connaissent. Le cinéma à grand spectacle fonctionne à partir de codes que le public a intégrés : la tragédie qui s'abat sur le pays fait office de révélateur en même temps que de moyen de rédemption. Dans l'adversité, le personnage jusqu'alors insipide, le « gars sympa » dont tout le monde se moque, fait volte-face et acquiert un statut de héros. En accordant au Président comme aux membres les plus exposés de son équipe une stature aussi inédite qu'impensable, cette nouvelle union sacrée ressoude une communauté nationale morcelée. Reste à convertir l'élan de solidarité nationale en course à la guerre.

Rassurer, exalter, faire la guerre

Après avoir plané sur le pays, l'état de guerre est décrété, au soir du 11, en fin d'allocution présidentielle. Celui-ci renforce et entérine l'union sacrée en même temps qu'il lui donne un sens : l'engagement du pays dans une campagne militaire aux contours flous, la « guerre contre le terrorisme », évoquée au soir du 11, ou « guerre contre la Terreur », formulée en ces termes dès le 16 septembre[30].

Retenue par les communicants de la Maison-Blanche, cette expression séculaire un temps recyclée par Ronald Reagan synthétise le nouveau versant idéologique de l'administration Bush dans une opacité lexicale propice à toutes les interprétations. Pour la première fois, un gouvernement baptise sa guerre, de la même manière qu'un scénariste titrerait son film avec l'assistance d'experts en marketing. Imposée par ses créateurs, l'expression sera désormais reprise partout, sans pour autant se départir de ses ambiguïtés : comment mener une « guerre » contre un adversaire aussi immatériel que le « terrorisme » ? Le recours aléatoire aux termes de « terreur » et de « terrorisme » procède d'une même confusion : face à la « terreur » ressentie par sa population, le gouvernement déclenchera donc une « guerre », conçue comme la seule réponse possible. Témoins des représentations positives que véhicule l'idée de guerre, les expressions de « guerre contre la pauvreté » déclarée par Lyndon Johnson, la « guerre contre la drogue » décrétée par Nixon, voire la « guerre contre le cancer » engagée à la même époque, présupposent que chaque problème peut être résolu par une guerre, symbolique ou concrète.

Dès 1977, les administrations Carter, Reagan, Bush senior puis Clinton faisaient de la guerre un moyen de lutte privilégié contre le terrorisme. Entre 1981 et 1986, ce sujet occupait plus de place dans les informations des trois plus grandes chaînes de l'époque (ABC, CBS, NBC) que des problèmes de société tels que le chômage ou la pauvreté[31]. Seul autre événement suivi ponctuellement en direct, la crise des otages de l'ambassade américaine en Iran (1979-1980) avait donné lieu à d'abondantes manifestations bellicistes, nationalistes et racistes : des autocollants « Let's Bomb Iran » fleurissaient à l'arrière des voitures, et des manifestants appelaient l'administration Carter à « expulser tous les Iraniens » des Etats-Unis. Dans les années qui suivirent, une « jurisprudence » se mit en place, en vertu de laquelle toute action terroriste antiaméricaine entraîne une réponse militaire : l'attentat de Berlin, en 1986, contre une discothèque fréquentée par des soldats américains fut suivi des raids de représailles contre les villes libyennes de Tripoli et Benghazi. Le 26 juin 1993, des navires de guerre américains tirèrent des salves de missiles Tomahawk sur l'Irak, en riposte au rôle qu'auraient joué les services secrets baasistes dans une tentative d'assassinat de l'ex-Président Bush, mais aussi pour répondre, selon les termes employés par Bill Clinton, à des « actions terroristes » évoquées sans plus de précisions. Pour la population américaine, l'exemple le plus récent d'« action terroriste » remonte, en 1993, à quatre mois en arrière, avec le premier attentat contre le World Trade Center[32]. Les bombes visant les ambassades des Etats-Unis au Kenya et en Tanzanie, en 1998, et l'attaque du croiseur USS Cole à Aden, en 2000, seront sanctionnées par des bombardements sur le Soudan et l'Afghanistan.

Mêlant l'abstrait (la terreur, en tant qu'émotion, ou le terrorisme, méthode de combat) au concret (la guerre), le slogan politique qu'est la « guerre contre le terrorisme » a valeur de promesse illusoire : une telle guerre ne connaît pas de fin aussi formelle qu'un armistice ou un traité de paix, à plus forte raison quand ses concepteurs la présentent comme « plus longue que la guerre froide », qualifiée par le secrétaire d'Etat John Foster Dulles de « menace durable ». De plus, cette guerre est « mondiale » : la médaille décernée à ses combattants, la *Global War on Terrorism Expeditionary Medal*[33], s'obtient après un service accompli dans l'un des 61 pays ou régions désignés par la présidence. Enfin, le terme de « guerre contre la Terreur » laisse entendre que le pouvoir éradiquera, par les armes, la frayeur de son peuple ; à lui, donc, de souscrire aux nouveaux choix étatiques.

Le soir du 11, le Président prononce un discours programme aussi bien en matière de choix stratégiques que de communication : la reprise de valeurs bibliques, « Bien » et « Mal », au simplisme rassurant, touche juste. La crise d'identité nationale couve, alimentée par le questionnement sur le « pourquoi » des attentats. Partout dans le monde, des observateurs plus ou moins teintés d'idéalisme y voient la promesse d'une remise en question des usages de la puissance, l'ouverture sincère des Etats-Unis aux préoccupations des pays du Sud et la fin d'une arrogance économique débridée par la chute de l'URSS : « La souveraineté américaine ne peut plus se soustraire au reste du monde[34] », juge Olivier Mongin, rédacteur en chef de la revue *Esprit*. Pour ceux-là, la première puissance mondiale sortira plus humble de son trauma. Une telle hypothèse ne survit pas à l'analyse de la dialectique officielle, martelée au cœur des événements.

Pour le pouvoir, il s'agit, avant toute chose, de restaurer la confiance des Américains en la capacité gouvernementale à assurer leur sécurité, quand bien même les heures passées attestent d'un terrible fiasco. Les gages que fournit le chef d'Etat sur la puissance du pays, la réaffirmation de sa bonne conscience et de son bon droit sont d'une tout autre portée. Au prix de raccourcis et d'affirmations dogmatiques, George W. Bush use de tous les artifices dialectiques pour convaincre : « Notre mode de vie, notre chère liberté, ont été attaqués[35] », déclare-t-il à l'entame de son allocution. « L'Amérique a été la cible d'attaques parce que nous sommes le plus éclatant symbole de la liberté », tranche-t-il, livrant ici la base d'une pensée bientôt dominante : « Les Américains ont-ils peur de se confronter à la réalité selon laquelle une portion significative de la population mondiale hait l'Amérique, hait ce que représente la liberté, hait le fait que nous combattons pour la liberté [...], hait notre mode de vie[36] ? » constate, par exemple, Sean Hannity sur Fox News. L'enjeu est donc la civilisation, suivant l'antienne messianique des guerres totales. Le 28 août 1914, dans la France coutumière des guerres, le groupe socialiste au Parlement, la commission administrative per-

manente et le conseil d'administration de *L'Humanité* affirmaient :
« Nous avons la certitude de lutter non seulement pour l'existence
de la Patrie, non seulement pour la grandeur de la France, mais
pour la liberté, pour la République, pour la civilisation. » Au prix de
menues adaptations, la phraséologie américaine décalque une pensée qui conduisit à la première grande boucherie du XXe siècle.

Puisque de tels mots provoquent les taux de satisfaction relevés
par plusieurs enquêtes, on en déduira que leurs destinataires étaient
prédisposés à les entendre. Or, George W. Bush ne fait jamais que
reprendre la doctrine portée par l'ensemble de ses précédesseurs[37]
(depuis les Pères fondateurs), en période de guerre comme en temps
de paix, sur le fameux « exceptionnalisme américain » et la mission
que le pays doit accomplir en vertu de sa « destinée manifeste[38] ».
Forgée dès la fondation de l'Etat, cette doctrine, véhiculée par une
presse en pleine croissance, s'est renforcée face aux résistances intel-
lectuelles que suscitait, dans les années 1840, le dogme d'une
immuable marche en avant nécessaire à l'extension du territoire
national vers l'Ouest, avant de s'adapter aux ambitions de la nouvelle puissance mondiale. Toute l'agressivité d'un discours de
conquête au service du développement économique devait donc disparaître au profit d'objectifs nobles, doublés de considérations religieuses utiles à leur acceptation. Directement issu de l'esprit
pionnier des migrants arrivés dans le Nouveau Monde et chargés
d'une « mission », ce pendant américain du discours colonisateur
européen va aussi de pair avec l'idée de démocratie et de liberté[39].
John Fitzgerald Kennedy, lors de son discours d'investiture, lançait
à l'assistance et au monde : « Que toutes les nations sachent, qu'elles
nous veuillent du bien ou du mal, que nous paierons n'importe quel
prix [...] afin d'assurer [...] le triomphe de la liberté. » « Maintenant,
semble lui répondre George W. Bush, nous nous dressons pour
défendre la liberté, ainsi que tout ce qui est bon et juste pour le
monde. [...] Un grand peuple s'est mobilisé pour défendre une
grande nation, ajoute le Président. Les attaques terroristes peuvent
ébranler les fondations de nos plus grands buildings, mais ne peuvent atteindre les fondations de l'Amérique. Ces actes ont brisé de
l'acier, mais ne peuvent entamer l'acier de la détermination
américaine[40]. » L'élan patriotique et solidaire démontré au cours
des heures passées est à son tour glorifié : « Aujourd'hui, notre
nation a vu le Mal, le pire de la nature humaine, et nous avons
répondu avec le meilleur de l'Amérique. [...] C'est un jour qui vit

tous les Américains [...] s'unir pour notre objectif de paix et de justice », lance Bush, dont l'analyse, sorte de péroraison médiévale,
reconstruit les événements. Sans même évoquer le ratio d'opposants
aux « idéaux de paix et de justice » propres à la mouvance présidentielle et englobés dans cette apologie de l'union sacrée, notons que
le 11 Septembre est présenté comme une sorte d'épreuve cathartique
que et salvatrice au terme de laquelle la nation régénérée démon-
trera sa nature bienfaisante. Le discours prendrait presque des
accents churchilliens. Dans l'une de ses célèbres interventions, le
« Lion » s'adressait aux Britanniques, victimes des bombardements
allemands, en des termes très proches : « Quel triomphe que la survie de ces villes bombardées [...]. Quelle justification pour le monde
civilisé [...]. Quelle preuve de la vertu de libres institutions. [...]
Cette épreuve par le feu a, dans un certain sens, vivifié l'humanité
des hommes et des femmes de toute la Grande-Bretagne[41]. » Avec
une tel modèle, fortuit ou non, on ne s'étonnera pas de l'efficacité
de l'allocution de George W. Bush, qui n'ignore rien de la cohésion
d'un peuple agressé.

Harangués, galvanisés, des citoyens en plein doute éprouvent un
profond sentiment de fierté nationale. Quelques heures après le
choc, environ 70 % d'entre eux se déclarent « très fiers de l'histoire
des Etats-Unis » – ils étaient moins de 50 % en 1996 –, 80 % s'affirment « très fiers de leurs forces armées » – contre 47 % cinq ans
auparavant[42]. Un contrat moral est signé entre le peuple et ses dirigeants, suivant un processus identique à celui qui vit, à l'été 1944,
une écrasante majorité de Français plébisciter le général de Gaulle,
prompt à accorder un brevet de Résistance au pays bien plus marqué par l'attentisme que par un engagement massif dans la lutte
clandestine.

« Notre armée est puissante et prête », assure le Président, qui
annonce en fin de discours sa volonté de « gagner la guerre contre
le terrorisme ». L'objectif de cette nouvelle campagne, dont l'appellation prend ici son envol, se résume alors à « trouver les responsables [des attentats] pour les traduire en justice ». Avec, en sus d'une
mission fédératrice, un principe fondateur : l'absence de « distinction entre les terroristes [...] et ceux qui leur donnent asile ». Si le
régime taliban semble en sursis, on notera que la dimension doctrinale d'un tel propos tend, dès cette époque, à inclure l'Irak dans
cette problématique.

Ni l'Afghanistan, ni Oussama Ben Laden ne sont cités. En lieu et place d'une accusation implicite, George W. Bush se contente d'annoncer le « lancement d'une enquête pour déterminer qui se trouve derrière ces actes maléfiques ». Les *Twin Towers* pointaient encore vers le ciel que le nom de Ben Laden était déjà sur toutes les lèvres. Le Président, lui, désignera officiellement le fameux coupable deux jours plus tard. Cette ambiguïté fut pourtant indispensable : ce que d'aucuns qualifieront de louables précautions masque d'abord un mensonge initial, tant il est clair que les « ressources du Renseignement » évoquées par George W. Bush disposaient déjà d'éléments à charge contre Al-Qaida. En outre, ce silence crée, là encore, une attente. L'administration, aussi déterminée soit-elle, semble ainsi mener une enquête rigoureuse avant d'annoncer la cible de sa riposte. Dans l'intervalle, un ciblage, médiatique cette fois, du régime taliban met en évidence le caractère barbare de ses dirigeants et rend plus pressante la nécessité d'agir. Avant que l'Afghanistan n'essuie les premières frappes américaines, le Président annonce, dans un autre discours marquant, prononcé le 20 au Congrès, les grandes lignes de sa « guerre contre le terrorisme » : « Les Américains ne doivent pas s'attendre à une seule bataille, mais à une longue campagne [...] ; ce qui a toutes les chances de produire des raids spectaculaires, diffusés à la télévision[43]. » Cette promesse tacite et quelque peu surréaliste de nouvelles images sensationnelles, et ce, pendant une durée indéterminée, s'inscrit dans la continuité du « film » tourné depuis le 11. Elle se révèle surtout complémentaire des efforts médiatiques déployés ce jour-là. Les Américains ont découvert l'horreur par leur poste de télévision ; ils jouiront du spectacle des contre-attaques *via* le même canal, *dixit* leur commandant en chef. La promesse sera tenue grâce aux journalistes « *embedded* » (« embarqués »).

La mue présidentielle passe donc, outre l'émotion, par l'affirmation d'un cap : la guerre. Seule cette orientation reste clairement définie, au contraire de l'ennemi. Dans l'immédiat, la dialectique bushiste fait office de projet et de slogan : il s'agit, dans l'esprit des Américains, de combattre Al-Qaida, les criminels responsables du 11 Septembre, voire d'autres organisations préparant des projets identiques. Enoncée de la sorte, la détermination affichée tranche avec le désarroi populaire. Cette assurance, nouvelle chez un Président critiqué pour ses gaffes, puis la fermeté d'interventions visant le régime taliban et plus tard l'Irak de Saddam, lui confèrent une stature de guide que la population, au vu des circonstances, approuve suivant un réflexe maintes fois éprouvé.

Le discours officiel mobilise donc suivant trois grandes lignes, et brasse le présent, le passé et l'avenir des Etats-Unis : l'unité et la solidarité du pays pour ses victimes, la mission historique des Etats-Unis et l'annonce, sans plus de précisions, de prochains déploiements militaires.

L'opposition s'enterre : la démocratie en sommeil ?

Le Congrès est la première institution à proclamer solennellement l'union sacrée : le 11 septembre, aux alentours de 19 h 30, ses membres rassemblés sur les marches du Capitole entonnent d'une seule voix un vibrant *God Bless America*, symbole médiatique et fédérateur du pacte messianique annoncé par le Président : « Les démocrates et les républicains demeureront côte à côte pour combattre le Mal qui a frappé la nation[44] », lance, ému, Dennis Hastert. Au nom de ses collègues démocrates, le sénateur Christopher Dodd jure que les parlementaires de son parti seront « totalement derrière le Président » : « Par le passé, nous avons exprimé des différences, mais, dans un jour comme celui-ci, nous resterons unis derrière notre Président et notre gouvernement[45]. » Cette profession de foi est répétée à l'envi par les représentants de tous bords, qui ouvrent la nouvelle ère du mandat Bush. Le Président ne manque jamais, dans ses grands discours, de magnifier une geste parlementaire qui cautionne presque démocratiquement son statut de leader incontesté : « Toute l'Amérique a été touchée [...] de voir républicains et démocrates rassemblés sur les marches de ce Capitole, chantant *God Bless America*[46] », dit-il. En direct, les commentateurs louent « ce magnifique tableau d'unité politique[47] », dont les acteurs se donnent l'accolade et se réconfortent.

L'enterrement des antagonismes politiques, fût-il contesté par de rares trublions (la représentante Cynthia McKinney ou le sénateur Russ Feingold), donne un surcroît de force à la nouvelle cohésion. Les événements auraient-ils connu la même postérité si le camp démocrate s'en était tenu à une stricte manifestation de solidarité nationale, refusant dans le même temps de transformer celle-ci en moteur d'une course à la guerre ? Sans doute pas. L'apathie parlementaire sur la création d'une commission d'enquête dédiée au

11 Septembre fait figure de symbole éclatant, puisqu'il faudra attendre le mois de mai 2002 pour que quelques voix s'élèvent[48], et le 27 novembre suivant pour qu'une instance soit mise en place. Plusieurs faits expliquent ce long mutisme : *primo*, la mise en accusation des services de renseignements aurait pu se retourner contre ses instigateurs, non exempts de reproches dans la gestion du risque terroriste sous Clinton, qui avait nommé George Tenet à la tête de la CIA sans que Bush ait jugé son remplacement utile ; *secundo*, les conflits qui se profilent vont entraîner l'explosion des crédits de la Défense : 40 milliards de dollars viennent d'être débloqués, pour le plus grand bonheur des industries d'armement. Bénéficiaires légaux des financements politiques de ces mêmes industries[49], une part non négligeable des élus répondent aux attentes de généreux donateurs. La défaillance du système démocratique révèle alors ses origines systémiques. Il n'empêche, cette même défaillance permet l'efficacité spectaculaire de la mobilisation militaire.

La convergence politique se concrétise donc, comme dans toute union sacrée digne de ce nom, par la mise entre parenthèses du bipartisme et, par-delà, du débat démocratique, et donc de la démocratie elle-même. Des dizaines de lois sont votées dans un quasi-unanimisme, jusqu'au brûlant *Patriot Act*, passé en un temps record au vu de son volume et de son champ d'application. De la façon la plus explicite qui soit, les représentants du peuple abdiquent la totalité de leurs prérogatives constitutionnelles : les choix présidentiels ne souffrent plus aucune discussion.

En observant la vie politique des puissances démocratiques (Royaume-Uni, France, Etats-Unis) dans les années 1914-1918 et 1939-1940, on constate que les moments d'union sacrée qui accompagnent les entrées en guerre ont toujours donné naissance à des gouvernements dits d'« union nationale[50] » : en période de conflit, le rassemblement de leaders politiques au sein du même exécutif est d'abord un exemple d'unité adressé au peuple. Il assure également au pouvoir une liberté d'action presque totale, fondée sur une absence de critiques de la part des opposants qui participent à la gestion des affaires, et donnent ainsi des gages à l'enracinement de l'union sacrée. Monopartisane car toujours dominée par le Parti républicain, la configuration politique issue de l'union sacrée post-11 Septembre n'obéit pas à ce schéma. Si un tel gouvernement d'union nationale existe, ce n'est que d'un point de vue « ethnique », puisque toutes les minorités composant la population américaine y sont représentées, il est vrai depuis bien avant la guerre.

Jusqu'alors fermement installés dans leur rôle d'opposants, les démocrates offrent au Président un soutien unanime, spontané et sans condition : George W. Bush n'a donc pas à remanier son équipe pour leur ouvrir les portes de l'administration. Fort de cette carte blanche parlementaire, les caciques du gouvernement instituent un processus décisionnel inédit par sa composition et son opacité. Au sommet de l'Etat, le tandem formé par Richard Cheney et Donald Rumsfeld, deux éminents partisans de la guerre en Irak, s'impose comme un organe de gouvernement occulte : échappant aux règles du contrôle démocratique par son inexistence légale, le duo Cheney-Rumsfeld profite de la liberté d'action que lui accorde le Président, peu au fait des enjeux mondiaux de géopolitique. Or, les mesures arrêtées par ce cabinet parallèle n'obéissent pas au fonctionnement des institutions, basé sur la consultation et la codécision des membres du Conseil de sécurité nationale[51]. Doté de compétences élargies, le binôme agit sans solliciter l'avis du Président, réduit à une activité de simple signataire[52]. Dénué de légitimité électorale, ce duumvirat informel suscite une vaine et imperceptible opposition interne, comme en attestent les propos du colonel Wilkerson, alors directeur de cabinet du secrétaire d'Etat Colin Powell. De l'avis de Lawrence B. Wilkerson, ce système « aberrant et bâtard[53] » relève « plus d'une dictature que d'une démocratie[54] ». Rumsfeld et Cheney parviendront ainsi à imposer leurs vues sur l'impératif d'une guerre contre l'Irak, au détriment de la position plus modérée du « clan » Powell[55].

Constante des pratiques politiques propres à l'état de guerre, l'effritement démocratique du politique a, ici, précédé la guerre, tandis que dans les exemples précités c'est la guerre qui a entravé l'équilibre des pouvoirs. En somme, le gouvernement Bush s'est de lui-même configuré en mode « bellicisant » afin de déclencher, le moment venu, la guerre d'Afghanistan, et surtout l'offensive irakienne. Caractérisé par une éclipse du débat politique, une superposition de l'Etat et du religieux, et un contrôle liberticide des citoyens, le glissement vers une gouvernance de plus en plus droitière, voire réactionnaire, apparaît comme le corollaire de l'union sacrée.

Réduit à n'être plus qu'une chambre d'enregistrement des décisions arrêtées par la Maison-Blanche, le pouvoir législatif voit son opposition interne réduite à la portion congrue. Or, la population semble se satisfaire de la situation, puisque différentes enquêtes d'opinion menées en octobre 2001 montrent que le tacite régime du parti unique rassemble 84 % de satisfaits[56]. « En l'honneur de notre grande nation, témoigne le 11 septembre un citoyen, nous devons essayer aujourd'hui de bien nous entendre. Démontrons que nous sommes tous américains. Unis, nous gardons la tête haute[57]. »

Cette ligne de conduite est l'une des courroies de transmission de la mécanique belliciste, qui autorise, comme en 1917 avec le président Wilson et en 1941 avec Roosevelt, une excroissance rapide de l'exécutif. Le 11, aux environs de 10 heures, Richard Cheney lance des consultations sur les possibilités d'élargir les pouvoirs présidentiels[58]. Le 14, l'administration obtient d'un Sénat unanime et d'une Chambre des représentants monocorde – si l'on excepte la député démocrate Barbara Lee – l'autorisation de recourir à la puissance militaire avec une large latitude d'action : grâce à ce blancseing législatif, le Président est libre d'« user de toute la force nécessaire et appropriée contre les nations, organisations ou personnes qu'il juge impliquées dans la planification ou la mise en œuvre des attaques terroristes survenues le 11 septembre 2001[59] [...] ». L'état d'urgence est déclaré et 50 000 réservistes mobilisés. Le 16, le Département d'Etat publie une liste qui énumère la plupart des « Etats voyous » et « terroristes », sur laquelle l'Irak figure en deuxième position. Diluée dans le concept de « guerre contre la Terreur », la prochaine campagne militaire des Etats-Unis est clairement annoncée. Portée par un Parti républicain rasséréné et une ex-opposition démocrate soumise, l'union sacrée semble d'une solidité à toute épreuve. Fort bruyante, la ligne va-t-en-guerre au pouvoir ne laisse aucune place à l'alternative. Une configuration, resurgie des conflits passés, ne tarde pas à s'imposer : « Nul politicien distingué [...] ne semble désireux de hasarder sa popularité ni celle de son parti [...] en désapprouvant ouvertement cette guerre. Personne ne semble vouloir défendre la paix par tous les moyens possibles[60] », déplorait, en 1848, le journaliste et homme politique Frederick Douglas lors de l'engagement des troupes américaines au Mexique. De ce point de vue, la position affirmée courant 2002 par le sénateur Inhofe reste très instructive. Interrogé sur la pertinence d'une attaque préventive contre l'Irak, l'élu républicain répond : « Je pense, avant toute chose, que le président des Etats-Unis est notre leader, et que, s'il dispose d'informations confidentielles non répercutées par les médias selon lesquelles une de nos villes est en danger, alors il en a la responsabilité[61]. » La critique et la réflexion sont proscrites au profit d'un credo centré sur l'obéissance due au « leader » en des circonstances dominées par un « danger » que lui seul serait supposé connaître. L'information due au citoyen devient donc accessoire alors qu'il s'agit bien là de l'essence de toute démocratie.

A l'instar de l'opinion, marquée par une décroissance lente et constante du soutien au Président, l'union sacrée parlementaire se lézardera au cours du second semestre 2002 sans recréer le fossé idéologique pré-11 Septembre. Un des signes les plus flagrants de cette érosion apparaît lors du passage au Congrès de la « Résolution autorisant le recours à la force militaire contre l'Irak[62] ». Soit, ni plus ni moins, une déclaration de guerre sursitaire requérant l'aval du pouvoir législatif. Avec 61 % des représentants du Parti démocrate et 42 % des sénateurs du même bord opposés au vote d'un texte proposé par la Maison-Blanche, l'opposition, ralliée par une petite minorité d'élus républicains, retrouve des couleurs et provoque le débat, par essence exclu de l'union sacrée.

L'approche d'un conflit que rien ne semble pouvoir éviter alimente cette dynamique. Rares sont les élus prêts à s'opposer frontalement à la déferlante militariste qui submerge, en 2002-2003, les cercles médiatiques et politiques. Début mars 2003, soit une quinzaine de jours avant « Iraqi Freedom », les sénateurs Russ Feingold et Edward Kennedy, le représentant Robert Byrd et Thomas Daschle, chef de la minorité démocrate au Sénat qui, en octobre, votait pourtant la « Résolution irakienne », émettent des réserves sur la guerre. La réaction est cinglante : Thomas DeLay, le puissant chef de la majorité à la Chambre des représentants, invite Daschle à « la fermer[63] ». La violence des mots, le caractère impitoyable des attaques qui visent ces nouveaux « dissidents » sont à la mesure d'une majorité proguerre numériquement forte mais dont les fondations se révèlent des plus fragiles : cette fois, les représentants et sénateurs opposés aux plans irakiens reflètent l'opinion en plein doute et prise d'assaut par le camp de la guerre.

3

Juguler l'autre Amérique

Une lame de fond patriotique ?

Si l'habitant lambda d'une zone pavillonnaire américaine est historiquement enclin à décorer son jardin d'une bannière étoilée, on ne peut qu'être saisi par l'impressionnante floraison de drapeaux qui succède aux attentats. Le patriotisme s'affiche et se matérialise à grand renfort d'autocollants, de fanions, de tee-shirts et de pin's aux couleurs nationales, déjà omniprésentes, on s'en souvient, sur les écrans de télévision. Les monuments, pelouses, rebords de fenêtres, automobiles et vêtements deviennent les supports du rassemblement national, jusqu'alors prescrit lors d'une vingtaine de dates commémoratives, dont les « *Memorial Day* », « *Veterans Day* », « *Armed Forces Day* », « *Independance Day* », « *Patriot Day* », à tonalité militaire, qui comprennent depuis 1916 un jour dédié au drapeau, le « *Flag Day*[1] », suivi de la « *National Flag Week* » (« Semaine du drapeau national »). George W. Bush arbore, dès le soir du 11, une épinglette de la bannière étoilée. Le geste prend des allures de phénomène de mode : les membres de son administration, imités par la presse, diverses personnalités et des dizaines de millions d'Américains lui emboîtent le pas. Dans les rues, des étals improvisés proposent aux passants des drapeaux de différents formats, tandis que les boutiques en ligne se multiplient.

La nuit des attentats, les pompiers de New York déploient, sur la façade d'un immeuble jouxtant *Ground Zero*, un immense drapeau, accueilli par les secouristes et les volontaires dans une immense clameur. Le 21 décembre, le point d'impact du Pentagone est à son tour recouvert. Le double affront à la puissance américaine se trouve ceint d'un linceul « national », comme des soldats tombés pour la patrie. Les monuments, bâtiments fédéraux et édifices d'importance, déjà décorés en temps normal, se parent de couleurs plus voyantes, à l'image du New York Stock Exchange, dont les colonnes corinthiennes disparaissent derrière un gigantesque drapeau, souligné de trois fanions flottant au vent. Les chauffeurs de taxi sikhs, victimes d'amalgames racistes, apposent sur les flancs de leur véhicule un autocollant qui proclame, sur fond de bannière étoilée, la compatibilité de leurs origines avec un fervent attachement à la nationalité américaine[2]. Le 21 septembre, un grand concert pop en hommage aux victimes a lieu sur une scène dont le fond est là encore tapissé de l'incontournable drapeau. Quant aux vedettes du show, la plupart arborent des vêtements ou des instruments associant le rouge, le blanc et bleu de rigueur[3]. Nombre d'albums de country publiés dans la période et couronnés de succès affichent, sur leurs pochettes, les sempiternelles couleurs : les disques de She-Daisy, Toby Keith, The Oak Ridge Boys, Darryl Worley, LeeAnn Rimes ou Aaron Tippin ornent, entre autres, les rayons de musique des grandes surfaces, dont les têtes de gondole font également office de supports patriotiques. Les célèbres lettres d'Hollywood sont, le 21 septembre, affublées d'un drapeau sur le deuxième « o » de la mythique colline. Le « Rouge-Blanc-Bleu » national est même envoyé dans l'espace par la NASA, qui annonce le 11 octobre 2001 l'installation dans sa navette de 6 000 drapeaux destinés à être offerts aux familles, pour un hommage métaphorique de la puissance américaine et de son unité[4]. Le milieu scolaire, où le serment au drapeau fait partie des gestes quotidiens, est lui aussi touché : pour la rentrée 2002, les responsables d'une école de Lower Manhattan demandent à leurs élèves de porter un uniforme aux couleurs du pays[5]. Au fil des mois, celles-ci se déclinent sur des objets aussi divers qu'un réveil, un ours en peluche, un téléphone portable ou des lentilles de contact. Indicateurs précis de l'engouement national, les chiffres du marché patriotique parlent d'eux-mêmes : alors que les fabricants américains enregistraient une baisse de leur production en 2000, année pourtant marquée par des élections, l'année 2001 permet d'écouler 113 millions de bannières étoilées, principalement entre le 11 septembre et le 31 décembre[6]. Face à une demande en forte hausse, les distributeurs importent massivement des drapeaux de Chine et de Taïwan, passant de 747 000 dollars d'achats en 2000 à 51,7 millions de dollars en 2001. Les années suivantes, ce chiffre sera divisé par dix, pour se stabiliser aux alentours de 6 millions de dollars. Le 11 Septembre est donc le pourvoyeur d'une explosion commerciale, qui porte le marché global des ventes de drapeaux, bannières et fanions à hauteur de 272 millions de dollars en 2002, puis 349 millions de dollars en 2004[7]. A partir de 2004, cette courbe contredit les sondages de popularité gouvernementale. Parmi les explications plausibles, outre l'effet d'une année électorale, l'acquisition et l'exposition de drapeaux sont, pour les plus fidèles supporters de l'administration Bush, le moyen de conforter l'illusion d'un consensus national préservé.

La part de spontanéité de ces gestes doit être tempérée par une certaine forme d'encadrement politique : à partir du 13 septembre 2001, une loi, votée à l'unanimité, dispose que « chaque Américain est encouragé à afficher le drapeau des Etats-Unis [...] chez [lui], [à son] travail [...], sur les bâtiments publics et les lieux de culte[8] ». « En réponse aux attaques terroristes [...], ajoute le texte, les citoyens américains doivent se rassembler pour défendre et honorer la Nation et les symboles de sa puissance[9]. » Mieux qu'un brassard noir, le drapeau se mue en instrument de deuil – « pour se rappeler les disparus[10] » – qui fait le lit d'un patriotisme démonstratif. Dans le même temps, la Chambre des représentants vote, le 14 septembre, une résolution qui attribue à chaque famille de victime des attentats un fragment des drapeaux ayant flotté sur le Capitole[11]. Ces lambeaux de tissus deviennent des reliques : pour l'Etat, la bannière nationale est le vecteur de diffusion d'un état d'esprit en même temps qu'un signe ostentatoire d'adhésion à l'union sacrée, et donc à sa politique. Cette injonction législative, qu'elle soit suivie ou devancée, traduit un premier effet concret du mécanisme de soutien inconditionnel aux mesures gouvernementales. Simultanément, un *merchandising* patriotique s'est greffé sur le mouvement, assurant sa continuité – six mois après le 11 Septembre, les ventes pulvérisent tous les records – et un soutien (rentable) du secteur privé à la volonté étatique, cette fois peu regardante sur le respect des lois protocolaires relatives au drapeau. Cet affichage des couleurs nationales uniformise le paysage et la pensée. Reste que ce bourgeonnement de drapeaux pourrait n'être qu'une façade, si le fond du message officiel n'était pas porté par des relais médiatiques.

Une propagande privatisée

A l'instar du pouvoir, les médias sortent renforcés du « Mardi noir ». Dans les deux mois qui suivent, différentes études attestent d'un sursaut de confiance des Américains en leurs vecteurs d'information[12]. Même si les têtes de pont du journalisme américain que sont le *Washington Post* et le *New York Times* publient des tribunes s'inquiétant de l'uniformité des points de vue dans la presse[13], les médias font dans l'ensemble preuve de peu d'objectivité. Entre-temps, le régime taliban s'est effondré au terme d'une guerre rapide, plébiscitée par environ 90 % de l'opinion[14] et dont la couverture médiatique doit beaucoup aux informations délivrées par le Pentagone. En septembre-octobre, le public soutient à 69 % le ton patriote de ses journaux en même temps qu'il souscrit au contrôle gouvernemental et militaire sur l'information[15], avec respectivement 53 et 50 % d'approbation[16]. « Ce qui est bon pour les Etats-Unis l'est pour le monde et la démocratie en général », assure une idée fondatrice de l'impérialisme américain. En vertu de ce principe, des informations sous « contrôle » conserveraient toute leur valeur. La confusion est générale : pour 64 % des personnes interrogées en septembre-novembre 2001, l'information doit demeurer neutre, et même, selon 73 % des sondés, exprimer l'ensemble des points de vue[17]. Soit, en clair, le contraire du rendu médiatique pourtant qualifié de « bon », voire « excellent[18] » par le public. La mise en œuvre d'un régime de propagande est donc rejetée par l'opinion, alors que sa nature paraît bien réelle. Cette méprise initiale confère aux informations un surcroît de crédit immérité, et une meilleure pénétration des affirmations officielles.

Devenue la chaîne d'information préférée des Américains, Fox News, en première ligne dans la surenchère conservatrice et nationaliste, devance toutes ses concurrentes en parts d'audience, avec une devise plus qu'usurpée : « *Fair and Balanced* » (« Juste et équilibré »). Forte de sa proximité avec quelques magnats des médias (Rupert Murdoch, Ted Turner, de CNN, Thomas Hicks, du conglomérat radiophonique ClearChannel), l'administration Bush est relayée de manière efficace. Puis, par connivence et réflexe autant que par concurrence, d'autres « locomotives » du système médiatique se mettent au service de l'idéologie officielle : profondément irritée par la ligne de la chaîne d'information qatarie Al

Jazeera, très critique vis-à-vis des Etats-Unis, l'administration obtient de CBS, ABC, NBC, CNN et Fox que toute séquence en provenance de ladite chaîne, notamment les enregistrements d'Oussama Ben Laden, soit censurée[19]. On assiste à la mise en place d'un cadre de pensée étroitement balisé. Les révélations du *New York Times*, en février 2002, sur l'Office of Strategic Influence[20] – chargé de désinformer l'opinion de pays étrangers, et par ricochet les Américains – auraient ainsi pu peser davantage sur les esprits si la déferlante nationaliste n'en avait pas atténué la portée. Même chose concernant les rappels des vieux liens CIA-Saddam publiés quelques jours avant l'invasion par le *Washington Post* et le *New York Times*[21], des quotidiens qui, en dépit de leur prestige, ne font pas le poids en termes d'audience avec les mastodontes du secteur.

Sur Fox News, les journalistes ne font pas grand cas des manifestations antiguerre. Au mieux, leurs participants sont dépeints sous un jour défavorable et leurs initiatives qualifiées d'insignifiantes. De CBS à ABC en passant par NBC[22], les autres chaînes utilisent des procédés similaires et se contentent par exemple de filmer les fins de cortèges, peu denses, afin de minorer la portée des événements : la marche pacifiste du 15 février 2003, à Manhattan, aurait rassemblé 500 000 participants selon les organisateurs, ramenés à 25 000 sur Fox News. De façon plus globale, la politique officielle est l'objet d'un appui constant, comme l'illustre le groupe audiovisuel Sinclair Broadcast, leader des chaînes régionales qui pénètre un quart des foyers américains : en septembre 2001, le site Internet de ses 62 antennes arbore un bandeau précisant : « Notre équipe soutient l'action du président Bush et les leaders de notre nation pour mettre un terme au terrorisme[23]. » Cette ligne de conduite est, en outre, répétée à l'antenne par différents présentateurs, qui perdent tout sens de l'éthique et clament avec fierté leur subjectivité « patriotique » : « Mon pays est en guerre, je suis pour mon pays » ou « Subjectif et fier de l'être » sont quelques-uns des gages à l'union sacrée qui ponctuent leurs interventions. La propagande nationaliste fait l'éloge du non-journalisme : dans la surenchère chauvine qui règne alors, il s'agit d'attirer le spectateur pris dans l'étau de l'union sacrée, et d'embrigader celui qui ne le serait pas encore. Chaîne leader, Fox News devient aussi une référence pour ses concurrents. La course aux audiences nivelle et oriente les contenus, de plus en plus « foxnewisés », tant il semble évident que CNN, MSNBC ou NBC News se placent à la remorque du canal de Murdoch. Son parti pris, celui d'une Amérique toute-puissante, semble autant répondre à une attente du public que constituer un axe d'influence : avec des méthodes de censure autoritaires[24] et une connivence politique assumée, Fox use d'un ton qui la pose *de facto* en chaîne d'Etat, au sens le plus soviétoïde du terme. Son P-DG, Robert Ailes, qui fut un des piliers de la campagne de George Bush senior, entretient une étroite relation avec Karl Rove, le plus proche conseiller du Président. Pourtant, Fox News est l'arbre qui cache la forêt : son propriétaire, Rupert Murdoch, possède, entre ses maisons d'édition, journaux, magazines, major du cinéma et autres chaînes de télévision, un millier de sociétés aux Etats-Unis, au Royaume-Uni ainsi qu'en Australie. Jamais les idées conservatrices n'avaient bénéficié d'un rayonnement aussi important, y compris pendant la guerre de 1991, dominée par CNN et pourtant jugée trop « libérale » par Murdoch et ses associés.

Le système de censure et d'autocensure qui suit les attentats n'est pas construit sur un corpus législatif arbitraire ou spécifiquement contraignant, si l'on excepte, par exemple, l'interdiction, instaurée en 1991, de photographier et diffuser les images des cercueils de soldats revenant des zones de guerre. Au-delà d'un patriotisme généralisé, le fonctionnement de cette « machine à désinformer » est la conséquence directe de l'architecture économique américaine, d'ailleurs imitée dans un nombre croissant de pays : le système des financements des partis par de grandes entreprises simultanément propriétaires de divers médias ne reste pas sans conséquences. Quelle objectivité attendre d'une information sur General Electric diffusée dans un journal télévisé, en l'occurrence celui de la chaîne câblée NBC News, contrôlée par General Electric... lequel fabrique des armes utilisées dans le cadre de la « guerre contre la Terreur ». Même remarque au sujet de MSNBC, en pleine ascension après le 11 Septembre, possédée par la même entreprise, alliée à Microsoft, d'ailleurs bénéficiaire de centaines de millions de dollars de contrats publics et enfin délestée, courant 2002, des poursuites liées à la loi antitrust pouvant conduire à une scission forcée[25].

A la différence des organes d'information propres aux régimes autoritaires, les médias américains fonctionnent par une capitalisation privée fort rentable. Ce modèle de propagande privatisée se révèle surtout plus efficace qu'une banale mainmise étatique sur l'ensemble des médias, puisqu'il sauvegarde l'apparence démocratique des institutions et d'un « quatrième pouvoir » indépendant. Gageons que la chaîne du Pentagone, Pentagon Channel, gracieusement mise à la disposition des opérateurs du câble et du satellite par le ministère de la Défense (2004), ne profite pas de cette confusion.

Comble de la mystification, des informations diffusées par les télévisions américaines sont, à cette époque, directement issues d'agences gouvernementales, chargées de leur traitement et de leur mise en forme, sans que leur origine « officielle » soit spécifiée aux téléspectateurs[26] : le Pentagone s'est, au même titre que le Département d'Etat, illustré dans la fabrication de documents audiovisuels semblables, sur la forme, à des réalisations journalistiques. Des fonds publics rémunèrent la diffusion de ces images de propagande, y compris sur les chaînes locales[27], dont la proximité constitue un gage de confiance. Si le procédé s'est développé depuis la présidence Clinton, le déclenchement de la guerre contre le terrorisme lui donne une ampleur méconnue. En quatre ans, l'administration Bush a dépensé 254 millions de dollars pour ces opérations de « relations publiques », soit le double du gouvernement précédent. Des centaines de reportages sur des sujets aussi brûlants que le régime de Saddam, les armes que l'administration l'accusait de détenir, ou les opérations antiterroristes américaines et leurs conséquences positives pour les civils afghans et irakiens, s'intercalent entre ceux réalisés par les équipes de journalistes « classiques ». Avec l'évidence d'une guerre menée sans mandat de l'ONU, le besoin de convaincre l'opinion réticente à l'égard de l'unilatéralisme s'est fait plus pressant.

En 2002-2003, les méthodes employées pour peser sur l'opinion n'ont plus de limites : jouant sur le crédit dont jouissent les hauts gradés en retraite et dont l'âge serait synonyme de sagesse, l'administration recrute, en sous-main, au moins 75 généraux – certains sont employés par des sociétés d'armement – afin de répandre, sous le sceau d'une fausse indépendance, un point de vue pro-guerre dans les médias, d'ailleurs très discrets vis-à-vis des attaches partisanes de leurs « experts »[28]. Or, ces manœuvres violent l'*Informational and Educational Exchange Act* ou le *Smith-Mundt Act* (1948), censé préserver les citoyens d'une propagande étatique dissimulée[29].

Désinformée de façon pernicieuse, l'opinion ne peut qu'adhérer en majorité aux paroles venues « d'en haut », reprises à l'unisson dans les médias dominants et prescripteurs. Des réfractaires se font néanmoins entendre.

*Irréductibles opposants, nouveaux adversaires
et figures critiques*

Pendant la guerre du Vietnam, les citoyens critiques n'attendirent pas pour se manifester que le conflit tue des jeunes Américains par milliers. Début 1965, alors que s'amorçait l'escalade militaire, des rassemblements d'opposants avaient déjà lieu dans une quarantaine de villes américaines. Ultra-minoritaire, la base du futur mouvement était là. Dès le lendemain des attentats, des Américains, composant la base incompressible des antirépublicains, se mobilisent de façon identique face à la guerre qui s'annonce.

Le jour même des attaques du 11 Septembre, quelques personnalités de la presse et des médias s'insurgent contre le dévoiement éditorial et l'aveuglement dont elles sont témoins. Plusieurs prennent la parole ou la plume pour dénoncer des pratiques jugées dangereuses sur un plan démocratique, livrer leur lecture des attentats et commenter la réponse gouvernementale. Tous se mettent à l'écart d'un unanimisme rallié par des personnalités qui, comme Bruce Springsteen, figuraient quelques heures auparavant dans le camp des adversaires historiques du président Bush.

« Les Arabes voient les Etats-Unis comme un complice d'Israël, un partenaire dans ce qu'ils considèrent comme une impitoyable répression des aspirations palestiniennes », juge au lendemain des attentats le journaliste Jim Wooten, sur ABC, qui qualifie ensuite de « provocants » « le contrôle israélien des lieux sacrés de l'islam à Jérusalem, la présence des troupes américaines en Arabie saoudite près des Lieux saints, et les sanctions économiques contre l'Irak[30] ». Bill Maher, animateur de l'émission télévisée *Politically Incorrect*, va, le 17 septembre, justifier le titre du programme diffusé par ABC : son invitée, Dinesh D'Souza, membre du conservateur American Enterprise Institute, évoque les pirates de l'air sous un angle pour le moins polémique : « Vous avez toute une bande de type décidés à donner leur vie. Aucun d'eux n'a reculé. [...] C'étaient des guerriers. » Maher abonde. D'après lui, les Etats-Unis, eux, « ont été lâches, envoyant des missiles de croisière à 2 000 miles de distance », par exemple contre le Soudan, en 1998 : « Voilà ce qui est lâche. Rester dans l'avion lorsqu'il percute le building, [...] ce n'est pas lâche[31]. » Susan Sontag, intellectuelle célèbre (entre autres) pour son opposition militante à la guerre du Vietnam, publie dans le *New Yorker* du 24 septembre une tribune qui prolonge les propos tenus au cours de *Politically Incorrect*. « Ce n'était pas des lâches[32] », écrit-elle à propos de terroristes qualifiés de la sorte par le Président. Scandalisée par l'interprétation dominante des événements, Sontag dénonce « une campagne destinée à infantiliser le public », raille les certitudes présidentielles, brocarde l'union sacrée d'un « Congrès soviétisé » et, s'interrogeant sur le « nombre d'Américains conscients des prochains bombardements sur l'Irak », rejette l'idée d'une attaque « contre la "civilisation", la "liberté" [...] ou le "monde libre" ». « Une large réflexion doit être conduite, juge-t-elle, [...] autour des inepties du Renseignement américain [...], sur les différentes options de la politique étrangère américaine [...], et sur ce que doit être un habile programme de défense[33]. » D'autres intellectuels de gauche, comme Arthur Miller (1915-2005), opposant historique au maccarthysme et à la guerre du Vietnam, le linguiste Noam Chomsky, l'historien Howard Zinn (1922-2010) ou le « cartooniste » Ted Rall, condamnent sans réserve les attaques d'Al-Qaida, tout en s'efforçant de démonter le mécanisme et l'engrenage de terreur qui les ont déclenchées[34]. Plus *« underground »*, l'écrivain journaliste Hunter S. Thompson adhère aux florissantes théories du complot tout en raillant la politique présidentielle. L'armée elle-même compte dans ses rangs des individus prêts à manifester leur désaccord, comme le colonel Ann Wright, 57 ans, qui démissionne de son poste au sein du Département d'Etat en signe de protestation.

Ces quelques personnalités se posent en porte-parole d'une minorité moins visible, limitée, d'après les enquêtes d'opinion, à une dizaine de pour cent en septembre-octobre 2001[35]. Les forums Internet constituent ainsi un espace d'expression pour cette part d'Américains qui ne se retrouvent pas dans les vues présidentielles et leurs échos médiatiques : sur le site du *San Francisco Chronicle*, « Lou » tempère le bellicisme ambiant : « Comment peut-on trouver logique de bombarder tout un pays à cause des agissements de quelques personnes[36] ? » Là, un autre Américain se montre visionnaire : « Je suspecte qu'il va être très facile pour "Dubya" d'obtenir des fonds pour l'armée et les dépenses du renseignement[37] », juge-t-il, tandis qu'un intervenant tente d'apaiser le débat : « En l'absence de preuves, il ne faut pas pointer du doigt. Souvenez-vous d'Oklahoma City* et

---

* Frappée en 1995 par l'attentat de Timothy McVeigh. *(N.d.A.)*

des milliers d'Américains d'origine arabe qui ont souffert de fausses accusations[38]. »

Au-delà de ces échantillons virtuels, des initiatives concrètes et coordonnées de cette autre Amérique commencent à voir le jour. La gauche, notamment ses représentants les plus radicaux, est au rendez-vous, sans parvenir à masquer le caractère fragmentaire de la mobilisation : voilà longtemps que les exactions talibanes sont dénoncées par ces mêmes courants, tiraillés entre l'idée de chasser du pouvoir les « docteurs de la foi » et la crainte d'infliger de lourdes pertes aux civils afghans. Des sympathisants paralysés par le choc ne répondent pas à l'appel et se fondent dans l'union sacrée. D'autres tentent de se rassembler, *via* le nouveau média qu'est Internet[39], au sein des mouvements qui naissent à cette époque[40]. Coalition hétéroclite de groupes fermement ancrés à gauche, propalestiniens et parfois non exempts de positionnements suspects d'antisémitisme, ANSWER (Act Now to Stop War and End Racism, ou « Agir maintenant pour arrêter la guerre et en finir avec le racisme ») est créée le 14 septembre 2001. Elle organise le 29 septembre 2001 sa première manifestation à Washington. Selon les estimations, entre 8 000 et 25 000 personnes y convergent, un chiffre peu élevé surtout si on le compare aux centaines de milliers d'opposants à la guerre d'Irak rassemblés en janvier 2003 dans la capitale fédérale. New York, San Francisco et Los Angeles sont, ce 29 septembre 2001, le point de ralliement de quelques milliers de pacifistes qui y défilent. L'opposition reste anémique, mais son noyau dur est constitué. Début 2002 émerge Not in Our Name (NION), où l'on retrouve quelques ténors de l'intelligentsia gauchisante comme Noam Chomsky et Howard Zinn, ainsi que les franges marginales que sont les groupuscules communistes américains. D'autres mouvements se créent, comme Stop the War, aux velléités unitaires. Le 20 avril 2002, tandis qu'un parfum de guerre en Irak exhale des interventions officielles, une nouvelle journée de manifestation brasse environ 75 000 personnes[41]. Les progrès sont notables, sans traduire autre chose qu'un frémissement militant, mais croissant et élargi à mesure que l'offensive militaire se précise. Ce jeune mouvement donne également naissance, en novembre 2002, à Military Families Speak Out (« Les Familles de militaires prennent la parole »), qui rassemblera à la fin mars 2003 environ 400 familles, traînées dans la boue par les partisans de la guerre[42]. Puisque les soldats sont tenus à un devoir de réserve, leurs épouses, parents et enfants dénoncent à leur place l'iniquité de la guerre. En mars 2003, ce collectif est à l'origine d'une procédure judiciaire – vouée à l'échec – lancée contre le Président et son secrétaire à la Défense, accusés de préparer une guerre contre l'Irak sans l'aval du Congrès.

Internet joue pour ce jeune mouvement un rôle important. Support d'expression pluraliste et refuge d'un point de vue marginalisé, la Toile offre un espace de liberté à des petites structures d'information comme *AlterNet*, née en 1998, ou *Truthout*, dédiée depuis 2000 au traitement de sujets d'actualité peu ou pas couverts, et ici investigués par des journalistes venus de la presse de gauche. Une nébuleuse très active émerge : des sites comme *TalkingPoints Memo*, créé sous forme de blog en 2000 par Josh Marshall, jeune trentenaire diplômé en histoire qui s'investit dans un journalisme indépendant et de qualité[43], de même que *War in Context*, apparu fin 2001, et *Dissident Voice*, bientôt rejoints par des dizaines d'autres pôles alternatifs, composent une websphère intellectuellement subversive. Grâce au Net, les velléités d'opposition prennent la forme d'une lutte d'abord axée sur des activités de contre-propagande bénéficiant de moyens de diffusion sans comparaison avec les plus de 4 000 titres de la presse « *underground* » des années 1960, souvent payants, plus ou moins coûteux à produire et cantonnés à des lectorats régionaux et urbains[44]. Pour les animateurs du courant post-2001, professionnels de l'information, amateurs en passe de le devenir ou simples citoyens, l'objectif d'une démarche que l'on pourra qualifier de résistante est de ranimer les consciences assommées par les stratégies de communication officielles. Surtout, Internet donne les moyens aux courants politiques alternatifs d'échanger et de se rassembler. Différence de taille avec leurs supposés modèles des années 1960, les contestataires déclenchent des actions marquantes dès le début de la guerre : la désobéissance civile, surtout limitée aux premiers jours de l'invasion à New York, Washington, San Francisco et Chicago, où des manifestants tentent de bloquer la circulation à plusieurs reprises, témoigne de l'existence d'activistes déterminés, qui organisent des *sit-in*, formes de manifestations non violentes popularisées depuis 1965 par le mouvement des droits civiques, déclinés ici en « *die-in* » pendant lesquels les participants occupent l'espace public dans des postures de cadavres. Sur la période et dans tout le pays, environ 10 000 d'entre eux sont arrêtés[45].

Courant janvier-février 2003, plus d'une centaine de conseils municipaux, et non des moindres (New York[46], San Francisco, Los

Angeles, Chicago, Detroit, Philadelphie[47]...) se prononcent contre la guerre en Irak et l'unilatéralisme de l'administration. Bien que ces votes relèvent d'abord du champ symbolique – les villes n'ont aucune prérogative en politique étrangère –, ceux-ci attestent de l'existence d'une opposition majoritaire des élus locaux, pour la plupart démocrates, distincte de la politique nationale. Leurs discours, relayés par des quotidiens relativement influents comme le *Los Angeles Times* ou le *New York Times*, se démarquent de la fièvre guerrière que Washington fait monter : « Nous avons de grands besoins dans nos villes, soutient Ed Reyes, conseiller municipal de Los Angeles, et nous ne devrions pas utiliser les revenus de l'impôt fédéral pour bombarder et tuer des gens dans d'autres pays[48]. » Au même moment, les Eglises américaines exposent elles aussi un large refus de la guerre, et ce jusqu'aux méthodistes[49] – dont fait partie George W. Bush –, qui désapprouvent ainsi l'attitude du plus célèbre de leurs fidèles.

Des initiatives, plus inattendues, témoignent également d'une opposition tenace. Des réalisateurs de cinéma se joignent aux contestataires, et attaquent de manière plus ou moins frontale la pensée dominante. Le *Gangs of New York* de Martin Scorsese (2002), qui reconstitue sa ville natale durant la guerre de Sécession, en proie à l'anarchie, à la xénophobie et au racisme, en est le parfait exemple : non dénué d'assise historique, le traitement réservé à la cité martyre va à contre-courant de l'union sacrée et de la pensée unique qui l'accompagne. Le réalisateur truffe le scénario de coups de griffe en direction de l'administration et de son chef : « Ce qui compte ce n'est pas le vote, mais le comptage », déclare avec sarcasme un politicien corrompu. L'allusion au casse-tête électoral de Floride, qui permit à George W. Bush de remporter la présidence, relève d'une préméditation osée.

On peut s'étonner du mutisme des campus en le comparant à la contestation étudiante née dès 1965. L'impuissance qui caractérise cet ancien pilier du mouvement antiguerre doit tout à l'évolution structurelle de la société : ayant tiré les enseignements des actions estudiantines, le gouvernement américain usait, dans les années 1970, d'une stratégie répressive (fichage des leaders, écoutes, dissolution d'associations, suppression de bourses, expulsions, apparition de questionnaires de moralité à l'inscription...) adossée à un nouvel arsenal législatif qui criminalisait les étudiants rebelles[50]. Après des tragédies lourdes de conséquences comme la fusillade de l'université

Kent State en mai 1970, l'agitation, teintée des couleurs de gauche et aspirant à toutes sortes d'expérimentations, fut muselée de manière préventive. Mis au pas, les étudiants des classes moyennes et supérieures, dont le nombre a considérablement augmenté depuis 1960, sont surtout tenus éloignés des questions militaires par la suppression du service national, intervenue en 1973. Après l'incorporation inégalitaire de la jeunesse étudiante dès 1966, des organisations très actives pendant le conflit au Vietnam, comme le Student for a Democratic Society (jusqu'à son éclatement en 1969), le Student Nonviolent Coordinating Committee, le Student Mobilization Committee to End the War in Vietnam, et les organisations locales perdirent ainsi leur raison d'être, ou au moins la motivation des militants, dont les générations suivantes durent en outre composer avec la hausse des tarifs d'inscription atteignant en moyenne 16 000 euros en 2005[51]. Entre 1970 et 2002, une université comme celle du Texas a augmenté ses droits d'entrée de 231 à 422 % dans certaines sections[52]. Forcés de contracter des crédits ou de travailler pour étudier, les étudiants en oublièrent peu à peu le versant contestataire propre aux cursus universitaires[53], de sorte que la National Youth and Student Peace Coalition, née fin 2001 de l'ancien Movement for Democracy and Education, ne survivrait pas à la réélection de George Bush.

Cependant, des difficultés de recrutement militaire ont favorisé avant 2001 la mise en place d'un chantage aux études – conditionnées pour les moins aisés à l'accomplissement d'un passage sous les drapeaux en échange de bourses universitaires tandis que les structures scolaires sont tenues d'ouvrir leurs portes aux agents recruteurs, sous peine de perdre le versement de subventions fédérales : cette conscription des déshérités a fait changer la donne et la contestation est réapparue sous de nouvelles formes sur les campus. Les grandes universités de Stanford et Georgetown, soutenues par des mouvements de défense des libertés et des associations de professeurs, ont préparé des ripostes judiciaires qui mettront plus de trois ans à aboutir. A Harvard, la doyenne Elena Kagan s'est élevée, dans un mémo transmis à l'ensemble de ses étudiants et aux professeurs, contre cette violation du règlement universitaire instauré en 1979[54].

Quant à la musique, celle-ci ne revêt plus au XXIe siècle le caractère sulfureux de l'âge d'or du rock et de la pop, lorsqu'une reprise saturée du *Star Spangled Banner* par Jimi Hendrix suffisait à faire hurler l'Amérique conservatrice. Transformés en inoffensifs produits marketing par l'industrie musicale, les disques de musiciens contestataires comme Tracy Chapman[55] ou Ben Harper, supposés perpétuer l'héritage de la « génération Joan Baez », s'écoulent dans les grandes surfaces de l'« *entertainment* » sans affoler les chiffres de ventes. Plutôt discrètes dans les mois qui suivent les attaques de septembre, des initiatives spécifiques se sont multipliées à l'approche du conflit irakien : en 1991, Lenny Kravitz créait le « Peace Choir », rassemblant pas moins d'une quarantaine de musiciens (Peter Gabriel, Cindy Lauper, Sean Lennon, Yoko Ono, Little Richard, Iggy Pop, les fils Zappa) pour une reprise du *Give Peace a Chance* de John Lennon distribuée par Virgin Records. En septembre 2002, Kravitz récidive avec *We Want Peace*, titre interprété en duo avec le chanteur irakien Kazem Al-Saher et uniquement disponible sur Internet, où il atteint la première place des téléchargements. Pour le reste, rien de notable, en dehors de morceaux contestataires joués par quelques groupes à l'audience mineure. Les hymnes antiguerre des années 2000 n'auront jamais existé...

Unanimisme embrigadant et nouvelle chasse aux sorcières

Avec l'avènement d'un contexte de guerre, la communication gouvernementale sacralise le Président et cimente l'union nationale autour de sa personne. Les piliers de la foi patriotique – vénération du commandant en chef et acceptation de sa politique, certitude de la « mission » dévolue au pays, croyance en la puissance d'une armée aux vertus protectrices – ne souffrent aucune remise en question, tant leur respect devient synonyme, dans la « lutte contre le Mal », de rédemption pour le peuple américain, mais aussi d'affirmation de son identité. Dès lors, qu'advient-il des réfractaires ?

« Susan Sontag est une lâche[56] », titre un article du *New Yorker*, magazine plutôt libéral (c'est-à-dire de centre gauche) auquel collaborait la journaliste. Des papiers au vitriol signés Charles Krauthammer, dans le *Washington Post*, ou John Podhoretz, du *New York Post*, la prennent également pour cible : « Quand 5 000 Américains viennent de mourir en une seule journée, l'heure n'est plus à la critique obscène de l'Amérique[57] », tranche l'un, tandis que l'autre voit en Sontag une personne « haineuse à l'égard de l'Amérique ».

Dans les rangs des journalistes, les victimes sont nombreuses : Bill Maher, d'ABC, qui jugeait le 17 septembre plus approprié d'apposer le qualificatif de « lâche » aux bombardements américains qu'aux hommes de Mohammed Atta, voit ses propos condamnés pour « antipatriotisme » par le porte-parole de la Maison-Blanche, et ses plus gros annonceurs (Sears et Federal Express) se désengager du sponsoring de l'émission qu'il anime, simultanément éjectée des programmes de différentes chaînes locales[58]. A l'échelon régional, justement, Dan Guthrie, journaliste du *Daily Courier* (Oregon), tourne en ridicule, dans un article du 15 septembre, un président Bush « volant [le jour des attentats] à travers tout le pays comme un gamin cherchant à se réfugier dans le lit de sa mère après un cauchemar ». Le propriétaire du journal le licencie[59]. Semblable mésaventure arrive à Tom Gutting, du *Texas City Sun*, venu s'ajouter à la liste des professionnels de l'information débarqués pour s'être écartés de la ligne « patriotique » officielle. Jim Lehrer, présentateur de *The NewsHour* sur PBS depuis le scandale du Watergate, se distingue, lors de la guerre d'Afghanistan (2001), par son refus d'arborer une épinglette aux couleurs du drapeau. Soucieux de faire valoir une objectivité discutée[60], Lehrer argue de la « distance à maintenir avec le gouvernement[61] ». La rédaction de PBS reçoit un flot de courriers qui accusent le journaliste et son équipe d'« antipatriotisme[62] ». Par la suite, Lehrer rentre dans le rang et fournit des gages d'attachement au camp républicain plus conformes à son passé télévisuel. Peter Arnett, le correspondant de NBC affecté à la couverture de la guerre en Irak, est congédié, officiellement pour avoir accordé une interview à la télévision nationale irakienne, officieusement pour avoir expliqué à ses téléspectateurs que « le plan de guerre ne se déroulait pas comme prévu à cause de la résistance » ; sous pression, le détenteur du prix Pulitzer pour des reportages sur la guerre du Vietnam doit faire son autocritique : « J'ai manqué de jugement », déplore-t-il après son licenciement. Enfin, Dan Rather subit aussi les séquelles de cette période : malgré son ralliement inconditionnel du 11 septembre, la star des médias est débarquée début 2005 de l'émission phare *CBS Evening News* au terme d'une série d'initiatives journalistiques – l'interview de Saddam Hussein du 24 février 2003, son rôle dans la révélation des tortures et le scandale du service militaire de George W. Bush – particulièrement malvenues pour le camp de la guerre.

Dans un même réflexe qui suivit les déclarations de John Lennon se prétendant, en 1966, « plus populaire que Jésus », la production des musiciens critiques à l'égard de la politique gouvernementale flambe, de manière aussi épisodique que spectaculaire, dans les autodafés dressés par l'Amérique profonde à l'appel de médias tels que les radios country de ClearChannel[63] ou le site Internet conservateur *Free Republic*, à leur tour relayés par une presse prêchant l'union sacrée. L'exemple des Dixie Chicks, groupe féminin de country très populaire, est emblématique : lors d'un concert donné le 10 mars 2003 à Londres, la chanteuse confie au public sa « honte » de vivre dans un pays dirigé par George W. Bush. Répercutée aux Etats-Unis, la citation vaut aux Dixie Chicks des accusations de « trahison », ainsi que des appels au boycott des radios et du public, l'amoncellement de disques – vendus par millions – jetés par leurs fans et livrés à la vindicte populaire, et même une résolution des parlementaires de la Chambre de Caroline du Sud exigeant un concert gratuit aux troupes en guise de pardon. Nathalie Maines, leader du groupe, finit d'ailleurs par présenter ses excuses ; Sean Penn, chef de file de l'opposition hollywoodienne, perd le rôle qui lui était promis dans *Why Men Shouldn't Marry* et figure sur les nombreuses listes noires qui fleurissent sur Internet, aux côtés de Martin Sheen, Spike Lee, Barbara Streisand, Dustin Hoffman et des centaines d'autres stars épinglées par le site *Celiberal* : « Nous, affirment ses administrateurs, dénonçons fièrement ces célébrités libérales [...] qui n'ont rien de mieux à faire que de critiquer l'Amérique et les hommes et femmes courageux qui défendent notre mode de vie[64]. » Anonymes, les responsables de *Celiberal.com* ressuscitent certains aspects du maccarthysme, « privatisé » par l'avènement d'Internet : chaque citoyen peut publier sa propre liste noire et se muer en disciple moderne du célèbre sénateur. Différents organismes (groupements prorépublicains, associations d'anciens combattants) ne s'en sont pas privés. Des menaces pleuvent sur les plus engagés, comme le révèle Thom Yorke, virulent chanteur du groupe britannique Radiohead, pour qui « les Etats-Unis sont dirigés par des bigots maniaques qui ont volé les élections[65] » : « Il est stupéfiant de voir à quel point l'administration Bush a retourné la compassion, la bonne volonté et la sympathie générale. Ils sont devenus ivres de guerre, lâche-t-il en avril 2003 avant d'apostropher son interviewer : A chaque fois, c'est pareil. Vous, vous écrivez les papiers, mais c'est moi qui reçois les menaces de mort. [...] Au début, ça m'a fait rigoler qu'on brûle nos CD au Texas. Depuis quelques jours, beaucoup moins[66]. » Auteurs de saillies antiguerre, Yorke et sa bande enregistrent entre septembre 2002 et février 2003 l'album *« Hail to the*

Thief » (« Salut au voleur ») qui, malgré leurs dénégations, passe pour une référence au slogan forgé par les opposants à la victoire de George W. Bush en 2000 – slogan qui détourne *Hail to the Chief* (« Salut au Chef) », l'« hymne » joué en l'honneur du président américain depuis les années 1850. La mise en place de 4 millions d'exemplaires d'un disque fort attendu arborant, sur sa pochette, une phrase lourde de sens s'apparente bien à un geste politique qui provoque de violentes réactions. Il serait fastidieux de recenser l'ensemble des victimes, tant leurs profils sont divers. Citons néanmoins l'exemple de l'Anglais George Michael, peu connu pour son engagement politique, qui prend pourtant position en 2002 contre la guerre en Irak. Dans les paroles et le clip du single *Shoot the Dog*, le chanteur critique et se moque du couple Tony Blair. « Dubya », ce qui lui vaut un album descendu en flammes par l'ensemble des organes de presse du groupe Murdoch et le boycott des radios de ClearChannel, premier opérateur du pays, à la tête de 1 213 stations.

Cette fièvre patriotique aux vertus excommuniantes s'exprime avec d'autant plus de vigueur que les guerres d'Afghanistan puis d'Irak se font proches. Le phénomène, déjà éprouvé en plein engagement au Vietnam – l'éviction du député antiguerre Julian Bond du Parlement de Georgie (1966) ou Mohammed Ali déchu de son titre de champion du monde de boxe (1967) –, retrouve toute sa vigueur. Grâce à son potentiel dissuasif, cette nouvelle chasse aux sorcières ouvre la voie à une escalade belliciste monocorde car peu troublée par ses adversaires.

Ralliée à l'union sacrée, la population se révèle pourtant, dans une très large majorité, opposée à toute forme de censure, comme le montrent une série d'enquêtes : si l'on excepte la période septembre-octobre 2001, pendant laquelle une courte majorité (54 %) des personnes interrogées se déclarent hostiles à la formulation de critiques sur les décisions militaires prises par le Président, le rapport s'inverse définitivement dès novembre[67]. Mieux, 71 % considèrent que les adversaires d'une guerre doivent avoir le droit de manifester pacifiquement[68]. De tels résultats donnent à penser que la « chasse aux sorcières » et la communication guerrière devaient s'intensifier pour contrer un certain bon sens populaire...

En position d'influence, les fabriques d'opinion (médias, hommes politiques, personnalités...) imposent l'idée présidentielle selon laquelle le choix proposé à chaque citoyen est binaire : « Etre avec les Etats-Unis, ou contre eux. » Adressée aux Etats susceptibles de soutenir le terrorisme, la mise en garde englobe vite les simples opposants, de la même façon que les partisans de la guerre du Vietnam interpellaient les réfractaires sur l'air du « Aimez l'Amérique ou quittez-la ». Le slogan, qui avait refait surface sous Reagan, revient donc dans l'après-11 Septembre. Le pouvoir, ses partisans ainsi que les médias enclins à épouser une dérive droitière usent d'amalgames calomnieux et infamants contre leurs adversaires, accusés de « soutenir le terrorisme ». Ce qui autorise Richard Perle, conseiller au Pentagone et faucon parmi les faucons, à voir Seymour Hersh comme « ce que le journalisme américain a de plus proche d'un terroriste[69] ». Bête noire de la droite et des « va-t-en-guerre » depuis ses enquêtes sur le massacre perpétré au Vietnam par un détachement américain à My Lai, la célèbre plume du *New Yorker*, prix Pulitzer en 1970[70], fait partie des journalistes qui n'ont pas remisé leur éthique au vestiaire de l'union sacrée[71]. Ses articles consacrés aux manipulations du renseignement par l'administration Bush et aux conflits d'intérêts de quelques éminences grises néoconservatrices[72] lui valent d'insistantes vociférations diffamatoires par ceux-là mêmes qui, à l'image de Glenn Beck, présentateur de Fox News, ont pu traiter Cindy Sheehan, mère d'un soldat tué en Irak, de « pute tragique », ou appeler à l'assassinat de Michael Moore[73]. L'intellectuel Noam Chomsky reçoit sa part d'attaques fielleuses : « Je veux autant voir Chomsky enseigné dans les universités que les écrits d'Hitler ou de Staline », lance, en septembre 2002, le journaliste néoconservateur Daniel Pipes, qui ajoute : « Il s'agit là d'idées violentes et extrémistes qui [...] n'ont pas leur place à l'Université[74]. » Par le jeu de photomontages ou de simples juxtapositions de portraits, des clichés de personnalités critiques sont accolés à ceux des « ennemis de l'Amérique » que sont Oussama Ben Laden et Saddam Hussein. Représentatif des 24 % d'Américains favorables au musèlement de toute contestation, le propos posté le 11 septembre par un certain « flmike » sur le forum Internet de *USA Today* en est l'illustration : « Nous sommes en guerre. [...] Et la justice [...] nécessite des représailles contre nos ennemis [...], sans oublier ceux qui, dans notre pays, soutiennent le terrorisme[75]. » Or, ne pas adhérer aveuglément au programme de l'administration Bush équivaut bien, dans cette période et pour les plus radicaux, à « soutenir le terrorisme ».

Ces violentes réactions ne sont pas qu'instinctives : la part de responsabilité des médias, vecteurs et acteurs des campagnes de dénigrement, souligne le pouvoir d'un groupe aussi puissant que celui de Rupert Murdoch. De l'intellectuel fameux aux « artistes » de variétés, aucun réfractaire à l'union sacré n'est épargné, de même que toute personne publique dont l'opinion ferait obstacle au branle-bas de combat. Ceux qui outrepassent cette règle tacite en payent le prix : vétéran du Vietnam couvert d'honneurs militaires, amputé des jambes et d'un bras, le sénateur démocrate Max Cleland fait part de ses doutes sur le bien-fondé d'une intervention en Irak, qu'il a pourtant votée. Aussitôt, il devient la cible d'une intense campagne calomnieuse qui fustige son « indécision face au terrorisme », tandis que des photomontages le montrent, dans un spot télévisé – financé par Saxby Chambliss, son adversaire aux élections sénatoriales –, aux côtés d'Oussama Ben Laden et Saddam Hussein. La sanction tombe en 2002, avec la perte de son siège. Ce torrent diffamatoire marque bien plus ses électeurs que les déclarations de Chambliss, vainqueur en novembre 2001, pour qui les shérifs de Georgie devraient avoir le droit d'« arrêter tout musulman ayant franchi la frontière de l'Etat[76] »...

· L'exemple de Cleland, et auparavant celui de Cynthia McKinney, représentante et virulente adversaire de l'administration défaite dès les primaires démocrates de 2002, incitent d'autres hommes politiques à minorer leur opposition à la dynamique de guerre afin d'éviter une douloureuse excommunication médiatique puis politique. « En 2003, pendant la course à la guerre, toutes les oppositions ont été balayées. On s'accusait d'antipatriotisme[77] », se souvient le graphiste Milton Glaser. Enième avatar de l'union sacrée, cette façon de rejeter l'adversaire politique hors de la communauté nationale en le taxant de collusion avec l'ennemi suprême trouve son apogée dans le qualificatif « *unamerican* » (« non américain/antiaméricain ») apposé sur tout individu un tant soit peu critique. Ce terme, qui exhale un parfum proche de l'« Anti-France » du siècle passé, mais aussi guère éloigné de la célèbre Commission des activités antiaméricaines des années 1930 à 1975, dépouille littéralement de sa nationalité celui qu'il désigne. Il impose une norme selon laquelle « être américain » nécessite d'approuver avec un loyalisme impulsif la politique du Président, puisque celui-ci n'agirait que pour le bien de la patrie et la liberté dans le monde ; tel est, du moins, la base d'un credo américain plus que bicentenaire[78].

Par ricochet, les tenants de cet état d'esprit parviennent à imposer l'idée que toute critique équivaut à de la défiance à l'égard des troupes. Or, l'image des soldats, malmenée dans les dernières années du conflit vietnamien, s'est améliorée au cours des décennies suivantes : sous l'influence conjuguée et pourtant contraire d'un reaganisme revanchard – car décidé à promouvoir une Amérique forte dans une période de doute mémoriel et économique – et de quelques films sur le « retour du Vietnam » comme *Coming Home* (1978), *Voyage au bout de l'enfer* (1979), *Rambo* et *Rambo II* (1982 et 1985), *Birdy* (1984), *Platoon* (1987) ou *Né un 4 juillet* (1989), l'opinion a éprouvé des sentiments de culpabilité et de compassion vis-à-vis de ces hommes noyés dans l'horreur d'une guerre, rentrés au pays et traités de « *Baby Killers* » alors que la plupart d'entre eux n'avaient combattu qu'en vertu de leurs obligations militaires. Enorme succès au box-office, *Rambo (First Blood)* montre par exemple un « héros de guerre » souffrant de stress post-traumatique, « béret vert et médaille d'honneur du Congrès », utiliser sa science du combat contre les policiers brutaux et les habitants inhospitaliers d'une bourgade des Rocheuses érigée en métaphore de l'Amérique. Chargés de remords, des millions de spectateurs ont pris fait et cause pour ce personnage de vétéran décliné au cinéma. Bientôt couplée à la revendication d'une victoire nette sur l'URSS implosée, cette culpabilisation, parfois involontaire, a renforcé le soutien populaire qu'entraîne tout déploiement de troupes, au point de faire de l'expression impérative « *Support our Troops* », déjà répandue en 1991, un nouveau slogan incontournable de la guerre contre la Terreur. Sur ce plan, les Etats-Unis n'ont pour eux que l'exclusivité de la permanence : la France a démontré en 1991 une similarité qui doit tout à son passé militariste et à l'imprégnation de cette histoire dans la mémoire collective. Entre le 22 janvier et le 22 février 1991, le service des postes aux armées expédiait dans le Golfe 266 tonnes de courrier dont 242 tonnes de colis à l'attention des troupes, à raison d'une moyenne de 25 000 à 30 000 lettres ou paquets quotidiens[79]. Le pays était, par bien des aspects, embrigadé dans la guerre.

Aux Etats-Unis, suivant un mouvement né pendant la première guerre du Golfe, plus de 80 associations en phase avec le slogan « *Support our Troops* » naissent après 2001 et génèrent une impression d'unanimité, sous l'impulsion de particuliers (« *Operation Support our Troops* », « *Warmth for Warriors* », « *Tell Them Thanks* », « *Thank Your Soldiers* », « *Support Our Heroes* », « *Homebuilders Sup-*

port the Troops », « Operation Troops Aid », « Troops Need You », « With Love From Home », « Give 2 the Troops », « Support America's Armed Forces[80] »...) ou, en novembre 2004, à l'initiative du Pentagone (« America Supports You »). Dans une multitude de produits dérivés, des affiches, pin's, pendentifs, tee-shirts et tous les supports habituels véhiculent cet impératif patriotique, comme le ruban jaune arboré en 1991 et ressorti pour l'occasion. En contrepoint, le vieux dicton « If you don't stay behind our troops, feel free to stand in front of them » (« Si tu ne soutiens pas nos troupes, sois prêt à leur faire face ») trouve un terrain manichéen propice à sa formulation et joue sur la menace de l'ennemi intérieur. Dans un sens, la chaîne Al Jazeera fera les frais de ce mot d'ordre lorsque ses locaux afghans et irakiens seront pris pour cibles par l'armée américaine et que plusieurs de ses journalistes seront tués.

Ce clivage simpliste voue aux gémonies tous ceux qui ont l'audace de formuler un avis contradictoire. On observe par ailleurs que l'époque des lois condamnant, en Europe comme aux Etats-Unis, les auteurs de propos antiguerre, aux prétextes divers de « défaitisme » ou d'« appel à la sédition », est révolue. Le Sedition Act de 1918, qui prohibait la diffusion de textes « déloyaux, outrageants, injurieux [...] à l'égard du gouvernement des Etats-Unis, du drapeau ou des forces armées », permit au Bureau d'investigation (l'ancêtre du FBI) de ficher, en 1920, 2 millions d'Américains considérés comme « déloyaux[81] ». Abrogé l'année suivante, ce texte n'eut plus d'équivalent : pendant la Seconde Guerre mondiale, et légitimée par la nature des régimes ennemis, l'autocensure journalistique suffit, tandis que les guerres de Corée et surtout du Vietnam inspirèrent une contestation adossée à une presse gagnant ses lettres de noblesse. Ce renversement de tendance incita donc les administrations Reagan puis Bush senior, responsables des interventions à Grenade (1983), au Panama (1989) et en Irak (1991), à encadrer rigoureusement l'information de guerre. L'après-11 Septembre apparaît comme un cocktail des décennies précédentes : la censure officielle des écrits contestataires et les poursuites judiciaires à l'encontre de leurs auteurs n'ont plus cours, mais la presse se plie, en majorité, à des règles édictées par des actionnaires proches du pouvoir. Sollicité en 2002 par des grands titres connus pour leur ligne libérale, le célèbre auteur de bandes dessinées Art Spiegelman est éconduit lorsqu'il présente aux responsables du New York Times, de la New York Review of Books et du New Yorker les planches d'une série consacrée à sa lecture du 11 Septembre et de la politique américaine : « [Ils] ont poussé des cris d'orfraie[82] », explique Spiegelman. A l'heure où la toute-puissance médiatique crée et détruit une réputation, l'arme de la marginalisation éditoriale et de la calomnie déclenche des effets quasi identiques, mais plus discrets et sans doute aussi efficaces qu'un arsenal législatif attentatoire à la liberté d'expression. Ce dispositif informel ne fonctionnerait pas sans un conditionnement préalable et ancien, né, précisément, des guerres passées, toujours initiées dans un consentement patriotique général et instinctif.

En bout de chaîne, ce retour à un certain ordre moral se généralise de manière flagrante dans le triomphe du conservatisme social en matière d'avortement (le *Partial-Birth Abortion Ban Act* de 2003), le succès croissant des Eglises évangéliques, le débat sur les droits des homosexuels et le soutien officiel acquis dans les mois suivants par certaines théories créationnistes. L'« *intelligent design* », qui prétend remettre en question les connaissances scientifiques de l'évolution, obtient droit de cité dans l'enseignement, après des décennies de lutte menée par des groupes conservateurs en faveur d'un adossement de l'éducation aux valeurs chrétiennes. L'essor des idées réactionnaires et la radicalisation des choix politiques sont caractéristiques des périodes d'union sacrée, comme l'ont prouvé les exemples français des années 1914 et 1939-1940. Aux Etats-Unis, la place donnée aux valeurs traditionnelles, chères à la base républicaine mais également au-delà, montrera l'ampleur de ses effets pendant la présidentielle de 2004, animée de façon égale par les questions morales, économiques et militaires[83]. Ce « balisage » intellectuel et l'atmosphère guerrière masquent, grâce à l'engagement tapageur de ses soutiens, de graves problèmes économiques et sociaux. Si la période couvrant le dernier grand déploiement militaire américain – au Vietnam – fut synonyme, pour les citoyens américains, de « Grande Société », de libéralisation culturelle et de progrès social sur fond de concessions gouvernementales obtenues par les partisans des droits civiques, les années de la « guerre contre la Terreur » se caractérisent par une trajectoire opposée : jamais pays en guerre n'a consenti de telles réductions d'impôts, profitables aux plus riches car doublées du désengagement de l'Etat de nombreux secteurs sociaux. Sous l'ère Reagan, le soutien populaire à ces réformes reposait sur une même vivification du sentiment national, assortie néanmoins d'une croissance économique au moins visible sur un plan statistique, avec un nombre de chômeurs quasiment divisé par deux. Or, le début des années 2000 correspond à une phase de récession : le taux de chômage franchit la barre des 5 % entre 2001 et 2002 pour atteindre les 6 % en 2008[84], après l'embellie sous forme de parenthèses des années 2004-2006 qui constitue pour partie une forme traditionnelle de dynamisation économique par la guerre[85]. Dans le même temps, le nombre de personnes vivant sous le seuil de pauvreté passe de 31 millions à plus de 37 millions[86].

Un cadrage psychologique

Dès le 11 septembre, environ 200 chansons disparaissent des *setlists* radiophoniques de la quasi-totalité des 1 213 stations que détient le conglomérat ClearChannel Communications. Compilés sur un mémorandum adressé par la maison mère à l'ensemble de ses radios[87], les titres incriminés – des morceaux aussi populaires que *Stairway to Heaven* (Led Zeppelin), *Aeroplane* (Red Hot Chili Peppers), *Jump* (Van Halen), *Hells Bells* ou *Safe In New York City* (AC/DC) – sont bannis des ondes au prétexte que leurs paroles raviveraient le souvenir des attentats. Les rockers américains de Rage Against the Machine (RATM), adeptes d'un discours subversif et radical, voient l'ensemble de leur discographie mise au rebut après s'être hissés aux sommets des *charts* dans la dernière décennie. Dès son premier album, en 1992, le groupe utilisait, pour sa pochette, la célèbre photographie du moine bouddhiste sud-vietnamien Thich Quang Duc s'immolant pour protester contre la dictature proaméricaine de Ngô Dinh Diêm. Le succès fut aussi massif que le nombre de ses détracteurs, tandis que le visuel d'un deuxième disque (1996) détournait une affiche de propagande soviétique en y accolant des symboles américains comme Superman, souligné du titre « *Evil Empire* », référence à l'expression reaganienne désignant l'URSS. Le troisième opus, « *The Battle of Los Angeles* » (1999), rappel des émeutes de 1992, présentait sur sa pochette une silhouette au poing levé une nouvelle fois très explicite. Avec des textes politisés et gauchisants désormais bannis des ondes, les « Rage » sont, comme les Beastie Boys, les victimes symboles de la nouvelle censure. Bête noire des conservateurs, RATM est muselé par ses adversaires de toujours, prompts à tirer profit du contexte. Les chansons incompatibles avec l'ambiance belliciste sont également concernées : *What a*

Wonderful World de Louis Amstrong, *Imagine*, l'hymne à la paix de John Lennon, *Peace Train* de Cat Stevens, *War* ou *Warpigs*, titres antiguerre composés en plein conflit vietnamien par Edwin Starr et Black Sabbath, subissent un sort identique.

Depuis 1996 et le *Telecommunication Act* dérégulant le paysage médiatique, une même société peut légalement détenir plus de 30 stations de radio. Profitant de la réforme, ClearChannel Communications s'aligne sur les positions républicaines : son vice-président, le Texan Thomas Hicks, joua un rôle non négligeable dans l'enrichissement de George W. Bush. Or, ClearChannel s'est doté d'une influence considérable qui rayonne chaque semaine sur plus de 110 millions d'auditeurs, fidèles à des radios généralistes et spécialisées. Les consignes envoyées aux filiales de ClearChannel et l'influence de celles-ci sur la vie culturelle font du conglomérat un auxiliaire du gouvernement, voire le pendant radiophonique de Fox News.

Le mémorandum de ClearChannel formalise un climat d'exception qui exclut la remise en question des choix gouvernementaux, la critique du modèle américain et le manque de respect aux détenteurs de l'autorité : les Strokes, jeune groupe new-yorkais en pleine ascension, amputent l'édition américaine de leur album *« Is This It ? »* – paru en octobre 2001 – de la chanson *New York City Cops Ain't So Smart* : dans les Etats-Unis post-11 Septembre où les policiers de la Grosse Pomme font figure de héros, hurler à tue-tête que « les flics de New York ne sont pas très malins » équivaut à une provocation capable de ruiner n'importe quelle carrière. Plus tard, la frivole Madonna, engagée dans la contestation avec son album *« American Life »*, décide de ne pas diffuser le clip du single éponyme, jugé antiguerre[88]. Associant la puissance publique aux grosses sociétés privées, l'aspect tentaculaire des interventions destinées à formater le paysage audiovisuel participe d'un cadrage psychologique sous l'égide des « gardiens de la morale ».

Toute satire du pouvoir politique, à commencer par la figure sacro-sainte du Président, est donc plus que malvenue. Au lendemain du 11 Septembre, les diffusions de *That's My Bush*[89] ! – une sitcom comique, critique et irrévérencieuse des créateurs du dessin animé *South Park* (Matt Stone et Trey Parker), dans laquelle l'acteur Timothy Bottoms campe un Président tourné en ridicule – sont brusquement déprogrammées. Les responsables de Comedy Central, propriété conjointe de CNN, Viacom et News Corporation, le groupe de Rupert Murdoch, invoquent les « événements » récents comme un impératif à l'annulation du programme. Dans un genre similaire, la publication par le *New York Times*, fin 2001, des photos réalisées par Larry Fink, qui mettent en scène des sosies du personnel politique dans des situations incongrues et vaudevillesques, est annulée[90]. Face à la sacralisation présidentielle, il semble inconcevable aux responsables éditoriaux de livrer à leurs lecteurs une parodie gouvernementale, à l'instar de cette composition élaborée par Fink qui met en scène, dans le clinquant d'un décor de maison close, les hommes de l'équipe Bush, ivres et hilares, posant aux côtés du Président heureux de peloter une prostituée court vêtue. L'autoprohibition de la dérision, même lorsque celle-ci rend hommage aux artistes de la république de Weimar, instaure un climat d'ordre moral pesant qui renforce la toute-puissance du pouvoir politique. Pour avoir osé exposer les œuvres de Fink, le directeur de la galerie DuBois de l'université Lehigh reçut plus d'un millier de courriels et d'appels téléphoniques de protestations en quarante-huit heures[91].

La mystique des armées américaines, protectrices et libératrices, rayonne sur la société, confortée dans sa mémoire par les victoires des guerres mondiales et l'effondrement de l'Union soviétique. Une nouvelle fois, la critique d'une institution nationale associée au salut de l'Etat devient synonyme, dans la logique excommuniante, d'insulte aux « courageux soldats qui luttent contre le Mal » et, toujours, de « soutien aux terroristes ». L'autocensure qui atteint le monde de l'édition et de la connaissance historique découle de ce constat : intitulé *Taken by Force : Rape and American GIs in Europe During World War II* (*Prises de force : viol et GI's en Europe pendant la Seconde Guerre mondiale*, ou *La Face cachée des GI's* pour sa traduction française), l'ouvrage du sociologue universitaire Robert Lilly écorne l'image immaculée du preux soldat américain. Début 2003, alors que les exemplaires sont en route vers leurs points de vente, la sortie du livre est retardée. Les dates prévues pour la mise en rayon tombent mal : « *Iraqi Freedom* » est imminente et le « soutien aux troupes » empèse une atmosphère saturée de messianisme. Tout porte à croire que l'éditeur, minuscule face au rouleau compresseur patriotique, redoute la mise à l'index de son entreprise par une inscription sur les florissantes listes d'« *unamerican companies* » à boycotter. Qu'a donc cet essai de si tendancieux ? Rien moins que la destruction d'une mémoire nationale et d'un mythe constitutif de la politique américaine telle qu'on la connaît depuis 1945 : *La Face cachée des GI's*[92] remet en cause la représentation idéalisée des soldats américains débarqués en Normandie. Son auteur expose, à partir de documents d'archives, l'existence et l'ampleur de viols jusqu'ici méconnus et pratiqués sur les populations civiles par les corps d'armée américains, le tout sous le regard plutôt complaisant de leur hiérarchie, encline à sanctionner d'abord les soldats noirs. Or, depuis qu'il est question de renverser Saddam, l'imagerie du GI libérateur et combattant de la liberté contre l'oppresseur nazi a été réactivée et transposée au contexte irakien. Bien que limitée à la Seconde Guerre mondiale, l'explication argumentée et étayée de preuves sur les exactions induites par une présence militaire massive porte en germe le questionnement sur une possible répétition de ce tragique scénario. En parfait décalage avec les prétendus bienfaits d'une guerre dite de « libération », l'entrée dans le débat public de ce pendant quasi immuable des déploiements armés saperait l'argumentaire proguerre.

Classique dans la plupart des Etats, l'occultation des débats historiques susceptibles d'ébranler la mythologie nationale sera, aux Etats-Unis et dans la période post-11 Septembre, renforcée plus qu'instituée. Les historiens lancés dans une remise en question du caractère salvateur des bombardements atomiques de 1945 souffrent depuis toujours d'une faible diffusion de leurs travaux. Quatre semaines après la destruction des deux villes japonaises, le reporter George Weller réalisait une série de reportages consacrés aux effroyables conséquences du feu nucléaire sur les populations japonaises. Aussitôt confisqué par les autorités d'occupation, son travail ne réapparut que soixante ans plus tard[93]. Les études médicales relatives aux effets de la bombe sur les irradiés et leurs descendants, menées au sein de l'Atomic Bomb Casualty Commission à partir de mars 1947, restèrent, elles, confidentielles quarante années durant[94]. Seul le reportage fleuve de John Hersey à Hiroshima, publié par le *New Yorker* le 31 août 1946, provoqua un choc médiatique. En dépit de la diffusion retreinte du magazine, l'article fut repris, loué ou critiqué dans le *New York Times*, le *Times*, *Harper's Magazine*, *Newsweek* ou par la radio ABC. A la lecture de ce numéro spécial, des consciences furent heurtées, la dimension immorale de l'arme atomique soulignée, tandis que des personnalités influentes de l'intelligentsia et de la politique s'évertuaient à « replacer les bombardements dans leur contexte[95] ».

La disqualification des adversaires du conflit en Irak s'étend aux Etats étrangers, à commencer par la France, prête à opposer son veto au Conseil de sécurité à toute résolution autorisant la force militaire. Lancé dans une union sacrée antiguerre, le pays chef de file du courant « pacifiste » – dont certaines élites obéissent à des intérêts stratégiques divergents – essuie entre la fin 2002 et la guerre d'Irak un tir nourri d'initiatives francophobes de plus en plus hysté-riques : tandis que Condoleezza Rice promet de « punir la France », dont les gouvernants sont conspués pour leur proximité passée (et non exclusive) avec la dictature baasiste, des élus américains réclament l'annulation d'un contrat signé par le corps des Marines et le leader mondial de l'agroalimentaire Sodexo ; reproduisant une attitude appliquée en temps de guerre aux produits de consommation ou noms topographiques liés à un pays ennemi, le service de restauration du Congrès change en mars 2003 le nom des traditionnelles « French fries » (frites dites « françaises ») en « Liberty fries », à l'insti-gation d'un représentant, imité par divers établissements à travers tout le pays (il faudra attendre l'été 2006 pour voir revenir l'appel-lation originelle[96]) ; le rapatriement des dépouilles de GI's inhumés en Normandie est envisagé[97], les appels au boycott (peu suivis) des produits français se multiplient, quelques étudiants venus de l'Hexa-gone voient leurs stages annulés, et des manifestations populaires, ponctuelles mais médiatisées, s'en prennent au vin français, déversé dans les caniveaux, comme à d'antédiluviennes Peugeot 505, détrui-tes à coups de masse[98].

Plutôt que d'induire des conséquences financières, cette campa-gne conforte surtout la ligne belliciste. La France devient le repous-soir des Etats-Unis : quand les Français sont taxés de couardise pour leur refus de soutenir l'offensive, les citoyens américains ont le devoir d'être courageux et de faire la guerre ; la stigmatisation des étroits rapports franco-irakiens des années 1980 fait oublier ceux, plus forts, tissés par les faucons d'aujourd'hui ; l'ingratitude d'un peuple libéré du nazisme par les GI's rappelle combien ces derniers sont au service de la démocratie... Puissance moyenne dotée, avec son siège au Conseil de sécurité, d'attributions propres aux « Grands », la France, qui se revendique « patrie des droits de l'homme », demeure un concurrent idéologique des Etats-Unis. Depuis les années 1798-1800 et les batailles navales de « quasi-guerre » (« Quasi-War ») entre la jeune république américaine et son premier allié, les tensions diplomatiques et sociétales se sont répétées jusqu'à construire une étrange relation d'« amour-haine » : la politique gaullienne d'indépendance nationale et son positionnement contre la guerre du Vietnam, culminant lors du discours de Phnom Penh en 1966, se retrouve, au moins en apparence, dans la brusque fermeté française affichée par le président Chirac et la verve, elle aussi très gaullienne, du discours à l'ONU de son ministre des Affaires étrangères Dominique de Villepin en février 2003. Côté américain, le rejet et l'exaspération sont toujours là. Générant une tendance culturelle antifrançaise tantôt humoristique, tantôt chauvine, cette rivalité dans les prétentions universalistes produit des campagnes de dénigrement aussi violentes – le niveau atteint en 2002-2003 restant unique – que cycliques, et surtout peu rancunières : lorsque Marion Cotillard, l'actrice oscarisée en 2008, confesse son adhésion aux théories du complot concernant le 11 Septembre, le scandale éclate[99], sans empêcher le début d'une carrière hollywoodienne. Des excuses auront suffi[100] là où l'exclusion de la jeune femme de projets de films aurait été logique cinq années auparavant...

Hollywood au garde-à-vous

Le 11 novembre 2001, à l'hôtel Peninsula de Beverly Hills, une cinquantaine de responsables des studios hollywoodiens et des chaînes américaines rencontrent Karl Rove, alors proche conseiller du Président. Objectif du rendez-vous : élaborer une stratégie de soutien idéologique du Septième Art et de la télévision aux buts de guerre[101], dans la droite ligne de la « charte » élaborée en 1941.

Pour la population, le cinéma est un moyen de se représenter la guerre, du moins lorsqu'elle ne l'a pas connue. Dans ce cadre, l'héroïsme, le combat pour une cause juste et les images esthétiques l'ont durablement emporté sur les souffrances de la guerre et les tourments de ses victimes. Chaque conflit, majeur ou non, ancien ou récent, a inspiré un ou plusieurs films, mis en chantier de façon réactive, en pleine guerre, voire dans les mois, les années ou les décennies qui suivent. En 1917, la fin de l'isolationnisme se traduit par une dizaine de films destinés à soutenir l'effort de guerre (*Shoulder Arms* et *The Bond*, de Charlie Chaplin) ou tournés dans le but de galvaniser la population (*The Kaiser, the Beast of Berlin* [*Le Kaiser, la brute de Berlin*]). De façon empirique, la coopération entre Hollywood et le monde militaire va s'institutionnaliser.

Depuis l'avènement du cinéma muet, le ministère de la Défense n'a jamais cessé de raffermir ses liens avec Hollywood, formellement initiés avec *Wings*, en 1927, qui décrit la vie des pilotes de chasse combattant au-dessus des tranchées. Poussé par l'investissement de tous les grands studios, le genre spécifique des films de guerre, courts comme longs-métrages, croît de manière exponentielle dès 1940, et voisine avec des films ayant la guerre comme toile de fond : les Etats-Unis ne sont pas encore entrés dans le conflit, mais le retour de la conscription, la situation internationale et les penchants libéraux des magnats d'Hollywood militent en faveur d'un basculement de l'industrie cinématographique vers une production plus idéologique, portée par des stars capables d'attirer le public sur leur seul nom. Des réalisateurs talentueux, sensibles au parfum du temps, signent des œuvres dont la subtile tonalité alerte les consciences, parfois sur le mode de la comédie, à l'image du *To Be or Not To Be* d'Ernst Lubitsch (1942), ou, dans un style plus proche du drame romantique, du fameux *Casablanca* de Michael Curtiz (1943). Frontalement propagandistes, d'autres films se passent de fines constructions scénaristiques pour marteler leur propos : mis en chantier en 1940, *In The Navy*, avec le duo comique Abbott et Costello, *You're In The Army Now* ou *Caught in the Draft (Bon pour le service militaire)* montrent des individus soucieux de s'engager ou, comme la majorité de l'opinion, d'abord réticents à l'idée de combattre avant de devenir des modèles de patriotisme. Vite défini, le modèle s'est décliné à plus de 140 reprises jusqu'à la victoire finale, conformément aux demandes formulées par le président Roosevelt en 1941. La victoire de 1945 ne donne pourtant pas un coup d'arrêt à cette production : pour la première fois de leur histoire, les Etats-Unis maintiennent la conscription, alors que la fin de la guerre de Sécession et l'issue de la Première Guerre mondiale y avaient mis un terme. Reste à légitimer ce semi-état d'urgence en maintenant l'esprit de mobilisation[102] : ce contexte favorise la consolidation de l'alliance Hollywood-armée avec l'entrée dans la guerre froide et l'épisode de la guerre de Corée (1950-1953), pourvoyeur de 17 films pendant les hostilités et d'une petite cinquantaine à l'orée des années 1970 : *Fixed Bayonets ! (Baïonnettes au canon !)*, *Submarine Command*, *A Yank in Korea* (1951), *Retreat, Hell !*, *Battle Zone* (1952), *Combat Squad*, *Sky Command* (1953) glorifient l'engagement américain, toutes les branches de l'armée et l'héroïsme des soldats, suivant une formule figée depuis quelques années et mise en œuvre avec l'appui technique des institutions de Défense ; hommage cinématographique aux militaires responsables de l'arme nucléaire, *Strategic Air Command* (1955), avec James Stewart, ou *Gathering of Eagles* (1963), sur un même thème mais sans succès au box-office, furent par exemple tournés grâce à l'assistance du Pentagone, tout comme *Le Jour le plus long* (1962).

Malgré des productions capables de critiques acerbes, Hollywood est aussi l'instrument de diffusion le plus efficace de la ligne politique gouvernementale, par la mise en scène des menaces intérieures et extérieures, la glorification des agents d'un Etat lui-même magnifié et l'emprise de ces thématiques sur tous les genres cinématographiques[103].

En échange d'une mise à disposition de matériel, d'installations, de personnels militaires et de conseils ordinairement très coûteux, producteurs et scénaristes soumettent, en amont, leur travail aux experts du Film Liaison Office, rattaché au secrétaire adjoint à la Défense pour les Affaires publiques, dont une antenne a été installée en 1942 à Los Angeles au 19880 Wilshire Boulevard. On y retrouve les départements « *Entertainment* » des quatre branches des forces militaires (Army, Air Force, Navy, corps des Marines) qui disposent chacune d'une section spécifique[104]. Puis, au terme d'un délai de six à dix semaines[105] et après accord de l'adjoint spécial, directeur et responsable des Médias de divertissement, ces mêmes experts conditionnent le soutien du Pentagone à des modifications, afin de satisfaire leurs visées propagandistes en termes d'image et de recrutement[106]. Auteurs et armée ne parviennent pas toujours à s'entendre : citons *GI Jane* de Ridley Scott (1997), dont le script devait, à la demande des consultants du Pentagone, faire l'impasse sur le caractère misogyne des soldats de l'unité d'élite que l'héroïne entendait bien intégrer, ce qui fut refusé et, par voie de conséquence, mit un terme à l'aide du Pentagone. A l'opposé de Francis Ford Coppola pour *Apocalypse Now* (1979) ou Robert Zemeckis pour *Forrest Gump* (1994) – héros au QI limité qui se sent à l'armée « comme un poisson dans l'eau » –, les réalisateurs et les producteurs prêts à renoncer à leur liberté de ton profitent de conditions de travail avantageuses et d'un budget allégé, sous la supervision d'un « officier de production ».

Financés par le contribuable, ces accords économico-propagandistes violent le Premier Amendement, qui garantit la liberté d'expression.

Or, lesdits accords sont formalisés par une directive, édictée en 1964 et remaniée en 1988, relative à l'assistance du ministère de la Défense aux œuvres cinématographiques et télévisuelles[107], directive que doivent s'engager à respecter, par contrat, producteurs et réalisateurs. Jamais présenté devant le Congrès, ce texte fait de l'« intérêt national » un facteur prépondérant, et impose à tout scénario passé dans son périmètre d'application de « favoriser le recrutement et le maintien en service [des soldats] » ou la « présentation authentique d'individus, d'opérations militaires et d'événements historiques », ce dernier point demeurant purement subjectif : on l'a dit, *GI Jane* et ses « frères d'armes » sexistes déplurent, en dépit des fondements de la description. Dans le cas contraire, toute « production [susceptible] de soutenir des activités [opposées] à la politique du gouvernement américain » est exclue. Sont entrés dans cette catégorie le *Dr Folamour* de Stanley Kubrick, *Platoon* ou *Né un 4 juillet* d'Oliver Stone, qui composent avec d'autres réalisateurs le versant « libéral » d'Hollywood. Enfin, ces accords donnent aux autorités militaires le droit d'utiliser des extraits de films pour différentes activités, de la formation aux campagnes de recrutement ; déjà fortes d'un budget de 2 milliards de dollars en 2004 (4,7 milliards en 2009), de centaines de journaux, radios et chaînes de télévision – qui alimentent également de façon dissimulée les médias civils –, les relations publiques de l'armée et leurs 27 000 employés[108] trouvent matière à véhiculer leurs vues dans un format (cinéma ou télévision) destiné *de facto* à un large public. Grâce à ce système, les salles obscures et le petit écran sont infiltrés par le militarisme. La Motion Picture Association of America, qui représente les intérêts des grands studios, put s'associer à la réussite du processus de multiples façons[109] : c'est sous la longue présidence de Jack Valenti, entre 1966 et 2004, que furent créés le code et l'instance de classification des films en fonction d'images ou de dialogues présumés choquants. Or, des standards différents ont parfois été appliqués aux séquences violentes, par ailleurs bien mieux acceptées que les images de nudité. Pour schématiser, les brutalités perpétrées par des criminels sont souvent synonymes d'accès restreint, tandis que les séquences de violence exercée par des militaires en mission ont été plus tolérées.

Parvenus à un premier pic d'intensité entre 1941 et 1945, les liens entre Hollywood et le Pentagone ont pris une tournure particulière dans la seconde moitié des années 1960. Entamé par les scandales du Vietnam, le prestige des forces armées subissait une érosion insensible au pouvoir mobilisateur des films proguerre que sont *A Yank in Vietnam* (1964), *The Green Berets* (1968) de John Wayne, ou d'autres faisant l'apologie d'une guerre « juste » à l'image du biopic *Patton* (1970) et de *Midway* (1976). Des productions, dirigées dans le courant des années 1970 par une génération de réalisateurs talentueux (Martin Scorsese, Brian DePalma, Francis Ford Coppola, Michael Cimino...), participèrent à cette entreprise de démythification. Pendant deux décennies, le secrétariat adjoint à la Défense chargé des Relations publiques dut mener, avec le Pentagon Film Liaison Office, une contre-offensive destinée à redonner une image positive aux forces armées : exemple éclatant du système, *Top Gun* de Tony Scott (1986) bénéficia de l'aide logistique du Pentagone, qui accorde aux équipes de tournage un accès presque total à ses bases et à son matériel : hagiographie des pilotes de chasse et des jets F-14 nimbée de relents de guerre froide, ce long-métrage peut se voir comme une sorte de clip de recrutement étalé sur cent-dix minutes : à des années-lumière des séquences montrant les soldats sales et hagards en pleine jungle vietnamienne tant véhiculées par la presse et l'Hollywood contestataires, *Top Gun* magnifie la technicité de l'US Navy, et montre de jeunes Américains athlétiques se conduisant en « héros » contre l'ennemi russe. Le film fut un énorme succès pour ses producteurs, mais également pour la Navy, où l'on enregistra 40 % d'enrôlements supplémentaires l'année de sa sortie[110], après une période marquée par une chute ininterrompue des vocations. Les années 1980 furent ainsi celles d'un basculement du cinéma le plus commercial dans l'orbite du reaganisme : des héros de films qui avaient rempli les salles du monde entier se muèrent brusquement en porte-étendards d'une Amérique forte, fière et juste : Rocky, le boxeur issu des bas-fonds de Philadelphie, enfilait un short « rouge-blanc-bleu » et partait en 1985 terrasser sur un ring d'URSS Ivan Drago, *puncher* dopé et capitaine de l'Armée rouge ; Rambo, lui, était renvoyé au Vietnam, « cette fois [...] pour gagner » une guerre perdue à cause de « saletés de bureaucrates » et d'Américains menant « une autre guerre, contre les soldats, les anciens du Vietnam » qui « sont venus ici et ont vidé leurs tripes et donné tout ce qu'ils avaient dans le ventre [et qui veulent] juste que [leur] pays [les] aime autant qu['ils l'aiment]... ». Chaque fois, le succès était au rendez-vous, porté par des acteurs de toutes tendances politiques.

S'il est impossible de quantifier le nombre d'œuvres cinématographiques ou télévisées touchées par ces interférences militaires et propagandistes, relevons leur augmentation : la période 1989-2003 en compte à elle seule plus d'une centaine[111]. Films, téléfilms ou clips musicaux usent ainsi de codes esthétiques précis dans leur représentation du matériel et des hommes de l'armée américaine : ballet des hélicoptères, démonstrations d'équipes de décollage de porte-avions ou de soldats en manœuvres chorégraphiées se retrouvent partout. Ajoutons à cela l'implication directe de nombreuses stars d'Hollywood dans les programmes de soutien moral aux troupes, à travers de médiatiques visites – souvent en simili-uniforme – organisées dans les bases militaires, à l'image des déplacements de Gary Cooper, Humphrey Bogart ou Marlene Dietrich auprès des « boys » pendant la Seconde Guerre mondiale, de Jayne Mansfield, Errol Flynn ou Marilyn Monroe en Corée, John Wayne au Vietnam, Robin Williams en Afghanistan, Robert De Niro, Gary Sinise et tant d'autres dans le golfe Persique en 2003.

Après les attentats, les effets de cet interventionnisme redoublent. Les structures mises en place soixante ans auparavant sont prêtes à intensifier leur rendement : les plans irakiens du pouvoir nécessitent, en premier lieu, d'exorciser le spectre du Vietnam. Son souvenir cauchemardesque réfrène encore l'aventurisme militaire de l'opinion. La cicatrice a permis une prise de conscience générale. Portée par des œuvres à succès, marquantes et critiques, la mémoire du Vietnam, toujours traumatique, a évolué, nous l'avons vu, depuis la fin des années 1970 vers une compassion vis-à-vis des vétérans. Signe de la place d'une tragédie dans la mémoire collective, le Vietnam, les soldats et les vétérans se trouvent au cœur d'une centaine de productions cinématographiques (films et documentaires) et télévisuelles, enrichies de nouvelles créations à chaque décennie.

Tourné avant les attentats et sorti fort opportunément le 28 décembre 2001, le très cocardier *Black Hawk Down (La Chute du Faucon noir)* réinvente le trauma somalien de 1993 : expurgée des images de cadavres de soldats américains traînés dans les rues de Mogadiscio, la bataille est présentée comme une quasi-victoire, sur la foi, annonce son générique, du « millier de miliciens tués » – un chiffre contesté par les experts – à comparer aux 19 pertes enregistrées côté Forces spéciales. « On n'est pas en Irak, c'est bien plus compliqué », lance, dès le début du film, le général Garrisson (commandant la Task Force Ranger) en une remarque faisant passer la guerre voulue par l'équipe Bush pour un parcours de santé. Autre thématique chère à l'administration, l'impuissance onusienne face à un tyran qui s'est assuré le contrôle de l'aide alimentaire mondiale y est mise en avant dès les premières minutes. Les spectateurs transposeront d'eux-mêmes à l'Irak de Saddam...

Hollywood se met à l'heure de l'union sacrée et propose très vite des longs-métrages tournés en présence d'officiers de production et capables d'exacerber l'orgueil national. C'est le cas, par exemple, de *We Were Soldiers* de Randall Wallace, sorti sur les écrans le 1er mars 2002 et revenant une nouvelle fois sur la guerre du Vietnam. La pugnacité des soldats américains s'y trouve exposée de telle manière que le film donne à penser que les Etats-Unis sont les vrais vainqueurs du conflit, suivant un *gimmick* présent dans *Rambo II* et ses nombreux succédanés. *Windtalkers*, en 2002, rappelle les combats du Pacifique et souligne le patriotisme des Indiens Navajos engagés dans l'armée : « Je suis américain. Je veux me battre pour ma patrie et pour les miens », explique l'un d'eux, prêt au sacrifice ultime. Tourné sous la supervision du Pentagone, le script de John Woo subit d'importants changements lorsqu'une scène est jugée préjudiciable à l'image idéale du soldat : on ne voit pas de Marines arracher les dents en or d'un cadavre japonais, ni d'officier américain réclamer explicitement l'exécution d'un Navajo susceptible de livrer le secret des codes de transmissions radio s'il était fait prisonnier. Dans d'autres productions, de simples détails scénaristiques viennent souligner le patriotisme du quotidien : à la dernière minute, l'équipe de tournage de *Spiderman* ajoute une séquence, absente du script originel, dans laquelle le héros apparaît suspendu à la hampe d'un drapeau américain. Comme pour la presse, plongée dans une spirale propagandiste, il est difficile de déterminer quelle part de responsabilité attribuer aux « consignes » gouvernementales dans le choix du message délivré et à une volonté de ne pas rater le train de l'union sacrée qui prend tous les attributs commerciaux et rémunérateurs d'une mode.

Le climat devient si pesant qu'il influe sur les stratégies commerciales et les choix artistiques du versant hollywoodien inscrit dans une non moins ancienne tradition de longs-métrages critiques et contestataires : le film *Buffalo Soldiers*, avec Joaquin Phoenix en tête d'affiche, est prévu pour 2001. Son distributeur, Miramax, attend deux années supplémentaires. La raison ? Une vision négative de l'armée stationnée en Allemagne de l'Ouest à la fin de la guerre froide et infestée de soldats coupables de divers trafics. De peur d'être labellisé « *unamerican* », Harrison Ford renonce de son côté au premier rôle de *Syriana* (2003), film polémique dénonçant une collusion criminelle entre milieux politiques, services secrets, compagnies pétrolières et monarchies du Golfe, non sans revenir sur le parcours, bien éloigné des clichés, d'un individu banal poussé vers le terrorisme[112]. Quelques semaines avant l'invasion de l'Irak, le metteur en scène Andrew Niccol cherche des fonds pour tourner *Lord of War*, l'histoire d'un marchand d'armes cynique, corrompu et soutenu par la hiérarchie militaire américaine. La responsabilité des grandes puissances dans la dissémination des arsenaux, à commencer par les Etats-Unis, s'y trouve exposée sans concession par le biais d'un amer « *happy end* » qui pervertit la morale hollywoodienne. Dans un contexte où la patrie s'apprête à déclencher une guerre préventive contre un pays prétendument doté d'armes de destruction massive, le script passe mal : « J'ai bien senti que le projet faisait l'effet d'être antipatriotique », explique Andrew Niccol. Et pour cause, l'élection controversée de George W. Bush en 2000 est mise, au détour d'un dialogue, sur le même plan que les truquages de certains dictateurs africains[113]. En dépit d'un casting intéressant pour le box-office – Nicolas Cage a accepté le premier rôle –, les âpres critiques contenues dans le scénario découragent un à un les producteurs. Le cinéaste doit se tourner vers l'Europe, où le financement du Français Philippe Rousselet lui permet de mener à bien son projet. *Syriana* rencontre les mêmes difficultés, jusqu'à ce que le milliardaire canadien Jeffrey Skroll, fondateur du site de vente aux enchères eBay, décide de soutenir le projet.

La modification de scénarios en tournage, souvent retardés, ou les retouches apportées à des séries et à des films expurgés de toute image du World Trade Center dépassent la douzaine. Ce souci du respect de la sensibilité du public induit d'autres significations, comme une forme de fuite face à la réalité et la volonté de marquer l'entrée dans cette nouvelle ère où « rien n'est comme avant », y compris des films bien connus. Quelques réalisateurs refusent de cannibaliser leur travail, à l'image de Steven Spielberg, Cameron Crowe et Martin Scorsese.

Héritant d'un système bien rodé, le nouveau siècle est riche en réalisations teintées d'idéologie et d'esthétique militaires, derrière lesquelles on retrouve toujours le secrétariat adjoint à la Défense chargé des Relations publiques : entre janvier et avril 2002, la chaîne câblée USA Network programme *Combat Missions*, sorte de « *reality show* » dont les 24 participants, « héros américains » issus de toutes les branches de l'armée et de la CIA, font la démonstration de leur courage, de leur efficacité et de leur patriotisme au cours de missions (libération d'otage, sauvetage de prisonnier...) tournées dans le désert de Mojave, en Californie, sur un terrain dont la physionomie évoque l'Afghanistan et l'Irak. « Il est temps de faire la guerre », proclame un « soldat-candidat » dans une bande-annonce qui pourrait être celle du prochain conflit... Jerry Bruckheimer, producteur, entre autres films, de *Top Gun*, *Black Hawk Down* ou *Pearl Harbor*, investit au même moment dans un autre programme de « télé-réalité militaire » appelé *Profiles from the Front Line* (« Portraits de la ligne de front »), diffusé à partir du 27 février 2003 sur ABC et réalisé en coopération avec le Pentagone : tandis que l'invasion de l'Irak semble imminente, cette émission en 13 épisodes, produite par un indéfectible républicain, propose aux téléspectateurs de suivre l'expérience vécue par un panel de soldats des Forces spéciales, en Afghanistan et sur d'autres théâtres de la guerre contre le terrorisme où, d'après ce *« reality show »*, les succès s'enchaînent, grâce à une coopération parfaite des troupes afghanes et de l'armée américaine qui les forme. Echantillons et modèles de la population des Etats-Unis, les « profils » retenus sont évidemment traités en « héros » dont le dévouement mérite un ardent soutien : d'abord présentés auprès de leur famille, qu'ils quittent avec courage et émotion pour « défendre la patrie », ces guerriers, humbles, déterminés et sympathiques, prennent valeur d'exemple, à l'image du caporal Peter Savis, jeune vétéran de l'armée qui rempile dès le 11 septembre 2001, trois jours après son mariage. Evénements télévisuels relayés par des médias peu critiques[114], les premiers épisodes de *Profiles from the Front Line* réalisent de bonnes audiences qu'un mélange d'émotions, de patriotisme et de « pseudo-réalisme » ne parviendra pas à maintenir face aux images en direct de la guerre d'Irak.

Cette alliance quasi parfaite entre les velléités propagandistes du politique et les aspirations lucratives des médias – intégrés à de grands groupes industriels et financiers – crée des conditions favorables à l'écoute des discours officiels, puis fait de la guerre un produit à part entière, vendu au public par l'entremise d'un *merchandising* qui exploite tous les canaux de la communication moderne. Financé par de colossaux budgets, ce complexe militaro-cinématographique très rentable crée un cadre de pensée et fabrique des représentations populaires : Hollywood s'inspire des versions historiques et demeure fidèle au mental guerrier que promeut le Pentagone, tandis que le Pentagone pioche à Hollywood pour sa communication. Instrument d'une culture américaine dominante, ce cinéma renforce aussi, par son succès mondial, l'adhésion du peuple aux vertus de la nation et à l'accomplissement de sa mission civilisatrice.

Les commémorations : prises d'otages posthumes, détournements détournés

En dépit d'une érosion sensible, le soutien des Américains aux orientations de la guerre contre le terrorisme ne se dément pas : à deux mois de la présidentielle de 2008, ils sont encore 62 % à estimer que la campagne obtient des résultats satisfaisants[115]. Les racines du bellicisme entretenu par l'administration demeurent vivaces, notamment à travers le souvenir des attentats. Les chiffres « *Nine Eleven* » désignent la tragédie sans malentendu possible, et lui confèrent sa portée historique. Cette dernière repose pourtant, aux Etats-Unis, sur une stratégie mémorielle spécifique et précocement délimitée.

Véritables séances de psychothérapie nationale, les commémorations officielles débutent le jour même des attaques. Si la date anniversaire fait partie des échéances qu'il est d'usage de marquer, les cérémonies orchestrées, en 2001, à chaque division calendaire (jour, semaine, mois, bimestre, trimestre, semestre[116]) s'inscrivent dans une pure logique de construction mémorielle. C'est également dans cette période que le marché des drapeaux explose.

D'une manière générale, les pratiques commémoratives renseignent bien plus sur les sociétés que sur les événements concernés. Leur message, créateur de cohésion nationale, est par définition univoque. Remodelant le passé en fonction d'enjeux du présent, fonctionnant par oublis et sélections, la mémoire demeure subjective, à plus forte raison lorsqu'elle est officielle. Les autorités confisquent l'événement, préemptent sa lecture, canalisent les sentiments et annihilent toute esquisse de débat. Il en fut ainsi, par exemple, du passé collaborationniste de la France vichyste, longtemps obéré par le mythe gaullien d'une population héroïque et résistante.

Pour être adopté par l'opinion, le discours commémoratif, vecteur de diffusion d'une doctrine, doit stimuler les sentiments universels de l'inconscient collectif et reposer non pas sur la compréhension des faits, mais sur l'émotion brute : tristesse du deuil, fierté patriotique, colère, soif de vengeance et foi dans les capacités du pays à riposter. Rendues malléables par le trauma du 11 Septembre, les mentalités sont aptes à être modelées, sur le vif, en fonction des stratégies agressives – la guerre – qu'entend mettre en œuvre le gouvernement. L'état de choc est cultivé, et la mort d'Américains parée d'un sens artificiel. Sur un plan pratique, pas moins d'une trentaine de textes législatifs, votés dans l'année qui suit le 11 Septembre, encouragent, encadrent et réglementent les commémorations.

« Nous nous souviendrons d'eux comme des héros[117] », martèle un mois après les attentats le secrétaire à la Défense Donald Rumsfeld face au mémorial de Washington, reprenant là une antienne déclinée par l'ensemble du gouvernement, nombre de figures politiques et les médias. Face à un orgueil national meurtri, l'Amérique se cherche des exemples. La quête, voire l'invention de héros est alors une ligne de force de la communication gouvernementale. Mais être assassiné par des terroristes ne réclame aucun héroïsme particulier. Le consentement nécessaire à l'acte de sacrifice et la noblesse d'esprit que présuppose le titre de « héros » sont évacués de la définition donnée par les caciques de l'administration, suivis en cela par la presse et l'opinion. Dans son acception traditionnelle, le terme s'applique aux individus qui, grâce à leur courage, se sont distingués par une action exceptionnelle. Si l'appellation se justifie à propos des « résistants » du vol 93 ou des pompiers, policiers et sauveteurs tués – des « *True American Heroes*[118] » (« vrais héros américains ») décorés courant octobre à la demande du Congrès[119] –, celle-ci est déplacée concernant les employés présents à Manhattan et au Pentagone au moment des crashes. Friandes d'abus de langage, les stratégies commémoratives ne s'embarrassent pas de contraintes sémantiques. L'instauration d'un culte des héros aussi étendu que possible devient une nécessité politique.

Le 20 septembre, dans un discours de George Bush à la tribune du Congrès, les « révoltés » du vol 93, qui s'est écrasé en Pennsylvanie, sont glorifiés pour avoir, par leur « courage », sauvé des centaines de vies, la Maison-Blanche, une centrale nucléaire[120] ou le Capitole. Avéré, l'ordre présidentiel d'abattre le Boeing d'United Airlines est éclipsé par la puissance d'une histoire nationale en construction, celle de simples citoyens transformés en combattants et morts en héros[121]. Dès le 12 septembre, 37 passagers, 5 hôtesses et stewards, le commandant et son copilote émergent du marasme qui touche les services de renseignements et la défense du territoire[122]. Leurs proches témoignent partout. Dans une Amérique qui s'apprête à prendre les armes, ce geste les pose à l'avant-garde de la nouvelle guerre contre le terrorisme. La propagande étatique en fait l'exemple à suivre. Toujours face au Congrès, George W. Bush présente l'épouse de Todd Beamer, un des passagers rebelles, que les élus ovationnent debout.

En mars 2002, l'idée d'un mémorial national dédié au « vol 93 » prend la forme d'un texte de loi, voté le 10 septembre (et donc rapporté par la presse lors du jour anniversaire) puis promulgué le 24 septembre de la même année[123] : une étendue de 8,9 kilomètres carrés englobant la zone du crash[124] devient officiellement « un profond symbole du patriotisme américain et du leadership spontané de citoyens-héros[125] », l'inauguration du monument définitif devant coïncider avec les dix ans de la catastrophe[126]. L'idéologie héroïsante trouve matière à s'exprimer et à se perpétuer sur différents lieux de mémoire, comme l'aéroport de Newark (d'où décolla le vol 93), devenu le Newark Liberty International Airport, ou le tronçon d'un important axe autoroutier dit « *Flight 93 Memorial Highway* », baptisé ainsi à l'initiative de l'administration de Pennsylvanie, en septembre 2007, soucieuse d'« honorer les héros du vol 93 » qui s'est écrasé dans ce même Etat : « Toute personne qui emprunte cette route se remémorera la bravoure et le sacrifice des passagers[127] », assure alors son secrétaire aux Transports.

La transformation d'anonymes en nouveaux héros de guerre fait office de harangue. Ce dérivatif crée, parfois, un réflexe fanatisant : en déplacement dès le 14 septembre 2001 sur les ruines du World Trade Center afin de « s'incliner face aux héros », le Président est accueilli par une foule qui scande « *USA ! USA !* » à la manière de supporters ultras[128] (l'annonce de la mort de Ben Laden provoquera dix ans plus tard la même réaction). Diffusée par toutes les télévisions, cette exaltation populaire née d'attaques ennemies rappelle celles de l'Angleterre et de l'Allemagne des années 1940-1945, plongées sous le feu des bombardiers. Loin de démoraliser leurs cibles, les destructions renforçaient la cohésion du pays derrière son régime. La propagande a certes joué son rôle, comme en attestent, dans le IIIe Reich, les propos de son chef d'alors, le docteur Goebbels, rendant hommage aux victimes civiles qualifiées par lui de « tombées au champ d'honneur[129] ». Avec l'héroïsation et la mise en scène militaire, l'amalgame civils-soldats est tout aussi présent dans les hommages du 11 Septembre : les victimes du terrorisme se trouvent, en différentes occasions, intégrées à un cérémonial militaire qui fait écho aux futurs déploiements et renforce l'idée selon laquelle les Etats-Unis entrent en guerre. Les corps extraits de *Ground Zero* sont ceints de la bannière étoilée, exactement comme ceux des soldats tombés au champ d'honneur. Or, ceux-ci sont montrés, à la différence des cercueils revenant des théâtres d'opérations cachés par l'armée. Les « soldats du feu », présents lors des attaques puis des opérations de sauvetage, subissent eux aussi un traitement qui en fait à leur tour des soldats, au sens premier du terme : à l'occasion des six mois écoulés depuis le 11 Septembre, George W. Bush présente dans le bureau Ovale un timbre commémoratif imprimé à 205 millions d'exemplaires dont les bénéfices iront au fonds d'aide aux familles de victimes[130]. Le timbre « *Heroes USA 2001* », qui reprend une photographie de trois pompiers hissant le drapeau des Etats-Unis sur le site dévasté du World Trade Center, est une déclinaison du célèbre cliché (*Raising the Flag on Iwo Jima*, ou « Planter du drapeau à Iwo Jima ») à l'origine du mémorial d'Arlington. Une sculpture en bronze, baptisée *The Flag Raising at Ground Zero*, a d'ailleurs été réalisée et installée face au quartier général des pompiers de New York. Autre fait marquant du « semi-anniversaire », ou commémoration des six mois, une directive présidentielle annonce la création du Homeland Security Advisory System[131] (HSAS), une échelle à cinq graduations destinée à aviser la population des risques d'attaques terroristes : le HSAS rend la fameuse menace plus présente dans le quotidien des Américains, et donc aussi la possibilité de revivre des séquences encore brûlantes.

Le pays est en guerre : les anniversaires viennent opportunément le rappeler, en expliciter les causes et les conséquences ; au lendemain de la commémoration trimestrielle du 11 décembre 2001, quelques jours après les soixante ans de Pearl Harbor et en pleine psychose des enveloppes à l'anthrax, l'administration rend disponibles des kits de vaccination[132] qui attestent de la capacité gouvernementale à protéger ses concitoyens. Jonglant avec les symboles, l'administration annonce le 11 septembre 2002 l'arrestation de Ramzi Binalshibh, un des « cerveaux » des attentats, et démontre que les promesses présidentielles faites un an plus tôt sont tenues. Quelle autre date aurait pu mieux marquer ce « succès » dans la guerre contre le terrorisme ? Dès le lendemain, George W. Bush embraye devant l'Assemblée générale des Nations unies sur une explicite menace de guerre contre l'Irak, reliée sur un plan contextuel aux commémorations dont on rapporte encore la tenue. Puis, assistant un an plus tard à l'érosion de son soutien populaire, l'administration capitalise encore sur l'émotion : en septembre 2003, quatre jours avant la date anniversaire, le docu-drama *DC 9/11, Time of Crisis* administre une autre piqûre de rappel : réalisé avec le soutien total de la Maison-Blanche, le film présente les attentats depuis les arcanes de l'administration. Un Président réactif gardant tout son sang-froid et des responsables consciencieux servent une réécriture de l'histoire qu'une part consistante de l'opinion commence à contester. « Qui contrôle le passé contrôle l'avenir », écrivait Aldous Huxley ; lorsque le président Bush consent, pour la première fois depuis le début de la guerre d'Irak, à rendre visite aux militaires blessés, c'est la date symbolique du 11 septembre 2003 qui est retenue. Quand, en 2005, l'administration Bush essuie critiques sur critiques, Donald Rumsfeld organise une contre-manifestation pour démontrer l'ampleur du soutien aux troupes ; l'opération prend pour nom la « Marche pour la Liberté » et se déroule le dimanche 11 septembre. Au risque de forcer le trait, les organisateurs décident que le Pentagone sera le point de départ du cortège.

Peu avant la date anniversaire, le 11 septembre est décrété « *Patriot Day*[133] ». Alors que le Congrès avait voté le principe d'un jour dit « de souvenir national[134] », le nom retenu par l'administration donne le ton : la « Journée patriote » doit susciter un sentiment de fierté nationale, mobilisé par une liturgie mémorielle dont les « bougies, drapeaux en berne, offices religieux et instants de silence » participent d'une même communion patriotique. L'impression de symétrie avec le « *Veterans Day* » du 11 novembre – institué au lendemain de la Première Guerre mondiale – semble évidente, tant les textes officiels usent d'une terminologie identique : les mots « fierté » et « courage » sont accolés au souvenir des victimes, devenues les auteurs conscients d'un « sacrifice » qui permit l'« émergence d'une nation plus forte, ravivée par un esprit de fierté nationale et un véritable amour du pays[135] ». Otages posthumes d'un souvenir orienté, les 2 986 morts accèdent donc au rang de « héros », appellent d'outre-tombe à prolonger l'« unité démontrée par le peuple américain » et galvanisent une nation meurtrie.

En donnant une signification factice à des existences brisées, cette confusion entre morts au combat et civils fauchés par le terrorisme fait de la guerre une réponse appropriée aux attentats. Le sort réservé aux ruines du World Trade Center va dans le même sens : en plein cœur de Manhattan, *Ground Zero* devient un lieu de mémoire spectaculaire ; une partie de l'acier des tours (7,5 tonnes) fait l'objet d'un recyclage à vocation commémorative et hautement symbolique, annoncé le 6 septembre 2002 par le secrétaire à la Navy, Gordon England[136] : transportés sur le chantier naval d'Avondale, en Louisiane, les déchets métalliques des *Twin Towers* s'intègrent à la construction du croiseur *USS New York*, issu d'une nouvelle classe de bâtiments amphibies destinés à lutter contre le terrorisme. Comme tous les navires de l'US Navy, celui-ci est affublé d'une devise : « La force forgée dans le sacrifice. N'oubliez jamais[137]. » Le message est répété en diverses occasions : mise en eau, lancement officiel, escale dans le port de New York, visite ouverte aux familles des victimes puis à l'ensemble du public. L'incorporation du World Trade Center au processus de fabrication d'un navire de guerre, dont le métal en provenance de *Ground Zero* représente à peine 0,03 % de l'acier utilisé, poursuit un seul et même objectif idéologique : faire du recours aux armements les plus sophistiqués un élément phare de la guerre contre le terrorisme, et transformer les victimes en auteurs d'un « sacrifice » patriotique. L'instrumentalisation du « Mardi noir » à des fins militaires ne saurait prendre un tour plus pratique.

Arme de persuasion, la dialectique commémorative impose une lecture doctrinale des événements qui évacue les responsabilités directes de l'administration (incurie face aux alertes notoires), et indirectes (liens CIA-Ben Laden dans les années 1980) du pouvoir américain en général, responsable de politiques économiques et militaires catastrophiques pour nombre de pays du Sud. Autant d'éléments critiques liés à la problématique des attentats que le pouvoir a mis de côté afin d'installer leur souvenir hors d'un ensemble explicatif cohérent, car incompatible avec ses ambitions guerrières.

Enfin, cette prise en main de la mémoire raffermit et perpétue l'union sacrée née de la tragédie. Dans le prolongement du nouveau culte des héros nationaux, le Congrès vote une série de résolutions qui « honorent », entre autres, la police du Capitole pour son « dévouement à la sécurité » le jour des attentats, la Garde nationale du district de Columbia, les hommes du Secret Service de New York, les associations caritatives, les contrôleurs aériens, les professionnels du bâtiment qui ont œuvré à leurs frais aux travaux de rénovation du Pentagone, jusqu'aux représentants et sénateurs eux-mêmes... pour leur manifestation d'unité. Les représentants élus du peuple américain consacrent le rassemblement du pays et les gestes de solidarité vus après la tragédie à travers la mise en avant d'une large palette de professions du public et du privé. Il en ressort que l'épreuve du 11 Septembre a révélé, suivant la rhétorique présiden-tielle, le « meilleur de l'Amérique ». Le 11 octobre 2001, lors d'une conférence de presse qui marque le mois passé depuis les attaques, le Président réaffirme cette idée : « Avant le 11 Septembre, explique-t-il, mon administration préparait une initiative appelée "Commu-nautés de caractères". Son objectif était d'aider les parents à déve-lopper la morale de leurs enfants, et à renforcer l'esprit de citoyenneté [...]. Le 11 Septembre a permis à cette initiative de se produire d'elle-même. Nous avons fait preuve d'un immense amour pour notre pays[138] [...]. » Couplé au manichéisme des discours offi-ciels, ce formatage mémoriel fait office de support pour la dynami-que martiale parvenue à son apogée le 19 mars 2003 avec le déclenchement de l'opération « *Iraqi Freedom* ».

En plus des « lieux de mémoire » introduits massivement au sortir de la Première Guerre mondiale (cimetières militaires, monuments divers...), apparaissent, courant septembre, une myriade de stèles et de mémoriaux d'un *nouveau genre* : les sites Internet de chaque chaîne de télévision et de chaque journal comprennent une rubrique « trombinoscope » consacrée aux morts de la tragédie, rubrique qui s'enrichit avec l'affinage du bilan mortuaire. Du 15 septembre au 31 décembre 2001, puis tous les dimanches et enfin de façon aléa-toire au printemps 2002, le *New York Times* publie chaque jour l'émouvant portrait d'une victime, dont la présentation, centrée sur des traits de personnalité symboliques et des anecdotes, frappe les lecteurs d'une douleur individualisée[139]. La presse et la télévision reprennent l'idée, qui pousse plus encore la logique du deuil collec-tif. Utilisés pour recenser les soldats tués en Afghanistan puis en Irak, l'hommage numérique et ce mode de présentation des visages imposent un mode de lecture identique : la similitude des mises en situation entre morts civils et morts militaires crée une affectation du même ordre qui produit un lien formel entre les événements du 11 septembre, le conflit afghan et, bientôt, la guerre d'Irak, connexion que n'aura de cesse d'établir l'administration Bush ; les Américains tués dans des circonstances totalement distinctes accè-dent tous à un statut de « héros-martyrs » d'une même cause, utilisé comme caution de la politique gouvernementale. Dans le contexte des premiers jours de l'offensive afghane – marqués par une montée des critiques en raison des victimes civiles –, ce mode représentatif met en balance les dégâts collatéraux provoqués par l'armée américaine avec les morts américains du 11 Septembre.

La construction d'un lien de continuité entre la douleur nationale des attentats et les choix de guerre se retrouve, dès la fin de l'été 2003, dans les opérations de communication censées justifier le coût humain d'un conflit de plus en en plus décrié : attendue et sans cesse repoussée, la première visite du président Bush aux blessés de la guerre d'Irak surviendra le 11 septembre 2003 : « Laura et moi sommes ici, précise George W. Bush, pour remercier les braves blessés de la guerre contre la Terreur, qui ont consenti à se sacrifier pour être sûrs que des attaques comme celles du 11 Septembre ne se produisent jamais plus[140]. »

Stars et « Star spangled Banner »

Parallèles au programme commémoratif officiel, de multiples actions du monde médiatico-artistique bâtissent le martyrologe d'une nation blessée : le 21 septembre 2001, un large panel de musiciens (Bruce Springsteen, Neil Young, Stevie Wonder, les Irlandais de U2...) et d'acteurs (Tom Hanks, Robert De Niro, Clint Eastwood, Tom Cruise...) s'associent lors d'une opération caritative enregistrée en studio sous la houlette de George Clooney, peu suspect d'accointances républicaines. Néanmoins, le nom retenu pour ce gala de bienfaisance hors normes – « America, a Tribute to Heroes » (« Amérique, un tribut aux héros ») – illustre le degré d'imprégnation de la ligne officielle, martelée par les quatre chaînes de télévision qui diffusent l'événement sans interruption publicitaire : il s'agit de rendre hommage, à la manière d'un « Téléthon », aux victimes des attentats. L'affiche reprend l'incontournable bannière nationale, tandis que les titres interprétés font la part belle aux symboles patriotiques : God Bless America et America the Beautiful clôturent l'événement. Le 20 octobre, le Madison Square Garden de New York accueille un show identique, organisé par le désormais très consensuel Paul McCartney. Aux côtés de ses compères britanniques (Mick Jagger, Keith Richards, The Who...) et des stars américaines (Jay-Z, Destiny's Child...) dont beaucoup étaient déjà de la partie lors du « *Tribute to Heroes* » originel, l'ex-Beatle participe, avec 60 « têtes d'affiche » parfois plus que mesurées à l'égard du programme républicain (Woody Allen, Martin Scorsese, Spike Lee, Susan Sarandon), à la consolidation de l'union sacrée et à la mise en musique du mouvement de compassion vengeresse qui s'esquisse. Le 21 octobre, dans le RFK Stadium de Washington, un troisième concert à guichets fermés, « *United We Stand : What More I Can Give* » (« Nous restons unis : Ce que je peux offrir de plus »), diffuse le message pendant une demi-journée. Au-delà du discours, l'« unité » revendiquée se matérialise par l'association de 25 musiciens ayant accédé au firmament des stars à des époques diverses et dans des genres bien distincts : arborant des costumes aux couleurs de la bannière étoilée ou floqués de l'aigle américain, chantant sur une scène tendue d'un drapeau, James Brown, Michael Jackson ou Bette Midler voisinent avec les rockers d'Aerosmith et les Goo Goo Dolls, le rappeur P. Diddy ou les supposés héritiers du R'n'B que sont Mariah Carey et Usher. Egalement vêtues aux couleurs de l'Amérique, toutes les générations de fans communient dans un spectacle mêlant musique de variétés, hommage, poussées nationalistes et déclarations martiales, à l'image d'un P. Diddy en tenue militaire scandant devant une foule en délire « Je veux vous combattre, […] terroristes[141] ! ». Conclu sur une chanson de Michael Jackson *(What More I Can Give)* accompagné de nombreux interprètes, le show, commercialisé au format album, n'est pas sans rappeler les concerts caritatifs type « *Live Aid* » ou l'énorme tube *We Are the World* du « *King of Pop* », qui confèrent au message légitimité et bonne conscience humanitaire. D'autres musiciens typiquement américains investissent le terrain de la douleur, à l'image du très populaire *countryman* Alan Jackson et sa ballade *Where Were You (When The World Stopped Turning)* (« Où étais-tu [pendant que le monde cessait de tourner] ? »), classée en tête des ventes de sa catégorie.

Exemples suivis par des millions de fans, ces stars endossent donc, parfois malgré elles, le rôle de locomotives d'une nouvelle union sacrée. L'appropriation des symboles d'une Amérique blessée mais vaillante par différents artistes et acteurs de l'industrie du divertissement y participe grandement.

Les derniers mots prononcés par Todd Beamer, passager du vol 93, lors de son ultime conversation téléphonique connaissent ainsi une remarquable et immédiate postérité. Avant de s'élancer sur les pirates de l'air, Beamer s'exclame : *« Let's roll ! »* (« Allons-y ! »), une apostrophe courante et répandue dans de vieux westerns hollywoodiens qui témoigne de l'imprégnation d'une certaine culture, prompte à resurgir chez l'individu jusque dans les instants les plus critiques. Puisque l'expression devient synonyme de courage, d'héroïsme et d'abnégation, nombreux sont ceux qui s'en emparent : Neil Young, une figure emblématique de la culture hippie occasionnellement républicaine[142], participe à l'héroïsation en livrant au public, en novembre 2001, un morceau intitulé... *Let's Roll.* Plusieurs groupes américains (The Bellamy Brothers, The LA Guns, DC Talk en septembre 2002...) commémorent à leur façon les événements et composent des chansons reprenant le même titre, avec un succès là encore très variable. Au-delà de la musique, on retrouve la formule, devenue slogan, dans deux allocutions présidentielles – dont le très suivi discours de l'état de l'Union du 20 janvier 2002 –, en titres de forums Internet, d'un éditorial de la très conservatrice Ann Coulter *(« It's "Let's Roll", not "Let's Roll Over"*[143] *»)* mais également sur des avions de l'US Air Force (agrémentée d'un aigle armé d'une épée, du drapeau américain et de l'expression : « Esprit du 11-09 »), comme devise d'une équipe de football, et même sur la voiture de course de Bobby Labonte, champion de Nascar. Sur un plan commercial, 24 entrepreneurs tentent, en vain, de déposer un droit d'exploitation exclusif pour différents produits au Bureau américain des brevets et des marques, qui rejette toutes les demandes, à l'exception de celle formulée par la Fondation Todd Beamer, créée à l'initiative de l'épouse du défunt[144]. Les mots de Beamer deviennent, en Afghanistan, un cri de guerre pour les troupes américaines[145], tandis que le *New York Times* en fait, le 1er août 2002, le titre d'un article qui présente différents points de vue d'internautes sur l'opportunité d'une guerre contre l'Irak[146]. Le 11 septembre 2009, le *Wall Street Journal* récidive, titrant *« Let's Roll Over*[147] *»* la mise en perspective du scepticisme grandissant qui entoure la guerre d'Afghanistan chère au président Obama.

En 2006, la saga des « rebelles » du vol 93 est contée dans un téléfilm *(Flight 93)*, un docudrama *(The Flight That Fought Back – Le Vol qui a résisté)*, diffusé le 11 septembre 2005, et un film *(United 93*[148]*)*, qui drainent des audiences variables. Accueilli par une critique largement favorable, *United 93* ne rencontre pas un succès massif (31,4 millions de dollars au box-office[149]), tandis que la reconstitution télévisée des événements attire un public équivalent .

son diffuseur, A&E, enregistre le record d'audience de son histoire, avec environ 6 millions de spectateurs, soit un beau résultat pour une chaîne câblée, que l'on qualifiera cependant de mineur au regard des dizaines de millions d'Américains attirés par des séries phares. Ménageant le mythe national – on y apprend notamment que les supersoniques de l'Air Force ne pouvaient rattraper le Boeing détourné –, *Flight 93* est rediffusé à plusieurs reprises. Comme en atteste le succès correct, mais point phénoménal, du *Wold Trade Center* d'Oliver Stone (en salle la même année, il engrange 70 millions de dollars aux Etats-Unis, pour un budget de 65 millions[150]), l'attachement qu'éprouvent les Américains pour leurs nouveaux héros ne se traduit donc pas en « cartons » au box-office, même quand un acteur aussi apprécié que Nicolas Cage y tient le premier rôle : la proximité d'un traumatisme qu'une majorité répugne à voir exploité par l'industrie du divertissement et la qualité inégale des films expliquent les réticences du public.

Prises dans leur diversité et leur durée, ces initiatives portent un seul et même message, délivré en l'honneur d'une Amérique mythique, compassionnelle, solidaire, héroïque, et bras armé de la liberté. L'ampleur des efforts étatiques en rapport direct avec les commémorations du 11 Septembre (lois, défilés, discours, cérémonies, etc.) montre que l'adhésion populaire à la lecture officielle des attentats et aux visées militaristes n'allait pas de soi.

4

Le facteur peur

Des réflexes mémoriels au service du consensus

Des pans entiers de l'histoire contemporaine américaine, façonnés par la mémoire officielle, resurgissent au cœur de notre période d'étude. Confronté à la menace terroriste, entraîné par son administration vers de nouveaux conflits, le peuple américain se souvient des moments où il dut combattre ses ennemis les plus redoutables.

Dans ce panorama, l'Allemagne nazie et ses alliés de l'Axe (Japon, Italie) occupent une place de choix, en raison du caractère moral de l'engagement américain, qui fait l'unanimité aux Etats-Unis et dans le reste du monde. Cette période revient dans la mémoire collective de l'après-11 Septembre à travers la dénonciation des accords de Munich (1938) et l'abandon de la Tchécoslovaquie par les démocraties européennes, pour mieux établir un parallèle avec la menace, soi-disant équivalente, que ferait planer la dictature de Saddam sur les pays limitrophes de l'Irak, les Etats-Unis et le monde. « Pendant le XXe siècle, certains ont choisi de mener une politique d'apaisement vis-à-vis de dictateurs meurtriers, dont les menaces ont pu ainsi se transformer en génocide et en guerre[1] », juge, le 17 mars 2003, George W. Bush dans un discours à la nation au cours duquel il formule son ultimatum à Saddam Hussein. Presque un an auparavant, Donald Rumsfeld tenait des propos identiques : « Pensez, expliquait-il, à tous ces pays qui disaient : "Nous n'avons pas assez de preuves." […] Eh bien, il y eut des millions de morts à cause de ces tergiversations[2]. » Omniprésente dans l'argumentaire des faucons, cette tirade discrédite les opposants à la guerre d'Irak, dont la position se fonde notamment sur l'absence de « preuves » relatives aux armes de destruction massive irakiennes. On conspue la diplomatie française, favorable en 1938 à une autre politique « d'apaisement », trop vite comparée à la position de la présidence Chirac. Déplacé, le rapprochement Irak/IIIᵉ Reich jette l'opprobre sur les efforts diplomatiques onusiens, frappés du sceau d'un « apaisement » synonyme, pour le camp de la guerre, de lâcheté et d'infamie. La reconstruction historique est à l'œuvre : quitte à pousser la comparaison, rappelons que le « nouvel Hitler » que fut Saddam Hussein bénéficia, comme l'Allemagne nazie[3] dans une moindre mesure, de financements américains indifférents à la nature de son régime. Le discours proguerre n'étant pas porté sur la nuance et la compréhension, ces faits disparaissent.

Si l'on excepte Jimmy Carter, l'ensemble des présidents américains, de 1945 aux années 2000, usèrent de l'analogie hitlérienne pour justifier différentes actions de politique étrangère et créer un consensus proguerre[4] : en 1950, soucieux de légitimer la guerre de Corée, Truman considérait que « le communisme [y] agissait exactement comme Hitler [...] avait agi[5] » ; son successeur, Dwight Eisenhower, expliquait que les Alliés « avaient échoué à arrêter Hirohito, Mussolini et Hitler en n'agissant pas [...] à temps[6] » ; John Kennedy, pendant la crise des missiles, estimait lui que « les années 1930 [...] ont donné une leçon claire : toute conduite agressive que l'on tolère [...] finit par conduire à la guerre[7] ». Lyndon Johnson, le Président de l'escalade vietnamienne, déclara que « quitter le Vietnam [...] revenait à faire précisément ce que fit Neville Chamberlain[8] », le Premier ministre britannique qui ratifia les accords de Munich. Plus près de nous, Reagan justifiait la hausse des dépenses militaires et sa politique sud-américaine en rappelant qu'« une des plus grandes tragédies de ce siècle se produisit après que l'équilibre des puissances fut mis à mal et qu'un adversaire sans pitié, Adolf Hitler, [...] décida de frapper[9] ». Enfin, le propre père de George W. Bush déclarait, après l'invasion du Koweït par l'Irak : « Si l'histoire nous a appris quelque chose, c'est que nous devons résister à l'agression, au risque de voir celle-ci détruire nos libertés. [...] Comme c'était le cas dans les années 1930, nous sommes confrontés, avec Saddam, à un dictateur agressif qui menace ses voisins[10]. »

Après le 11 Septembre, cette logique antihistorique autorise Donald Rumsfeld à comparer George W. Bush à Winston

Churchill[11], aussi inébranlable dans son opposition à Hitler que le 43e président des Etats-Unis entend l'être face à Saddam. L'ensemble du discours est à l'avenant : l'expression d'« Axe du Mal », forgée par le conseiller David Frum et prononcée lors du discours de l'état de l'Union de janvier 2002, est le fruit d'une contraction entre l'« Axe » fasciste de la Seconde Guerre mondiale et l'« Empire du Mal » tel que décrit par Ronald Reagan dans les années 1980. Fondée sur une superposition d'images, l'appellation retenue pour désigner l'Irak, l'Iran et la Corée du Nord renvoie donc, sur un plan historique et émotionnel, aux pires ennemis des Etats-Unis, notamment en termes de puissance militaire : la guerre contre les troupes nazies et nippones n'a-t-elle pas causé un total de 418 000 victimes parmi les soldats américains ?

Dans le *Wall Street Journal* du 11 mars 2003, l'historien britannique Paul Johnson, notoirement conservateur, soutient que le Raïs pourrait disposer d'un potentiel de destruction « supérieur à celui d'Hitler et Staline réunis ». Gagné par la ferveur belliciste, Johnson fait passer le message irrationnel (et bien diffusé) d'un Irak capable, à court terme, d'infliger une terrible saignée à la nation américaine. Usant jusqu'à la corde le registre de la Seconde Guerre mondiale, les partisans du conflit vont jusqu'à invoquer la libération de la France, marquée par la clameur des foules au passage des troupes américaines, pour convaincre l'opinion de l'accueil qui doit attendre les « *boys* » en Irak.

Cette rhétorique renvoie à des procédés d'« agit-prop » classiques : susciter l'adhésion en accentuant le caractère détestable de l'ennemi. Huit ans plus tard, Obama fera l'objet de rapprochements similaires : alors qu'il tente d'imposer sa réforme du système de santé, des ténors républicains (l'éditorialiste Rush Limbaugh, l'ex-candidate à la vice-présidence Sarah Palin...) font de lui l'auteur d'un « programme nazi[12] ». Au cours de manifestations, des opposants à la réforme confectionnent des pancartes affublant le nouveau Président de l'uniforme à chemise brune, du brassard à croix gammée et de la moustache hitlérienne. Dénoncée par le camp démocrate, voire au-delà, l'incapacité d'une certaine frange de l'opinion à caractériser le nazisme de manière objective ne laisse pas d'étonner : selon toute vraisemblance, la réalité totalitaire de ce régime et ses méthodes de contrôle des masses demeurent méconnues. Symbole d'un appauvrissement de la pensée, l'ignorance historique qu'autorise ce type de rapprochement revient, en l'absence d'appareil critique, à nier la spécificité et les mécanismes du nazisme, et à ne pas comprendre que différentes administrations aient pu, par le biais de leur propagande ou d'opérations militaires, faire preuve d'agissements similaires aux manœuvres critiquées. La manipulation des normes[13] et l'inversion des valeurs sont récurrentes : dans les cas du Vietnam, du Panama ou de l'Irak, ce sont bien les Etats-Unis qui ont, par leurs interventions armées, conduit une politique agressive et meurtrière comparable à l'expansionnisme des pires dictatures. Malgré le caractère saugrenu des rapprochements historiques officiels, ces derniers façonnent l'opinion selon un état d'esprit conforme à celui, idéalisé et couronné par la victoire, qui régnait entre 1941 et 1945.

Ces analogies propagandistes agissent sur la fibre émotionnelle de l'opinion au détriment de sa capacité réflexive. On retrouve la trace de ces comparaisons indues dans l'appellation des bases militaires installées en Irak et choisie par les soldats eux-mêmes : plusieurs d'entre elles reprennent le patronyme de militaires prestigieux ou le nom de grandes victoires américaines, à l'image de « Camp Ridgeway » et « Camp Nakamura » – occurrences de la guerre du Pacifique – ou encore « Camp Normandy[14] », référencés comme autant de fiertés nationales.

Nous ne reviendrons pas sur la place occupée par l'épisode de Pearl Harbor dans l'inconscient collectif américain : le recours à sa mémoire, celle d'une attaque surprise et meurtrière, est fréquent après le 11 Septembre. L'impact visuel des attentats, dont fut dénuée l'offensive nippone, incite d'ailleurs plus de 65 % des Américains à voir le « Mardi noir » comme une attaque « pire que Pearl Harbor[15] », alors que ces épisodes ne sont, en fin de compte, guère comparables : d'un côté, une série de raids aériens militaires contre des objectifs militaires occasionnant des milliers de victimes militaires ; de l'autre, des attentats terroristes. Pourtant, l'amalgame aboutit au même résultat : une logique de guerre.

Entretenu par l'« équilibre de la terreur » qui prévalait pendant la guerre froide, le non-recours, en l'absence d'agression, à l'arme atomique dite « tactique » (car de « faible » ou « moyenne » puissance), par opposition à son versant « stratégique » (destiné à frapper le cœur d'un pays), est régulièrement remis en question pendant les phases de conflits militaires. Cette tendance se confirme : après la révélation en 1996 d'une première « *Nuclear Posture Review* » qui définit les conditions dans lesquelles l'arme nucléaire concourt à la stratégie post-guerre froide des Etats-Unis, l'année 2002 voit cette doctrine évoluer. Sont dorénavant susceptibles d'être frappés les pays de l'« Axe du Mal », cités aux côtés des puissances chinoise et russe dans un cadre qui dépasse la simple dissuasion. Faisant sauter le pseudo-tabou du recours au nucléaire (fissuré dès les débuts de la guerre froide puis en pleine guerre de Corée sous l'impulsion du général MacArthur, ou au Vietnam par Barry Goldwater, candidat républicain à la Maison-Blanche), Donald Rumsfeld évoque à plusieurs reprises, dans les semaines qui précèdent « *Iraqi Freedom* », la possibilité d'utiliser des « *mini nukes* » capables de « frapper les terroristes réfugiés dans des anfractuosités à plusieurs centaines de mètres de profondeur ». Plus que la distinction entre bombes tactiques et stratégiques, c'est bien le recours à l'armement nucléaire qui marque les esprits : « Un plan secret esquisse l'impensable », titre le 10 mars 2002 *The Los Angeles Times*[16], qui bénéficie, avec quelques concurrents, de fuites fort détaillées. Le seul fait d'envisager l'emploi d'armes associées à l'exception d'Hiroshima et Nagasaki accroît la tension qui nimbe la guerre contre le terrorisme, dont les adversaires sont mis sur un même plan que les divisions russes et chinoises. En se plaçant dans le contexte de 1945, le gouvernement s'emploie à recréer les circonstances et l'univers mental d'alors, qui, selon la version officielle, ont forcé le président Truman à faire usage de l'arme atomique pour épargner la vie de centaines de milliers de soldats, condamnés en cas de débarquement sur les littoraux nippons. D'emblée, la bombe A a rimé, dans l'inconscient collectif, avec l'idée d'impérieuse nécessité menant à la victoire. Patrimonial, l'arsenal atomique et son « héritage archéologique » sur le sol américain sont considérés avec bienveillance et fascination par des individus qui convertissent d'immenses silos à missiles nucléaires démantelés en habitats souterrains plus ou moins luxueux[17].

La période de la guerre froide et la « menace communiste », très présentes dans l'imaginaire populaire, sont à première vue moins sollicitées. Il s'agit davantage d'acquis mémoriels diffus : dans la continuité de 1941-1945, la guerre froide donnait naissance à un contexte de guerre permanente, avec tout ce que cette proposition implique en termes de soutien inconditionnel au pouvoir, fût-il cantonné aux affaires extérieures et ponctuellement mis à mal, par exemple lors du conflit vietnamien.

Le 12 mars 1947, Truman avait, pour la première fois, évoqué de manière officielle le péril que ferait planer l'Union soviétique sur la

« sécurité des Etats-Unis ». Les débuts d'une opposition frontale avec l'URSS, marquée en juin 1948 par le vote de crédits en soutien à la Grèce et à la Turquie – susceptibles de basculer dans l'orbite soviétique –, bénéficièrent d'un vote quasi unanime du Congrès, qui témoignait d'une dynamique d'union sacrée appelée à perdurer. En mai 1945, l'opinion manifestait un tout autre état d'esprit. Victorieux, le peuple américain souhaitait recentrer son attention sur la nation, tout en manifestant, sous l'influence de ses élites politiques et économiques, une méfiance croissante à l'égard de l'URSS et de ses ambitions territoriales. Sans pour autant, et c'est un fait notable, considérer la patrie des Soviets comme une menace pour sa propre sécurité : en septembre 1945, 74 % des Américains renvoyaient dos à dos l'administration Truman et le pouvoir stalinien pour expliquer la prolifération de leurs différends. L'année suivante, John Hilldring, sous-secrétaire d'Etat, déplorait que la politique extérieure américaine souffre de la « réticence de [son] peuple à rester sur la scène internationale[18] ». Surfant sur la « destinée manifeste » de l'Amérique à répandre la liberté dans le monde et sur la résurrection d'une menace « rouge » entrevue à l'intérieur au début du siècle, le pouvoir a modifié cet état de fait.

Dans le face-à-face des deux Grands, l'enjeu est alors civilisationnel, avec la défense de valeurs considérées comme essentielles à l'essor du peuple. L'ennemi soviétique doit donc être craint jusque sur le sol prétendument inviolé des Etats-Unis : après 1949, les dirigeants américains le prétendent doté d'un arsenal militaire plus puissant – les Etats-Unis comptent en réalité trois fois plus de missiles et cinq fois plus de bombardiers nucléaires que l'URSS. Cette nouvelle peur du « rouge » façonne un climat favorable à la manifestation d'un réflexe défensif général. Une législation anticommuniste d'exception et conforme aux canons d'une guerre, fût-elle froide, entre en application sans trop de heurts, tandis que les crédits de Défense, dans la ligne des années 1941-1945, explosent d'année en année, au point d'égaler, voire dépasser, les 50 % du budget fédéral. Cet état de guerre crée une économie de guerre, en symbiose avec la prospérité des Trente Glorieuses, prospérité synonyme d'une « *American way of life* » chérie par tout un peuple et que celui-ci se doit de défendre contre les agressions ennemies. Dans ce but, le gouvernement institutionnalise les mesures prises en plein conflit contre l'Axe : un ministère de la Défense unifié, une agence de renseignements, la CIA, bâtie sur les fondations de l'Office of Strategic

Services créé en 1942, ou un Conseil national de la Sécurité. Après le 11 septembre, alors que la plus importante réforme du système de sécurité américain donne naissance au Homeland Security, ces précédents rendent *a priori* acceptable une loi d'exception (aujourd'hui décennale) telle que le *Patriot Act*. En 1975, le directeur du FBI Clarence Kelley n'exhortait-il pas ses compatriotes à « être prêts à renoncer à quelques-unes de [leurs] libertés pour préserver les autres » ? Le climat post-11 Septembre permet aux réflexes paranoïdes acquis pendant la guerre froide de refaire surface, et redonne un coup de jeune aux propos de Kelley. « Si tu es prêt à sacrifier un peu de liberté pour te sentir en sécurité, alors tu ne mérites ni l'une ni l'autre », philosophait Thomas Jefferson, Père fondateur célébré mais finalement oublié.

On peine, aujourd'hui, à imaginer la crainte suscitée en 1949 par la maîtrise du feu nucléaire par l'URSS. Pendant plus de quarante ans, le peuple américain a subi la pression de discours alarmistes sur le potentiel destructeur des armes soviétiques, et quantité de films ou de séries illustrant le péril d'une guerre contre l'URSS : parmi une avalanche de titres, créateurs associés d'une authentique propagande qui s'insinue jusque dans les genres les plus inattendus, citons *Invasion USA* (1952), *Red Nightmare* (1962), *Damnation Alley* et *Telefon* (1977), *World War III* (1982), *Red Dawn* (1984), associant l'image d'un territoire américain truffé d'agents dormants, bombardé et sous occupation soviétique. Cette menace s'est intégrée au patrimoine mémoriel collectif. Ainsi, les fondations du discours antisoviétique ont été réutilisées pour aviver la menace terroriste et le péril irakien, par l'activation d'un corpus de représentations et d'attitudes référentielles.

La question des « armes de destruction massive » s'intègre à la stratégie des réminiscences : d'abord employée aux Etats-Unis pour désigner des armes atomiques, biologiques ou bactériologiques au fil des décennies de guerre froide, l'expression « *Weapons of Mass Destruction* » fut accolée, dès les années 1990[19], à un Irak supposé, avec d'autres « Etats voyous », prendre la relève de l'ennemi soviétique susceptible d'entraîner dans sa chute les crédits militaires américains. En plaquant sur cet adversaire mineur un terme synonyme de puissance et d'hécatombe, les *spin doctors*, ou conseillers en communication officielle, faisaient de l'Irak un adversaire aussi dangereux que redoutable, gratifié d'une prétendue « quatrième armée du monde », y compris après son écrasement en 1991[20]. Le 13 décembre 2001, deux jours après les commémorations trimestrielles des attentats, le gouvernement rend officiel son retrait unilatéral du traité ABM *(Anti-ballistic Missile Treaty)*, signé en 1972 avec l'URSS, proscrivant l'installation de boucliers antimissiles contraires aux préceptes de l'équilibre de la terreur. Renouant avec des accents reaganiens de guerre froide, l'initiative prétend sauvegarder le territoire américain des armes nucléaires d'« Etats voyous », devenus ceux de l'« Axe du Mal », et concrétise une forme d'urgence vis-à-vis des citoyens. Dans ce contexte riche en amalgames mémoriels, rappelons que la communication des responsables américains a longtemps associé les activités terroristes au communisme : en 1981, le secrétaire d'Etat Alexander Haig accusait l'URSS « d'entraîner, de financer et d'équiper le terrorisme international ». Cette tournure – fondée, mais oublieuse des opérations de la CIA – sera appliquée à l'Irak. Un autre « stimulus mémoriel » trouve ses origines dans l'idée, formulée par Haig, que « le terrorisme devra se substituer aux droits de l'homme dans [l'ordre des] préoccupations des Etats-Unis, car il s'agit là de la pire atteinte aux droits de l'homme[21] ». Sur le plan conceptuel, la passerelle reliant l'ennemi actuel à celui du passé est donc ancienne, de même que le préalable du renoncement au respect des conventions internationales. Enfin, les démocrates essuient, de la part de leurs rivaux, les mêmes critiques de faiblesse à l'égard du terrorisme qu'autrefois à propos du communisme.

La puissance d'évocation du second conflit mondial et de la guerre froide, permanente dans l'histoire contemporaine des Etats-Unis, est instrumentalisée sans retenue. La peur d'un adversaire fantasmé, la nécessité de disposer d'un armement surpuissant et les modalités de la guerre antiterroriste découlent d'une tradition à laquelle les circonstances de l'après-11 Septembre confèrent un nouveau relief et un regain d'actualité.

La « cinquième colonne » d'Al-Qaida

Bien que massif, l'appui accordé au Président se rétracte lentement. En janvier 2002, à l'issue d'un discours fameux sur l'« Axe du Mal » qui place l'Irak dans sa ligne de mire, George W. Bush recueille 60 % de satisfaits. Ce score, toujours élevé, doit être comparé aux 90 % d'opinions favorables sondées à la mi-septembre. Des attentats jusqu'à janvier 2003, sa cote de popularité diminue en moyenne de 1,8 point par mois[22], qui, au total, amputent d'un tiers l'unanimité jaillie du chaos. De manière inexorable, la bipolarisation préattentats reprend ses droits. Le tassement n'est pourtant pas linéaire. Il s'enraye, voire s'inverse, sous l'effet d'événements marquants : l'opération « *Iraqi Freedom* » et le réflexe patriotique qui l'accompagne font passer le soutien populaire de 58 à 71 %, la capture de Saddam Hussein déclenche un autre sursaut[23], de même que des séquences de tensions dues aux menaces d'attentats annoncées par l'administration.

L'union sacrée ne saurait se poursuivre sans un élément essentiel : la peur, que génère par essence le terrorisme, mais aussi la présentation des événements. Un peuple n'entre en guerre que s'il s'estime menacé[24]. Or, en novembre 2002, 90 % des Américains croient qu'un autre attentat va se produire[25]. L'impact émotif du 11 Septembre est encore ressenti par ses effets « filaments », qui replacent sans cesse la tragédie au cœur de l'actualité en y reliant, on va le voir, des faits très divers.

L'affaire dite « de l'anthrax », ou des enveloppes contaminées au bacille du charbon, est le fruit de l'hystérie collective entretenue par le pouvoir et les médias. Une semaine après les attentats de New York et Washington, alors que 17 personnes sont touchées par la « maladie du charbon » (dont 5 de façon mortelle[26]), le gouvernement annonce le lancement de la « plus grande enquête de l'histoire », sous-tendue d'interventions quotidiennes et solennelles de médecins militaires, spécialistes en biologie et autres responsables de la Sécurité nationale. Une communication alarmiste fourmillant de détails sur les lieux contaminés, les risques de propagation des spores, les prises d'antibiotiques ou les vaccins disponibles[27] est diffusée par les chaînes d'information en continu. Créée pour l'occasion, l'« Amerithrax Task Force » auditionne des milliers de personnes et procède à d'autres milliers d'analyses environnementales[28]. Jusqu'aux premières heures de la guerre en Irak, un nombre inquantifiable de fausses alertes à la « poudre blanche suspecte » participent au bétonnage de la peur, née de l'envoi d'un total de 7 lettres effectivement contaminées. Des avalanches de dépêches annoncent la découverte de spores dans les locaux du Congrès, des ministères, des hôpitaux, différentes villes du pays et des ambassades américaines[29]. Des dizaines de centres de tri sont fermés[30], le trafic postal est perturbé et les images de brigades d'intervention harnachées dans leurs impressionnantes combinaisons étanches, jusque-là réservées aux films catastrophes, défilent sur les écrans : omniprésente, la menace terroriste, plus que les terroristes eux-mêmes, perturbe la vie quotidienne des citoyens jusque dans les contrées les plus reculées et, c'est forcé, influe sur le moral. Pour l'Américain lambda, l'ennemi est partout, y compris dans le courrier qu'il extrait chaque matin de sa boîte aux lettres. Même si toutes ces alertes sont le fait de canulars, leur trace demeure : une enquête psychologique révèle ainsi que, dans un certain contexte et en fonction d'un héritage mémoriel particulier, une population confrontée à une fausse information se trouvant dans un second temps démentie sera encline à mémoriser davantage le premier récit que son correctif[31]. Au terme de trois mois de débat, l'administration décide de mettre à la disposition des Américains des kits de vaccination antianthrax[32]. Cette mesure accroît l'inquiétude, tandis que la perspective d'une campagne de vaccination place le peuple en situation de dépendance. En somme, la survie de chacun dépend de l'action du gouvernement, qui, selon sa communication, « contrôle la situation ».

Au contraire du 11 Septembre, l'« attaque » est invisible, inscrite dans le temps et l'espace. Sur fond de possibles détournements d'avions, le spectre du bioterrorisme incite à prendre d'assaut les pharmacies, à la recherche d'hypothétiques médicaments. Le mythe de la « cinquième colonne » renaît de ses cendres. Après les avions transformés en missiles et le courrier en poison, la nourriture est présentée comme la prochaine cible[33]... Début novembre, l'allocution radiodiffusée hebdomadaire de George W. Bush est entièrement consacrée à la question : le Président parle d'une « deuxième vague d'attaques terroristes » qu'il relie, en dépit de réserves exprimées, aux commandos de septembre[34]. Le vice-Président Cheney ne s'encombre pas de la moindre précaution oratoire et juge, lors d'une émission télévisée, que « le plus sage est de considérer que ces faits sont liés aux attaques suicides[35] ». George W. Bush appose sa signature au bas d'une loi relative aux donations et à la distribution d'aides aux victimes du terrorisme, qui englobent celles « des attaques [...] du 11 Septembre et [les personnes] tombées malades ou décédées suite à l'inhalation d'anthrax[36] ». A l'unanimité, le Sénat et la Chambre des représentants apportent leur suffrage à un autre texte qui, cette fois, « fait l'éloge de la Garde nationale du district de Columbia, du bureau de la Garde nationale et de l'ensemble du Département de la Défense pour l'assistance fournie à la police du Capitole et à la communauté du Congrès en réponse aux attaques terroristes et aux attaques à l'anthrax de septembre et octobre 2001[37] ». Par ce biais, l'amalgame trouve une légitimité légale. Enfin, la menace se matérialise et se prolonge, à l'échelle nationale, par le vote d'une autre loi, le 12 juin 2002, destinée à « améliorer la capacité des Etats-Unis à se prémunir, à se préparer et à répondre au bioterrorisme[38] ». Difficile, là encore, de ne pas pointer la différence de traitement entre l'administration Roosevelt, soucieuse d'éviter une psychose dans l'affaire des ballons explosifs, et la fracassante communication de l'équipe Bush. Certes confrontée à une « attaque » biologique, l'administration républicaine opte pour une transparence qui se révélera sélective.

La désignation du suspect suit la même logique que celle de la Commission Warren dans l'affaire Kennedy. Guerre froide oblige, Lee Harvey Oswald fut soupçonné d'être un « agent communiste[39] », une possibilité certes orientée par des éléments d'enquête non sans rapport avec les milieux de l'espionnage ennemi. Presque trente ans plus tard, Robert Mueller, directeur du FBI, est sommé d'établir un lien entre les lettres à l'anthrax et Al-Qaida[40]. En 2001, avec la guerre contre la Terreur, c'est l'organisation terroriste qui endosse le costume du coupable, parfois retaillé pour y faire entrer le régime de Saddam. En l'absence d'un embryon de preuve, le public fait confiance aux médias[41] et au pouvoir, qui joue sur l'équivoque des messages contenus dans les fameuses enveloppes : « 11/09/2001 : c'est la suite, prends de la penaciline [sic] maintenant, mort à l'Amérique, mort à Israël, Allah est grand. » De plus, les cibles – ratées – des expéditeurs appartiennent toutes à l'establishment politique (les sénateurs Daschle et Leahy) et médiatiques (les rédactions de CBS News, NBC News, ABC, le New York Post...), qui s'en trouvent crédibilisées.

Trois ans après ses débuts, l'enquête prend un cap bien éloigné du terrorisme islamiste : une piste tardive menant à Bruce Ivins, scientifique employé par des laboratoires militaires américains, fait l'objet d'une médiatisation peu intense[42]. Le suicide d'Ivins, le 29 juillet 2008, précède de peu l'arrêt d'investigations[43] qui auraient démontré l'origine domestique de la terreur, et par conséquent le mépris dans lequel les autorités américaines tiennent la Convention sur l'interdiction des armes biologiques, pourtant signée par les Etats-Unis en 1972.

Un an après la psychose de l'anthrax, le « sniper de Washington » défraye la chronique. En octobre et pendant trois semaines, la hantise du tueur se propage : celui-ci peut frapper n'importe quand et n'importe qui dans la région de la capitale fédérale. Oublieux des autres « *spree killers* » déjà passés à l'action aux Etats-Unis ou ailleurs dans des circonstances analogues, l'administration évoque une « connexion avec Al-Qaida », et mobilise des moyens militaires[44] dont le déploiement fait pénétrer la guerre au cœur de Washington : foulant au pied le *Posse Comitatus Act* de 1878, en vertu duquel l'armée ne peut intervenir dans la sphère civile en dehors de circonstances exceptionnelles, les autorités portent la guerre au cœur de la capitale. Présenté comme une recrue de l'organisation d'Oussama Ben Laden, le mystérieux auteur de 10 homicides est appréhendé et identifié le 24 octobre 2002 : John Allen Muhammad, converti à l'islam en avril 2001, est alors toujours présenté dans les médias sous son identité religieuse, pourtant sans valeur légale. Williams, son véritable nom, n'ouvre pas la porte aux amalgames. Or, l'insistance sur la connotation islamique du patronyme insère l'assassin dans le faisceau de présomptions officielles et écarte l'hypothèse d'une personnalité dérangée, notamment par l'expérience guerrière du Golfe dont Williams était un vétéran.

Sans disposer d'indices probants, les institutions gouvernementales et médiatiques s'évertuent à convaincre que le pays, à nouveau attaqué, est plus vulnérable que jamais. Déjà tétanisée par les avions suicides de septembre, l'opinion est marquée au fer rouge par la psychose de ces « nouvelles menaces », floues et fluctuant au gré d'alertes terroristes, ou précises, comme l'ont démontré les enveloppes à l'anthrax et le sniper de Washington. Sciemment, le pouvoir orchestre des fuites en direction de la presse, qui, par l'effet d'une surenchère concurrentielle, saute sur les moindres révélations « *off the record* » pour en faire la matière première d'un énième article alarmiste, ou simplement l'accroche d'un nouveau flash spécial. Les précautions d'usage en termes de citation de sources, souvent « anonymes » mais « bien placées », « gouvernementales » et « confidentielles », crédibilisent des dires proches de la rumeur. Procédé de propagande des plus classiques, la diffusion d'informations soi-disant « secrètes » par des officiels « anonymes[45] » reste, de nouveau, une prescription du théoricien et maître de la propagande que fut Goebbels[46]. Dans l'imaginaire populaire, plus ou moins fasciné par le monde des services de renseignements, l'opacité qui entoure les sources génère une impression d'authenticité plus que factice. En parallèle, des faits authentiques apportent un surcroît de crédit aux assertions gouvernementales : en décembre 2001, le Britannique Richard Reid tente de faire exploser des chaussures piégées à bord du vol Paris-Miami ; en mai 2002, José Padilla, de nationalité américaine, est écroué pour la préparation d'une « bombe sale » et condamné à dix-sept ans de prison ; en septembre, ce sont 6 Américains d'origine yéménite qui sont arrêtés à Lackawanna (New York) pour leur « stage » présumé dans un camp djihadiste pakistanais ; en mai 2003, Iyman Faris, chauffeur routier passé par de semblables filières, est accusé de préparer un attentat contre le pont de Brooklyn, et écope de vingt ans de prison. A intervalles réguliers, des arrestations se produisent, parfois à l'aide de preuves erronées qui débouchent sur des relaxes. Les individus appréhendés sont souvent de nationalité américaine et d'origine moyen-orientale : l'impression d'assister au réveil de cellules dormantes implantées par Al-Qaida sur l'ensemble du territoire américain accentue la peur du terrorisme et l'effet « cinquième colonne » que l'on recherche, comme au plus fort du harcèlement maccarthyste, jusque dans les rangs de l'armée[47].

Une météo des attentats

Le cardinal de Retz (1613-1679) affirmait : « De toutes les passions, la peur est celle qui affaiblit le plus le jugement. » Au mois de janvier 2004, un membre éminent de l'administration Bush confesse, dans une référence au célèbre jeu de télé-réalité, que le « facteur peur » (« fear factor ») joue un rôle de premier plan dans l'issue du scrutin. L'angoisse du peuple américain fait l'objet d'une instrumentalisation caricaturale, notamment sous l'égide de Richard Cheney, qui met en balance l'éventuelle élection de John Kerry avec un « danger » accru pour les Etats-Unis d'être « frappés de nouveau[48] ». « Il est absolument essentiel que nous fassions le bon choix », lance un vice-Président adepte du « sophisme » politique. En capitalisant sur les effets des attentats de New York et Washington, l'administration Bush attise la peur.

« La seule chose dont nous devons avoir peur, c'est la peur elle-même[49] », déclarait Franklin Roosevelt dans son premier discours d'investiture. Devenu plus populaire que l'homme du *New Deal*, George Bush distille des messages contradictoires : « Reprenez une vie normale », répètent à l'envi les représentants et autres alliés du pouvoir, doublés d'appels à « se préparer à une attaque de plus grande envergure que le 11 Septembre ». Dans les lieux publics, les bureaux, les sites industriels et portuaires, le renforcement des règles de sécurité et des consignes rend la menace omniprésente. Les panneaux lumineux des autoroutes indiquent même des numéros d'urgence à composer en cas d'activité suspecte[50].

Six mois jour pour jour après le « Mardi noir », une échelle à cinq graduations et colorée du niveau d'alerte terroriste, le Homeland Security Advisory System (HSAS), fournit chaque jour une sorte de météo des attentats : créé en réaction au 11 Septembre, le Département de la Sécurité intérieure prend en charge un système qui donne au nouveau ministère les moyens d'occuper le champ médiatique et politique. Par son nom même, le Département à la « Sécurité intérieure » impose l'idée que le pays vit sous une menace permanente, combattue avec des moyens nouveaux. A ce titre, le HSAS rend « visible » le risque terroriste : définis par le Département de la Sécurité intérieure, les critères de fonctionnement du « système » sont pour le moins opaques, puisque le passage du niveau de risque « élevé » (jaune) à « haut » (orange) ou « sévère » (rouge) s'effectue sans autre forme de commentaire que des « informations confidentielles sur un prochain attentat ». En outre, les niveaux « faible » (vert) et « général » (bleu) n'ont, en neuf ans de fonctionnement, jamais été utilisés.

Les « directives » que doivent appliquer les citoyens américains en fonction des niveaux d'alerte respectifs augurent de l'étendue de la menace : le niveau « jaune », déclenché à cinq reprises entre le 12 mars 2002 et le 1er août 2004 sur une période globale de 411 jours, requiert de « s'assurer [que] le kit de survie [vivres, lampe torche, piles, trousse de secours, téléphone portable, radio, masques, sifflet, cartes de la région...] est complet et stocké », de « vérifier les numéros de téléphone utiles au plan d'évacuation familial », d'« utiliser des routes alternatives pour se rendre au travail ou à l'école », de « rester attentif aux activités suspectes et [d']en aviser les autorités » ; le niveau « orange », instauré à six reprises entre le 10 septembre 2002 et le 10 novembre 2004 pour une durée totale de 192 jours, reprend les points précédents et conseille de « répéter le plan d'urgence familial » et de « surveiller le voisinage ». L'opération TIPS (« Terrorism Information and Prevention System ») constitue un prolongement totalitaire : à partir d'août 2002, le site Internet du TIPS appelle les Américains dont le métier offre un accès au domicile de leurs clients à signaler tout élément suspect aux autorités. Vecteur de contagion des peurs en même temps qu'outil de surveillance comparable au système de la Stasi est-allemande, l'opération TIPS dut à cette dernière similitude d'éveiller la critique d'une partie de la presse, de l'opinion et de la classe politique, pour finalement être annulée en novembre 2002.

D'après une étude médicale de l'université de Californie, toutes ces précautions, qui bouleversent la vie quotidienne des familles décidées à les appliquer, accentuent un déséquilibre psychologique latent depuis le « Mardi noir », et incitent certains à manifester une inquiétude accrue à l'égard du terrorisme[51]. D'un autre côté, l'échelle d'alerte terroriste apparaît comme un instrument politique potentiel : les hausses du niveau d'alerte correspondent entre 2002 et 2005 à un accroissement de l'inquiétude des Américains relevé par les sondages, mais aussi aux hausses de la cote de popularité présidentielle[52]. Le premier anniversaire du 11 Septembre est, par exemple, marqué d'un passage au niveau « haut » ; dans le même temps, les sondages enregistrent une poussée d'environ 4 points du soutien populaire à George W. Bush[53]. Même constat après le 7 juillet 2005 : la courbe stoppe sa chute en gagnant 3 points, de 46 à 49 %[54]. Du 1er août au 10 novembre 2004, le niveau d'alerte est relevé suivant des consignes gouvernementales déconnectées de tout renseignement quant à un probable attentat, comme l'a depuis révélé Tom Ridge[55], premier secrétaire à la Sécurité intérieure de 2001 à 2003. Or, cette période couvre les ultimes et décisives semaines de la campagne électorale présidentielle et l'« Election Day » du 2 novembre, au terme duquel George W. Bush a remporté un second mandat.

L'effet de ces alertes répétées diminue au fil du temps : informée des multiples manipulations du pouvoir, l'opinion est désensibilisée. Mais une large majorité s'est habituée à vivre dans ce climat de peur permanent, élément clé de la « nouvelle normalité de l'Amérique[56] ». Incarnation de la terreur, Ben Laden resurgit régulièrement dans le quotidien – décembre 2001, novembre 2002, février 2003 – grâce aux vidéos et enregistrements sonores dans lesquels il apparaît et menace, donnant plus de force à la campagne gouvernementale.

Le site www.ready.gov, que chaque citoyen est invité à consulter, offre un panorama global de la menace agitée par l'administration Bush. Or, la population s'exécute, comme en attestent, par exemple à la fin 2004, les pics de fréquentation du site qui correspondent aux séquences d'alerte du HSAS[57]. Le menu de ce site « préventif[58] » expose en détail l'ensemble des catastrophes « qui pourraient arriver » du fait des « menaces biologiques », « chimiques » et autres « explosions », notamment « nucléaires », pourvoyeuses de « radiations », sans oublier les « catastrophes naturelles[59] », bien isolées au milieu des fléaux du terrorisme. Le caractère informationnel et préventif de ces pages Web pèse bien peu au regard de l'inquiétude qu'elles suscitent, à l'image des explications relatives aux symptômes, effets et pouvoirs létaux d'une contamination bactériologique. Cette frénésie est relayée jusqu'à plus soif par les médias télévisés, prolixes en messages alarmistes : « Al-Qaida va frapper, préparez-vous, ce peut être du gaz toxique, une petite bombe sale, du nucléaire bricolé. Fournissez-vous en bombonnes d'eau, batteries, conserves alimentaires, couvertures, lampes torches, et surtout faites des réserves de ruban adhésif renforcé qu'on appelle *"duct tape"*[60]... » Seriné avec une fréquence hypnotique, un message accapare les esprits : face à l'inévitable attaque, il faut « être prêt », « se tenir sur ses gardes », et prendre les magasins d'assaut pour y faire des réserves. Voire, tout simplement, se barricader chez soi, selon les consignes d'action diffusées lors de la mise en place du Homeland Security Advisory System. Autant de mesures qui renvoient à celles énoncées par la Défense civile à partir de 1950 : un an après que l'URSS se fut dotée de la bombe A, l'éventualité d'une guerre nucléaire se traduisit par la réalisation, sur fonds fédéraux, de plusieurs petits films informatifs : *Survival Under Atomic Attack* exposait, sur un fond sonore angoissant, la « réalité selon laquelle [les] villes [américaines] pourraient être la cible de bombes atomiques », puis dispensait une série de conseils élémentaires : stocker des boîtes de conserve, s'équiper d'une lampe torche, d'une radio... Les explications graves mais rassurantes d'une voix off minimisaient l'effet des radiations (« la plupart des individus s'en remettent »), et soulignaient que le souffle de l'explosion épargnerait, « comme à Hiroshima, les bâtiments récents solidement construits ». « Si les habitants d'Hiroshima et Nagasaki avaient su ce que nous savons, des centaines de vies auraient été sauvées. [...] Alors agissez maintenant, votre vie pourrait en dépendre », concluait le clip. Adressé aux plus jeunes, *Duck and Cover (Plonge et couvre-toi)* passait dès 1950 dans les écoles : « Nous devons être prêts face à un nouveau danger : la bombe atomique ! [...] L'éclair d'une bombe atomique peut survenir n'importe quand, [...] nous devons être prêts tous les jours, à chaque heure ! » Jusque dans les années 1980, ce type de court-métrage a présenté les gestes à effectuer (se plaquer au sol, mains sur la nuque, en position de fœtus sous une table ou contre un mur), gestes dont l'efficacité réelle prête plus à discussion que l'impact psychologique généré par ces mises en alerte régulières, renouvelées dans leur mise en forme grâce à la production de clips plus modernes. Pour compléter ces campagnes, une série de manuels de survie accompagnaient les spots[61]. On comprend mieux la résonance qu'ont pu rencontrer, en septembre 2002, les allégations contenues dans le dossier « Blair » sur le potentiel nucléaire de l'Irak, « capable de déployer des armes atomiques en quarante-cinq minutes ».

Le décor de la guerre contre la Terreur est planté. Pourtant, un tel catastrophisme semble disproportionné par rapport aux risques réels : les statistiques américaines montrent que les décès dus à des accidents de la route (40 000 par an) ou, au hasard, à des cancers causés par la pollution atmosphérique sont nettement plus élevés que ceux résultant de la « menace terroriste » (2 986 victimes depuis le 11 septembre 2001). Ce constat assez élémentaire ne se traduit pas par la mise en ligne de sites Internet recommandant le port de masques à gaz qui préserveraient des rejets industriels ou du monoxyde de carbone... que l'administration Bush s'est refusée à réduire en retirant la signature des Etats-Unis du protocole de Kyoto.

Peur du réel, peur de fictions :
de 24 heures chrono *à* Cellule dormante,
quand les séries télé terrorisent

A côté du flux d'informations alarmistes, le secteur de la fiction n'est pas en reste. Plus gros succès du moment, la série *24* (*24 heures chrono*) fait son apparition, sur la Fox de Rupert Murdoch, le 6 novembre 2001. Son héros, Jack Bauer, travaille au sein de la fictive CTA (Counter Terrorist Unit, « Section antiterroriste ») et lutte, durant vingt-quatre heures et autant d'épisodes, contre de redoutables ennemis prêts à frapper les Etats-Unis. Plus encore que la première saison, tournée avant le 11 Septembre, la seconde moisson de ces téléfilms, diffusée à partir du 29 octobre 2002, est marquée par son temps : cette fois, un groupe terroriste islamiste – qui n'est pas sans rappeler Al-Qaida – prépare un attentat nucléaire à Los Angeles que le président des Etats-Unis et de multiples services s'emploient à déjouer. L'objectif n'est que partiellement atteint, puisque la bombe produit son champignon atomique en plein désert de Mojave, où l'on a transporté les agents de la CTA. Un rythme haletant et une forte dose de suspense assurent, entre 2001 et 2006, un succès considérable à une série qui offre au public une vision fantasmée des coulisses de la lutte antiterroriste, dans laquelle les héros authentiquement américains pullulent et se sacrifient pour leur patrie. La nature de la série et sa longueur exceptionnelle (en temps réel) exposent les téléspectateurs à un martèlement répété du discours sur les périls qui menacent les Etats-Unis, en même temps qu'à une illustration du danger agité par le pouvoir. Bien que l'on puisse y relever une dénonciation rampante des manipulations de l'opinion, placée sous l'influence d'officiels prêts à tirer profit d'une guerre déclenchée par un Président désinformé, le triomphe final du « bien » en annihile quelque peu les effets.

Lancée le 30 septembre 2001 par ABC, *Alias* reprend, sur le fond, une recette assez proche qui va perdurer plus de cinq années. Son héroïne, Sydney Bristow, travaille pour la CIA et combat, entre autres adversaires, des terroristes d'horizons divers. Quoique plus modérée que *24*, la série *Sleeper Cell (Cellule dormante)* participe au mouvement. Diffusée du 4 décembre 2005 au 17 décembre 2006 sur Showtime, *Sleeper Cell* met en scène les aventures de Darwyn Al-Sayeed, Afro-Américain musulman recruté par le FBI et infiltré au cœur d'un complot terroriste visant la ville de Los Angeles, cible favorite des islamistes radicaux de fiction. Avec son sous-titre « Amis. Voisins. Epoux. Terroristes », devenu dans la deuxième saison « Villes. Banlieues. Aéroports. Cibles », ce programme reflète la terreur de l'après-attentats et renforce le discours du Département de la Sécurité intérieure.

Diffusée depuis 1995, la série *JAG*, dont les protagonistes évoluent dans les milieux militaires, est aussi touchée par les préoccupations postattentats. Le 155e épisode, que CBS passe à l'antenne le 30 avril 2002, présente un tribunal militaire devant lequel comparaît un cerveau du 11 Septembre. Légitimant une forme juridique contestée par les défenseurs de l'*Habeas corpus*, ce procès permet de révéler la préparation d'actions bien plus meurtrières. Le 21 mai suivant, il est question de l'utilisation, par un groupe terroriste, d'une « bombe sale », faisant écho aux avertissements de l'administration.

Après avoir découvert, sur les chaînes généralistes ou d'information, l'ampleur du risque terroriste, des millions de citoyens américains voient donc aussi dans la fiction des images comparables parfois produites par de fidèles partisans du Parti républicain : *24 heures chrono*, par exemple, est le « bébé » de Joel Surnow, ami de l'ultraconservateur Rush Limbaugh[62]. Le « Mardi noir » ayant quelque peu gommé la frontière réalité/fiction, on s'interrogera sur l'effet et les motivations d'un tel matraquage : s'agit-il d'être dans l'air du temps, ou bien d'en alourdir le parfum ? Le 23 juin 2006, la série *24* obtient un « adoubement » officiel de conservateurs républicains réunis au sein du *think tank* Heritage Foundation, Leadership for America. Celui-ci organise une conférence intitulée « *24* et l'image américaine dans la lutte contre le terrorisme : faits, fiction, qu'en retenir[63] ? », à laquelle participent quelques acteurs, les producteurs du programme, le secrétaire à la Sécurité intérieure Michael Chertoff (2005-2009), sans oublier Rush Limbaugh, éditorialiste de la droite extrême. La réalité inspire les fictions, qui pèsent en retour sur l'opinion : en octobre 2003, un téléfilm consacré au « sniper de Washington » est diffusé par la très populaire chaîne USA Network. Intitulée *Sniper : 23 Days of Fear (Sniper : 23 jours de peur)*, cette production reprend l'angle de la présentation officielle des événements et fait revivre ces heures d'angoisse.

Les séries télévisées américaines, nombreuses et dotées de budgets importants, ont toujours été perméables au climat de leur époque : sans revenir sur les exemples évoqués plus haut de productions catastrophistes et montrant avec empressement les Etats-Unis envahis par les troupes soviétiques, citons *Combat !*, créé en pleine crise des fusées (1962), qui rappelle l'héroïque épopée des GI's en Normandie, *Jericho* (1966), sur les agents secrets américains du second conflit mondial, ou *Garrison's Gorillas*, sur un sujet similaire mais diffusé de 1967 à 1968 pendant la guerre du Vietnam, venu revitaliser la mémoire de 1945 à une époque où la jeunesse remettait en cause le modèle américain. Par la suite, nombre de héros (*Magnum* en 1980, *L'Agence tous risques* dès 1983, *Riptide* ou *Miami Vice*, 1984) sont des vétérans du Vietnam qui rendent la justice. Plus qu'une simple réécriture de l'histoire des « *Baby Killers* » réhabilités dans une ambiance reaganienne, les fictions des années passées n'ont jamais atteint la puissance propagandiste des séries contemporaines. Dans la « nouvelle normalité » de l'après-11 Septembre, tout semble désormais possible. Que faire, sinon s'en remettre au gouvernement ?

La banalisation de l'arbitraire[64], raison d'Etat d'un Etat qui déraisonne

Le 11 Septembre donne le signal d'un nouveau départ législatif. En l'espace de treize mois, 44 lois ou résolutions, présentées comme la conséquence directe des attentats et l'armature « légale » de la guerre contre la Terreur, sont votées par le Congrès.

Des choix sécuritaires directement sortis de la Seconde Guerre mondiale et de la guerre froide refont surface, profitant de tous les raffinements technologiques du XXIe siècle. Par les moyens informatiques et autres techniques d'interception dont dispose l'administration Bush, les mesures liberticides post-11 Septembre vont plus loin que certaines dispositions mises en œuvre dans les années 1940 et pendant la psychose maccarthyste. Puisque l'ennemi est censé se fondre dans la masse, les fonctionnaires gouvernementaux ne sont plus les seuls à faire l'objet d'une surveillance : l'ensemble de la population est concerné.

Les libertés civiles ont toujours connu des phases d'érosion lors des conflits importants. Dans les années 1920, durant la « Peur rouge », puis au sortir de la Seconde Guerre mondiale, la puissance d'infiltration du FBI avait atteint un niveau spectaculaire et parfois illégal : identités des abonnés à certains périodiques compilées, fichage des adhérents d'associations jugées subversives, perquisitions sans mandat, systèmes de surveillance[65]... autant d'abus de pouvoir auxquels le *USA Patriot Act* a donné une seconde jeunesse, sous le vernis de la légalité démocratique.

En dépit d'une alternance de tensions et de détentes, quarante années de guerre froide ont laissé un héritage juridique et moral : initiée par Johnson et renforcée sous Nixon, l'« opération Chaos », menée illégalement par la CIA sur le sol américain – une aire *a priori* interdite à l'agence –, visait à instaurer un contrôle poussé des mouvements contestataires et de leurs militants (écoutes, cambriolages...). Le FBI menait, entre 1956 et le début des années 1970, une action comparable dans le cadre de « Cointelpro » (Counter Intelligence Program), également repris pour lutter contre le Ku Klux Klan. Dissimulées, puis révélées à force d'investigations, les atteintes régulières aux libertés ont conditionné les Américains à abdiquer, au moins temporairement, l'exercice complet de leurs droits civiques.

En cela, le *USA Patriot Act* constitue l'aboutissement d'un rêve réactionnaire. Cette loi dite d'exception, peu à peu inscrite dans la durée, concrétise le fantasme du fichage global : une politique qui monopolise des ressources considérables – les 170 000 fonctionnaires du secrétariat de la Sécurité intérieure et ses 40 milliards de dollars de budget annuel – pour contingenter, classer, répertorier la population, au détriment du potentiel d'investigation dédié à la recherche des cellules terroristes. Pour faire accepter un projet aussi démentiel, la communication n'est pas en reste. L'acronyme « U.S.A. P.A.T.R.I.O.T. Act » tue toute contestation dans l'œuf : « *Uniting and Strenghthening America by Providing Appropriate Tools Required to Intercept and Obstruct Terrorism Act* » (« Loi pour unir et renforcer l'Amérique en fournissant les outils appropriés pour déceler et contrer le terrorisme »), soit une succession de termes choisis pour conférer le précieux label « patriote » à un texte liberticide et antidémocratique, de la même façon que celui-ci fut apposé au début des années 1980 sur les missiles... *Patriot.* A l'heure où chacun se doit de manifester un indéfectible « patriotisme » conforme au cadre défini par l'administration Bush, toute critique d'une loi « patriotique » équivaut à de l'« *unamericanism* ». Après six semaines d'un débat parlementaire fantomatique et des opposants très minoritaires (66 représentants et le sénateur Russ Feingold votent contre, tandis que la sénatrice Mary Landrieu s'abstient), les 342 pages d'un texte complexe entrent en application le 26 octobre 2001.

Le champ d'application est tentaculaire, puisqu'il touche les adversaires présumés des Etats-Unis autant que les Américains : le FBI dispose d'un pouvoir de perquisition élargi (établissements de santé et scolaires, librairies et bibliothèques) dans le cadre d'enquêtes antiterroristes, sans que les motivations des saisies aient à être notifiées. Outre le fait que la définition d'acte terroriste soit extensive (« intrusion dans un système informatique », « mise en péril de biens et d'infrastructures économiques »), cette approche recèle de dangereuses menaces pour la démocratie, et on imagine sans mal avec quelle facilité de vives luttes sociales pourraient entrer dans ce cas de figure. Cette conception s'est à ce point répandue qu'on retrouve le « terroriste » défini de façon encore plus ambiguë dans d'autres documents techniques de l'administration rédigés en 2004 :

« Il sera efficace de définir conceptuellement le "terroriste" [...] comme toute personne sympathisante, ou membre d'un groupe [...] à la fois déloyal et hostile au gouvernement américain[66] », expliquent les auteurs d'un rapport d'enquête sur la recherche de terroristes au sein de l'armée. En l'absence de précisions sur la « déloyauté » et le type d'« hostilité » visée, toutes les interprétations sont envisageables.

L'immixtion des forces répressives dans la vie des Américains devient légale grâce à une plage d'action débridée. En période d'exacerbation des enjeux politiques, la loi révèle tout son arbitraire : à l'été 2004, alors que la campagne électorale bat son plein, le FBI collecte des informations, par le biais d'Internet et du courrier électronique, sur les organisateurs des prochaines manifestations antiguerre. Des militants pacifistes reçoivent ainsi la visite d'agents fédéraux, qui les questionnent sur leurs activités politiques[67]. A New York, un individu dénoncé pour des propos peu amènes à l'encontre du président Bush subit d'identiques désagréments. Çà et là, des cas identiques sont rapportés. Le caractère intimidant de tels actes, attentatoires à la liberté d'expression, confère à leurs commanditaires une dimension de police politique guère éloignée, sur le principe, des canons en vigueur sous un régime autoritaire. Les manœuvres policières entreprises dans l'entourage des leaders noirs, tels Martin Luther King ou Malcolm X, au cœur des années 1950-1960, retrouvent un semblant d'actualité.

En marge de mesures législatives critiquables, des centaines voire des milliers d'écoutes téléphoniques et la surveillance du courrier électronique sont effectuées dans le plus grand secret, à partir de 2001, par le FBI, l'Agence de Sécurité nationale (National Security Agency, NSA) et sur ordre de l'administration, hors de tout mandat judiciaire et donc des conditions énoncées dans le *Foreign Intelligence Act* de 1978[68]. Voté au Sénat après une demi-heure de débat le 14 septembre 2001, le *Combating Terrorism Act* permet au FBI de contrôler la correspondance électronique sans mandat judiciaire[69]. Dans son entreprise de fichage généralisé, la NSA bénéficie, comme le FBI, du soutien de grandes compagnies de téléphonie qui transmettent, sans commission rogatoire, le listing complet des communications de leurs clients[70]. A quelques exceptions près, les sociétés phares du capitalisme américain deviennent les auxiliaires zélés d'une politique ultra-sécuritaire. Ces liens de connivence diffèrent peu du soutien accordé aux autorités chinoises par Yahoo et Google, fournisseurs dociles des instruments de répression contre les internautes dissidents. La privatisation informelle du Renseignement embrasse, au sens large, l'évolution générale du libéralisme économique qui voit l'Etat déléguer aux entreprises une part de ses tâches régaliennes. Alors que le *Privacy Act* de 1974 interdit aux agences fédérales de constituer des banques de données sur les citoyens américains[71], ces mêmes agences fédérales en font désormais l'acquisition auprès de sociétés qui, à l'instar de ChoicePoint, se sont spécialisées dans le stockage d'informations diverses[72]. Depuis 2001, le FBI et d'autres agences fédérales ont conclu, dans la plus totale discrétion, de fructueux contrats avec ChoicePoint pour l'achat des renseignements amassés par cette entreprise d'un nouveau genre[73] ; en 2005, le budget des Etats-Unis consacrait plus de 30 millions de dollars à ce type d'activité[74]. Avec le succès rencontré par le réseau social Facebook, dont beaucoup de membres pratiquent l'autofichage, le degré de pénétration des agences de renseignements ne peut que s'accroître : le modèle économique de Mark Zuckerberg, fondateur de Facebook, étant construit sur la vente, à des fins publicitaires, des informations personnelles présentes sur ses serveurs, il semble logique que le régime du *Patriot Act* permette aux enquêteurs du FBI, de la CIA, de la NSA ou de toute autre structure gouvernementale d'en tirer le meilleur parti. Menée dans une entente quasi symbiotique entre l'administration et le privé, l'opération d'encadrement de la population façon *« Big Brother »* se poursuit.

En 2003, alors que le climat belliciste touche à son couronnement, le *Patriot Act* subit quelques modifications radicales : un citoyen américain condamné pour terrorisme peut, par exemple, être expulsé et déchu de sa nationalité. En ces temps de veillée d'armes, l'opinion manifeste des taux d'approbation importants : au mois de janvier 2002, 49 % des Américains soutiennent les choix gouvernementaux, du moment que ceux-ci n'entravent pas les libertés fondamentales – ce qui, nous l'avons constaté, est loin d'être le cas –, tandis que 47 % se déclarent prêts à y souscrire, même si leurs libertés venaient à être restreintes[75]. Il y a bien un consentement aveugle d'une large partie de l'opinion, non consciente du fait que lesdites « libertés » sont d'ores et déjà « restreintes ».

Fatale à l'équilibre des pouvoirs, la prédominance de l'exécutif sur le législatif instaure un régime de l'arbitraire. Plus grave, l'intervention et le poids prépondérant du FBI, de la CIA et plus globalement des sphères militaires révèlent l'ampleur du mitage des institutions civiles et démocratiques : en dehors de tout contrôle parlementaire, les prérogatives acquises par la NSA – qui dépend du Pentagone et est dirigée par un général – ont permis, dans les faits, à l'armée américaine d'intervenir contre des citoyens américains sur le territoire américain en bafouant des lois qui interdisent un tel phagocytage.

On assiste à une sorte d'automutilation démocratique : traumatisés par les attentats, orientés dans leur réaction, les citoyens américains acceptent dans leur majorité de renoncer à certaines des valeurs chères aux Pères fondateurs. Lors de la défaite française de 1940, le renoncement de la population à la quintessence de son identité et de sa tradition républicaine découlait, au fond, d'un processus comparable. Les prolongements d'une telle abdication furent, on le sait, des plus dramatiques.

Xénophobie et politique

Les réactions xénophobes deviennent, on l'a vu, fréquentes dans l'après-11 Septembre. Des diatribes antimusulmanes et antiarabes s'expriment par la bouche de prédicateurs télévangélistes, d'animateurs de radio ou d'éditorialistes proches de l'extrême droite, sans compter les écrits anonymes du Net, les agressions dont sont victimes des individus au profil moyen-oriental et les dégradations visant mosquées et centres islamiques : dans les neuf semaines qui suivent le « Mardi noir », on dénombre plus de 700 incidents violents, soit une hausse de 400 % par rapport aux années précédentes[76]. Sur CBS, le révérend Jerry Falwell soutient que « Mahomet est un terroriste » ; en novembre 2002, le révérend Pat Robertson, fondateur de la prospère Christian Coalition, certifie à ses fidèles que, « loin de déformer l'islam, les terroristes l'appliquent ». Déjà renforcée au sein de l'administration par la nomination de John Ashcroft au poste d'*attorney general* (ministre de la Justice), l'audience accrue de la galaxie évangéliste au lendemain du 11 Septembre ne doit pas être mésestimée lorsqu'on examine les facteurs d'évolution des mentalités.

Mais isolons ces réflexes racistes d'une politique qui les encouragerait : au-delà de la proximité qu'entretiennent quelques-uns des membres de l'équipe Bush avec une mouvance mêlant ultraconservatisme, nationalisme et dévotion extrême, l'administration délivre un discours des plus contradictoires dans son rapport à l'islam, aux « Américains-Arabes » et/ou musulmans : dès le 11 Septembre, le président Bush met en garde ses concitoyens contre tout amalgame entre islam et terrorisme, et la Chambre des représentants vote, le 15 septembre, une résolution allant dans ce sens, de même que le Sénat[77]. La guerre contre la Terreur déclenche pourtant une politique qui ne s'embarrasse pas de ces précautions.

En septembre 2001, le FBI obtient des portails Internet Hotmail, AOL et Earthlink l'installation sur leurs serveurs d'un programme de surveillance du courrier électronique qui répertorie l'ensemble des mails contenant le nom d'« Allah[78] ». En juin 2002, les individus de sexe masculin nés au Moyen-Orient et âgés de plus de 15 ans sont appelés, en vertu du NSEERS (Système d'enregistrement d'entrée et de sortie pour la Sécurité nationale), à se présenter aux services d'immigration pour un enregistrement (photo, empreintes) et diverses vérifications, tandis qu'à partir de novembre 2002 les citoyens américains d'origine irakienne font l'objet d'une attention particulière ; en écho à l'*Alien Registration Act* de 1941, des milliers de jeunes hommes d'origine arabe sont convoqués par différents services policiers, tandis que les étudiants en provenance de ces régions éprouvent plus de difficultés que d'autres à obtenir des visas. L'American Civil Liberties Union (ACLU) estime à 13 000 le nombre de personnes choisies de façon aléatoire pour être interrogées entre septembre 2001 et avril 2004, notamment sur le contenu des sermons délivrés au sein des mosquées qu'elles fréquentent[79]. Le 8 janvier 2002, le FBI débute les interrogatoires de 6 000 ressortissants du Proche-Orient en attente de leur expulsion[80]. Suspectés sans preuves de terrorisme, des milliers d'individus – 3 000 environ en 2004[81] – sont incarcérés sur des « présomptions de culpabilité », sans mandat ni accès à un avocat, privés du droit d'avertir leurs proches et parfois maintenus en détention après que leur innocence a été prouvée[82] ; des centaines d'autres sont expulsés du territoire américain, après plusieurs mois voire années de prison, alors que les autorités se refusent, en infraction avec les conventions internationales, à publier une liste des personnes arrêtées. Or, malgré l'absence de coupable parmi les individus écroués, le Département de la Justice met en avant, sur son site Internet, l'expulsion de centaines d'immigrants « suite aux investigations du 11 Septembre[83] ». Seuls des citoyens informés auront compris que ces « investigations » ont permis de débusquer des immigrants ayant enfreint des lois, ou dont le visa avait expiré, et non des terroristes.

Aux yeux d'une opinion tétanisée, ces actions policières – dénoncées par diverses organisations, comme l'ACLU – et les bilans qui les accompagnent démontrent qu'une part importante des 7,5 millions d'Américains originaires de pays arabes doit être surveillée. Plutôt que de repérer des comportements, les forces de police font des origines ou de la religion le premier critère de recherche et d'interpellation[84]. Jusqu'alors marginales, la phobie et la méfiance de nombre d'Américains vis-à-vis de ces concitoyens trouvent matière à prospérer. Les musulmans pratiquants rassemblent 1 % de la population des Etats-Unis, et sont vus, en octobre 2001, de façon défavorable par 39 % des Américains, contre 47 % qui restent dénués de préjugés, et 13 % sans opinion. Presque dix ans plus tard, le rapport s'est inversé[85].

Justifiée par la « sécurité nationale », l'attention portée aux expatriés du Moyen-Orient renvoie à des pratiques passées : en 1917, le Bureau des étrangers ennemis, qui comptait dans ses rangs le jeune John Edgar Hoover, futur directeur du FBI, tenait sous surveillance les communautés allemandes du pays, totalisant presque un million d'individus dont 450 000 furent placés en résidence surveillée et 6 000 internés dans des camps[86]. Autre rappel : les arrestations et expulsions d'immigrants d'Europe de l'Est mises en œuvre, pendant et après le second conflit mondial, par le ministère de la Justice américain, en guerre contre la « contagion » communiste et anarchiste. Le présent ravive aussi le mythe de la « cinquième colonne » qui entraîna, entre 1941 et 1945, l'internement de 120 000 Nippo-Américains, dont les deux tiers étaient natifs des Etats-Unis. A une nuance près : en guerre contre le Japon, les autorités américaines étaient face à une nation dont les complices, ou agents actifs sur le sol américain, étaient identifiables parmi la masse de citoyens et résidents d'origine nippone. Ce ciblage provoqua, avec d'autres facteurs discriminants, des agressions « au faciès » contre de nombreuses personnes issues de l'immigration asiatique, longtemps victimes d'un sort comparable à celui des citoyens noirs[87]. Or, dans le cas des terroristes potentiels, aucune nationalité précise ne peut être ciblée. Il en résulte une appréhension de la question au sens le plus large, c'est-à-dire les individus originaires du Moyen-Orient. La politique de prévention du terrorisme compose donc un terreau favorable à tous les amalgames, et développe une hostilité conçue comme défensive qui constitue le fond de la doctrine de guerre préventive.

En 1950, la paranoïa se voulait contagieuse : « Il y a aujourd'hui en Amérique beaucoup de communistes, prévenait le ministre de la Justice. Ils sont partout, dans les usines, dans les bureaux, dans les boucheries, dans les milieux d'affaires. Et chacun d'entre eux porte en lui, en germe, la mort de notre société[88]. » Massive par le nombre de personnes placées dans le collimateur de vaines enquêtes – plus de 6 millions entre 1947 et 1952[89] –, la traque d'espions communistes et autres suppôts soviétiques devint omniprésente. Depuis la révélation par l'administration Bush de la présence de « cellules dormantes » d'Al-Qaida présentes sur tout le territoire, la crainte des « ennemis intérieurs » ne peut que se développer. Les dénonciations au FBI d'individus au « comportement suspect » par leurs voisins attestent de la suspicion générale.

Progressive depuis la Seconde Guerre mondiale, l'abolition nette des lois racistes et la nomination par George W. Bush de citoyens aux origines diverses dans des institutions aussi centrales que le Département d'Etat ou la Sécurité nationale confèrent un alibi antiraciste à une politique aux relents xénophobes. Le rassemblement multiethnique derrière les valeurs de l'américanité, devenu partie prenante du credo national, empêche tout individu issu d'une minorité de déclarer, à l'instar de Mohammed Ali, qu'« aucun Irakien ne l'a jamais traité de nègre », et donc de contester les fondements de la guerre. Unis dans leur diversité, les citoyens américains doivent orienter leur ressentiment vers l'extérieur, ou l'ennemi étranger de l'intérieur. Ce sentiment dérivera, à l'été 2009, sur la polémique[90] entourant la soi-disant « mosquée de *Ground Zero* », un centre communautaire ouvert à tous et prévu pour s'implanter à deux blocs du futur One World Trade Center. Face à la peur d'un ennemi intérieur, une politique de dureté vis-à-vis de l'immigration semble donc acceptable, et, dans d'autres champs d'action, les choix les plus extrêmes sont envisagés.

La torture : débats et petit écran

L'hypothèse du recours à la torture est très présente dans le débat public plus de deux ans avant le scandale d'Abu Ghraib. Voici plusieurs décennies que cette question fait l'objet d'une confidentialité presque totale. En 1963, au tout début de son implication vietna-mienne, la CIA constituait un manuel secret, le *Kubark Counter-intelligence Interrogation*[91], dont la partie IX détaillait l'« interrogatoire sous contrainte des sources non coopérantes[92] ». Au menu, des ins-tructions variées, insistant sur la nécessité de « privation des stimuli sensoriels (vue, ouïe, goût, odorat, toucher[93]) », « les menaces et la peur[94] », le recours à des drogues[95], ainsi que la « douleur[96] », infli-gée, *dixit* le document, en tenant compte des limites de son « effet sur l'individu et [...] sa personnalité[97] ». En 1983, le *Kubark* devient le *Manuel d'exploitation des ressources humaines*[98], synthétisant diffé-rentes techniques d'interrogatoire, assimilables – quoique leurs rédacteurs s'en défendent[99] – à des actes de torture, dont le volet physique semble avoir été expurgé du texte bien que figurant à son sommaire. Traduits à l'attention d'alliés sud-américains d'extrême droite, et finalement déclassifiés en 1997 à la demande du *Baltimore Sun*, ces deux manuels constituent l'origine des documents juridico-techniques de l'après-11 Septembre. Bien que la ratification par les Etats-Unis de la Convention contre la torture, initiée à reculons par le président Reagan à partir de 1988, ait été effective en 1994, le flou qui entourait les pratiques de la CIA a persisté. Après un recours avéré à des « interrogatoires » violents pendant la guerre occulte que mena dans les années 1980 l'agence en Amérique cen-trale (Nicaragua, Honduras, Guatemala[100]...), la définition restric-tive retenue en 1994 par les autorités américaines pour caractériser le terme même de « torture » excluait, entre autres, les privations de sommeil ou les altérations sensorielles, présentes au camp Delta. Les défenseurs des méthodes radicales parlent plus volontiers d'« inter-rogatoires renforcés », terme que l'on retrouve jusque dans une circulaire de la Gestapo datée du 4 juin 1937[101] : cette pudeur bureaucratique, tout en euphémismes, permet de donner un nom à l'innommable, de produire une norme qui transforme la réalité, la rend praticable pour ses exécutants et, en cas de fuites, acceptable pour ceux placés sous l'autorité du gouvernement. Parce que l'administration Clinton ne jugea pas utile d'exhumer l'action obs-cure des services américains en matière de torture, cette dernière est restée méconnue d'une grande partie du public et, dans un sens, irréelle. Il faudra attendre la fin 2006 pour que la définition de « tor-ture » fasse son entrée dans le *Dictionnaire des termes militaires* du Pentagone[102].

Comme dans bien d'autres domaines, la guerre contre le terrorisme gèle les avancées humanitaires et prolonge certaines pratiques jamais reniées de manière officielle. Cette fois, c'est le tabou de la torture qui doit sauter : après le « Mardi noir », des intellectuels respectés participent à une véritable entreprise de légitimation auprès du public : Alan Dershowitz, professeur à Harvard connu jusqu'alors pour son engagement en faveur des droits civiques, se dit partisan de la torture, sous réquisition d'un magistrat, dans une tribune publiée début 2002 par le *San Francisco Chronicle*[103]. Le général Aussaresses, expert français de la question depuis son déploiement en Algérie, fait à la même époque l'objet d'une invitation pour une émission de télévision. Bien connu de certains militaires américains, Aussaresses intervenait en tant qu'instructeur à l'école militaire de Fort Bragg, en Caroline du Nord. Là, l'officier faisait profiter l'auditoire de son expérience de la guerre d'Algérie, lorsqu'il occupait, en 1957, le poste de coordinateur des services de renseignements[104].

Parallèlement à cet affichage médiatique, des juristes rattachés aux secrétariats à la Justice et à la Défense, ainsi qu'à la présidence, livrent une série de mémorandums secrets traduisant la volonté de donner, au nom de la guerre contre la Terreur, une assise légale à de graves entorses au droit international. Sur le terrain public, la perspective du recours à la torture est ouverte, tandis que sa mise en œuvre sera, elle, secrète. Cette dualité, porteuse d'idées antithétiques aux principes fondateurs des démocraties, atténue de façon préventive la réprobation du public. Dans le cas des photographies de torture, on peut donc penser que les citoyens américains ont été choqués par les images plus que par la révélation de pratiques débattues après le 11 Septembre, banalisées dans l'univers télévisuel et révélées en partie dès l'été 2002 par le *Washington Post*[105]. Le débat national que provoqua la diffusion d'une exécution sommaire perpétrée par un GI sur un insurgé blessé pendant la bataille de Fallouja découle des mêmes causes[106]. Toutes les guerres ont été le théâtre d'exécutions sommaires et de tortures. La guerre d'Irak est la première à en montrer les images en temps quasi réel.

La torture surgit jusque dans les séries télévisées comme *The Shield*, *Alias* ou *24* : leurs héros usent de tous les stratagèmes, y compris des interrogatoires musclés, pour faire parler les criminels et les instigateurs d'attentats cataclysmiques sur le point de se produire. Concept central et moteur de *24 heures chrono*, le cas de conscience posé par une bombe cachée dans un lieu public méconnu, que des révélations arrachées à un prisonnier terroriste pourraient empêcher d'exploser, est remis sur la table par les tenants d'une justification de la torture. Diffusées aux Etats-Unis par une chaîne du magnat républicain Rupert Murdoch, les deux premières saisons de cette série (du 6 novembre 2001 au 20 mai 2003) participent à l'entreprise auprès de dizaines de millions de téléspectateurs, à travers la mise en scène de tortures qui, de l'aveu même des auteurs[107], trouvent leur inspiration dans le manuel de la CIA. « Jack Bauer, le héros de *24 heures chrono*, n'est pas un tortionnaire, explique son créateur Joel Surnow, juste un citoyen qui sait se montrer convaincant quand il faut. [...] Il est l'incarnation même de la justice. Une machine à tuer dont nous rêvons tous en secret, car elle ne sanctionne que des raclures[108]. » Héros d'un show que Surnow qualifie de « patriotique[109] », Bauer serait l'archétype de l'agent idéal, mais également un exemple « citoyen » – que, à défaut de pouvoir suivre, on se devrait d'approuver. Ce raisonnement simpliste fait l'impasse sur l'invraisemblance d'un tel scénario (répété à chaque épisode de chaque saison), l'absence d'informations exploitables découlant de la torture, son caractère illégal et le renoncement moral qu'elle implique. Le faux dilemme de la « bombe à retardement » face à la torture marque pourtant les esprits, présupposant dans l'inconscient collectif qu'un recours à des interrogatoires violents aurait pu empêcher le 11 Septembre. Le scandale d'Abu Ghraib montrera, chez les tortionnaires, l'absence de sentiment trangressif et l'adhésion à une autre « normalité », rendue possible par la conviction d'accomplir des actes légitimes et déjà vus. « Nous avons un faisceau de preuves qui montrent que les jeunes soldats imitent les techniques d'interrogation vues à la télé[110] », explique David Danzig, responsable du projet « Primetime Torture », monté contre la diffusion de sévices aux heures de forte audience.

Les séances de tortures dans les œuvres de fiction américaines diffusées en « *primetime* », menées et légitimées par des personnages censés défendre les Etats-Unis, n'ont jamais été aussi nombreuses que dans l'après-attentats : selon le « Parents Television Council », on en dénombrait 4 en 1999, 42 en 2000, 55 en 2001, 127 en 2002 et 228 en 2003, avant une décrue relative en 2004 et 2005, avec respectivement 146 et 123 scènes répertoriées[111]. Sur une décennie, l'écart se révèle encore plus criant : de 1996 à 2001, toujours à heures de forte audience, les téléspectateurs ont pu voir 102 scènes de tortures, contre 624 entre 2001 et 2005[112]. Cette question s'inscrit dans la problématique plus large de la violence sur les écrans américains, qu'il s'agisse de cinéma ou de télévision. Depuis les scènes de tortures des films *Captain Blood* (1935), *The Black Swan* (1942) et l'assassinat sous la douche du *Psychose* d'Alfred Hitchcock (1960), la diffusion de meurtres et de scènes violentes n'a fait qu'augmenter[113]. Reflets d'une société dans laquelle le droit de posséder une arme découle de la Constitution, les médias de divertissement et d'information confrontent de façon inédite les individus, y compris les plus jeunes, à des images quotidiennes et variées de mise à mort.

Les débats nationaux sur la torture, couplés à sa retranscription dans l'audiovisuel, cautionnent et banalisent sa pratique, restée confidentielle jusqu'en 2004. Par voie de conséquence, les mesures (Guantanamo, statut non juridique des présumés membres d'Al-Qaida, tribunaux militaires…) et les questionnements (torture, recours à des « mini-bombes atomiques ») qui jalonnent la période prédisposent à l'acceptation de choix radicaux, et ce, jusqu'à la guerre.

L'après-11 Septembre induit donc une « nouvelle normalité » qui implique, selon les propres termes d'un mémo signé par le président Bush, l'adoption d'un « nouveau mode de pensée à l'égard des lois de la guerre[114] ». Le veto présidentiel du 7 février 2008 contre une loi interdisant les « méthodes d'interrogatoire poussées » entérine cette évolution : « Devant la persistance des dangers, nous devons assurer aux responsables de nos services de renseignements qu'ils disposent de tous les moyens nécessaires [afin de lutter contre] les terroristes[115] », justifie George W. Bush, pour qui « ces techniques ont prouvé leur capacité à assurer la sécurité de l'Amérique[116] ». Proche, par la pratique, des militaires français venus former leurs homologues américains aux méthodes brutales de contre-insurrection éprouvées en Algérie, cet argument est également semblable à celui employé à l'époque par ces mêmes officiers français, dont Jean-Marie Le Pen, alors député et lieutenant partie prenante de la « pacification » : « Il peut y avoir encore des sentiments humains dans la lutte contre le terrorisme, mais il n'y a plus de place pour les règles de la guerre classique […], déclarait-il. S'il faut user de violence pour découvrir un nid de bombes, s'il faut torturer un homme pour en sauver cent, la torture est inévitable et donc, dans les conditions anormales où l'on nous demande d'agir, elle est juste[117]. » Signe d'une pénétration généralisée de postulats erronés, on retrouve ce type de propos dans la bouche d'Antonin Scalia, juge conservateur de la Cour suprême des Etats-Unis depuis 1986. Participant, en juin 2007, à une conférence au Canada, le juge Scalia argue des exploits de l'agent Bauer, héros de la série *24 heures chrono*, pour justifier une nouvelle fois le recours à la torture : « Jack Bauer a sauvé Los Angeles, avance-t-il. Il a sauvé des centaines de milliers de vies. [...] Allez-vous condamner Jack Bauer ? Dire que le droit pénal est contre lui ? [...] Est-ce qu'un jury va condamner Jack Bauer ? Je ne le crois pas[118]. » Selon une logique absurde, ce magistrat, partisan zélé de l'administration Bush, légitime l'immoral par la fiction, pour créer une jurisprudence fondée sur le dénouement rocambolesque d'un téléfilm lui-même inspiré de la guerre contre le terrorisme. Le bon sens est révolu.

5

Du « Mardi noir » à l'Irak

Pétrole, sanctions et géopolitique

La périodisation opportuniste née du 11 Septembre et son leitmotiv – « plus rien ne sera comme avant » – font table rase de l'histoire, y compris dans ses développements les plus récents. Dans le cadre du « défi terroriste », la trame historique antérieure au 11 Septembre, sectionnée par la secousse des attentats, doit être prise en compte sans une grille de lecture donnant à cette date une place centrale. Les attentats ont-ils réellement transformé la politique post-11 Septembre des Etats-Unis, une politique que symboliserait à la perfection le renversement de Saddam Hussein ?

Il n'en est rien. La corrélation entre l'Irak, le 11 Septembre et l'opération de mars 2003 ne peut être observée à travers le prisme réducteur et anachronique de la « guerre contre le terrorisme ». Censée illustrer les changements profonds amenés par le « Mardi noir », la volonté de l'administration américaine d'abattre le Raïs nous ramène au « monde ancien » que le géopolitologue Alexandre Adler prétend révolu[1]. Et, dans la longue histoire des relations américano-irakiennes, les passerelles reliant l'« avant » à l'« après-11 Septembre » sont si nombreuses qu'il paraît difficile de déconnecter les décisions prises dans la foulée des attentats de celles qui les ont précédées. En observant le fil des événements à l'échelle d'une décennie, on constate que la continuité reste le maître mot des choix tactiques adoptés par les Etats-Unis. En octobre 2002, soit cinq mois avant « *Iraqi Freedom* », George W. Bush se chargeait de souligner la constante de cette question dans la géostratégie américaine :

« Deux administrations, la mienne et celle du président Clinton (1992-2000), sont arrivées à la conclusion que le changement de régime en Irak est indispensable[2]. » Or, Bill Clinton s'inscrivait de son propre aveu dans la lignée de Bush senior.

Le 31 octobre 1998, un mois et demi avant les bombardements de « *Desert Fox* », la majorité républicaine du Congrès vote l'*Iraq Liberation Act*[3], qui donne une transcription juridique à la promesse présidentielle faite par Clinton en 1993 : « Poursuivre la politique irakienne de [son] prédécesseur[4] », George Bush senior. Nul ne s'étonnera, nous l'avons vu, que Dick Cheney, Donald Rumsfeld et Paul Wolfowitz, artisans de la guerre de 1991 et piliers de l'administration Bush junior, aient, bien avant leur entrée en fonctions, souscrit à une attaque destinée à prendre position en Irak[5]. A cet égard, la stratégie des Etats-Unis revêt des facettes parfois contradictoires : sur fond d'embargo, l'Etat fédéral finance depuis 1991 des groupes d'opposants irakiens disposant des moyens nécessaires à la préparation de coups d'Etat qui échouent les uns après les autres : à partir de 1993, les sommes allouées aux anti-Saddam passent de 15 à 40 millions de dollars annuels[6], puis à 97 millions dans le cadre de la législation adoptée en 1998. Si l'augmentation du budget « coup d'Etat » laisse croire que les administrations américaines désirent en finir au plus vite avec Saddam, il faut nuancer le caractère prioritaire accordé à cet objectif : bien que le « soutien à la transition démocratique en Irak[7] » demeure depuis 1991 la ligne directrice et institutionnelle des Etats-Unis, rien n'empêche la Maison-Blanche de s'en éloigner lorsque la préservation des intérêts stratégiques nationaux entre en jeu. Après le vote de l'*Iraq Liberation Act*, l'administration Clinton, imitée en cela par l'équipe Bush Jr, s'oppose à la levée des sanctions onusiennes consécutives à l'invasion du Koweït. Au regard des déclarations d'intention prônant le « remplacement du régime de Saddam Hussein[8] », cette obstruction peut sembler paradoxale : les sanctions, en plus d'un bilan humain catastrophique, ont depuis longtemps montré qu'elles ne permettaient pas de déloger Saddam, aboutissant au contraire à la consolidation de l'emprise baasiste sur sa population, tributaire, pour la répartition des denrées alimentaires, du quasi-monopole des structures étatiques.

Gage de survie pour le régime irakien, cette manœuvre diplomatique répond, côté américain, à une volonté de *statu quo*. Comme le rappellent à juste titre les hérauts du Program for a New American Century, « le conflit non résolu avec l'Irak fournit une justification immédiate [au] maintien d'une présence militaire américaine dans le Golfe. [Celle-ci] transcende l'issue du régime de Saddam Hussein[9] ». En outre, la recherche, à la fin des années 1990, de nouveaux approvisionnements pétrolifères joue un rôle déterminant : par le biais du programme « Pétrole contre nourriture » qui soumet les exportations irakiennes à la direction des Nations unies[10], le maintien au pouvoir d'un Saddam Hussein fragilisé permet à des commissions onusiennes – où l'influence américaine joue à plein – de fixer le prix du brut irakien et de peser sur le cours mondial. Dénaturant à force de modifications empiriques la finalité du programme, les diplomates américains ont assuré à leur pays un contrôle étendu sur le sous-sol mésopotamien[11] : en 2001, 30 % du pétrole des gisements de Kirkouk et 80 % du pétrole léger extrait dans la région de Bassora finissent dans les pompes à essence américaines, après avoir transité par différents importateurs[12]. Le programme « Pétrole contre nourriture » devient ainsi en quelque sorte « Pétrole contre dictature ». Les Etats-Unis sont sûrs de remporter la mise : l'appui aux opposants garantit, en cas de putsch réussi, un accès privilégié aux deuxièmes réserves pétrolières du globe, quand le maintien de Saddam à coups de sanctions économiques permet d'assurer une mainmise solide sur une large part des ventes d'hydrocarbures mésopotamiens.

Au tournant des années 2000, cette stratégie est menacée par une possible levée des sanctions, réclamée avec force pressions par des lobbies pacifistes de toutes tendances (appuyés de manière opportune par des lobbies économiques), qui suscitent la sympathie de l'opinion américaine et mondiale. Les rapports alarmants sur le triste sort réservé aux civils irakiens, victimes par centaines de milliers de l'un des plus durs régimes de sanctions que l'histoire ait connus, font de plus en plus de bruit[13]. A ce titre, l'activisme du juriste américain Ramsey Clark, *attorney general* de 1967 à 1969, adversaire résolu du conflit vietnamien et pourfendeur des faucons républicains, joue un rôle certain. Qualifiant Bush senior, Richard Cheney ou Colin Powell de « criminels de guerre » et de « criminels contre l'humanité[14] », Ramsey Clark rend public, en janvier 2000, un rapport qu'il adresse avec fracas au Conseil de sécurité des Nations unies[15] : « Un Irakien est délibérément tué toutes les 3 minutes en raison des conditions de vie infligées par les sanctions », écrit-il au retour d'une enquête en Irak où l'a accompagné une délégation de citoyens américains. Les retentissantes démissions de Denis Halliday et Hans von Sponeck, successivement coordinateurs onusiens des opérations humanitaires en Irak, mettent l'accent sur la situation catastrophique du pays. Par l'ampleur de la mobilisation, on peut parler de mouvement : aux Etats-Unis, des organisations confessionnelles, laïques, d'essence pacifiste ou non, des groupements communautaires de tous horizons, les milieux de gauche, des organisations humanitaires mais également une foule de personnalités de la politique, des médias, de l'art et du cinéma dénoncent l'hécatombe[16]. Au Conseil de sécurité, les tenants d'une reconduction de l'embargo sont au pied du mur : le gouvernement américain et les lobbies pétroliers ne peuvent se résoudre à restituer au régime baasiste la liberté de commercialiser ses hydrocarbures : d'importants précontrats d'exploration et d'exploitation pétrolières signés entre le gouvernement irakien et des compagnies française (TotalFinaElf), chinoise (National Petroleum Corporation) et russe (Lukoil[17]) ôtent tout espoir aux Etats-Unis de conserver, dans le cadre d'une normalisation des relations avec l'Irak, la confortable position obtenue grâce à l'embargo. Les administrations Clinton puis Bush sont dans l'impasse.

En 1963, une situation équivalente s'était présentée avec le régime du général Kassem, chef des « Officiers libres » tombeurs cinq ans plus tôt de la monarchie hachémite et probritannique. « Père fondateur » de la République irakienne qu'il fit proclamer le 14 juillet 1958, Abd al-Karim Kassem décidait d'accorder le bénéfice d'un juteux contrat pétrolier à une compagnie française. Cette entorse délibérée au monopole anglo-américain, institué sur les hydrocarbures du pays par l'hégémonie de l'Iraq Petroleum Company (IPC[18]), ne passait pas auprès des anciens maîtres du pays. Déjà mis à l'index pour une alliance gouvernementale avec le puissant Parti communiste irakien, son retrait du Pacte de Bagdad – pendant local de l'OTAN – et un approvisionnement en armes soviétiques, Kassem prit le risque de remettre en cause le « droit » de préemption sur l'or noir mésopotamien dont les Anglo-Saxons s'estimaient les seuls récipiendaires depuis plus d'un demi-siècle. Impopulaire dans son pays pour n'avoir pas concrétisé ses promesses démocratiques, le Zaïm fut victime d'un putsch du parti Baas avec l'appui de la CIA[19] ; « Ce contrat a ulcéré les autres pays occidentaux, surtout les Américains, qui ont favorisé ce coup d'Etat », se souvient Ahmed Al-Bayati, un représentant de l'opposition irakienne exilé à Londres[20]. En réalité, les « Américains » furent sans doute moins gênés par le contrat lui-même que par les perspectives qu'il ouvrait au pouvoir irakien : une absence de réaction risquait d'entraîner une érosion progressive du monopole de l'IPC selon la stratégie des contrats « alternatifs » initiée par Kassem. Ce grigno-tage pouvait se poursuivre jusqu'à la très redoutée nationalisation, fatale dix ans auparavant au régime du Premier ministre iranien Mossadegh, placé sous embargo puis renversé par la CIA. Sans hypertrophier le rôle de la concession pétrolière offerte par Kassem, la réaction qu'elle suscita n'en est pas moins révélatrice de la place du facteur énergétique dans l'élaboration des stratégies occultes de l'interventionnisme américain. Numéro deux du Pentagone (2001-2005), Paul Wolfowitz confirme : « La différence la plus importante entre la Corée du Nord et l'Irak, explique-t-il début juin 2003 en marge d'un sommet à Singapour, est que, du point de vue écono-mique, nous n'avions pas le choix car ce pays baigne dans une mer de pétrole[21]. » Dans cette optique, le premier nom de baptême donné à l'offensive de mars 2003, « *Operation Iraqi Liberation*[22] », et surtout son acronyme OIL relèvent d'une transparence que les com-municants de l'administration ont préféré abandonner : ces derniers n'ignoraient pas que les bâtiments du ministère du Pétrole irakien seraient préservés de toute destruction et investis en même temps que Bagdad, donnant ainsi matière à conforter les adversaires d'une « guerre pour le pétrole[23] ».

« La guerre est la continuation de la politique par d'autres moyens. » Presque deux cents ans après, la formule de Clausewitz est taillée pour l'Irak des années 2000-2003. Entre embargo, soutien à des coups d'Etat, instrumentalisation des sanctions onusiennes et frappes aériennes en série, force est de constater que les attentats du 11 Septembre, au lieu de bouleverser la stratégie américaine vis-à-vis de l'Irak, ont offert l'occasion de creuser plus profond un sillon initié en 1991. La destruction du World Trade Center et de l'aile ouest du Pentagone, loin de sceller une rupture, conduisent à la poursuite « par d'autres moyens » d'une politique dominée depuis dix ans par une logique d'affrontement.

La douzième année de guerre

Déclenchée le 19 mars 2003, la deuxième guerre du Golfe porte bien mal son nom, tout comme l'annonce par George W. Bush du déclenchement des « premières opérations militaires[24] » : la guerre de janvier 1991 ne s'est pas achevée avec l'annonce du cessez-le-feu le 28 février de la même année : entre 1992 et le 19 mars 2003, les forces anglo-américaines, épaulées jusqu'en 1996 par des détachements français, ont lancé plus de 170 000 opérations aériennes sur l'ensemble du territoire de l'ancienne Mésopotamie, dont 24 000 de décembre 1998 à mai 2002 dans la seule partie sud du pays[25]. Officiellement, il s'agissait d'assurer la protection des populations chiites et kurdes, installées en grande partie dans le Sud et le Nord du pays et réprimées par l'armée de Saddam lors de leur soulèvement de 1991. Invoquant la résolution 688 du Conseil de sécurité (votée le 5 avril 1991) relative à la protection des minorités kurde et chiite, les Etats-Unis, la Grande-Bretagne et la France instaurèrent de manière unilatérale des « zones d'exclusion aérienne » au nord du 36e parallèle et au sud des 32e puis 33e parallèles. Puis, au fil des ans et de façon insistante dans les mois qui précèdent « Iraqi Freedom », les gouvernements des Etats-Unis et de Grande-Bretagne – la France s'est retirée du dispositif en 1998 – ont considéré le refus irakien de reconnaître l'amputation de la moitié de son espace aérien comme des « violations répétées » de la résolution 688 : le pouvoir baasiste ordonnait des tirs aussi systématiques qu'imprécis sur les appareils qui violaient sa souveraineté. Côté « alliés », les vols militaires sur le Kurdistan irakien, le Sud chiite et ses régions centrales s'apparentaient à des missions de surveillance et de combat. L'affrontement se traduisit par un lent grignotage du dispositif militaire irakien, jusqu'aux jours qui précédèrent l'invasion de 2003. Dans la même période, les aéronefs américains ont mené la bagatelle de 750 missions par jour[26] : centres radars, rampes de missiles, aviation, postes de commandement et batteries antiaériennes furent des cibles prioritaires[27], qu'elles soient disposées dans ou en dehors des zones « interdites ».

Interrogé en février 2001 au sujet d'une série de frappes sur Bagdad par 24 appareils britanniques et américains, le président Bush évoqua « une mission de routine[28] ». On ne saurait mieux définir une situation de belligérance que la presse s'est longtemps contentée d'évoquer à travers des brèves, y compris lorsque plusieurs dizaines d'avions occidentaux tiraient leurs missiles sur différentes bases irakiennes[29]. Pour autant, la population américaine ne se montra pas prête à soutenir le déploiement terrestre dont son gouvernement menaça Saddam Hussein en 1994, 1996, 1997 ou 1998. Ce conflit latent dégageait néanmoins une impression de combats permanents, peu dangereux pour leurs artisans et dont l'existence même prouvait aux citoyens la persistance d'une menace irakienne.

L'état de guerre tacite fut entretenu par des justifications fluctuantes : la « protection des pays voisins [Arabie saoudite, Koweit, Qatar] et du peuple kurde » (réprimé en Irak par des troupes turques, alliées des Etats-Unis), l'« endiguement de Saddam Hussein », une riposte à la supposée tentative d'assassinat par les services secrets irakiens de l'ancien président Bush en février 1993 et la menace exercée par les « armes de destruction massive[30] » du dictateur motivèrent à tour de rôle la reprise des hostilités. Cette guerre larvée contre un régime en déliquescence servit aussi d'alibi, face aux Saoudiens, pour le maintien en Terre sainte des bases militaires stratégiques dont le statut provisoire était reconduit d'année en année depuis 1991. Hormis la période 1994-1995, qui s'écoula avec une suspension des tirs semble-t-il totale, les patrouilles d'appareils américains se transformèrent régulièrement, au cours des années suivantes, en missions offensives contre une gamme d'objectifs sans cesse élargie. Les victimes « collatérales » se comptèrent par centaines voire milliers, bien qu'il soit difficile d'obtenir des statistiques très précises avant décembre 1998 et les frappes massives de l'opération « Renard du désert ». Entre cette date et la fin de l'an 2000, la guerre larvée et les quatre jours de bombardements intensifs de « Desert Fox » auraient causé, selon les autorités irakiennes, 311 morts et 927 blessés[31]. Bien que ces données soient à prendre avec prudence, leurs chiffres se situent dans un ordre de grandeur proche de ceux recueillis, après des raids américains, par différents organes de presse, revenus en nombre grandissant à partir de 2001. Depuis, et jusqu'au déclenchement de l'invasion de 2003, il conviendrait d'ajouter au bilan une centaine de morts et plus de 200 blessés[32].

L'augmentation régulière de la fréquence des raids a connu des pics d'intensité, par exemple lors de tensions liées aux inspections onusiennes de désarmement : 1998 est l'année de l'opération « Desert Fox », soixante-douze heures d'une guerre éclair pendant laquelle toute la panoplie de bâtiments et appareils militaires américains, renforcés par l'armée britannique, tirent deux fois plus de missiles de croisière que pendant les quarante et un jours de la phase aérienne de « Tempête du désert[33] ». De janvier à août 1999, 360 points du territoire irakien sont frappés par plus de 1 100 missiles ; 40 à 50 % des défenses sol-air du régime baasiste sont détruits dans des proportions qui dépassent de loin le bilan de 1991[34].

Depuis l'opération baptisée, en 1998, du sobriquet dévolu au *Feld-marschal* Rommel[35], des raids aériens de moindre ampleur se poursuivent sans discontinuer... jusqu'au 10 septembre 2001[36]. Vingt-quatre heures après, les tragiques événements du 11 sont suivis par une suspension de l'activité militaire. Cela posé, on notera que les attentats contre New York et Washington ne marquent évidemment aucune coupure dans la politique irakienne des Etats-Unis. Si coupure il y a, celle-ci ne dure guère plus de dix jours : le 20 septembre, le pilonnage des infrastructures militaires irakiennes reprend son cours[37]. Pour ne plus cesser avant une nouvelle pause en mai 2003, une fois acquise la victoire sur l'armée de Saddam Hussein. Difficile, dès lors, de ne pas envisager la phase mars 1991-mars 2003 sous l'angle d'une situation conflictuelle d'un genre particulier, qui s'apparente *stricto sensu* à une guerre d'usure non déclarée.

Décrété à l'été 1990 et maintenu après « Tempête du désert », l'embargo participe d'un même processus : l'économie irakienne, sinistrée au sortir de la guerre contre l'Iran, poursuivait son effondrement, au point que les progrès enregistrés pendant les Trente Glorieuses furent annihilés. Sous embargo, la population, qui peinait à se procurer les denrées de base, perdit en quelques années 500 000 à 1 500 000 personnes[38]. Au-delà des infrastructures militaires, le sort des civils devient un enjeu de la guerre, quand bien même cet objectif n'était pas revendiqué : le retour dans de nombreux secteurs à un niveau de sous-développement patent s'apparente à des violences exercées sur la population – les caciques du régime n'ont pas eu à souffrir de la pénurie – que l'on a coutume d'observer dans un pays en guerre.

La phase de guerre d'usure s'intercale entre deux guerres éclairs (17 janvier-28 février 1991 et 19 mars-9 avril 2003) caractérisées par des campagnes aériennes et terrestres. Ces opérations aux motifs variables maintiennent, aux yeux du monde et du Conseil de sécurité, une ferme pression militaire sur l'Irak alors qu'une originale relation vainqueurs-vaincu, alternant tensions et détente, s'est mise en place par le biais de l'ONU : les incessants raids aériens et les communiqués de l'armée américaine relatifs aux « provocations[39] » adverses formalisent une « menace irakienne » qui justifie l'embargo et le programme « Pétrole contre nourriture ». Or, celui-ci a permis aux Etats-Unis, nous l'avons vu, d'exercer un contrôle effectif sur le pétrole irakien, ce dont Saddam Hussein s'accommoda sans peine puisque la situation garantissait encore sa survie politique. Conscient de l'intérêt que suscitait l'or noir irakien chez son allié des années 1980, le dictateur usa, pour obtenir un allégement des sanctions, du seul moyen de pression dont il disposait : à plusieurs reprises, il ordonna des baisses drastiques du niveau d'extraction pétrolière et parvint à peser sur le prix du baril, et indirectement sur l'économie américaine, alimentée, on s'en souvient, par les hydrocarbures irakiens. La réponse lui fut donnée sur le terrain militaire par des frappes doublées de menaces d'une intervention fatale à l'Etat baasiste. Il est en effet troublant de constater que chaque diminution de sa production par le ministère du Pétrole irakien fut sanctionnée par des bombardements anglo-américains[40]. Ce jeu macabre, dont les victimes furent encore et toujours les civils, permit de mener en parallèle d'âpres négociations politiques.

Principalement aéronavale, mobilisant selon la période entre 15 000 et 25 000 hommes[41], la guerre d'usure menée par les Etats-Unis fut budgétisée par le Département de la Défense, qui, entre mars 1991 et mars 2003, aura dépensé 12,9 milliards de dollars[42] pour la mise en œuvre de ses capacités militaires (200 avions et 20 bâtiments de guerre) dans ce qu'il convient d'appeler le théâtre d'opérations irakien. Ce total, bien que faible au regard des sommes englouties par « Iraqi Freedom », constitue un budget de fonctionnement militaire qui n'aurait pas lieu d'être en temps de paix.

Preuve de la permanence des hostilités dans le Golfe, les crises et les tensions américano-irakiennes de la décennie 1991-2003 forment un cycle événementiel homogène : douze années d'une guerre d'usure fatale aux restes de l'arsenal défensif irakien qui, rétrospectivement, s'apparentent à des préparatifs d'invasion, qu'un discours relatif aux armes de destruction massive mis en perspective avec le 11 Septembre allait faire accepter : le traumatisme des attentats fournit une chambre de résonance inédite aux prédictions apocalyptiques d'un Saddam confiant son supposé arsenal à Oussama Ben Laden.

« Menace irakienne » et psyché américaine :
les armes de destruction massive

Le 30 mai 2003, un mois après la victoire autoproclamée en Irak, Paul Wolfowitz, numéro deux du Pentagone, concède que l'administration Bush a fait des armes de destruction massive le fond de l'argumentaire proguerre, en vertu de simples « raisons bureau-cratiques[43] ». « Nous nous sommes entendus sur [cette] question, ajoute-t-il, parce que c'était la seule raison sur laquelle tout le monde pouvait tomber d'accord[44]. » Au vu du contexte de l'après-11 Septembre et de la lecture dominante des événements, cette thématique alarmiste avait toutes les chances de faire mouche. Focaliser sur le seul choc des attentats conduirait donc à omettre l'existence d'un substrat propagandiste préparé et enrichi depuis plus de dix ans, de la course à la première guerre du Golfe jusqu'au lancement de l'invasion. Rappelons que l'enjeu était de taille : l'élection présidentielle de 1992 avait été l'occasion de révélations sur les rapports plus que cordiaux entretenus par George Bush et Saddam Hussein. Comment faire oublier tant de preuves d'une politique de duplicité, politique dont certains intervenants, comme Donald Rumsfeld, continuaient d'occuper le devant de la scène ?

Loin d'être absente de l'« avant 11-Septembre », la dialectique des armes de destruction massive est, au mot près, centrale dans les discours que les 41e et 42e présidents des Etats-Unis consacrèrent à l'Irak. En direct du bureau Ovale, selon les règles d'un cérémonial rodé, George Bush père puis Bill Clinton justifièrent tous deux leur volonté de recourir à la force contre Bagdad par la nécessité d'« annihiler le potentiel nucléaire de Saddam Hussein ainsi que [...] ses armes chimiques[45] ». Les déclarations identiques abondent dans un large spectre du personnel politique, à commencer par la composante néoconservatrice du Parti républicain. Très actifs sur le front du lobbying proguerre, 24 membres du Project for a New American Century (PNAC), dont Donald Rumsfeld et Richard Cheney, adressaient le 26 janvier 1998 une lettre ouverte au Président insistant sur l'impossibilité de « surveiller la production irakienne d'armes biologiques et chimiques », qualifiée de « menace contre les Etats-Unis et leurs alliés[46] ». Dans une tribune publiée par le *New York Times* le 30 janvier 1998, Robert Kagan et William Kristol, éminentes personnalités du PNAC, ajoutaient : « Bombarder l'Irak ne suffit pas pour nous protéger [...] des armes biologiques et chimiques[47]. » Ce raisonnement revint un mois plus tard dans les colonnes du *Washington Post*[48], et, depuis 1996, dans l'émission hebdomadaire *Fox News Sunday* où William Kristol faisait office d'invité récurrent du présentateur Tony Snow, jusqu'à la nomination de celui-ci au poste de secrétaire à la Presse de la Maison-Blanche. Le camp démocrate ne fut pas en reste : « L'Irak est loin [d'ici], jugeait

Madeleine Albright, secrétaire d'Etat sous Clinton, mais ce qui s'y passe pose un sérieux problème [...]. Le risque que les leaders d'un Etat voyou utilisent des armes nucléaires, chimiques ou bactériologiques contre nous ou nos alliés constitue une des plus graves menaces pour la sécurité auxquelles nous soyons confrontés[49] » ; « Saddam Hussein, expliquait en 1998 la représentante démocrate Nancy Pelosi, s'est engagé dans le développement [...] d'armes de destruction massive qui représente une menace pour la région, et a tourné en ridicule le processus des inspections [onusiennes[50]] ». « Il réutilisera ces armes de destruction massive[51] », pronostiquait la même année Samuel Richard « Sandy » Berger, conseiller à la Sécurité nationale du président Clinton. Le 9 octobre 1998, dans une lettre commune à l'attention du président Clinton, les sénateurs démocrates Levin, Daschle et Kerry écrivaient, à la remorque du PNAC : « Nous vous conseillons instamment, après consultation du Congrès, et en accord avec la Constitution et les lois des Etats-Unis, de prendre les mesures nécessaires (incluant, si nécessaire, des frappes aériennes sur des sites irakiens suspects) pour répondre à la menace posée par le refus irakien de stopper ses programmes d'armes de destruction massive[52]. » L'ensemble de la dialectique martelée par l'équipe Bush Jr était donc connue de l'opinion américaine, prise sous un feu croisé venu des camps démocrate et républicain lancés dans une surenchère alarmiste.

A partir de 2002, l'administration de George W. Bush passe à la vitesse supérieure et orchestre un martèlement constant sur la « menace » que représenteraient les sempiternelles « armes nucléaires, biologiques et bactériologiques » irakiennes. Sans même tenir compte des propos tenus par des figures gouvernementales de « second plan » comme le numéro deux du Pentagone Paul Wolfowitz ou le directeur de la CIA George Tenet, cette assertion est répétée 237 fois en l'espace de 125 apparitions publiques (entre le 17 mars 2002 et le 22 janvier 2004) par George Bush et Richard Cheney, le secrétaire à la Défense Rumsfeld, le secrétaire d'Etat Powell et la conseillère à la Sécurité nationale Rice[53]. Diffusées en boucle sur les chaînes d'information, commentées par des experts et des journalistes, ces contrevérités sont assenées au peuple américain à des dizaines de milliers de reprises. Le mensonge d'Etat se décline en fonction des sentiments que ses auteurs espèrent susciter, avec une nette préférence pour la peur : « Grâce à l'aide de l'Irak, les terroristes pourront satisfaire leur ambition de tuer des milliers ou des dizaines de milliers d'Américains[54] », assurent à longueur de discours les officiels du gouvernement. Bénéficiant des ressorts de la communication moderne, l'adage que l'on a coutume de prêter à Joseph Goebbels, ministre de l'Information et de la Propagande du IIIe Reich – « Répétez un mensonge un millier de fois, il deviendra la vérité » –, est suivi à la lettre. La connaissance du caractère inexact de certaines accusations – l'uranium nigérian, l'affaire des tubes d'enrichissement, le déploiement de rampes de missiles nucléaires en quarante-cinq minutes... – ne dissuade pas l'équipe gouvernementale d'en faire état pour justifier ses projets de guerre. Les prises de position des experts onusiens ou de l'Agence internationale de l'énergie atomique (AIEA) n'ont pas plus d'effet. Ne souffrant ni variante ni recul, le réquisitoire de l'administration Bush et de ses partisans s'articule autour de trois axes simples : *primo*, « l'Irak constitue une menace imminente », *secundo*, « l'Irak possède des armes de destruction massive » que son dictateur pourrait « transmettre à des groupes terroristes » d'autant plus facilement que, *tertio*, il « soutient Al-Qaida[55] ». Une communication sans nuance qui, là encore, fait partie des fondamentaux d'une intoxication réussie. Conforté par un rapport abscons de la CIA resté consultable sur le site de l'agence jusqu'en 2005[56], George W. Bush assure, un mois après la fin officielle des opérations : « Nous avons trouvé les armes de destruction massive[57]. » L'assertion revient en 2006 sous la forme d'un extrait d'une page d'un rapport partiellement déclassifié, transmis par John Negroponte, nouveau directeur du Renseignement national, et faisant état de la découverte, depuis 2003, de « 500 munitions dégradées[58] » pour armes chimiques. Même si ces dernières sont hors d'usage, Fox News se fonde, comme d'autres, sur ces bribes pour annoncer que « des centaines d'armes de destruction massive ont été découvertes en Irak[59] ».

Goebbels, le maître en la matière, préconisait « une propagande [...] uniforme. [...] Rien n'égare plus le peuple qu'un manque de clarté [...]. Le but n'est pas de proposer au citoyen lambda un panel d'arguments aussi large que possible. L'essence de la propagande n'est pas dans la variété, mais dans la vigueur et l'obstination avec laquelle on [...] martèle [nos] idées aux masses en utilisant un maximum de voies[60] ». La constance avec laquelle l'exécutif américain a égrené ses accusations est conforme aux prescriptions du docteur Goebbels. La désinformation et l'intoxication furent volontaires, à grand renfort de dossiers tronqués ou inventés de toutes pièces[61], sous la coordination du sulfureux Bureau des plans spéciaux – l'officine secrète chargée d'élaborer des informations à charge.

En octobre 2001, l'affaire de l'anthrax tombe à point nommé pour faire de l'Irak un parfait épouvantail : tandis que le peuple américain suit au jour le jour l'avancement de cette « nouvelle attaque terroriste », des personnalités politiques et des experts écoutés pointent du doigt l'Irak de Saddam Hussein, qui, par un simple effet de juxtaposition de l'information, paraît lié aux réseaux Ben Laden cités à tort comme responsables du courrier mortel : la journaliste du *New York Times* Judith Miller est la première à faire de l'Irak son suspect « principal ». L'argumentaire de Miller, placée en 2005 au centre des critiques pour son manque de rigueur, figure à l'avant-garde de la campagne médiatique de désinformation. Richard Butler, ancien inspecteur en désarmement des Nations unies, explique dans le même journal, repris sur CNN et les principaux *networks* du pays, l'existence d'« une possible connection irakienne avec les récents envois de courriers à l'anthrax[62] ». Le très sérieux *Wall Street Journal* demande également si « l'Irak ne serait pas en train d'attaquer les Etats-Unis à l'arme biologique[63] ». Au même moment, soit tout juste un mois après le 11 Septembre, l'ancien directeur de la CIA James Woolsey – par ailleurs membre du Project for a New American Century – reprend à son compte l'expression de « connection irakienne » et évoque à l'appui de ses dires une fausse information relative à la rencontre, à Prague, entre le chef des kamikazes du 11 Septembre Mohammed Atta et un agent irakien, au cours de laquelle l'anthrax aurait été livré au terroriste[64]. Cet épisode connaîtra une postérité politique et médiatique largement postérieure au démenti des services de renseignements hongrois[65]. L'inconscient collectif, que les récents attentats ont rendu friable, en conserve le souvenir.

La machine à convaincre tourne à plein régime et entame, dès les lendemains du 11 Septembre, le travail de persuasion de la menace irakienne par le biais de la psychose à l'anthrax. Dans ce contexte, la fausse fiole de poudre blanche agitée par Colin Powell, le 5 février 2003, devant les membres du Conseil de sécurité est un rappel à l'opinion, encore marquée par les « attaques » postales d'octobre 2001. Dès le 22 mai, la vaccination obligatoire et médiatisée des « *boys* » contre le bacille du charbon avant le déploiement sur le sol irakien[66] s'inscrit dans une même perspective : en sus d'accréditer le discours officiel, cet acte médical renvoie à une période traumatique.

Ancrée dans l'esprit du peuple américain, la conviction que l'Irak dispose d'armes de destruction massive ne doit pas faire oublier combien les sondages, ces photographies instantanées de l'opinion, masquent le processus conduisant à leurs résultats. Pendant plus d'une décennie, la population a été abreuvée jusqu'à plus soif d'« informations » sur l'arsenal irakien. Justifiée lorsque le gouvernement américain et ses alliés occidentaux en étaient les pourvoyeurs, cette dialectique n'a plus lieu d'être depuis l'achèvement de la mission des inspecteurs onusiens. La parole gouvernementale a, en outre, tiré profit des marques laissées dans les représentations populaires par le conflit décennal opposant les Etats-Unis et l'Irak. Son impact sera considérable dans le basculement de l'opinion en faveur de la guerre, devenue une question de survie pour le « peuple américain à la merci du dictateur irakien et de ses armes[67] », *dixit* George W. Bush. Pourtant, on l'a dit, la question des armes irakiennes n'emporte pas à elle seule le consentement populaire : une fois l'invasion menée à bien, 90 % des Américains déclarent qu'ils continueront à soutenir la guerre même si aucune arme de destruction massive n'est jamais découverte[68]. La révélation des mensonges officiels aura raison de ce quasi-unanimisme, mais d'autres sentiments, forts et anciens, ont aussi œuvré au renouveau belliciste.

II

PERSPECTIVES DE CHAOS

6

Déshumaniser l'ennemi

L'imaginaire terroriste

Depuis les années 1980, un ennemi mortel s'est imposé dans les représentations populaires américaines : le terroriste islamiste, adversaire des idéaux démocratiques et œuvrant de concert avec un « Etat voyou », dont l'Irak sera défini comme l'archétype.

Avec la chute de l'URSS, les Etats-Unis ont perdu la légitimation d'une course aux armements en même temps qu'un adversaire constitutif de leur stratégie. En 1991, Colin Powell, alors chef d'état-major interarmes, attestait du dénuement frappant soudain sa fonction : « Je suis à court de démons. Je suis à court de traîtres. Je dois me contenter de Castro et de Kim Il-sung[1]. » En dépit de l'hostilité qu'ils ont toujours suscitée, ces deux leaders ne sauraient justifier le maintien, comme le déplorait Powell[2], des dépenses militaires à leur niveau d'antan. A partir de la guerre du Golfe, la réactualisation du concept d'« Etats voyous » rejaillit, comme sous la présidence Reagan au sujet de la Libye. L'expression désigne des pays hostiles à la puissance américaine, supposés incontrôlables, en dehors des lois internationales et à même de mener des actions irrationnelles, donc dangereuses. Le caractère flou et subjectif de cette nouvelle catégorisation ne se départit pas du manichéisme d'intérêts propre à la politique étrangère américaine : le Pakistan, longtemps inscrit sur la liste noire des « Etats voyous », en a disparu aussitôt acceptées les demandes de coopération formulées après le 11 Septembre. *Idem* pour la Lybie en 2004.

Parmi les critères énoncés en 1994 par le conseiller à la Sécurité nationale Anthony Lake[3] pour caractériser un « Etat voyou » (au premier rang desquels figurent déjà l'Irak, l'Iran et la Corée du Nord), la constitution de stocks d'armes de destruction massive et le soutien au terrorisme sont déterminants. Les gouvernements incriminés s'exposent à des mesures de rétorsion économique (Cuba, la Corée du Nord) ou militaires, voire les deux. Officiellement abandonnée par le Département d'Etat le 18 juin 2000, l'appellation d'« Etats voyous » revient sous la forme de l'« Axe du Mal », forgé à l'attention d'une société empreinte de religiosité. La guerre contre la Terreur prend l'allure d'une maturation d'idées formulées au sortir d'une autre guerre, froide celle-ci, et prête à passer au stade pratique après la détonation du 11 Septembre.

Bien qu'aucune liste officielle d'« Etats voyous » n'ait jamais été dressée, on retrouve dans cette infamante classification la plupart des « Etats terroristes » recensés annuellement depuis 1979. Surgie cette année-là lors de la crise des otages d'Iran puis de l'attentat, en 1983, contre les Marines à Beyrouth (241 morts), la question terroriste irrigue une production cinématographique venue donner corps à de nouveaux *bad guys*. Dans des genres très distincts, des films comme *True Lies* (1994) et sa fictive organisation djihadiste, à l'époque plus gros budget de l'histoire du cinéma, ou *Couvre-feu (The Siege)* (1998) montrent des groupes terroristes, composés d'individus moyen-orientaux, prêts à faire sauter les bâtiments des villes américaines et capables d'utiliser l'arme nucléaire. Sorti en 2000, *L'Enfer du devoir (Rules of Engagement)* légitime l'assassinat de dizaines de civils yéménites par l'armée américaine sur le lieu d'une prise d'otages, tandis qu'*Opération Espadon (Swordfish)* (juin 2001) présente des méthodes de lutte contre le terrorisme pour le moins radicales : « Ils font sauter une église, nous [...] explosons dix [mosquées]. Ils détournent un avion, nous prenons un aéroport. Ils exécutent des touristes américains, nous bombardons une ville. »

Entre une définition floue du terroriste islamiste et des recours à la violence massive, l'essentiel des non-dits du discours guerrier post-11 Septembre est déjà en place. Distillant une idéologie bushienne avant l'heure, ces productions s'ajoutent à des *comics*, des jouets, et, d'une manière plus générale, à des discours officiels et des sermons télévangéliques, avec pour résultat d'infuser les consciences. Les dangereux Soviétiques, un temps supplantés par de méchants Chinois dans le film *Red Corner* (1997), laissent donc la place à des adversaires enturbannés que l'on a tendance à voir un peu partout, comme ce fut le cas à Oklahoma City, endeuillée en 1995 par 168 morts, en fait victimes de vétérans d'extrême droite.

La personnification du terroriste sous les traits d'un Bédouin barbu, occasionnellement vêtu d'une djellaba, va aboutir, on le verra, à la construction d'amalgames très dangereux lors de la progression des troupes américaines de mars 2003.

De la violence verbale à la violence des armes : Etat, encadrement militaire

Le 11 Septembre a déclenché un déferlement d'imprécations bellicistes en provenance des sphères politiques et d'une frange de l'opinion, dirigées vers diverses cibles comme le régime taliban, l'Autorité palestinienne, l'Irak, l'islam ou le monde arabe. De l'Afghanistan à l'opération *« Iraqi Freedom »*, les premiers mois de la guerre contre la Terreur sont, du côté des décideurs politiques, marqués par une autre escalade de violence verbale, qui imprime sa tonalité à la période : dans un climat de guerre, les mots deviennent guerriers. En retour, ces mots guerriers renforcent le climat de guerre.

Dans le discours sur l'état de l'Union de 2002, George W. Bush réaffirme, quelques secondes avant d'évoquer l'Irak, la nécessité d'« éliminer les parasites terroristes[4] ». Outre une qualification (« parasites [à] éliminer ») particulièrement brutale, on peut se demander comment, sur un champ de bataille, les troupes américaines seront capables d'identifier leurs ennemis « terroristes » parmi des civils et une armée régulière. Or, la question ne se pose pas : l'administration Bush juge ses buts de guerre légitimes, tant vis-à-vis de la nation américaine attaquée que du bien-être des populations qu'elle projette de libérer. Partant de ce constat, tout individu afghan ou irakien qui s'oppose à l'avancée des troupes américaines agit en « terroriste » et se trouve donc voué à l'« élimination ». C'est d'ailleurs ainsi que sont presque toujours présentées les victimes de bavures militaires. On retrouve ici l'ombre des propos « indiscriminants » tenus par le général Curtis LeMay, commandant de l'Air Force pendant l'escalade vietnamienne (1961-1964) : « Il n'y a pas de civils innocents. Ils sont sous l'autorité d'un gouvernement et vous combattez un peuple, pas seulement une armée. Donc, l'idée de tuer de soi-disant spectateurs innocents ne me dérange pas vraiment[5]. » Bien qu'édulcorée, l'idée d'une action militaire ultraviolente pour les populations anime l'époque qui nous occupe.

Donald Rumsfeld se distingue par des propos singulièrement abrupts, dans lesquels le verbe « tuer » revient avec insistance : lors d'une allocution donnée en décembre 2001, le secrétaire à la Défense le prononce 9 fois en trente-cinq minutes[6]. « Tuez-en le plus possible », ordonne-t-il aux soldats déployés en Afghanistan : loin d'appeler à une modération militaire face à des populations civiles mêlées aux ennemis talibans, cette harangue ne se différencie pas, sur la forme, de l'exhortation « Tuez-les tous, Dieu reconnaîtra les siens » prononcée en juillet 1209 par le cistercien et légat du pape Arnaud Amaury avant les massacres d'Albigeois perpétrés à Béziers par les croisés. C'est, croit-on, par cette réponse cinglante qu'Amaury fit taire les doutes de ses hommes, désireux de savoir comment distinguer les hérétiques des bons catholiques[7]. Le langage expéditif du secrétaire à la Défense n'est guère éloigné de cette brutalité toute médiévale, où la guerre prend la tournure vengeresse d'une expédition punitive. « Nous les cherchons, avec l'intention de les trouver, [...] de les capturer ou de les tuer[8] », rappelle-t-il au sujet des chefs d'Al-Qaida et des responsables talibans. Cette résurgence d'appels à la violence meurtrière instille l'idée que, pour triompher, l'armée américaine doit « tuer le plus possible ». « Nous ne pouvons défendre une société démocratique [...] de 285 millions de personnes. La seule façon de protéger les Américains est de tuer ceux qui pourraient nous tuer[9] », précise en mai 2002 le général John M. Keane, numéro deux de l'armée de terre (1999-2003), qui œuvrera à la gestion de l'occupation de l'Irak.

Les dérapages – contrôlés – de celui qu'on appelle désormais « Rummy » lui valent une cote de popularité inédite, marquée en décembre 2001 par 78 % d'approbation. Faisant fi d'un passé politique chargé, notamment une poignée de main à Saddam lourde de sens, l'opinion apprécie son franc-parler, annonciateur d'une démonstration de force américaine répliquant au 11 Septembre. « En Afghanistan, déclare-t-il un mois après les débuts d'*"Enduring Freedom"*, nos forces sont en train d'administrer aux terroristes d'Al-Qaida une leçon [...] que l'on n'apprend pas dans les camps qui les ont entraînés à assassiner[10]. » « Rummy » tient des propos que ne renierait pas un Américain revanchard : « Ce qui va suivre ne ressemble à aucun conflit, précise-t-il aux premiers jours d'*"Iraqi Freedom"*. Ce sera le recours à la force d'une échelle au-delà de tout ce qu'on a vu dans le passé[11]. » En contradiction avec l'habituelle dialectique des bombardements ciblés, Rumsfeld promet à son tour une guerre à l'intensité inédite et une puissance de feu superlative. Sans ambages, il énonce ce qu'une frange de ses concitoyens pense et réclame.

Loin d'inverser la tendance, l'occupation de l'Irak et ses difficultés quotidiennes l'accentuent. Désormais, cette dialectique fait partie de la communication officielle : à l'été 2003, tandis que les troupes américaines enregistrent un nombre grandissant de pertes, George W. Bush prend des accents guerriers : « Qu'ils y viennent ! » (« *Bring them on*[12] ! ») lance-t-il, semblant insister sur la supériorité de son armée. On retrouve le George W. Bush soucieux d'apparaître en phase avec son peuple – du moins la part la plus solide de l'union sacrée –, au prix d'une expression verbale populaire, sinon populiste. Le 15 avril 2004, alors que l'enlisement des forces américaines est consacré, le général Myers, chef d'état-major interarmes, soutient qu'« il n'y a jamais eu dans l'histoire de la guerre [...] une campagne plus humaine que celle menée par la Coalition[13] ». Quelques jours plus tard, le même Myers qualifie la ville rebelle de Fallouja de « nid à rats » qu'il « faut nettoyer[14] », une expression dans la lignée des « parasites [...] à éliminer » évoqués par le Président. Comme son supérieur Myers, le lieutenant-général James Mattis, du corps des Marines, ne s'embarrasse pas de contraintes sémantiques quand il affirme en 2005, à propos de son action contre les combattants irakiens, qu'il trouve « *fun* de tuer des gens[15] », recueillant quelques rires et applaudissements parmi les 200 personnes présentes au Palais des Congrès de San Diego. « Vraiment, c'est très amusant de combattre, ajoute-t-il. [...] C'est à hurler de rire. J'aime bien la bagarre. [...] Vous avez des gars qui battent leurs femmes [...] parce qu'elles refusent de porter un voile. [...] Ces types n'ont aucune humanité. Alors c'est vraiment sympa de pouvoir les descendre[16]. » Décrié par certains de ses homologues, un tel discours, non sanctionné par la hiérarchie, révèle le degré de permissivité et l'absence de sentiment transgressif chez un officier qui commanda, pendant l'invasion de l'Irak, la 1re division de Marines. Comment, surtout, ne pas imaginer que l'état d'esprit du lieutenant-général Mattis a pesé sur la chaîne de commandement et influencé les 20 000 hommes placés sous ses ordres ? Plusieurs d'entre d'eux expliquent, en octobre 2003, que « tuer un Irakien » les a « fait se sentir bien[17] ». Evidemment, les Marines ne sont pas isolés : un lieutenant-colonel de la 1re division de cavalerie évoque par exemple l'« éradication finale » et l'« annihilation absolue des insurgés » à Fallouja, un « ramassis de truands » qualifiés de « meurtriers impitoyables[18] ».

Dès 2001, cette rhétorique brutalisante et haineuse ramène à la référence de « croisade » contre le terrorisme énoncée avant rétractation par le président Bush. Nation placée « sous protection divine », les Etats-Unis se targuent d'œuvrer, depuis leur fondation, selon une ligne approuvée par la puissance céleste. De fait, on retrouve de multiples occurrences religieuses, voire dévotes et prosélytes, à tous les niveaux de la hiérarchie politique – George W. Bush n'est pas avare de commentaires sur sa « relation avec Dieu » – comme de l'encadrement militaire : Donald Rumsfeld, alors chef du Pentagone, émaille certains de ses documents et écrits destinés au Président de citations religieuses[19]. Le lieutenant général Boykin, « *Born Again Christian* » fanatique et raciste, occupe le poste de commandant de la base de Fort Bragg, puis celui de sous-secrétaire adjoint à la Défense pour le renseignement, lorsqu'il assure publiquement, en juin 2002, que la guerre contre la Terreur est « d'essence biblique[20] ». Cette tendance génératrice de sectarisme est perceptible jusqu'à l'échelon le plus modeste de l'armée, dont les escouades oublient rarement de prier avant de partir au combat : le 31 mars 2003, dix jours après l'invasion, la photographie d'un char prise par un GI en plein désert s'accompagne d'un verset de l'Epître de Paul aux Corinthiens : « C'est pourquoi, prenez toutes les armes de Dieu afin de pouvoir résister dans le mauvais jour, et tenir ferme après avoir tout surmonté. » Un autre cliché, impossible à dater, montre un prisonnier irakien portant un casque sur lequel est griffonné le Psaume 23, verset 6 : « La bonté et la gratuité me suivront tous les jours de ma vie, et mon habitation sera dans la maison de l'Eternel pour de longs jours[21]. » Cette confrontation forcée d'un adversaire musulman à la foi judéo-chrétienne s'apparente à une action missionnaire qui témoigne d'un mépris certain pour celui appartenant au camp d'en face. Outre le choc des « armes de Dieu », un « choc des civilisations » se produit ici, sur le champ de bataille.

En dépit du sens, propre à l'imaginaire américain, donné au terme de « croisade » (issu du latin médiéval *crusesignatus* [« marqué de la croix »]), les traces de discours mystico-moyenâgeux – tout aussi présentes dans les épisodes guerriers des siècles précédents – attestent des représentations manichéennes à l'œuvre dans le contexte post-11 Septembre. Par un glissement sémantique manipulateur

sont désormais liés ceux qui, tels les hérétiques d'autrefois, n'adhèrent pas aux vertus de la « démocratie », au « Bien », religion des
« libertés » que l'administration Bush se targue de diffuser, et les
« terroristes » à proprement parler, incarnations diaboliques du
« Mal » combattu à mort.

Doublé d'une politique intérieure qui stigmatise l'ennemi étranger
et potentiellement arabe, ce discours rencontre un écho particulier
chez les individus et les groupes de l'extrême droite américaine,
suprémacistes blancs, néonazis et autres religieux radicaux : on les
retrouve aujourd'hui en nombre sensiblement plus élevé que ces
dernières années parmi les candidats à l'enrôlement militaire[22],
même si leur proportion, selon des rapports officiels assez flous,
demeurerait « infinitésimale » et ne dépasserait pas quelques centaines d'individus entre octobre 2001 et mai 2008[23]. Aux Etats-Unis
comme dans la plupart des pays, l'armée est le réceptacle naturel de
ces mouvances[24], sur le plan pratique (on y apprend le maniement
des armes et l'art de la guerre) autant qu'idéologique (culte de
l'ordre, discipline et recours à la violence) ; la présence d'anciens
Waffen-SS et d'ex-recrues de la Légion des volontaires français
contre le bolchevisme au sein du corps expéditionnaire dépêché par
la République en Indochine ou en Corée pour « lutter contre le communisme » vient le rappeler. Soudain, certains aspects de la guerre
se superposent à une doctrine xénophobe et antiarabe, qui, canali-
sée, trouve matière à s'exprimer par les armes, dans le respect des
ordres donnés mais sans prosélytisme, en théorie fatal à la carrière.
Malgré les procédures officielles de recrutement très claires à ce
sujet[25], un candidat a peu de risques d'être recalé si une partie de
son corps couverte par l'uniforme est tatouée d'une croix gammée,
perçue comme un choix esthétique n'augurant pas d'un comportement préjudiciable à l'armée[26]. En 2004 et 2005, les difficultés rencontrées par les agents recruteurs pour atteindre leurs objectifs
feront baisser les standards d'enrôlement.

Des adversaires diabolisés

La mise en place des geôles de Guantanamo, le traitement animal
appliqué aux prisonniers parqués dans des cages de 3 m², la création
du statut de « combattant illégal » sans lien avec les conventions de
Genève ou l'instauration des rétentions administratives et des tribunaux

militaires[27] constituent un ensemble dialectique et visible qui participe d'une diabolisation de l'adversaire. Un avertissement subliminal suggère que le danger représenté par l'ennemi justifie et légitime toutes les méthodes pour le combattre et l'éliminer, y compris lorsque celles-ci transgressent les normes légales mais aussi éthiques. Dans ce contexte, le refus de se soumettre à la juridiction de la Cour pénale internationale (CPI) fondée en juillet 2002 est des plus cohérents. De même, l'*American Service-Member's Protection Act* (« Loi de protection des membres de l'armée américaine »), voté par le Congrès un mois plus tard, autorise les forces militaires des Etats-Unis à libérer par les armes un citoyen ou militaire américain détenu sur décision de la Cour[28], consacrant l'étendue illimitée de la liberté d'action du pays. Même si l'attaque de La Haye, où siège la CPI, reste improbable, le message adressé au monde comme à l'opinion américaine est clair : les Etats-Unis sont toujours dans leur bon droit, car leurs combats sont justes.

Le 10 mars 2003, alors que le passage à l'offensive contre l'Irak semble proche, Kofi Annan, secrétaire général de l'ONU, souligne l'« illégalité d'une guerre non conforme à la Charte des Nations unies », rappelée par de nombreux juristes. Côté proguerre, l'affirmation d'une volonté américaine contre l'inefficacité onusienne s'appuie sur de nombreux précédents, dont les plus récents remontent, en 1995, aux guerres de l'ex-Yougoslavie. En 1998, tandis que l'opération « Renard du désert » révélait des tensions parmi les membres du Conseil de sécurité, la secrétaire d'Etat Madeleine Albright prévenait : « Nous agirons de manière multilatérale quand nous le pourrons, et unilatéralement quand nous le jugerons nécessaire. » La même année, le président Clinton estimait qu'une violation de ses engagements par l'Irak donnait aux Etats-Unis le « droit unilatéral de répliquer quand, où et comment ils le décident[29] ». En 2003, le recours à la puissance militaire « hors Charte » dépasse l'aspect humanitaire et imprime, aux yeux de l'opinion, sa première caractéristique à la deuxième guerre du Golfe : une nécessité vitale qui ne s'encombre pas de normes internationales rendues obsolètes par la menace terroriste. Pour faire accepter une décision unilatérale que rejettent une majorité de citoyens, l'administration Bush joue au maximum la transposition, dans le cadre onusien, de la défiance partagée par de nombreux Américains vis-à-vis du pouvoir fédéral. Sur le fond, l'ONU a toujours été perçue par les conservateurs, qu'ils soient républicains ou démocrates, comme une entrave à la souveraineté sacrée des Etats-Unis[30]. A défaut de légalité onusienne, tout sera tenté pour parer l'offensive sur l'Irak des atours de la légitimité internationale, grâce à la constitution d'une très faible « Coalition de la volonté », suivant une formule née dans les années 1990 pour faire face aux carences de l'ONU et réunissant 49 Etats (dont la Micronésie et les îles Solomon) – soit plus que la guerre du Golfe et ses 34 pays alliés. Si nécessaire, la guerre sera donc hors la loi, mais conforme à une certaine idée du leadership américain. L'exemple de la transgression vient d'en haut.

Dans le prolongement de ce schéma de pensée, une entreprise de dévalorisation morale de l'ennemi est montée contre l'Irak. Le premier vecteur de diabolisation joue sur un registre émotif issu d'une provocation de Saddam Hussein : aux lendemains des attentats, l'absence de compassion de la part de Bagdad est amplement répercutée par la presse américaine. Le « seul régime du Moyen-Orient à n'avoir pas fait parvenir ses condoléances[31] » fait, pour cette raison, l'objet de commentaires acerbes dans des médias redoublant de zèle patriotique. Or, les opinions exprimées sur cet apparent manque d'humanisme taisent le fond du message, qui reprend l'esprit des analyses critiques portées aux Etats-Unis par les adversaires de l'union sacrée, ailleurs par des individus peu soupçonnables de sentiments extrémistes. Si quelques-uns déclarent en termes voilés, comme Saddam Hussein, que « les Américains ont récolté les épines semées par leurs dirigeants dans le monde entier[32] », nombreux sont ceux qui estiment, à l'instar du Raïs, que « l'Amérique a besoin […] de sagesse, pas de force[33] ». Ultime pied de nez, le dictateur propose à l'administration Bush l'envoi d'équipes de secours « spécialisées dans la recherche de survivants au milieu des décombres » : depuis 1991, les bombardements incessants des appareils américains ont en effet poussé l'Irak à acquérir une certaine expertise en la matière.

Le pouvoir souligne avec acharnement que la guerre contre le terrorisme et la guerre d'Irak relèvent d'une seule et même problématique. A ce titre, l'expression d'« Axe du Mal » aboutit à lier les responsables des attentats au régime baasiste. Le 11 Septembre étant d'abord présenté par le Président comme une « vision du Mal[34] », rien de plus normal que de considérer le trio placé sur cet « axe » comme partie prenante du complot terroriste, à commencer par l'Irak. Un lien rhétorique s'établit avec la dictature baasiste, qualifiée par le Président de « pire des régimes, [doté] des pires armes ». Pays à la complexité méconnue, l'Irak apparaît comme l'enjeu d'une inévitable lutte pour la survie du peuple américain, une nouvelle bataille pour la civilisation.

Les accusations de terrorisme sont concomitantes aux obstacles dressés par ses dirigeants à la mainmise occidentale sur le pétrole irakien : en 1972, passé l'épisode de la nationalisation de ses hydrocarbures, le gouvernement de Saddam Hussein est jugé « non fiable » par le Département d'Etat, qui le soupçonne de « terrorisme » et reporte son soutien vers l'Iran, dirigé par un shah proaméricain. Quelques années plus tard, Saddam prend ses distances avec l'URSS et amorce une reprise de relations commerciales de plus en plus étroites avec les puissances occidentales : la manne pétrolière permet au régime de se doter d'équipements militaires que s'empressent de lui vendre nombre de démocraties. Classé dès 1979 sur la liste américaine des « Etats soutenant le terrorisme », l'Irak gagne en respectabilité : l'année suivante, la guerre contre l'Iran, où le shah vient d'être renversé par les islamistes de Khomeiny, embrasse les objectifs stratégiques américains. En 1982, l'Irak disparaît donc de la liste des « Etats terroristes » ; aucun obstacle légal n'empêche plus les Etats-Unis de fournir du matériel militaire à Bagdad, un appui logistique et satellitaire, d'importantes livraisons alimentaires et un soutien financier vertigineux. L'alliance se rompt en 1990, lorsque l'annexion du Koweït, à laquelle l'administration Bush semblait avoir pourtant donné un « feu vert » diplomatique[35], met sous la coupe du dictateur irakien 25 % des réserves pétrolières mondiales. La mise à l'index pour « soutien au terrorisme » reprend de plus belle, puis franchit un palier après le 11 Septembre, alors qu'une diminution du régime des sanctions appliquées aux ventes de pétrole aurait contrarié les intérêts américains.

Une longue série de manipulations, dévastatrices pour l'image de l'Irak, a marqué les esprits : en 1990, sur commande de Citizens for a Free Kuweit (émanation du gouvernement koweïtien en exil), l'agence de relations publiques Hill Knowlton (dirigée aux Etats-Unis par l'ancien directeur de cabinet de l'ex-vice-Président Bush senior) conçoit, contre 10,7 millions de dollars, une campagne destinée à rendre populaire le principe d'une intervention armée américaine contre les troupes de Saddam, qu'une majorité de l'opinion rejette jusqu'en janvier 1991[36]. L'« affaire des couveuses » – relative au pillage, par les soldats irakiens, d'une maternité koweïtienne où les nourrissons auraient été jetés à terre et assassinés[37] – suscite un émoi considérable. Le 7 septembre 1990, la publication d'un premier article dans le *Los*

Angeles Times[38] amorce le processus d'intoxication de l'opinion, abreuvée de multiples détails par les informations que distillent les faux témoins de Hill Knowlton jusque devant l'ONU, avec la caution involontaire d'Amnesty International. Le 10 octobre, Nayirah Al-Sabah, une infirmière koweïtienne émue aux larmes, corrobore cette version des faits devant la Commission des Droits de l'homme du Congrès. Cité par les médias et de multiples responsables politiques, Président compris, l'épisode des couveuses n'est pas étranger à la très large acceptation du conflit par la population américaine – qui atteste, au passage, d'une rare propension à se dresser face à la barbarie, fût-elle factice. Reste que cette guerre va être menée contre un adversaire supposément abject, immoral et sans scrupules car coupable, d'après les allégations montées par Hill Knowlton, d'assassiner des nouveau-nés prématurés. L'image véhiculée par la presse française, en 1914, de soldats allemands coupant les mains des enfants n'était pas très éloignée de l'ignominie dont sont affublés ici les militaires irakiens. Même si la supercherie des couveuses éclate au grand jour en janvier 1992 (l'« infirmière » Nariyah n'est autre que la fille de l'ambassadeur du Koweït aux Etats-Unis), la moindre intensité médiatique donnée à la vérité ne pouvait que laisser des traces. D'autres accusations ont pris le relais.

Le voile de suspicion jeté sur l'implication de l'Irak dans le premier attentat contre le World Trade Center, le 26 février 1993, fut le fait de l'administration Clinton, qui mit en avant, lors de frappes déclenchées au mois de juin suivant, les « activités terroristes » entreprises par le régime baasiste[39]. Cultivant l'ambiguïté, l'administration Bush use des mêmes ficelles pour insérer l'Irak dans le 11 Septembre. Avant cela, les années 1990 sont celles d'une mise en accusation continue : « Si des agents de Saddam se sont servis d'islamistes [...] pour faire sauter le Word Trade Center, alors il est prudent de penser qu'ils peuvent encore frapper[40] », peut-on lire dans le *Boston Globe* et nombre de journaux parus en 1995. Bien qu'infondée, l'accusation retrouve de l'allant après 2001 : en octobre, James Woolsey, ancien directeur de la CIA et membre du Project for a New American Century, déclare que Ramzi Yousef, organisateur de l'attentat de février 1993, a travaillé pour les services secrets irakiens[41]. Toujours en 1993, une enquête à charge conclut à la responsabilité des services secrets irakiens dans une tentative d'assassinat de l'ex-président Bush[42]. Cette affirmation sera explicitée par le président Clinton dans un discours consacré aux raids lancés contre l'Irak le 26 juin 1993[43]. Dans les années 1990, chaque action terroriste perpétrée contre les Etats-Unis déclenche de semblables assertions[44]. Avec le 11 Septembre et la course à la guerre d'Irak, ces allégations prennent un autre relief : le *Wall Street Journal* évoque même en 2002 une implication de l'Irak dans les attentats d'Oklahoma City (1995[45]), sur la foi de pistes ténues et contre les conclusions de l'enquête, suivi en cela par plusieurs organes de presse. L'Irak est donc rendu responsable de nombreux événements traumatisants pour l'opinion américaine, tandis que Saddam apparaît comme le plus redoutable ennemi des Etats-Unis. Madeleine Albright ne déclarait-elle pas, en 1996 et sur le plateau de la très populaire émission *60 minutes*, que la mort de 500 000 enfants irakiens, victimes de l'embargo, était le « prix à payer » pour contenir les velléités agressives du dictateur ?

L'Irak et Saddam Hussein sont ainsi devenus un des points essentiels des débats de politique étrangère, au demeurant peu goûtés par les masses. Depuis 1992, chaque candidat à la présidence réaffirme un point de vue similaire sur la question irakienne. Très présent, le Raïs appartient désormais à la culture populaire, qui l'intègre dans des productions aussi variées qu'*Independence Day* (1996), *The Big Lebowski* (1998) ou les dessins animés *South Park* ; illustration hollywoodienne de la supposée menace, le film *Armageddon* (1998) montre en une réplique comment l'Irak occupe l'inconscient collectif : alors que New York est littéralement bombardée par une pluie de météorites, un personnage hurle : « C'est la guerre ! Saddam Hussein nous en met plein la gueule ! »

Si l'on observe les interventions médiatiques de George W. Bush, Richard Cheney, Donald Rumsfeld, Colin Powell et Condoleezza Rice dans la seule année qui précède l'opération « *Iraqi Freedom* » (mars 2002-mars 2003), il apparaît que ceux-ci ont, à 61 reprises, affirmé que l'Irak entretenait un lien avec Al-Qaida[46], laissant entendre de façon subliminale que son gouvernement était impliqué dans le « Mardi noir ». « Les liens entre l'Irak et la terreur sont anciens[47] », déclare le secrétaire d'Etat Colin Powell. En dépit des conclusions contraires du Renseignement, ces allégations ont été diffusées, commentées et reprises par la presse et quantité d'autres intervenants, au point de convaincre une majorité d'Américains que l'Irak a joué un rôle actif dans le 11 Septembre. Dénuée de preuves, cette nouvelle charge peut compter sur le passif irakien évoqué plus haut, enrichie d'une caution judiciaire : le 5 mai 2003, le juge fédéral

Harold Baer condamne l'Irak à verser 104 millions de dollars aux familles de deux victimes des attentats ; dans un verdict fondé sur les témoignages de l'ancien directeur de la CIA James Woolsey et de Laurie Mylroie, ex-conseillère du président Clinton – très actifs dans la campagne de propagande –, et sur le contenu du discours de Colin Powell aux Nations unies du 5 février 2003, le juge estime que l'Irak a « collaboré ou soutenu [matériellement][48] » la préparation des attaques. Confirmée par un tribunal, cette accusation prend donc valeur de condamnation étayée par des preuves, fussent-elles fictives, et donne corps au discours officiel.

Le régime de Saddam Hussein étant considéré comme démoniaque, il paraît tout à fait plausible, pour un public abreuvé de contre-vérités, que l'Irak soit lié à la pire des tragédies nationales. « Je crois fermement en cette guerre, déclarera Nelson Carman, père d'un soldat tué au combat. Ces terroristes nous ont déclaré la guerre. Ils nous haïssent. Ils me haïssent. Ils haïssent notre mode de vie. Ils haïssent ce que nous sommes[49]. » Pour « haïr » un pays tel que les Etats-Unis, ces ennemis ne peuvent, dans l'esprit des plus « va-t-en-guerre », être traités en humains : le service de presse de l'armée américaine, obsédé par l'idée d'ôter toute légitimité aux volontaires de la lutte antioccupation, cite un obscur témoin irakien pour qui ces derniers sont des « animaux vicieux[50] ». Avec les tortures, les viols et les meurtres d'Abu Ghraib, le résultat brut de cette stratégie de déshumanisation s'impose à la face du monde : « Regardez ce que font ces animaux quand on les laisse seuls quelques secondes[51] », constate un acteur des sévices. « Je me souviens d'une unité [pour qui] tous ceux arrivant dans cette prison [étaient] coupables[52] », expliquera un militaire affecté aux interrogatoires dans la sinistre prison. Selon le même témoin, « 90 % des personnes [...] étaient innocentes ». Opposés à une population irakienne hostile à leur présence et à des terroristes qui prennent parfois les civils pour cibles, les geôliers se sentent confortés dans leur opinion. Forcément « coupables », les adversaires sont indignes d'un quelconque traitement humain.

Effets pervers d'un mensonge d'Etat

« La bataille d'Irak est une victoire remportée dans une guerre qui a commencé le 11 septembre 2001 », affirme George W. Bush sur le pont du porte-avions *Abraham Lincoln* le 1er mai 2003[53]. Si ce raccourci ne pouvait qu'encourager les sentiments proguerre d'une opinion traumatisée, il allait aussi influer sur les opérations militaires d'« *Iraqi Freedom* », puis sur la bonne marche de l'occupation.

Le peuple américain et par voie de conséquence les volontaires de l'armée sont mentalement préparés à la guerre : la menace « imminente » des armes de destruction massive et la fiction d'une accointance entre Saddam et Al-Qaida fixent les contours idéologiques du conflit. La mise en avant d'une guerre « humanitaire », entraînant la chute d'un dictateur dont profiteraient les masses irakiennes, et, suivant la « théorie des dominos », l'ensemble du Moyen-Orient, se greffe au discours à partir de 2002. Or, le premier volet a supplanté le second : le Président et son équipe n'ont pu « monter » leurs concitoyens contre le seul régime baasiste et opérer simultanément une distinction entre les séides de Saddam, présentés comme des « alliés d'Al-Qaida », et un peuple irakien avide de « couvrir de fleurs les troupes libératrices ». A plus forte raison lorsque l'offensive de mars-avril 2003 déjoue les pronostics – les chiites du Sud, supposés acquis, se révèlent les plus âpres au combat – et que l'occupation se traduit par des centaines puis des milliers de pertes américaines.

L'armée « de métier » constitue un échantillon de la population dans lequel la jeunesse est surreprésentée. Enrôlés après le 11 Septembre[54], ces soldats sont des citoyens désinformés, ce qui leur vaut une dose supplémentaire d'éducation politique, majoritairement conservatrice. La frontière n'en est que plus mince dans le cas des Gardes nationaux et membres de la Réserve, assimilables à des « intermittents » de l'armée. Or, écrasés par la propagande proguerre, 61 % des Américains se disent convaincus que « l'Irak a fourni un soutien direct à Al-Qaida[55] ». A l'été 2003, ils sont même 69 % à croire que Saddam Hussein est impliqué dans les attentats du 11 Septembre[56]. Des résultats similaires, voire supérieurs, étaient déjà mesurés dès le 13 septembre 2001[57], ce qui démontre combien l'image d'un Etat soutenant le terrorisme – en partie fondée concernant l'argent versé aux familles de kamikazes palestiniens – était forte dans l'opinion. Les troupes expédiées dans le « Pays des deux fleuves » comprennent une proportion équivalente de soldats qui adhèrent à ces contrevérités : d'après la seule enquête d'opinion menée dans les rangs de l'armée, début 2006, et consacrée en partie à cette question, 90 % des militaires interrogés considèrent la guerre comme une action de « représailles [en raison] du rôle joué par Saddam dans les attentats du 11 Septembre[58] ». Parce que n'importe quelle armée ne peut envoyer combattre ses hommes sans développer chez eux une haine de l'adversaire, les troupes d'invasion ont subi, à l'échelle de leurs sections, de leurs compagnies, de leurs bataillons, de leurs régiments, une version intensifiée de la propagande civile.

Datée du 9 septembre 2003[59], l'initiative des Marines de la compagnie Baker (7e régiment, 1er bataillon), affectés en Irak, illustre la confusion qui règne dans les rangs de l'armée. Alignés au garde-à-vous, ses éléments se sont positionnés de façon à communiquer un message visible du ciel : « *9-11, WE REMEMBER* », accompagné d'une lettre signée du sergent-chef Jobe, expédiée à différents médias qui s'empressent de la diffuser : « Les fiers guerriers de la compagnie Baker voulaient rendre hommage à leurs camarades tombés au champ d'honneur. [...] Nous avons posé afin de décrire [leur] état d'esprit. [...] Diffusez-la dans vos journaux afin que le monde sache que "NOUS N'AVONS PAS OUBLIÉ" et que nous sommes fiers de servir notre pays », explique le sergent-chef. Associant leurs coéquipiers tombés en Irak aux attentats du 11 Septembre, l'amalgame, chargé d'un parfum de vengeance, ne saurait être plus explicite : « [...] En souvenir de ceux qui ont fait le sacrifice ultime le 11 septembre [...], nous continuerons à lutter et [...] n'oublierons jamais pourquoi nous servons », écrit le lieutenant Schoenmaker, à l'origine de cette photographie. Ailleurs, le père d'une victime du « Mardi noir » demande, par lettre, à des soldats d'inscrire le nom de sa fille sur un missile prévu pour s'abattre sur l'Irak, et lesdits soldats d'accéder avec entrain à cette requête. Dans le prolongement d'une tradition aussi ancienne que l'aviation de guerre, les inscriptions bombées sur certains appareils américains attestent d'une même ligne de conduite : le chasseur F-18 du lieutenant Dewaine Barnes, qui opère sur l'Irak depuis le porte-avions *Abraham Lincoln*, arbore sur son fuselage les noms des vols détournés le 11 Septembre et des lieux des crashes (« *American Airlines Flight 11 0845 North Tower ; United Airlines Flight 175 0900 South Tower ; American Airlines Flight 77 0945 Pentagon ; United Airlines Flight 93 1037, Shanksville, PA.* »), soulignés d'une vue de face du jet américain tirant ses missiles et de l'apostrophe majuscule : « *HIJACK THIS !!!* » (« DÉTOURNE ÇA !!! »)[60].

Dans un même élan commémoratif, les soldats de la 1re brigade de l'US Army baptisent leur base, en périphérie de Ramadi, « Camp Manhattan[61] ». Ce faisant, ils démontrent à quel point le sort tragique

de l'île new-yorkaise n'a cessé d'occuper leurs pensées. Une anec-
dote, provenant du champ de bataille irakien, conduit à la même
conclusion : le jour de la chute de Bagdad, alors que les blindés
américains défilent dans les grandes artères de la ville, une Irakienne
éplorée interpelle un soldat perché sur la tourelle de son char :
« Mais pourquoi ? Pourquoi avez-vous fait ça ? » questionne-t-elle en
montrant du doigt des ruines encore fumantes. Interloqué, son
interlocuteur lui assène : « T'étais où le 11 septembre ? »

Les surnoms portés par certaines unités américaines sont particulièrement éclairants : choisis par les plus anciens, gradés et autres
éléments influents de l'effectif en fonction d'une expérience combattante, ils synthétisent un état d'esprit. La compagnie Alpha 4-64
Armor, dite « compagnie Assassins[62] », doit ce surnom à la puissance
de feu de ses hommes autant qu'au nombre d'ennemis abattus.
Lorsque les bases militaires américaines ne portent pas le nom de la
localité qu'elles voisinent, leur patronyme, souvent affiché sur
l'enseigne de la buvette, atteste d'un orgueil né des pertes massives
infligées à l'adversaire : « Camp chasseur de têtes », « Camp des flin-
gues en bandoulière[63] », « Camp tueur » ou « Camp massacreur[64] ».
La perspective d'une guerre de libération se retrouve seulement
dans les appellations retenues pour certains locaux officiels[65].

Le matériel de guerre fait également office de support d'expression : les tanks sont, au niveau du canon, recouverts d'inscriptions
par leurs membres d'équipage, qui les baptisent « Bush & Co. »,
« *Baghdad's Nightmare* » (« Le cauchemar de Bagdad »), « Baby Ber-
tha », « Big Bang », « Fou furieux », « Anthrax » ou « Apocalypse ».
Cette pratique déjà visible lors de la Première Guerre mondiale,
notamment sur le Schneider « Trompe-la-Mort » du commandant
Bossut[66], fait office de défouloir. En 1942, les soldats britanniques
déployés en Afrique du Nord perpétuaient la tradition, écrivant sur
un obus « *One for Coventry*[67] » en « représailles » aux bombardements
massifs subis par la ville le 14 novembre 1940. En Irak, les missiles
et les canons s'ornent de messages qui reflètent le mental des combattants : « Dans ta gueule, sale pute », « T'emmerdes ma famille, on
va détruire ton pays[68] » ; de plus sobres « *I love NY* » s'offrent à la
vue des Mésopotamiens lorsque les chars sillonneront l'Irak
occupé ; l'exemple de missiles « tagués » sera visible dans un spot de
recrutement montrant un projectile dont la pointe s'orne du fameux
« *Let's roll* ».

Enfin, les pseudonymes lisibles en 2003 sur les espaces de discussion d'Internet réservés aux soldats affectés en Irak renvoient au même constat : le choix d'une identité virtuelle définit certains aspects de sa vie ou de sa personnalité. On ne s'interrogera donc guère sur l'envie d'en découdre exprimée par les quelques centaines de militaires se faisant appeler « *Iraqikiller* » ; « J'avais hâte que notre pays soit vengé sur le champ de bataille[69] », explique un soldat de la campagne d'Irak.

Depuis leur arrivée dans le Golfe, avant l'invasion, les militaires sont surentraînés, pendant plusieurs semaines, à la guerre nucléaire, biologique et chimique que pourrait déclencher l'Irak[70]. Cette formation justifie leur présence et chauffe à blanc le mental des troupes. Pour celles-ci, il n'est plus question que de « pays » à « détruire » afin d'infliger un « cauchemar » à Bagdad. Le discours propagandiste développé par l'administration Bush a bien atteint son objectif – créer une connexion Irak-11 Septembre –, allant même au-delà : cette dialectique a engendré une haine qui est littéralement retranscrite sur les armes. Si la parole officielle est parvenue à dresser une majorité en faveur de la guerre, elle a également créé les ferments d'une hostilité radicale à l'endroit de l'Irak et de ses habitants. Lors de la guerre du Golfe de 1991, les militaires américains avaient baptisé leurs adversaires de sobriquets tels que « bamboula des dunes », « niqueur de chameaux », « abdul », « ali baba », « hadji », « négro du désert » ou sa variante « négro des dunes » : autant d'insultes, reprises en 2003, révélatrices d'un mental caractérisé par la déshumanisation de l'ennemi, dénommé « boche » « hun » ou « fritz » pendant les deux guerres mondiales, « popov », « ivan » et « moujik » lors de la guerre froide, « citron » et « pamplemousse » au Vietnam, ou encore « squelette » en Somalie. La permanence de l'insulte, en temps de guerre, est indissociable de la violence inhérente au conflit. Dans l'armée américaine de 2003 se manifeste donc une haine dirigée contre un peuple que la propagande officielle prétend libérer.

Les règles très théoriques d'ouverture du feu sont incompatibles avec la désinhibition d'un soldat face à l'acte de tuer, bientôt avivée par la menace accrue que font planer les groupes antioccupation : les pare-chocs arrière des véhicules militaires portent une pancarte explicite (« Restez à 50 mètres de distance ou la force létale sera employée ») ; aux check-points, les voitures qui ne s'immobilisent pas à 30 mètres sont mitraillées, tandis que des patrouilles abattent des Irakiens tenant leur téléphone portable, de peur qu'il serve à déclencher des explosifs[71]...

A force de simplifications propagandistes, les GI's ont pu croire que tout combattant mésopotamien s'opposant à leur avancée puis à leur présence, ou se révélant tout simplement suspect, était au service du Raïs déchu, d'Al-Qaida, sinon des deux. De là à étendre ce jugement au peuple hostile à l'occupation, il n'y a qu'un pas que nombre d'hommes du corps expéditionnaire ont franchi, comme en atteste le ratio de morts infligées aux populations civiles. Une même confusion s'était opérée, avec des résultats comparables, chez les soldats français affectés en Algérie après la défaite indochinoise. Beaucoup éprouvaient un sentiment de revanche, présent aussi chez certains soldats américains après l'humiliation du 11 Septembre ; les militaires français voyaient en outre dans la guerre d'Algérie une nouvelle action menée contre le communisme, auquel se substitue désormais la menace terroriste.

« Train to kill »

Si la formation d'un soldat passe toujours par un formatage rigoureux – acquisition de connaissances militaires, résistance à des conditions extrêmes –, l'exacerbation de la violence létale est la ligne de force de l'entraînement des recrues pendant les huit à quinze semaines suivant l'incorporation. L'aspect technique de la formation repose sur la répétition forcenée de gestes et de manœuvres selon les préceptes du « drill ». Commun à toutes les armées depuis la Prusse du XVIIIe siècle, le « drill » est aussi réputé que les formations militaires de l'Antiquité. Effectuée dans un esprit de compétition, cette phase revêt un rôle psychologique qui génère le réflexe d'obéissance aux ordres, l'efficacité de leur exécution, et une totale désinhibition face à la violence. En marge des exercices répertoriés dans les manuels, certains instructeurs usent de méthodes étonnantes : « Ils ont pris une vessie de mouton qu'ils ont remplie de sang, raconte un jeune soldat. On devait [...] la transpercer à la baïonnette et tout le sang nous giclait dessus. [...] Il fallait rester avec cette odeur nauséabonde sur nos vêtements. [...] Ça instille en vous un instinct de tueur[72] ! »

L'objectif non avoué de la formation se situe ici : plus que de simples soldats, l'entraînement doit créer un type de guerrier idéal, doté d'un réflexe de tir, d'une propension à la violence exempte du trauma lié à l'acte de tuer, soit, comme le précise le major Pearson de l'US Army, des « vrais tueurs[73] » dont le rôle est décisif sur un théâtre d'opérations. Ce profil, toujours présent dans les films de guerre, correspond à celui d'un sociopathe type qui, « placé sous contrôle, est un avantage sur le champ de bataille. [...] Beaucoup ont bien servi ce pays, souligne le même officier, dont les travaux sur le mental combattant furent couronnés en 1997 du 3e prix McArthur. Mis en situation, ils tueront l'ennemi avec agressivité et sans remords ». Potentiellement dangereux dans le civil mais recherchés dans l'armée, ces traits de caractère, qui relèvent de la sociopathie pour 3 à 4 % de la population mâle américaine, devraient dans l'idéal se généraliser parmi les recrues, et être rigoureusement encadrés. « Dans le programme qu'ils appellent *"Boot camp"*, chacun de nous est soumis à des techniques de "déshumanisation" et de "désensibilisation à la violence"[74] », explique Jimmy Massey, Marine converti au militantisme antiguerre. Sans l'expérience du feu qui affûte ces capacités, l'apprentissage repose donc sur le « *drill* » mais aussi sur l'imprégnation d'un système de valeurs[75], d'idéaux propres à l'armée ou à sa branche (US Army, US Navy, US Marines...). S'y ajoute la reprise permanente et simplifiée des « dogmes » américains dans un ensemble rhétorique qui modèle une identité de soldat, légitime le combat, sa « justesse morale[76] » et sa férocité : « L'homme est par nature un animal agressif et [...] prêt à tuer. [...] Même si la société évolue de manière constante, l'agression est inhérente à l'Homme[77] », démontre un texte de référence. Les réactions primales sont justifiées, à condition de s'insérer dans une logique ordonnée – celle de l'escadron, de l'armée – et d'être mises au service d'objectifs précis. Saturées de violence, la société et l'idéologie dominante jouent un rôle préparatoire essentiel, bien pris en compte par les cadres chargés de l'instruction[78].

Reformulé sur la base des leçons du Vietnam, le « credo du soldat » est appris par cœur dès les premiers jours de l'instruction : « Je suis un soldat américain / Je suis membre de l'armée des Etats-Unis, protectrice de la plus grande nation sur la Terre. [...] / Je suis fier de mon pays et de son drapeau. » Cette apologie de la mission d'une nation élue et prééminente, vue chez les grandes puissances des siècles passés, se retrouve également dans la « chanson de l'armée » *(The Army Goes Rolling Along)* et dans les paroles au moins séculaires des poèmes militaires, spécifiques à toutes les branches, entonnés le plus souvent de façon quotidienne, dans un cadre cérémoniel, avant chaque exercice[79] et même au coucher. Le credo comprend en outre quelques formules qui définissent l'éthique du soldat : « Quelle que soit la situation dans laquelle je me trouve, je ne ferai jamais rien pour le plaisir, le profit ou ma sécurité personnelle qui déshonorera mon uniforme, mon unité ou mon pays / J'utiliserai tous les moyens dont je dispose [...] pour empêcher mes compagnons d'armes de commettre des actions qui seraient déshonorantes pour eux ou pour l'uniforme. » En mai 2003, les hauts responsables de l'état-major ont jugé opportun de remanier le « credo du soldat ». Avant d'entrer en vigueur l'année suivante, au cœur de l'embourbement irakien, il s'est enrichi de strophes sur le « *Warrior Ethos* » (la « culture du guerrier ») : « Je suis un soldat américain / Je suis un guerrier et membre d'une équipe. Je sers le peuple des Etats-Unis et je vis selon les valeurs américaines / Je placerai toujours la mission en premier. Je n'accepterai jamais la défaite / Je n'abandonnerai jamais. Je suis discipliné, physiquement et mentalement robuste, entraîné et compétent dans mes exercices et mes tâches de guerrier [...] / Je suis un expert et je suis un professionnel. Je me tiens prêt à me déployer [...] et à détruire les ennemis des Etats-Unis [...]. Je suis le gardien de la liberté et du mode de vie américain / Je suis un soldat américain. » Expurgée des passages sur le caractère moral du soldat devenu un « guerrier » – désormais, « la mission passe en premier » –, cette réécriture insiste sur la dimension martiale et le caractère total de l'engagement (« détruire l'ennemi »), son enjeu civilisationnel (« gardien de la liberté et du mode de vie américain »), et privilégie le flou des « valeurs américaines » comme référence. Or, l'assimilation de ces principes doit, selon des documents militaires, permettre de « développer une appartenance culturelle, des croyances et des comportements propres à la culture du guerrier [...] [et] imprégner les soldats d'une culture de guerrier[80] », qualifiée de « forte » et inspirée d'exemples historiques tels l'armée spartiate... ou les Marines américains, dont la devise, « *Semper Fidelis* » (« Toujours fidèle ») puise cette fois dans la tradition latine[81]. On verra plus loin que cette radicalisation lexicale découle, au moins en partie, d'une situation militaire délicate en Irak : la démotivation relevée chez un certain nombre de nouvelles recrues en instance de déploiement doit être compensée.

Les Marines, corps d'élite, sont emblématiques d'une organisation militaire transformant l'individu en machine à tuer, présentes à hauteur de 25 % dans les troupes d'invasion de 2003[82]. Leur organisation fait office de modèle pour le reste de l'armée. Formalisé de façon progressive à partir du XXᵉ siècle, testé sur un théâtre d'importance pendant la Première Guerre mondiale, modifié en 1940 puis lors des guerres de Corée et du Vietnam – et rendu célèbre par *Full Metal Jacket* de Stanley Kubrick (1987) –, l'entraînement des Marines est connu comme étant l'un des plus difficiles et efficaces jamais dispensés dans un corps aussi vaste, qui, en 2002, compte plus de 170 000 soldats.

Selon le code de conduite du bon Marine, celui-ci ne doit jamais se rendre « de son propre chef », y compris dans une situation désespérée. Sans une certaine dose de fanatisme, une telle ligne ne peut être suivie. Il s'agit donc d'enraciner cet impératif avec suffisamment de profondeur pour que la peur du combat ne risque pas de l'annihiler. Comme dans les autres corps, l'affirmation de la mission dévolue aux Etats-Unis est donc martelée sans relâche : « Je n'oublierai jamais que je suis un Américain, que je combats pour la liberté », lâchent d'une seule voix les volontaires, éclairés par la trajectoire de leurs prédécesseurs et motivés par le prestige et l'élitisme de leur corps : « Les Marines qui ont débarqué à Pusan [en Corée] étaient pour la plupart des jeunes hommes sans véritable expérience du feu [...], lit-on dans un manuel d'instruction. Ils étaient commandés par [...] des vétérans qui avaient connu les batailles les plus violentes [...]. Ils avaient un autre énorme avantage [...], ils étaient des MARINES[83]. » Faites de répétitions et de matraquage idéologique, les étapes d'« endoctrinement initial[84] » sont primordiales.

Dans la formation standard, deux volets se détachent : couvrant l'aspect technique et théorique, encadré par des textes militaires respectueux des lois de la guerre[85], l'enseignement officiel s'appuie sur des manuels dont la vocation pédagogique est aussi idéologique : dans les années 1980, les exemples cités pour illustrer l'impératif de « ne jamais se rendre de son gré » viennent le plus souvent du Vietnam, et animent le courant de pensée niant la défaite : « Pendant la guerre du Vietnam, le capitaine Walsh, un aviateur, s'est éjecté de son [...] appareil. [...] Il a atterri au milieu d'une unité ennemie [...]. Il a immédiatement pris son revolver [...] et tiré sur l'adversaire, faisant une victime. [...] Il a continué jusqu'à l'épuisement de ses munitions, avant d'être capturé. [...] Pour son courage, [...] il a reçu la *Bronze Star Medal*[86]. » Depuis, le ton n'a pas changé : « Plus de 220 ans de succès et de tradition ont permis aux Marines d'occuper une place à part dans le cœur des Américains[87] », rappelle-t-on à de multiples reprises dans les pages du matériel d'instruction. Aux incorporés, ensuite, d'imiter l'attitude des « héros » qui les ont précédés en se montrant fidèles aux valeurs du corps : « Honneur, courage et dévouement »…

Tenus de connaître parfaitement les faits d'armes de leur corps depuis le XVIIIᵉ siècle, les apprentis soldats apprennent, à l'instar des Marines, que leurs aînés « ont participé au programme de pacification conçu dans l'optique de gagner le soutien de la population [vietnamienne] ». De même, ils retiennent les victoires remportées en ex-Indochine, accolées à celles de la Seconde Guerre mondiale[88]. La légitimité du combat est établie, ainsi que la noblesse des combattants, éléments constitutifs d'une « fierté » identifiée comme une source première de motivation, avec l'« esprit de corps » indispensable à la cohésion. Des discussions, conduites par les *leaders* de tous grades, aidés d'un épais manuel balisant les sujets à aborder[89], doivent se tenir dans le prolongement de la formation : « valeurs », « histoire », caractère bénéfique de l'enrôlement pour l'individu et la société, « extrême violence du combat », gestion de la peur, « détermination pendant la bataille » reviennent à intervalles plus ou moins réguliers. Toujours dans le but de façonner un individu uniforme aux conceptions « personnelles » calquées sur celles du groupe et de la patrie, notons que la définition du terrorisme inculquée aux recrues – « une technique peu coûteuse, peu risquée, hautement efficace, propre aux nations faibles, à des individus ou à des groupes [désireux] de défier des nations plus puissantes[90] » – fait évidemment fi de la notion de terrorisme d'Etat en lien avec les bombardements massifs. Une semaine après le 11 Septembre, le corps des Marines, suivi par les autres branches[91], publie d'ailleurs une circulaire de formation permettant de « comprendre » le terrorisme : il ne saurait être question d'analyser les origines d'une méthode d'action, mais plutôt d'en donner une définition politiquement orientée, centrée sur ses manifestations, et de susciter un réflexe d'hostilité pour toute entité frappée du sceau « terroriste ». Les auteurs du texte opposent « nationalisme » et « terrorisme[92] », passant sous silence le fait que nombre de groupes indépendantistes ou résistants ont eu recours à des formes de « terrorisme », du moins selon la définition large retenue ici[93]. Les données du problème sont réduites à leur plus simple expression et s'intègrent dans le corpus manichéen : selon ce même document, l'attaque menée en 1983 contre la base des Marines à Beyrouth entre dans le cadre « terroriste ». Or, l'engagement des soldats américains aux côtés des ennemis mortels des auteurs du raid en fait plutôt un acte de guerre. « [Ceci] eut de l'influence dans la décision de retirer les Marines de Beyrouth et a été considéré comme un succès terroriste[94] », tranche-t-on. Les soldats doivent comprendre que toute action menée contre leurs forces par des groupes de francs-tireurs relève du terrorisme. Tel fut, d'ailleurs, le point de vue criminalisant adopté par les troupes allemandes dans l'Europe occupée, ou celles de la France pendant la guerre d'Algérie, sans distinction entre les actions de guérilla et le terrorisme. Seconde idée aisément transposable au présent : tout retrait de l'armée américaine s'apparente à une victoire des terroristes.

L'autre aspect de la formation, officieux et multiforme, se transmet par voie orale[95] et atteint les recrues, parfois à peine âgées de 17 ans, au plus profond de leur être en provoquant des comportements contradictoires avec l'éthique du soldat : comme dans d'autres armées, les bizutages et les humiliations, prescrits par les règlements[96], bénéficient d'une certaine mansuétude de la hiérarchie, encline à y voir un moyen de développer l'esprit de corps : on y éprouve l'animosité du futur Marine en exacerbant ses pulsions, canalisées vers de futurs adversaires, suivant des rituels informels qui complètent la rigueur de la formation, au terme de laquelle le candidat devient un « pasteur de la mort priant pour la paix[97] »...

L'endoctrinement s'effectue en majeure partie sous l'égide de l'instructeur, qui transmet une culture spécifique : des rituels, un jargon en évolution constante (l'« Iraqistan » désigne par exemple la plupart des pays musulmans du Moyen-Orient et d'Asie centrale[98]), des devises, des slogans (« First to Fight » [« Premiers à combattre »]), des prières (la « Prière des Marines ») et des chants popularisés depuis le XIXe siècle portent les valeurs de la patrie et du corps que les engagés mémorisent à la perfection et récitent d'une seule voix. En surplomb, le sentiment et la fierté d'appartenir à un groupe distinct nécessitent d'annihiler l'individualité des volontaires, tenus dans les premiers jours de leur instruction de ne plus faire usage des première et deuxième personnes du singulier, remplacées par le pronom « il(s) » ou l'appellation de « recrue ».

Différencié des « chansons » de la Navy ou de l'armée de terre, le corps des Marines dispose, lui, d'un « hymne » venu des années 1850, qui clame la fierté de « combattre pour la justice et la liberté ». Ces mêmes Marines entonnent également une ancestrale « profession de foi » dédiée à leur arme : « Mon fusil est mon meilleur ami. Il est ma

vie [...]. Mon fusil et moi sommes les défenseurs de mon pays »,
apprennent les aspirants soldats que la libre circulation des armes a,
parfois dès leur prime enfance, accoutumés au maniement d'un fusil
ou d'un pistolet ; apparue dans les rangs des divisions aéroportées
de la Seconde Guerre mondiale, la chanson *Blood upon the Risers*
(« Du sang sur les suspents ») fait partie de ces hymnes identitaires
perpétués par l'instruction et les soldats expérimentés – chargés au
quotidien de véhiculer les valeurs[99] – afin de témoigner du mépris
de la mort qui doit habiter le combattant : « Du sang, du sang,
quelle sacrée façon de mourir », répète le refrain sur la mélodie du
Battle Hymn for the Republic. La capacité à « tuer » l'adversaire et la
supériorité morale des Etats-Unis se situent au cœur du propos de
ces dizaines de « chansons de marche », ou *« Jody calls »*, créées et
modifiées par les instructeurs, les recrues et les soldats au fil des
conflits, et qui abordent différents sujets : vie militaire, sexualité,
déshumanisation de l'ennemi, unité, patriotisme, violence et mépris
de la mort, ces derniers thèmes ayant proliféré pendant la guerre du
Vietnam : « Venus de l'aube des temps, au cœur de la vallée de la
mort où le soleil ne brille pas / le plus rude et le plus fort des combattants a été créé / Entre un M16 et une grenade vivante », scandent les Marines. Toujours à l'époque vietnamienne, la dizaine de
couplets de *Napalm Sticks to Kids* (« Le napalm colle aux enfants »)
participaient d'une acceptation et d'une glorification collectives des
violences infligées aux civils. Les *« Jody calls »* de la guerre contre la
Terreur s'en inspirent : « Entraînés pour tuer / Nous tuerons, tuerons, tuerons ! » ; « Ce qui fait pousser l'herbe / Le sang, le sang, le
sang rouge vif[100] ! », ou « Prie pour ne pas être dans ma zone de tir,
parce que mon M16 te renverra chez toi dans un linceul... » ; « Je
hais l'Irak / je n'y remettrai plus les pieds / [...] Il fait plus chaud
qu'en enfer / Et les gens puent / [...] Ils ont des bombes plutôt que
des nains de jardin / [...] Ils nous tirent comme des lapins », entonnent ceux d'*« Iraqi Freedom »*, également enclins à reprendre :
« Quand j'arriverai en Irak, Saddam dira / "Comment est-ce que tu
es venu [...] en à peine une journée ?" / Et je lui répondrai / Avec
beaucoup de colère / Du sang et des tripes et un peu de danger. »
Tout aussi typique, *Let the Hadjis Hit the Floor* (« Laisse les hadjis
tomber à terre ») : « Un ! L'Afghanistan envahi ! / Deux ! Tue les
Talibans ! / Trois ! On a foncé vers Bagdad ! Quatre ! Laisse les
Hadjis tomber à terre ! », voire « Cours, cours, Irakien, cours /
J'appuie sur la gâchette pour avoir du *fun* / Meurs, meurs, Irakien,

meurs »... Spécificité de la période, ces couplets guerriers s'échangent et s'enrichissent, de sections en sections et de corps en corps, sur les forums militaires du Net[101].

Mises bout à bout, ces pièces folkloriques de la « culture guerrière » façonnent l'éducation idéologique du soldat. La barbarie est codifiée, et l'acte de tuer magnifié au cours d'un processus de transformation des individus donnant finalement raison à Anatole France (1844-1924), pour qui « l'armée [est] l'école du crime ». L'influence extérieure, celle de l'environnement sociétal, joue un rôle parallèle : par exemple, la série *24 heures chrono*[102], dans laquelle toutes les méthodes – y compris celles outrepassant les lois et autres conventions internationales – sont légitimes contre les ennemis des Etats-Unis, a pu jouer un rôle dans les débordements relevés en Irak, comme en est convaincu le brigadier général Patrick Finnegan[103], spécialiste du Renseignement.

« Pour entrer quelque part et tout casser, nous sommes les meilleurs du monde », répètent à juste titre des soldats affectés en Irak[104]. Bien qu'elles ne soient pas étendues à l'ensemble des soldats, ces qualités rencontrent un certain succès : depuis 2002, le nombre des Marines repart à la hausse, comme chaque fois que les Etats-Unis traversent une séquence guerrière : de 173 733, le corps passe à plus de 200 000 hommes en 2007, et plus de 240 000 en 2010[105].

L'horizon de la formation ne s'arrête pas à la vie militaire : celle-ci doit certes « transformer des civils en soldats [...] capables de s'imposer sur le champ de bataille », mais également « dans la société[106] », irriguée par la culture de guerre.

7

Deuxième guerre du Golfe, deuxième syndrome

Guerre et scandales sanitaires

Les années 2002-2003 auraient dû permettre d'évoquer avec la transparence requise un sujet étroitement lié au précédent conflit irakien : le « syndrome de la guerre du Golfe ».

Souvenons-nous : l'affaire défraye la chronique dans les années 1990 quand, peu après leur retour de « Tempête du désert », des militaires souffrent de problèmes de santé (fatigue, pertes de mémoire, douleurs articulaires, cancers) qui touchent parfois leur progéniture, victime de malformations congénitales. L'expression de « syndrome » désigne bientôt un éventail de pathologies très diverses. Le phénomène s'amplifie jusqu'à toucher, le 1er janvier 2000, environ un quart des 696 628 hommes engagés dans la guerre du Golfe. Six ans plus tard, leur nombre s'élève à 256 000[1]. La même année, suivant les données officielles, 11 000 de ces vétérans sont décédés, dont une part encore inconnue des suites du syndrome, soit plus que dans l'après-Vietnam[2], marqué notamment par l'agent orange. En 1991, si l'on tient compte du fait que 436 000 des presque 700 000 soldats « coalisés » ont véritablement été en contact avec le théâtre d'opérations, la proportion de vétérans souffrant d'affections liées à cette exposition monte à 58 %. Or, ces hommes n'étaient restés que quatre jours en Irak, avant de stationner quelques semaines sur les sables koweïtiens dans l'attente de leur retour. Pour « *Iraqi Freedom* », certaines unités américaines ont été déployées deux années.

Parmi les éléments caractéristiques de la guerre du Golfe en passe d'être retrouvés en 2003 figure le recours aux munitions à l'uranium appauvri, avec lequel sont fabriquées les pointes de missiles, d'obus et de balles embarqués par la plupart des avions et blindés de l'armée américaine[3]. Dénoncé par une part importante de la communauté scientifique depuis plusieurs décennies, ce matériau très dense, utilisé comme instrument de lestage dans l'aéronautique, fait aussi office de réflecteur antirayonnements pour l'industrie nucléaire ou les centres de radiothérapie. Recyclé par les industries d'armement pour son faible coût, ce métal lourd est constitué de déchets d'uranium 238 rejetés par le nucléaire civil après l'enrichissement de l'isotope 235. Le terme d'uranium « appauvri » est inapproprié : ce résidu conserve 60 % de la radioactivité de l'uranium 235, ce qui permet de relativiser son « appauvrissement ». Grâce aux propriétés pyrophores du métal qui les compose, les projectiles ont la particularité de s'enflammer en perforant leur cible. A cet instant, la majeure partie du pénétrateur se désintègre et vaporise, dans un rayon d'une quinzaine à plusieurs centaines de mètres, un nuage de particules d'oxyde d'uranium appauvri. Cette poussière radioactive en expansion et sensible aux précipitations se diffuse dans l'organisme de toute personne située en zone contaminée et dépourvue de protection. Avec les débris du projectile qui constellent le point d'impact, ces cendres pénètrent le sol, les nappes phréatiques, et contaminent la chaîne alimentaire. A ce sombre tableau s'ajoute la toxicité, avérée depuis les années 1950, de l'alliage de béryllium qui enveloppe les pénétrateurs à l'uranium appauvri afin de prévenir l'inflammation prématurée due aux frottements de l'air. En laboratoire ou dans les industries de pointe qui l'emploient, la manipulation de ce métal et de ses dérivés est réglementée par des mesures de sécurité draconiennes. Sa dangerosité, notamment comme élément déclencheur de fibroses pulmonaires, n'entre plus en considération sur le champ de bataille[4].

En 1991, selon différentes enquêtes, entre 320 et plus d'un millier de tonnes de munitions élaborées à partir de sous-produits de l'industrie nucléaire ont été employées par les forces alliées contre les troupes irakiennes déployées au Koweït, sur le Sud de l'Irak et à Bagdad[5]. De mars à avril 2003, surtout dans les villes, les ouvrages d'art, les bâtiments ministériels et l'ensemble des infrastructures baasistes ont fait l'objet d'un pilonnage intensif comprenant 1 000 à 2 500 tonnes de pénétrateurs à l'uranium de retraitement[6]. Au total, 60 % de l'armement utilisé sont constitués dudit matériau. Dès le déclenchement des frappes, la traque de Saddam Hussein a mis en œuvre des bombes de ce type, capables de détruire plusieurs mètres de béton, et dont les dernières versions avaient été préalablement testées contre les grottes afghanes de Tora Bora. Le total ne cesse de croître, puisque les opérations antiguérilla les utilisent. Les divisions blindées irakiennes, composées de vieux chars russes, ont été détruites par des munitions de ce type. « Huit mois plus tard, témoigne un envoyé spécial, leurs carcasses calcinées sont toujours là, par centaines, d'un bout à l'autre du pays[7]. »

Véritable tour de force gouvernemental, le recours à l'uranium appauvri ne soulève pas de critique perceptible par l'opinion alors que, dix ans plus tôt, ces armes relevaient d'un problème de santé publique. L'« autocensure patriotique » qui caractérise le traitement de l'actualité muselle l'objectivité et le devoir d'information de telle sorte que les responsables de l'American Gulf War Veterans Association, luttant pour la reconnaissance officielle du « syndrome », ne sont pas entendus : « Ceux qui sont [en Irak] aujourd'hui [...] utiliseront les mêmes obus à uranium appauvri[8] », alerte l'une de ses responsables quelques jours avant l'invasion. En octobre 2001, une étude scientifique américaine confirme les hypothèses antérieures, mais reste largement ignorée du public[9], malgré quelques articles de journaux comme le *Wall Street Journal*[10]. Organisatrice d'une campagne médiatique ciblée, l'administration américaine démine le sujet dès janvier 2003 en publiant un récapitulatif des pratiques « de désinformation et de propagande » mises en œuvre par Saddam Hussein, dans lequel la question de l'uranium appauvri est évoquée au même titre que l'instrumentalisation de l'islam[11]. Observons que le mutisme est presque international, puisqu'il touche la France, la Russie ou la Chine, où l'uranium appauvri reste un matériau militaire de première importance. A l'été 2003, le débat est soulevé, sans plus de succès, par des parlementaires néerlandais inquiets de voir 1 100 de leurs soldats rejoindre l'Irak[12] et s'exposer à des risques de contamination. Les effets de l'uranium appauvri ne sont pas reconnus. Depuis la première vague de « syndromes » et l'activisme des associations de défense des vétérans[13], le Pentagone dément les dangers inhérents à son armement et réfute la validité des études sur le sujet. D'un côté, des chercheurs au service du secrétariat à la Défense, de l'Organisation du traité de l'Atlantique Nord (responsable de l'apparition du « syndrome des Balkans » depuis ses interventions en ex-Yougloslavie) ou les scientifiques de l'Organisation mondiale de la santé évoquent la faiblesse des aléas radiologiques et toxiques du matériau[14]. De l'autre, des scientifiques indépendants tentent de démontrer le contraire[15]. En mai 2003, lorsque – fait rare – une question consacrée à l'armement controversé tombe en conférence de presse, les représentants du Pentagone adoptent un système de défense éprouvé par dix années de dénégations : « [L'uranium appauvri] ne présente absolument aucun danger, du moins à notre niveau actuel de connaissances », déclare le lieutenant-colonel Sigmon, médecin du Ve corps de l'US Army[16]. Hormis quelques pancartes visibles dans les cortèges antiguerre[17], l'amnésie qui frappe le public est telle que personne ne relève le flagrant délit de mensonge.

Le développement de ce type de munitions a commencé aux Etats-Unis vers 1959[18]. Or, il est connu au moins depuis 1974 que la militarisation du matériau présente des risques élevés pour la santé et l'environnement. Dix-sept ans avant le tir « inaugural » du premier missile « U^{238} » sur l'Irak, un rapport technique du Groupe de coordination pour l'efficacité des munitions des forces armées notait que « les situations de combat incluant un large recours aux munitions à l'uranium appauvri entraînent des probabilités conséquentes d'inhalation ou d'ingestion[19] ». En 1980, les expériences du physicien atomiste Leonard Dietz mirent en évidence le pouvoir contaminant de la poussière de l'uranium appauvri, et ses facultés de diffusion dans l'atmosphère sur de longues distances[20]. Dietz – retraité depuis 1983 – travaillait pour les laboratoires atomiques de Knolls (New York), propriété du fabricant d'armes Lockheed-Martin et sous contrat avec le ministère de l'Energie[21]. A l'époque, les signaux d'alerte sont multiples ; citons les travaux de John Glissmeyer, John Elber et Marvin Tinkle, chercheurs au laboratoire atomique de Los Alamos (Nouveau-Mexique), ceux du major Douglas Rokke, vétéran du Vietnam et de la guerre du Golfe, physicien militaire « démissionné » en 1996[22], ainsi qu'une flopée d'articles scientifiques parus à partir de la décennie 1980[23]. Toujours en 1980, la Cour suprême de l'Etat de New York suspendait les activités d'un site de National Lead Industries, grand consommateur d'uranium appauvri, pour contamination excessive, avant d'en ordonner la fermeture[24], vingt-deux ans après sa mise en route. Quelques mois avant la guerre du Golfe, les hauts gradés se faisaient rafraîchir la mémoire par un rapport interne sur de « potentiels effets toxicologiques et radioactifs [...] des poussières d'uranium appauvri[25] ». En dépit de ces alertes préventives, les 850 000 tonnes d'uranium appauvri stockées par le ministère de l'Energie servent depuis 1980 à alimenter les usines Aerojet Manufacturing en Californie. Là sont produites les cartouches PGU-14 de 30 mm à l'uranium appauvri tirées par l'A-10 Warthog, un avion antichar. Une dizaine d'années ont été nécessaires avant que cette chaîne d'approvisionnement fonctionne à grande échelle, profite à d'autres fabricants et sorte des munitions de gros calibre pour toutes les branches des forces américaines[26]. Précautions ou temps nécessaire à la mise au point ? Rien ne permet de trancher. Couplé à la course aux armements, l'attrait financier d'un matériau militaire moins cher et plus facile à travailler que le tungstène acheva de convaincre, en 1989, le ministère de la Défense américain de se doter d'un arsenal décrié.

Depuis les premières expériences d'explosions atomiques testées sur des « soldats cobayes » jusqu'à l'utilisation d'herbicides toxiques au Vietnam, les exemples d'indifférence aux risques ne manquent pas, aux Etats-Unis comme parmi les grandes puissances militaires. Pendant la première moitié des années 1950, chaque explosion nucléaire expérimentale de l'armée américaine faisait l'objet d'observations recueillies par des groupes de soldats placés à 3 kilomètres du point d'impact, au mépris des règles déjà laxistes édictées par la Commission de l'énergie atomique, qui préconisait un éloignement de 11 kilomètres ; pendant dix ans, à partir de 1961, les forêts vietnamiennes ont été arrosées de l'herbicide plus connu sous le nom d'« agent orange ». Plusieurs dizaines de milliers de vétérans victimes de diverses pathologies obtiendront en 1984 un accord de dédommagement de 180 millions de dollars. Il fallut attendre le 6 février 1991 et l'*Agent Orange Act* pour que le Congrès avalise l'existence d'un lien de cause à effet entre le produit chimique et les pathologies relevées chez les vétérans[27], pathologies sans cesse élargies jusqu'en 2010. Qu'il s'agisse du nucléaire ou de l'agent orange, les démentis officiels, appuyés par des scientifiques que rémunéraient les industriels de la chimie[28], sont longtemps restés la norme. Voté en 1984, le *Veterans Dioxin and Radiation Exposure Compensation Standards Act* devait, sur un plan symbolique, mettre un terme à des pratiques que la guerre du Golfe a reproduites. En fait, le seul apport de ce texte fut, semble-t-il, de restaurer la confiance des engagés : l'*Agent Orange Act*, voté au sortir du plus grand déploiement militaire post-Vietnam, traduisait une volonté politique de tourner la page.

Aux conséquences classiques d'une guerre « conventionnelle » s'ajoutent celles liées au recours à des armes et des produits toxiques. Depuis les gaz de 1914 en passant par l'agent orange du Vietnam, les soldats l'ont subi au même titre que leurs adversaires désignés. Seule différence : l'emploi des munitions à l'uranium appauvri se poursuit.

Faire oublier l'uranium appauvri

Des relevés effectués en 2003-2004 à proximité de tanks irakiens détruits indiquent des niveaux de radioactivité jusqu'à 2 500 fois supérieurs à la normale[29]. Visibles à l'œil nu, certains amas de cendres d'uranium appauvri produisent, au sud de Bagdad, plus de 11 500 désintégrations par minute, soit 2 fois les seuils de tolérance fixés par les services sanitaires de l'armée américaine[30] avec une certaine largesse – à partir d'observations réalisées sur un échantillon discutable de rescapés d'Hiroshima et Nagasaki[31]. Les aires de contamination se situent au cœur d'espaces à forte densité de population comme Bagdad, Nadjaf ou Bassora[32].

On imagine volontiers que les informations relatives à l'état sanitaire des forces armées, disponibles mais peu relayées, soient particulièrement dissuasives pour nombre d'« aspirants soldats ». Il n'en est rien. Le 1er janvier 2000, 9 592 vétérans atteints du « syndrome de la guerre du Golfe » étaient décédés, soit environ 20 fois plus que les pertes enregistrées pendant les combats[33] ; depuis 2000 également, les forces armées américaines ont dépassé chaque année leurs objectifs de recrutement, selon une tendance que le 11 Septembre n'aura fait que renforcer. Sans aucun rapport avec une quelconque prise de conscience des dangers de l'uranium appauvri, les difficultés de recrutement de 2004-2005 s'expliquent autant par le guêpier irakien que par une relative amélioration du contexte économique, porteur d'offres d'emploi. L'absence de conséquences des décès de vétérans sur les campagnes de recrutement nécessite une explication.

Les gouvernements concernés, administration Clinton en tête, ont profité de la multiplicité des facteurs déclenchants pour brouiller les responsabilités étatiques. Dès 1991, des « contre-feux » d'études commandées par diverses institutions font leur office : le stress post-traumatique est d'abord désigné comme responsable des maux dont souffrent les personnels. D'autres hypothèses considèrent comme un facteur explicatif suffisant les retombées dues à la destruction des arsenaux de Khamisiyah où étaient stockées des armes chimiques irakiennes, voire la pollution provoquée par ces mêmes armes depuis leur emploi contre les populations iraniennes, au même titre que la toxicité avérée des fumées produites par les centaines de puits de pétrole koweïtiens enflammés sur ordre de Saddam Hussein[34]. Selon une rhétorique bien huilée, les incertitudes scientifiques liées à certains protocoles d'expérimentation sont érigées en argumentaire de défense. Pourtant, à partir de 1993, le « syndrome » et ses causes bénéficient de toute l'attention des médias. La même année, couplé à la campagne des groupements de vétérans, un rapport du Congrès accable le Pentagone, qui, poussé dans ses retranchements, consent à « tester l'ensemble des personnels » engagés dans le Golfe[35]. Solidaire de ses prédécesseurs, l'administration Clinton tente une diversion qui s'avère payante : sur injonction du Département de la Santé, seulement quelques dizaines de vétérans sont sélectionnés pour passer des examens médicaux. Cette rebuffade est entérinée par l'attention que leur accordent les médias, qui présentent ces tests médicaux comme une victoire. Echelonnés sur cinq années, le passage de petits groupes de vétérans devant les caméras de télévision donne le sentiment qu'en dépit de leur gravité, les contaminations ne concernent qu'un infime pourcentage des troupes[36]. Privée de sensationnalisme, l'affaire disparaît de l'actualité : le journaliste Peter Phillips, auteur d'ouvrages annuels consacrés aux sujets les plus mal couverts, classe l'affaire dans son « Top 10[37] » de l'année 1997. Le climat passionnel retombé, le Pentagone finit par reconnaître, en 1998, « avoir failli dans la mise en garde [des] forces armées[38] ». Cette année-là, le Congrès vote la création d'une commission de recherche sur les maladies des vétérans du Golfe qui aborde les questions d'uranium appauvri de façon très limitée et sans aucune conclusion[39]. En 1999, l'armée annonce la mise en place d'un entraînement militaire dédié au combat en présence d'uranium appauvri, sans que ses dangers soient pris en compte et que la prévention se généralise à l'ensemble des troupes[40]. Doublé d'étude rassurantes[41], ce *mea culpa* restreint, tardif et calculé survient suffisamment longtemps avant les bombardements de « Renard du désert » pour laisser croire que les négligences de l'Etat appartiennent au passé. A la fin de l'année 1998, l'Irak est touché par plus de 400 missiles en l'espace de trois jours. Sans déploiement terrestre des forces américaines, personne ne juge opportun de parler du

« syndrome » ou des conséquences sur les populations civiles, sauve-gardées par le mythe des frappes chirurgicales. Aussi, les discours rassurants de l'omniprésent docteur Kilpatrick, responsable des services de santé de l'armée, donnent-ils l'impression d'entendre un refrain rejoué à l'infini depuis les limbes des guerres modernes et totales. Accablant pour la crédibilité du docteur Kilpatrick et du Bureau spécial aux affaires de syndrome de la guerre du Golfe (OSAGWI), un rapport daté de 1999 fait état d'un « 800e cas de cancer en lien avec les munitions à l'uranium appauvri[42] ». La même année, Kilpatrick participe à une réunion au sein de l'hôpital de Baltimore au cours de laquelle il conteste, face à ses confrères, le bien-fondé d'un programme de surveillance étendu aux inhalations potentielles et « souligne qu'il s'agit là d'une question critique pour le Pentagone[43] », apparemment incompatible avec la déontologie médicale.

D'une confusion savamment entretenue en malentendus volontaires, ces manœuvres dilatoires atteignent leur but : le début du scandale se mue en querelle d'experts. L'opinion perd le fil du débat. En faisant de l'affaire le porte-drapeau d'une virulente critique de la politique étrangère américaine, des groupuscules d'extrême gauche contribuent à marginaliser l'affaire. Enfin, les activistes « anti-uranium appauvri » sont assimilés à Saddam Hussein et Slobodan Milosevic qui dénoncent les munitions utilisées contre leurs armées. Les militants de la cause, modérés comme radicaux, se replient alors sur Internet. Les associations légitimées par la caution scientifique de prestigieux centres de recherche s'y noient dans une prolifération de sites plus ou moins antiaméricains et d'escrocs en quête de dons. Les organismes gouvernementaux monopolisent la parole et s'appliquent à déminer un terrain contaminé par la suspicion[44].

Armée moderne et financement politique

L'amorce, au lendemain du conflit de 1991, d'une remise en question « populaire » des munitions à l'uranium appauvri se heurte à une problématique plus large. Ce mouvement évolue à contre-courant d'une dynamique puissante, engendrée par l'entrée du secteur militaro-industriel dans un nouveau cycle[45]. Suite à la déliquescence de l'Union soviétique, le budget américain de la Défense a traversé une phase de baisse continue. La tendance s'inverse en

1999, avec l'annonce par le président Clinton d'une augmentation des dépenses militaires de 110 milliards sur trois ans. Poursuivant l'effort, George W. Bush fait passer le budget de 272,4 milliards de dollars en 1999 à 400 milliards en 2004 et 670 milliards en 2008[46]. L'augmentation, axée sur le renouvellement des technologies de pointe, doit conforter voire accentuer l'avance acquise par l'équipement des forces armées. Dans cette optique, les bombes « antibunker », dotées de pénétrateurs à l'uranium appauvri, représentent un enjeu de taille : leur mise au point vise à disposer d'une force de frappe conventionnelle capable d'atteindre les centres bunkerisés du commandement ennemi et de remporter des victoires rapides[47]. Liées au maintien de la suprématie militaire américaine, les « munitions à l'uranium appauvri confèrent [...] un avantage considérable[48] », rappelle en 2004 un responsable du Pentagone. De plus, selon la Commission de conversion et de défense, la nouvelle génération d'armements américains doit associer plus étroitement les savoir-faire civils et militaires[49], une exigence satisfaite par le matériau de récupération radioactif.

Ne négligeons pas ici les relations étroites entre l'industrie d'armement et les institutions étatiques, un phénomène particulièrement prononcé aux Etats-Unis après quarante années de guerre froide. Situé au carrefour d'intérêts politiques, économiques et militaires, le Pentagone pèse de tout son poids sur le montant des budgets de recherche et développement (R&D), dans lesquels les bombes guidées à fort pouvoir de pénétration constituent une des orientations prioritaires. En même temps qu'il influe sur le cours des sociétés concernées, le poste de R&D détermine l'avance technologique du potentiel militaire et donc le degré de suprématie des forces armées ; au-delà des choix en matière de défense propres à chaque administration, l'imbrication des sociétés privées dans le fonctionnement du système démocratique américain joue un rôle fondamental par le biais du financement politique que consentent les grandes entreprises d'armement : entre 2000 et 2004, Raytheon, un des géants du secteur, a versé 1 288 270 dollars de contributions au Parti républicain[50]. Son catalogue offre un large choix de « bombes intelligentes » dotées de pénétrateurs à l'uranium appauvri : les missiles *Tomahawk* et autres « *Enhanced Guided Bomb Unit "Paveway"* », expérimentées contre la Serbie et les Talibans avant d'être employées en Irak. Dès 2001, selon les termes de son rapport annuel, « la production de *Paveway* a fortement augmenté[51] ». Même constat pour General Dynamics, dont les chars de combat disposent de blindages élaborés à partir du métal de récupération nucléaire : au cours de la période, la compagnie a injecté 2 557 247 dollars dans les caisses du parti de George W. Bush[52]. Les principales industries liées à la défense dont les procédés de fabrication se fondent sur l'uranium appauvri – une catégorie très large qui comprend également Boeing et McDonnell Douglas[53] – ont dans leur ensemble distribué plus de 10 millions de dollars, entre 2000 et 2004, à la formation au pouvoir, somme qu'il faut au minimum doubler si l'on prend en compte les actions de lobbying[54].

Ce type de lobbying « antisanitaire » est efficace parce que ancien : à l'initiative de l'industrie pétrolière américaine, il fut par exemple à l'origine, pendant huit décennies, de la présence de plomb dans les carburants en dépit d'effets nocifs connus[55]. Les méthodes de dissimulation développées depuis les années 1920 – remise en cause des alertes, répétition forcenée de l'innocuité, financement de recherches avalisant ce point de vue, contrôle financier sur les centres scientifiques – ont seulement été adaptées au nouveau problème.

Les bombes sales d'une démocratie

Avec les années, les nouvelles recrues de l'armée ont oublié ou se sont convaincues que leur état-major ne reproduirait pas les mêmes erreurs. Les institutions ont quant à elles revendiqué une transparence... toute relative : quelques jours avant la chute de Saddam Hussein, des témoins rapportaient avoir vu un détachement de soldats américains retourner le sol autour de chars irakiens détruits près de la bretelle d'autoroute d'Al-Doura, en périphérie sud de Bagdad[56]. Vêtus de combinaisons spéciales et de masques de protection, ces hommes faisaient partie d'une équipe d'isolement des équipements contaminés ou Army Contaminated Equipment Retrograde Team (ACERT[57]). De toute évidence, les épaves de blindés irakiens neutralisés à l'aide de munitions à l'uranium appauvri se situaient précisément sur la voie empruntée par les camions de ravitaillement de l'armée américaine. L'intervention, censée réduire les dangers d'irradiation, s'avéra inefficace, comme l'ont montré des relevés effectués sur place[58]. Avant de quitter les lieux, l'ACERT

apposa sur les tanks des avertissements manuscrits en arabe :
« DANGER, éloignez-vous de cette zone[59]. »

En 1991, des dizaines de milliers de soldats méconnaissant les
spécificités de leurs munitions s'approchaient des carcasses de véhicules irakiens qu'ils venaient de neutraliser. Un document déclassifié et rédigé quelques semaines après la fin de l'opération « *Desert
Storm* » souligne que « beaucoup d'hommes ignorants du danger se
sont mis en péril en explorant [...] des tanks brûlés[60] ». Des sections
entières ont posé pour de mortelles photos souvenirs sur les blindés
ennemis détruits, sans que le haut commandement, informé des risques pris par ces hommes[61], tente d'y mettre un terme. Nombreux
sont ceux qui ramassèrent les débris radioactifs de tanks russes cal-
cinés comme autant de trophées du champ de bataille. Depuis 1997,
des instructions ont été données[62], notamment par le règlement 700-
48 adressé en 2002 aux officiers supérieurs : certains paragraphes
déconseillent d'entrer dans les véhicules détruits par des munitions
à l'uranium appauvri sans équipements de protection ; la saisie des
« trophées de guerre » est strictement réglementée. Pourtant, le
document frappe par son caractère ambivalent : le texte énonce les
procédures de sécurité (« éloignez-vous [...] de 100 à 2 000 mètres
de la zone contaminée ») mais minimise le danger (« les radiations
de l'uranium appauvri sont seulement à peine plus fortes que [...]
celles émanant du sol »)[63]. Face à ces contradictions, les gradés chargés de relayer ces instructions composent à l'instinct. Le message
passe, mais de façon inégale : la question reste taboue et tout porte
à croire que le commandement craint d'amplifier le ressentiment de
ses troupes et celui des Irakiens en évoquant l'existence de zones
contaminées. Les consignes relèvent donc davantage de la communication que d'une réelle prévention : les bouleversements que pro-
duirait une information transparente dans des villes déjà difficiles à
pacifier seraient militairement contre-productifs. La tâche incombe
ainsi aux organisations humanitaires arrivées sur les lieux[64], tandis
que les soldats doivent s'en tenir à la confidentialité : « Après avoir
détruit une cible [...], nous ne devons pas nous en approcher à cause
de risques de cancer[65] », confie un membre d'équipage de char Bradley désirant rester anonyme. Tiraillés entre la rhétorique rassurante
de leur état-major et les informations prodiguées par diverses associations de vétérans, les soldats stationnés en Irak demeurent dans
l'incertitude la plus complète. De plus, la guérilla fait passer les risques radiologiques à l'arrière-plan. Pour les soldats, seule importe la

survie au jour le jour : « Beaucoup de choses sont dangereuses en Irak[66] », répondit un Marine au sujet de la prévention des risques dus à l'uranium appauvri. La portée des timides mises en garde hiérarchiques est brouillée par d'autres messages, comme cet article émanant le 19 octobre 2004 du Service d'information des forces armées américaines (AFIS) : sur la base d'une étude récente, ce texte souligne que « même les cas extrêmes d'exposition à l'uranium appauvri "aérosolé" ne présentent pas de risques pour la santé[67] ». Comme le rappelle l'AFIS, « voici trente ans que le Pentagone garantit la sûreté de l'uranium appauvri[68] ».

Bien que la devise de l'AFIS soit de « tenir les troupes informées », ses publications passent sous silence les conclusions contradictoires[69]. Ce communiqué coïncide avec les premiers prélèvements effectués aux Etats-Unis sur les terrains de l'usine Starmet CMI (ex-Nuclear Metals Inc.), longtemps leader de la fabrication des « pénétrateurs » et devenue dans les années 1990 la hantise de ses riverains[70]. Fruit d'une longue bataille juridique, l'analyse des sols et la constatation des dégradations environnementales accroissent la colère et l'inquiétude des habitants. Les terrains contaminés par les essais militaires sont répertoriés dans le Missouri, le Maryland, la Caroline du Sud, la Caroline du Nord, le Nevada et le Michigan[71]. On saisit mieux la portée du communiqué de l'AFIS, qui se superpose aux rapports, filtrant depuis l'été 2003, consacrés à l'apparition de pathologies suspectes au sein de plusieurs unités. Une série de tests menés sur des membres de la 442e compagnie de police militaire basés dans la région de Samawah, Diwanaya et Nadjaf et se plaignant de migraines, de nausées et de douleurs au ventre, ont révélé la présence d'uranium appauvri dans leurs urines. Cette nouvelle porte un coup sévère à la théorie formulée par les responsables du Pentagone selon laquelle l'éventuel danger de ces munitions se cantonnerait à la phase des combats : la compagnie est composée en grande partie de policiers et de pompiers réservistes qui n'ont pas participé à l'invasion[72]. En revanche, dans les semaines qui ont suivi la prise de Bagdad, ils campaient à proximité d'un hangar désaffecté près duquel une bataille de chars avait eu lieu[73]. Si ces hommes ont ingéré des particules radioactives, la logique veut qu'il en soit de même pour nombre de leurs camarades engagés dans les « opérations majeures ». La polémique sur l'uranium remonte lentement à la surface[74], et les premiers cas de syndrome de la seconde guerre du Golfe sont recensés[75].

Contrairement aux prescriptions réglementaires, aucun des soldats malades n'est examiné par un spécialiste de l'Equipe médicale de radiologie de l'armée[76]. La contamination n'est envisagée qu'une fois les hommes évacués aux Etats-Unis, sous l'impulsion de 23 sénateurs menés en septembre 2004 par Hillary Clinton qui interpelle le secrétariat de la Défense[77]. Avant ce coup d'éclat, le représentant démocrate Jim McDermott avait déposé un projet de loi prévoyant l'examen de tous les vétérans du Golfe[78]. Son action n'a recueilli que 32 soutiens parmi les 435 membres de la Chambre des représentants et sa proposition est restée lettre morte. On se souvient du sort réservé, en 1993, aux initiatives de ce genre, abandonnées par le futur candidat démocrate Kerry, sénateur du Massachusetts, où subsistent des terrains fortement contaminés par une usine de munitions.

Les stratégies d'occultation de l'équipe Bush prennent des chemins encore plus tortueux que l'« amnésie » administrative : les zones d'ombre qui entourent le maintien en détention du docteur Huda Ammash par les forces d'occupation américaines en sont l'exemple le plus parlant. Le nom de cette scientifique irakienne surgit dans l'actualité de septembre 2004 avec l'affaire du « rapt des Simona », les deux « humanitaires » italiennes prises en otage le 7 septembre 2004. En échange de leur libération, les hommes d'Ansar Al-Zawahiri réclament celle de toutes les détenues irakiennes. Le 21, le gouvernement Allaoui annonce, tout en se défendant de céder au chantage, la remise en liberté de deux prisonnières, dont la biologiste Huda Salih Mahdi Ammash. Le lendemain, des officiels américains écartent cette possibilité : il s'agit de ne pas céder aux kidnappeurs. Par ailleurs, le docteur Ammash aurait joué, en tant que « chef des laboratoires biologiques », un rôle actif dans la « revitalisation du programme biologique de Saddam Hussein au milieu des années 1990 ». Ces activités, niées par l'intéressée, lui auraient valu le sobriquet de « docteur Anthrax » : cette titulaire d'une maîtrise et d'un doctorat en microbiologie obtenus en 1983 dans les universités du Texas et du Missouri apparaît en 53e position sur la « liste-jeu de cartes » des 55 personnalités du régime déchu recherchées par la Coalition. Ce *curriculum vitae* est pourtant incomplet puisqu'il passe sous silence les analyses effectuées par la diplômée de l'université du Texas sur les effets de l'uranium appauvri en Irak. Huda Ammash est l'auteur d'une étude intitulée « Toxic Pollution, the Gulf War, and Sanctions » publiée aux Etats-Unis dans

Iraq Under Siege, un ouvrage collectif centré sur les conséquences de la guerre de 1991[79]. Le 6 mai 2003, lorsque Huda Ammash se rend de son plein gré aux forces d'occupation, le rapport Duelfer n'a pas encore confirmé le démantèlement, effectif depuis 1991, des stocks d'armes de destruction massive irakiennes[80]. L'incarcération du « docteur Anthrax » peut donc accréditer la thèse de leur existence. Or, contrairement à Ali Hassan Al-Majid, surnommé « le Chimique » depuis sa participation au gazage de Halabja, on ne trouve nulle part la mention d'une quelconque « docteur Anthrax » avant la reddition d'Ammash, le 5 mai 2003[81]. En examinant les dépêches de la période, on constate que le pseudonyme émane en premier lieu de sources américaines : l'arrestation d'une scientifique irakienne dite « docteur Anthrax » apporte un crédit certain à l'argumentaire des armes de destruction massive, notamment les 10 000 litres de bacille de charbon que Saddam Hussein était censé dissimuler[82]. Au même titre que la fausse fiole d'anthrax agitée par Colin Powell devant les membres du Conseil de sécurité, on peut y lire un appel à l'inconscient collectif, encore marqué par les « attaques postales » d'octobre 2001. Enfin, les inspecteurs en désarmement de la Commission de contrôle, de vérification et d'inspection des Nations unies (UNMOVIC) n'ont pas jugé utile d'auditionner cette fille d'un ancien ministre de la Défense, estimant que les preuves de sa participation à la fabrication d'armes chimiques étaient insuffisantes. Huda Ammash n'est pas la première personne retenue sans charges par l'armée américaine, qui a étouffé l'imbrication des activités de la scientifique avec la question de l'uranium appauvri. Destinée à avaliser l'argumentaire proguerre, l'intoxication s'insère dans un nuage de désinformation : une majorité d'Américains demeurent convaincus que les armes de destruction massive irakiennes ont été stockées quelque part avant l'invasion[83]. Affublée d'un surnom aussi fictif que l'arsenal baasiste, Huda Ammash sera libérée après plus de deux ans et demi de détention, en décembre 2005, sans qu'aucune charge soit retenue contre elle[84].

Rétrospectivement, l'enjeu « critique » des premiers cas de « syndrome 2 » n'en est que plus flagrant. Ici et là, une prise de conscience s'esquisse : les membres de la Garde nationale abonnés au bulletin hebdomadaire d'une association « apolitique » d'aide aux familles sont informés par l'édition du 6 avril 2004 que des « troupes américaines [sont] victimes d'armes high-tech[85] ». Arc-bouté sur sa position de déni, le Pentagone juge qu'il est temps, au terme d'un mois d'avril 2004 particulièrement meurtrier, d'interrompre des spéculations qui risquent de démoraliser des troupes déjà fragiles. Comment ces hommes pourraient-ils accepter l'idée que les négligences du commandement leur font courir plus de risques, sur le long terme, que l'ennemi ?

L'exemple de la 442e compagnie est une dérangeante illustration de l'inefficacité des mesures de prévention préconisées par le Pentagone : les équipes dites « RADCON » (US Army Radiological Control Team), chargées de recenser les lieux contaminés par l'uranium appauvri[86], ne peuvent contrôler l'ensemble des sites potentiellement dangereux et encore moins les décontaminer. La tâche est par trop immense : les mitrailleuses d'avions A-10 Warthog, d'une capacité de 3 900 coups à la minute, crachent le plus souvent des rafales d'une à deux secondes pendant lesquelles environ 130 obus de 30 mm comprenant chacun 300 grammes d'uranium appauvri sont tirés. Un tiers d'entre eux atteignent leur cible tandis que le reste se répartit sur toute la longueur d'un « couloir » de 100 mètres. Entre les actions de guerre et les « tirs amis[87] », ces zones sont si nombreuses qu'on ne peut les recenser. Le RADCON est un gadget : une décontamination efficace requiert des fonds colossaux, à l'image des 8 millions de dollars dépensés en 2006 sur le seul site de Starmet, dans la région de Boston, où étaient produites et testées les munitions[88]. On peut s'inquiéter également des métaux prélevés dans les ruines du « nouvel Irak » et destinés, suivant une directive de l'Autorité provisoire américaine, au recyclage et à l'exportation[89].

Dans la mesure où les postes du budget militaire sont aussi le fruit d'une réflexion politique, le manque de moyens des RADCON s'explique : un bilan précis et officiel de la situation serait désastreux pour le recours à des munitions indiscriminantes et donc prohibées par les conventions de Genève. Autre souci de poids : des obus non explosés seraient, d'après des documents secrets de l'armée américaine, recyclés par certains groupes de guérilla : les fragments d'uranium appauvri qui subsistent après impact pourraient donc se retrouver sous forme d'engins piégés ou de roquettes artisanales découvertes entre Ramadi et Fallouja[90]. La classification de cette découverte démontre l'embarras de l'état-major : après avoir contesté toute nocivité au matériau radioactif, il voit l'uranium appauvri employé contre ses propres hommes.

Chaque guerre apporte ses mortelles innovations. Après les gaz de 1914-1918, l'agent orange du Vietnam et l'uranium appauvri de la guerre du Golfe, quelles nouveautés « *Iraqi Freedom* » révélera-t-elle ? Pendant la phase d'invasion, l'usage expérimental de « *E-Bombs* », ou bombes à micro-ondes[91], qui paralysent les flux de communication sans jamais atteindre l'homme, soulève des questions pour l'heure sans réponses.

Le scandale du DEET

L'uranium appauvri n'est pas seul en cause dans l'apparition du « syndrome de la guerre du Golfe » : un cocktail mortifère de produits chimiques s'y ajoute.

Chaque année, entre mars et octobre, la moitié sud de l'Irak est infestée de moustiques porteurs d'un parasite, le *Leishmania major*, transmetteur de la leishmaniose. Après une période d'incubation apparaît sur le visage ou les mains un bouton d'apparence bénigne. Selon les cas, celui-ci peut s'ulcérer et prendre des proportions impressionnantes, dont le stade purulent est proche de la lèpre. Quoique de longue durée, le traitement de la leishmaniose cutanée ne pose guère de problème. Il n'en va pas de même pour le dépistage de la maladie. Depuis mars 2003, les zones à risques ne sont plus circonscrites au désert irakien : les secteurs urbains détruits par les bombardements offrent des sites propices à la prolifération du micro-organisme parasitaire[92]. Très exposés durant les patrouilles de nuit où l'utilisation d'appareils de vision nocturne accroît le risque de piqûre, les soldats malades étaient en mars 2004 officiellement au nombre de 500, tandis que d'autres avis penchaient pour un minimum de 2 000 cas[93]. Au total, environ 1 % des troupes aurait été infecté[94]. Ce bilan pourrait sembler dérisoire si les conséquences médicales et psychologiques du « furoncle de Bagdad », comme l'appellent les soldats, n'étaient pas un poids de plus sur leur moral.

Afin de se protéger, chaque militaire reçoit l'ordre d'utiliser à intervalles réguliers des lotions de m-diéthyltoluamide, plus communément appelé « DEET », ainsi que des flacons de perméthrine. A base de pesticides, ces deux « moyens de défense » sont à appliquer, selon les consignes de l'état-major, « massivement[95] » sur les zones corporelles exposées à l'air libre, les uniformes et les moustiquaires.

Mis au point en 1946 pour les personnels militaires stationnés en milieu tropical, le DEET est commercialisé depuis 1957. Relancée, notamment aux Etats-Unis, par la récente progression en milieu

tempéré des « virus du Nil occidental », la consommation des répulsifs chimiques à base de DEET fait l'objet d'une polémique plus
ancienne : depuis une dizaine d'années, une partie de la communauté scientifique dénonce le rôle des pesticides dans les affections
dont souffrent les vétérans du Golfe. Relayées par quelques spécialistes de renom, des organisations comme Greenpeace ou les écologistes de l'Organic Consumers Association[96] ont tiré la sonnette
d'alarme pour avertir le grand public de la dangerosité d'un produit
absorbé par l'épiderme puis stocké dans l'organisme.

Le pionnier des études à charge sur le m-diéthyltoluamide se
nomme James Moss. En 1993, alors que le syndrome de la guerre
du Golfe touche un nombre grandissant de soldats revenus d'Irak,
ce chercheur sous contrat avec le ministère de l'Agriculture américain découvre presque par hasard les effets que produit sur l'organisme l'interaction de DEET, de perméthrine et de pyrodostigmine
bromide (PB), une substance injectée aux soldats de « Tempête du
désert » en prévision d'attaques au gaz. Les éléments à l'origine du
syndrome de la guerre du Golfe sont partiellement identifiés.
Sommé par la hiérarchie laborantine de mettre un terme à ses
recherches, Moss s'entête. La pertinence de ses conclusions le fait
remarquer par le sénateur Rockefeller, président de la Commission
des anciens combattants, qui organise son audition devant des
membres du Congrès le 6 mai 1994. Le 30 juin, le ministère de
l'Agriculture raye d'un trait de plume le dispositif expérimental mis
en place par Moss, dont le contrat n'est pas renouvelé, officiellement pour non-respect des ordres de la hiérarchie[97]. La boîte de
Pandore reste ouverte et d'autres scientifiques s'y engouffrent : à
partir de 1996, le département de pharmacologie et de biologie de
la Duke University mène une vingtaine d'études expérimentales
sous la direction du professeur Abou-Donia. Un lien est établi entre
des « applications fréquentes et prolongées » de DEET et la « mort
des cellules cérébrales [...] qui contrôlent les mouvements musculaires », de fortes doses pouvant occasionner, selon ces conclusions,
des « pertes de mémoire, maux de ventre, fatigue, faiblesses et douleurs musculaires, tremblements et insuffisances respiratoires[98] ».
Pour ces chercheurs, les « défaillances comportementales » consta-
tées sur les rats de laboratoire « sont similaires [à celles] [...] des
vétérans de la guerre du Golfe[99] ». D'autres études parallèles et
continues[100] mettent en évidence des lésions neurologiques[101], cardio-
vasculaires, de possibles malformations congénitales[102] causées par

une exposition aiguë et continue au m-diéthyltoluamide, dont le potentiel cancérigène est également sujet à discussion[103]. Enfin, des examens pratiqués sur des soldats et des employés du parc national des Everglades (Floride), utilisateurs réguliers de répulsifs concentrés à 75 %, ont révélé diverses affections de la peau et des muqueuses, ainsi que des troubles similaires aux symptômes des vétérans. « La prudence recommande d'éviter tout usage abusif de ces produits » conclut en 2001 Sylvie Lessart, de l'Institut national de santé publique du Québec[104]. L'Agence canadienne de réglementation de la lutte antiparasitaire (ARLA) interdit à compter du 1er janvier 2005 tous les produits contenant plus de 30 % du pesticide incriminé, tandis que les autres sont retirés du marché.

Aux Etats-Unis, où le sujet devient militaire, les réactions sont différentes : l'Agence américaine de protection de l'environnement s'est penchée sur la question en 1998. Ses experts ont refusé de considérer les risques liés à l'interaction du DEET avec d'autres pesticides comme une raison suffisante pour revenir sur l'homologation du produit[105], disponible avec des concentrations égales à 100 % de DEET. L'Agence recommande néanmoins des précautions sur la durée de son usage[106].

Loin d'une polémique encore discrète[107], les services logistiques de l'armée américaine écoulent auprès des surplus militaires leurs stocks de répulsif antimoustiques produit par la compagnie Safessport, composé de 71 % de m-diéthyltoluamide[108]. On ignore, en 2003, la quantité de ce produit toujours en circulation dans les forces armées : une partie des militaires stationnés en Irak sont équipés de tubes de 3M Ultrathon, dont la formule comprend 33 % de DEET, et sont invités à l'appliquer deux fois par jour sur leurs mains et leur visage, de mars à octobre, pour une durée qui excède largement le seuil critique de quelques semaines recommandé par différents chercheurs.

En mars-avril 2003, les téléspectateurs voient de nombreux Marines exhiber leurs avant-bras couverts de pustules et se plaindre de muqueuses irritées. « Saddam Hussein pourrait avoir utilisé ses armes chimiques », répètent des journalistes « embedded » ignorants de l'influence du DEET sur l'organisme, qu'explicitera la fiche technique de l'Ultrathon quelques mois plus tard ; les services sanitaires de l'armée américaine se gardent de répercuter les mises en garde des spécialistes. L'état-major mise sur le court terme : gage d'une relative sérénité dans les rangs de troupes harcelées par la guérilla, l'efficacité préventive du produit est privilégiée au détriment de tout principe de précaution. Dans cette logique, la Direction des forces armées pour la gestion des pesticides (AFPMB) décide en novembre 2003 d'annuler la certification des répulsifs élaborés sans adjonction de DEET, comme le Repel'em, dont l'efficacité est pourtant avérée[109].

Pourquoi l'armée et les responsables du Pentagone agissent-ils comme si rien de tout cela n'avait existé ? Pourquoi les conclusions de nombreux experts, certes contredites par d'autres spécialistes, restent-elles cantonnées aux milieux scientifiques alors que l'Irak, la leishmaniose et le souvenir du « syndrome de la guerre du Golfe » devraient les placer sous les feux de l'actualité ? Face à ces signaux d'alerte, le conglomérat 3M (Minnesota Mining & Manufacturing), qui commercialise l'Ultrathon et fournit l'armée, représente une puissance de premier plan : avec 18 milliards de chiffre d'affaires en 2003 (23 milliards en 2010), cette multinationale possède des filiales dans des secteurs aussi variés que l'industrie pharmaceutique, l'électricité, l'électronique et les télécommunications. Fort d'une cinquantaine de contrats passés avec le gouvernement américain, 3M est également parvenu à s'imposer sur le très disputé marché irakien de la reconstruction. A partir de 2001, le ministère de la Défense a signé avec Minnesota Mining & Manufacturing huit contrats d'approvisionnement en antiparasitaire Ultrathon d'un montant global de 25 633 912 dollars[110], venus rentabiliser les 347 305 dollars versés entre 2000 et 2004 au Parti républicain par les « commissions d'action politique » et autres bureaux de lobbying de l'entreprise[111]. James McNerney Jr, P-DG de 3M jusqu'en 2005, et cinq directeurs du conseil d'administration ont aussi exprimé leur sympathie au candidat républicain en signant six chèques de 2 000 dollars chacun – le maximum alors autorisé par la loi pour les particuliers[112].

Outre des contrats, le lobbying préserve l'image et la « réputation » de la société, exposées dans un document intitulé *3M Business Conduct Policies (Comment 3M fait du business)* : « Nous ne saurions tolérer une quelconque influence extérieure qui pourrait se heurter aux intérêts de 3M[113] », peut-on y lire. Les tests sur le caractère nocif du DEET entrent-ils dans cette catégorie ? Possible. L'alarmisme de certains scientifiques menace la position de 3M sur le marché des répulsifs, en plein essor depuis que New York a enregistré ses premiers cas de virus du Nil occidental (VNO) en 1999 : nimbés du mystère d'un mal qui a franchi les tropiques, les 184 décès comptabilisés aux Etats-Unis en 2003[114] ont fait l'objet d'une couverture inversement proportionnelle à leur nombre. La moindre information consacrée au virus s'accompagne de la présentation des « répulsifs à base de DEET » comme seuls remparts efficaces. Le moteur de recherche du site CNN fournit des résultats éloquents : entre le 17 mars 1996 et le 4 septembre 2004, plus de 95 % des sujets mentionnant le mot « DEET » le font de manière positive, contrairement aux 4,8 % restants qui évoquent le pesticide dans le contexte du « syndrome de la guerre du Golfe ».

Les produits antiparasitaires comprenant jusqu'à 100 % de DEET sont soumis à une demande croissante : en 2003, grâce à cette campagne de publicité inespérée pour les fabricants, leurs ventes n'ont cessé de grimper, jusqu'à un total de 200 millions de dollars pour les seuls Etats-Unis[115]. C'est dans ce contexte enfiévré que les services logistiques de l'armée américaine ont préféré le produit de 3M. Non proscrit sur les documents techniques de l'Ultrathon, le détonnant et mortel mélange médicamento-chimique (DEET-Permethrine voire PB), stigmatisé par d'éminentes figures du monde de la recherche, est donc reconduit dans le cadre de la campagne d'Irak, du moins jusqu'en 2004 : l'armée remplace l'Ultrathon de 3M par du Skintastic, dont la composition comprend 9,5 % de DEET[116]. Les contrats fédéraux concernant le répulsif de 3M sont cependant maintenus[117], tandis que le statut de fournisseur officiel de l'armée sert d'accroche publicitaire à la firme, qui vante ses « tests militaires[118] ».

8

Militarisme politique et social

Quand le militaire fond sur la politique

Insensiblement, la guerre déclenche la militarisation de la vie politique américaine. En première ligne, George W. Bush s'applique à enfiler le costume d'un « Président-soldat » : lors de ses fréquentes visites à la troupe, il arbore, aux côtés des « boys », un blouson militaire marqué à son nom, parfois floqué du titre de « Commander in Chief », sur lequel apparaissent les mentions « Army » ou l'écusson d'un régiment[1]. Introduits au cœur d'une vie démocratique et civile, ces attributs militaires sont porteurs de sens : le 4 février 2002, à la base de l'Air Force d'Egli, en Floride, George W. Bush choisit, pour son allocution, de porter un blouson militaire dont le kaki renvoie, par un effet « caméléon », aux soldats alignés derrière lui. Cette esthétique martiale souligne un discours politique d'appel à l'union sacrée consacré aux « moyens d'exprimer [l']unité [du peuple américain] » : pour cela, George Bush exhorte « le Congrès à placer le budget militaire [et] la Défense des Etats-Unis en tête des priorités[2] ». En s'adressant au pouvoir législatif dans une tenue qui exacerbe sa position de chef des armées, le Président prend à témoin le public militaire et pèse de tout son poids pour l'obtention d'un vote avalisant une hausse de 48 milliards de dollars des dépenses du Pentagone. Le médiatique appontage du 1er mai 2003 sur le USS Abraham Lincoln, introduction au « discours de la victoire », reste le moment phare de cette posture militariste : l'arrivée du président américain sur le fleuron de l'US Navy à peine rentré d'Irak est le fruit d'une mise en scène poussée. Pour ce show, le chef de l'Etat enfile la panoplie des pilotes de chasse et subit les secousses d'un appontage superflu : le porte-avions croise en effet au large de la Californie. Les conseillers en communication du chef de l'Etat illustrent ce qu'est un « président de guerre », comme George W. Bush aime lui-même se définir. Par sa combinaison de vol, qui le met en situation de combat, le locataire de la Maison-Blanche est auréolé du prestige de l'uniforme. Les vétérans d'« *Iraqi Freedom* », rassemblés sur le pont, lui font un triomphe et le désignent comme l'artisan de leur succès : pouce dressé en signe de victoire, le « Président-héros » multiplie les accolades et les sourires exaltés. Si son visage était flouté, on jurerait avoir affaire à un as de la Navy revenu d'une mission périlleuse. Le *« happy end »* d'un film de guerre est également suggéré, tant la mise en scène renvoie au *Top Gun* de Tony Scott.

Plus qu'une façon de galvaniser les troupes, ce cérémonial rappelle celui des régimes autoritaires. Ce choix vestimentaire fait aussi de George W. Bush l'icône de l'unité nationale : l'uniforme porte les symboles de l'américanité, absents du traditionnel costume-cravate, fût-il épinglé d'un pin's aux couleurs des Etats-Unis. Cette confusion des genres, de nature à brouiller la frontière entre civil, militaire et les prérogatives propres à chacun de ces domaines, est la conséquence flagrante d'une contamination du politique par les pratiques du champ guerrier.

Inédit aux Etats-Unis depuis George Washington – les présidents Grant (1869-1876) et Eisenhower (1953-1961) mirent un point d'honneur à abandonner leurs effets de généraux[3] –, ce phénomène de travestissement militaire s'est produit dans d'autres pays, en période de crise ou de tensions, à l'image du choix opéré en avril 1961 par Charles de Gaulle lors de son allocution présidentielle au soir du putsch des généraux d'Alger : dédaignant les attributs civils du chef d'Etat, de Gaulle revêtit sa tenue de général. La valorisation de qualités militaires qui renvoyaient à un passé unique, celui de « sauveur de la France », affirmait par l'image sa prééminence sur les factieux du « quarteron d'officiers en retraite ». Mais, tandis que le président de Gaulle pouvait, à la différence de George W. Bush, se prévaloir d'une carrière militaire pour apparaître en tenue de soldat, la mise en scène du 1er mai 2003 est bien une imposture.

Le 28 mars 2010, la première visite du président Obama en Afghanistan donnera lieu, face aux troupes, à une représentation

très similaire : arborant un blouson d'aviateur floqué de l'écusson
« *Air Force One* » (en référence à l'indicatif de l'avion transportant le
Président) ainsi qu'une plaque gravée de la mention « *Commander in
Chief* », Barack Obama perpétuera, treize mois après son entrée en
fonctions, la tradition d'un Président soucieux d'apparaître comme
un véritable chef de guerre. Photographié face à un échantillon du
contingent de 100 000 hommes affectés, à son initiative, sur le théâtre afghan, Obama s'adressera aussi au peuple américain, invité à
soutenir le triplement des effectifs militaires décidé fin 2009. Dans
les choix comme dans les gestes, le successeur de George W. Bush
revendiquera, en décembre 2009 et par l'intermédiaire de son porte-
parole, un même titre de « président de guerre[4] ».

Le contexte de guerre entraîne une militarisation de la campagne
électorale et de la vie politique en 2004. George W. Bush, comme
John Kerry, puise délibérément dans le folklore et la rhétorique militaires pour se présenter, auprès des Américains, comme le plus apte
à assurer leur sécurité. A grand renfort de saluts militaires, Bush et
Kerry s'entourent de poitrines galonnées, de vétérans prestigieux et
de gradés respectés. « Sénateur Kerry, je me présente au rapport »,
annonce, la mine grave et au garde-à-vous, le candidat démocrate
en guise d'introduction à son discours. En première partie du
« show », le général Clark, autrefois commandant des forces américaines, lui réaffirme son soutien. A l'occasion de la convention républicaine, c'est un autre militaire de haut rang, le général Tommy
Franks, qui est mobilisé pour saluer le « commandant en chef ».
L'immixtion dans la campagne électorale de valeurs militaires et
d'un champ lexical guerrier est consacrée : « Nous gagnerons la
guerre contre le terrorisme ! » martèlent de concert le sénateur du
Massachusetts et le Président, pour qui l'expression est devenue un
slogan de campagne. Le vocabulaire spécifique à l'armée se mue en
langage politique et électoral. Avec le recul, les raisons de l'échec
démocrate de 2004 sont claires : en adoptant la dialectique guerrière
de ses adversaires et les grandes lignes de la politique irakienne,
l'équipe de campagne du sénateur Kerry n'a pu rivaliser sur un terrain balisé par le camp républicain. Quatre ans plus tard, la communication du candidat Obama, centrée sur les questions économiques
et sociales, en phase avec les préoccupations de l'électorat, évitera
cet écueil, sans pour autant renier les normes lexicales fixées par
l'administration républicaine.

Le choc des mémoires de guerre

A l'été 2004, le camp démocrate entreprend de démonter le visage guerrier du président Bush, essentiel dans la stratégie républicaine. Les soutiens de Kerry développent un discours centré sur les états de service de leur champion (commandant une vedette sur le Mékong, il risqua sa vie à maintes reprises). En face, l'équivoque passage sous les drapeaux du futur « chef de guerre » George W. Bush, déjà sujet à controverse en 2000, ne soutient pas la comparaison : « planqué » grâce une intervention paternelle dans la Garde nationale texane, son assiduité y fut quasi nulle[5]. Les démocrates rejouent la retentissante affaire Dan Quayle, l'ancien vice-Président de George Bush père, dénoncé en 1988 comme un tire-au-flanc pour s'être soustrait à la conscription et au Vietnam. Quatre ans plus tard, ce fut au tour du « planqué » Bill Clinton de subir les critiques des conservateurs. La répétition des scandales liés au service militaire d'hommes politiques prouve qu'un candidat au rôle de commandant en chef doit avoir endossé l'uniforme, dans l'idéal pour combattre.

Poussé dans ses retranchements, le camp républicain organise une riposte qui fait glisser la campagne sur le terrain de la mémoire. Pour les supporters du Président, il faut discréditer le prestige du « soldat » Kerry – décoré en 1969 de la prestigieuse *Silver Star* après avoir sauvé la vie d'un subordonné – et stopper les attaques contre leur candidat. Financée par le millionnaire texan Bob Perry[6], proche de la famille Bush et principal bailleur de fonds des « Eléphants » du Texas, la contre-offensive est plurielle. Elle comprend des spots télévisés, des interviews ainsi qu'un livre polémique signé en un temps record par un groupe de vétérans républicains, les Swift Veterans and POWs for Truth (SVPT) (« Vétérans des patrouilles fluviales pour la vérité »). Les ex-soldats qualifient de « mensonge » les actes de bravoure du lieutenant Kerry, parlent de médailles indûment reçues et stigmatisent, en les taxant de « trahison », ses prises de position pacifistes des années 1970. Réduisant à néant la nette avance de Kerry enregistrée par divers sondages, le lancement de la campagne « *Swift Vets* » marque, avec la convention républicaine qui se tient au même moment à New York, un tournant dans la campagne électorale qui amorce le recul du « néo-JFK ».

Bien plus ingénieuse qu'une classique opération de dénigrement, l'impact considérable de cette campagne repose sur son exploitation des mémoires de la première grande défaite subie par l'armée américaine. Une analyse du clip de présentation des « Swift Vets[7] », sobrement intitulé « They Served » (« Ils ont servi leur pays »), permet de mieux comprendre le mécanisme de cette contre-offensive : sur fond d'émouvante violonnade soulignée d'une sobre rythmique militaire, un lent travelling passe en revue des bustes d'inconnus âgés de 50 à 60 ans, qu'une voix off empreinte de solennité présente comme suit : « Ils ont servi leur pays avec courage et distinction. » Le décor est planté : les Américains peuvent être fiers de leur engagement au Vietnam, mû, à en croire le narrateur, par les intérêts supérieurs de la Nation : « Ce sont les hommes qui ont servi avec John Kerry, [...] y compris [...] des artilleurs de son propre [bateau] patrouilleur. » Cette précision attise la curiosité : les individus dont les visages graves défilent à l'écran ont donc connu le candidat démocrate. Détenteurs d'un témoignage de première main, leur parole ne saurait être mise en doute : « Ce sont des hommes qui sont restés prisonniers plusieurs années dans les camps nord-vietnamiens » – sous-entendu, les douloureuses épreuves endurées par ces anciens combattants leur valent le plus grand respect. La précision apportée par la voix off donne tout son sens au texte : car, si ces vétérans ont subi divers sévices, c'est, nous dit-on, « pour avoir refusé de reconnaître ce que John Kerry les a accusés d'être : des criminels de guerre ». Tout à coup, le message sollicite la mémoire collective : John Kerry fut, dans sa jeunesse, une des figures de proue du mouvement antiguerre des années 1970.

A son retour du Vietnam, le lieutenant Kerry témoigna devant le Sénat, énumérant en détail la nature des « crimes de guerre commis de façon systématique et quotidienne avec le plein accord de la hiérarchie militaire[8] », et franchit la première des marches menant à la célébrité. Par le truchement d'un brusque flash-back historique, le commentaire du spot des « Swift Vets » caricature les faits : le propos tenu par le jeune Kerry est présenté non pas sous le jour d'une violente critique de la politique nixonienne, mais comme une condamnation de la masse des conscrits. Le message des « Swift Vets » surfe sur la culpabilité éprouvée par une large part de la population américaine à l'égard de ces vétérans du Vietnam, autrefois voués aux gémonies. En invitant leur auditoire à blâmer Kerry, les « Vétérans pour la vérité » donnent à chacun l'occasion de se racheter auprès d'une génération de combattants, en même temps qu'ils dédouanent l'armée américaine de toute mauvaise action en Asie du Sud-Est.

Le choix de la mise en scène pousse à prendre parti : alignés tels des militaires lors d'une revue, les « pères de famille » et les « grands-pères » d'apparence si ordinaire, si divers par leur tenue vestimentaire et leur niveau social (« des professeurs, des fermiers, des hommes d'affaires, des pasteurs »), ces respectables Américains qui, la mine grave, esquissent çà et là un sourire bienveillant et donnent l'impression de regarder chaque spectateur dans les yeux, ne peuvent décemment être accusés. Le commentaire précise : « Ils ont été [...] décorés, certains de la façon la plus prestigieuse qui soit. » Par la grâce d'une logique fallacieuse, le spectateur est pris à témoin : en aucun cas les Etats-Unis ne couvriraient d'honneurs militaires des criminels de guerre. Toute l'épaisseur de la propagande réside dans les sous-entendus et les amalgames : « Mais ils ont gardé leurs médailles », poursuit la voix off. Cette remarque aux prétentions assassines plonge à nouveau le spectateur dans le passé, en évoquant le geste de John Kerry qui jeta symboliquement ses décorations sur les marches du Congrès et devint le porte-parole des Vétérans du Vietnam contre la guerre. Le commentaire ne rappelle pas que cette démarche de protestation, signe d'une désolidarisation de la politique gouvernementale, fut celle de milliers de vétérans. Au contraire, la sécheresse de cette dernière phrase place Kerry aux antipodes de la noblesse de caractère des « Vétérans pour la vérité » qui, eux, n'ont jamais rougi de la mission pour laquelle ils ont combattu.

En vertu des règles de l'agit-prop, les auteurs du clip s'efforcent d'éveiller des pulsions de rejet : en provoquant l'adhésion à une image de pureté – les glorieux vétérans devenus des Américains modèles –, les communicants à l'origine de ce spot réussissent à donner corps, dans l'inconscient de leur public, à un sentiment d'indignation, de mépris et de haine canalisé vers la cible montrée comme responsable de cette iniquité, en l'occurrence le sénateur Kerry. Au fur et à mesure, l'impression de foule née du défilement de quelque 80 bustes sur trois rangs confère toute sa force au message, authentifié par des héros de guerre sortis de leur retraite pour faire face à Kerry, symbole de l'establishment de la côte Est. Dans leur conclusion, les « *Swift Vets* » ne s'encombrent pas de précautions pour satisfaire au cahier des charges de leur commanditaire : avec assurance et sans prononcer une seule fois le mot « mensonge », les « SPVT » remettent en cause un fait considéré comme acquis : Kerry n'a pas dit toute la « vérité » sur son expérience du Vietnam.

Ce clip, merveille de simplicité, dépasse la simple médisance à l'égard du candidat démocrate. Si la calomnie parvient à pénétrer l'opinion, c'est avant tout parce qu'elle prend appui sur une mémoire collective meurtrie et convoque des références nationales – le respect des vétérans, un refus d'admettre le sens de la défaite vietnamienne – dont l'activation permet au sentiment patriotique, surpuissant en temps de guerre, de prendre de l'ampleur. Dans les rangs de l'armée, des vétérans et une part de l'électorat, nombreux sont ceux qui pensent en effet que « la guerre au Vietnam aurait dû être gagnée ». Parmi une cohorte d'exemples, citons un article publié en juillet 2003 par l'*American Legion Magazine*, l'organe de presse d'une grande organisation d'anciens combattants : « [Cette guerre] aurait été gagnée si les politiciens n'avaient pas lamentablement échoué. Pour beaucoup, le Vietnam est terminé. Mais, pour ceux qui ont combattu, ce ne sera jamais fini. Nous combattions pour de bonnes raisons, et nous avons fait notre travail. Nous avons gagné la guerre. Le Congrès a perdu la paix[9]. » De ce point de vue, John Kerry devient le symbole autant que le bouc émissaire d'une défaite conçue comme un « coup de poignard » des politiques dans le dos de soldats victorieux. La guerre d'Irak prend la forme d'une revanche sur un sort injuste : « Cela implique de ne pas revenir la queue entre les jambes comme après le Vietnam. Ce pourrait être la ruine des Etats-Unis et celle du monde. On ne peut pas se permettre de perdre cette guerre[10] », tranche le général Michael Delong, numéro deux du CENTCOM en charge des opérations en Afghanistan et en Irak de 2000 à 2003.

En plus de détruire la réputation de Kerry, le clip des « *Swift Vets* » propage la ligne directrice de la communication républicaine : hier comme aujourd'hui, le pays est en guerre. Et si John Kerry fut un menteur pendant le Vietnam, ne l'est-il pas dans la guerre actuelle ? Les concepteurs de « *They Served* » appellent le peuple américain à se montrer aussi fier des soldats présents sur le sol irakien qu'ils doivent l'être de ceux revenus du Vietnam. L'expérience en ex-Indochine avait sapé l'idéologie américaine et réduit à néant le mythe d'une nation au service de la liberté. A la suite de Reagan, les républicains des « *Swift Vets* » alimentent l'idée contraire.

L'analogie entre les conflits irakien et vietnamien dépasse le stade d'une simple stratégie électoraliste. A travers ce face-à-face, deux mémoires rivales s'affrontent. Afin de contrecarrer l'effet désastreux de la campagne contre Kerry, des sympathisants démocrates prennent à nouveau pour cibles les points noirs du dossier militaire de George W. Bush, susceptibles de faire réagir l'influent électorat vétéran, traditionnellement républicain. Version démocrate des « Swift Boat Veterans for Truth », le comité des « Vétérans texans pour la vérité » use des mêmes méthodes pour dénoncer l'absentéisme et l'indiscipline de l'actuel Président au sein de la Garde nationale du Texas[11]. Tout en présentant le candidat républicain comme l'archétype du « faucon-poule mouillée », cette riposte place George W. Bush dans une catégorie au moins aussi honnie que les pacifistes chez l'Américain « moyen », celle des « gosses de riches » incorporés, grâce aux relations de leurs parents, dans des unités synonymes d'échappatoire à un service au Vietnam. Cette accusation souligne l'inégalité face à la conscription. Le déséquilibre prévaut également dans les troupes d'Irak, où le pourcentage de jeunes hommes et femmes issus de milieux aisés demeure très faible. C'est d'ailleurs le fond de la campagne de dénigrement orchestrée par les démocrates : le Président sortant est tour à tour qualifié de « fils du privilège » ou de « fils chanceux », pour mieux marquer le fossé qui l'a toujours séparé du peuple américain comme de ceux qu'il a envoyés se battre sans jamais être allé au feu.

Les vétérans et le pouvoir

Le corps politique américain rassemble un nombre variable de vétérans. De façon mécanique, la fréquence des guerres et l'importance de l'armée dans la société produisent un flux constant d'anciens combattants candidats à l'élection : de 1774 à 2010, leur proportion à la Chambre des représentants oscille entre 13 et 22 %, avec un pic de 72 % à la fin des années 1960 : de 1969 à 1971, 329 représentants sur 435 sont des vétérans, tout comme 69 des 100 sénateurs. A la même période, l'administration Nixon compte 92 % de vétérans ; entre 1979 et 1981, on dénombre 240 élus issus de l'armée à la Chambre des représentants et 58 au Sénat, où l'apogée survient au renouvellement suivant, quand 73 anciens combattants y font leur entrée. Depuis 1973, la fin de la conscription produit de manière progressive ses effets sur les élites politico-militaires. Comme dans l'ensemble de la société, la proportion des vétérans

– qui n'a jamais excédé les 20 % de la population – diminue sans cesse[12] : en 1991, la moitié des élus du Congrès sont passés par l'armée, et la plupart ont combattu. Ceux rassemblés sur les marches du Capitole le 11 septembre comptent parmi eux 153 vétérans, soit 35 % des élus ; en 2006, la Chambre en dénombre 106 et le Sénat 28. Ce reflux maintient néanmoins une forte surreprésentation des vétérans en politique : la hausse de l'âge moyen des élus[13] limite en effet la fin des carrières politiques des générations autrefois concernées par la conscription. Si les citoyens dotés d'une expérience militaire représentent à présent 9 % des Américains, on en retrouve 23 % au Congrès en 2010, dont une faible minorité vient de l'armée de métier née après 1973.

Deux séquences de baisse s'étaient déjà produites entre 1815 et 1860, puis entre 1890 et 1917, jusqu'à ce que des conflits importants aient inversé le phénomène. La « guerre contre la Terreur » a des conséquences semblables par le biais des centaines de milliers de réservistes et de Gardes nationaux mobilisés, dont une nouvelle élite émerge, toujours façonnée par la stratégie des partis et leurs origines sociales. En 2004 et 2006, le Parti démocrate investit un nombre croissant de vétérans (toutes guerres confondues) aux élections de la Chambre : en 2002, 74 anciens combattants sont candidats, contre 83 en 2004 et 95 en 2006. But de la manœuvre : démontrer qu'un certain nombre de soldats désapprouvent l'administration républicaine et combattent sa politique par le militantisme politique et institutionnel. Les vétérans d'Irak et d'Afghanistan, rassemblés dans les Combat Veterans for Congress (proches des ultra-républicains) ou leurs adversaires de Veterans Today, se présentent au Congrès sous l'étiquette de chaque parti. Entre 2008 et 2010, le nombre d'élus estampillés « guerre contre le terrorisme » fait plus que doubler, passant de 4 à 9[14] (faible, ce nombre ne peut qu'augmenter dans des proportions mineures).

Le principe des vases communicants entre mondes militaire et politique apparaît dans la plupart des régimes autoritaires, mais aussi dans les jeunes démocraties en situation de guerre latente, à l'image de la France de la Troisième République, au cours de laquelle les ministres de la Guerre étaient recrutés parmi les généraux. Depuis leur indépendance, les Etats-Unis et leurs élites ont correspondu à ce modèle : le gouvernement et le Congrès ont presque toujours compté une plus forte proportion de vétérans que la moyenne présente au sein de la population[15]. Cette situation s'est perpétuée et ces tendances se sont affirmées en même temps que la puissance américaine, à partir de la guerre de Sécession puis durant tout le XXe siècle.

Il s'agit là d'une conséquence directe du prestige dont jouit l'armée, parvenu à un niveau sans précédent en 1945. Chaque génération devait « accomplir son devoir », quel que soit son milieu. Facteur d'ascension sociale, le passage sous les drapeaux d'un candidat à tout mandat électif (ou à un poste gouvernemental) garantirait une intégrité et un attachement patriotique qui transcendent les clivages, même si le Parti républicain capte plus d'anciens combattants que son concurrent. Dans un pays si attentif à son armée, le processus de promotion politique des militaires est motivé par leur expertise des récurrentes questions de belligérance. A l'instar de Colin Powell, général interarmées puis secrétaire d'Etat, ils sont d'abord soldats et célèbres en tant que tels ; sans remonter à George Washington, général en chef de l'armée d'indépendance et premier président des Etats-Unis, ou Ulysses Grant, chef d'état-major de l'armée de l'Union pendant la guerre de Sécession et élu à la Maison-Blanche, rappelons que le général Eisenhower, commandant en chef des forces alliées en Europe, fit l'objet d'une cour assidue des républicains comme des démocrates avant d'accéder à la magistrature suprême en 1952. En 2003, le général Wesley Clark, diplômé de West Point, blessé au Vietnam, commandant des forces de l'OTAN pendant les frappes du Kosovo, est le héraut d'opposants au bushisme, tel Michael Moore, qui appellent de leurs vœux sa candidature aux primaires démocrates. Autre vétéran prestigieux, John McCain obtient en 2008 l'investiture du Parti républicain, non sans jouer sur l'image d'homme sage mais aguerri que lui valent ses médailles. Moins connu, le député démocrate Leonard Boswell a effectué, depuis son service militaire en 1956, une brillante carrière dans l'armée, de simple soldat jusqu'au grade de lieutenant-colonel, avant de briguer avec succès des mandats locaux puis nationaux sans discontinuer depuis 1984. Nul besoin, cependant, d'appartenir au gotha militaire pour espérer intégrer le monde politique : quelques anciens sous-officiers y sont parvenus, souvent aidés par leur milieu social aisé.

La vie militaire traversée avec médailles et honneurs s'inscrit dans une sorte de *cursus honorum* commun à une proportion significative de sénateurs et de représentants, mais aussi, dans l'exécutif, de ministres et, nous l'avons dit, de Présidents et de vice-Présidents. L'aura d'un grand soldat peut, à la façon de Colin Powell dans l'administration Bush, masquer l'absence d'anciens du Vietnam parmi les détenteurs d'un portefeuille ministériel nommés en 2000. De même, les postes clés que sont les sièges des Commissions des forces armées aimantent une forte proportion de vétérans. A l'échelle des Etats, une part équivalente de gouverneurs et d'élus des Congrès partagent ce profil. Renvoi à l'époque romaine où les (riches) citoyens désireux d'exercer une magistrature se devaient d'avoir combattu, ce constat découle d'abord d'un état de fait : pendant les périodes de service militaire obligatoire, sauf exceptions sujettes au scandale, les dirigeants ont vécu l'expérience du feu. Le plus souvent issues de milieux favorisés, ces élites politico-militaires sont, comme John Kerry, le fruit d'un service national *a priori* égalitaire et aujourd'hui disparu. L'avènement de l'armée de métier restreint donc la part des personnalités ayant endossé l'uniforme avant leur carrière d'élu, tandis que les engagés, moins d'une dizaine parmi les fils et filles des membres du Congrès en 2004[16], sont plus que jamais prélevés dans les couches sociales inférieures.

Le poids des vétérans au sein des instances législatives et judiciaires n'est évidemment pas sans conséquence : malgré leur hétérogénéité politique, les anciens combattants peuvent, à l'occasion, passer outre les principes démocratiques et adopter une attitude d'obéissance hiérarchique propre à leur formation militaire ; les réflexes parlementaires d'union sacrée qui constellent l'histoire américaine y trouvent une nouvelle explication, de même que le soutien apporté ponctuellement par la représentation nationale aux choix guerriers d'administrations diverses. De façon plus étonnante, le passé militaire des élus n'implique pas une attention décisive au sort des combattants, comme l'a montré la relative passivité des instances législatives face aux scandales de l'agent orange ou du syndrome de la guerre du Golfe.

Aux Etats-Unis comme ailleurs, l'opposition entre responsables politiques vétérans et responsables politiques civils existe, mais s'exprime plus volontiers dans les modalités du recours à la force : côté vétérans, une tendance, affirmée par le Vietnam, entend limiter les interférences du pouvoir politique sur la gestion du conflit ; côté civils, l'option militaire est plus facilement envisagée, mais sous un contrôle que contestent les états-majors[17]. Sur le fond, un consensus préexiste entre des hommes politiques fidèles à leurs idéaux de combattants et ceux qui s'y conforment. Exploités par les cercles politiques et leurs stratégies électorales, ces idéaux sont aussi portés dans l'ensemble de la société.

Une société de consommation militarisée

Fin 2002, la place prépondérante occupée par la publicité dans l'audiovisuel américain épouse les contours d'un marketing militariste d'union sacrée, qui participe du même formatage proguerre.

Peu après le 11 Septembre, la compagnie United Airlines, touchée par la crise du secteur aérien, diffuse une publicité vantant la « liberté d'aller où bon nous semble ». Le slogan final est : « Nous sommes américains, nous sommes unis. » Construit sur un jeu de mots « patriotique », ce clip utilise l'expression alors très populaire « *United we stand* » (« L'union fait la force »). Cette ode à l'union sacrée trouve son pendant chez American Airlines : sur fond d'images qui esthétisent l'environnement aérien, un texte apparaît de façon segmentée : « Nous sommes une compagnie aérienne./ Mais il est devenu évident/ que nous sommes plus que cela. Nous sommes un art de vivre [*a way of life*]. La liberté/ d'aller et venir n'importe où,/ n'importe quand/, en toute confiance./ [...] Nous sommes une compagnie aérienne/ dont le nom nous rend fiers./ Américains. » Pour peser sur la défiance qui touche les clients de l'aérien, American Airlines joue sur l'ancrage de l'« exceptionnalisme américain » et le regain de sentiment patriotique. L'objet principal représenté et vendu par ces annonces demeure un produit (les voyages en avion) venu se greffer sur un contexte particulier. Dans d'autres publicités, la dimension belliciste prend le pas sur l'élément commercial.

La vague de patriotisme et le soutien massif aux forces militaires qui submergent le pays font du soldat un référent universel. Promptes à saisir l'air du temps, les agences de communication en tirent profit. Admiré, et présent à l'esprit de chacun dans l'ombre de la guerre, le soldat est vendeur. En 2003, le fabricant de logiciels Computer Associates associe par exemple son image à un gros plan de soldat en tenue de combat accompagné du slogan : « Prêt, volontaire et capable[18], Computer Associates a des solutions à vous offrir[19]. » Déjà constaté par le passé, notamment dans la France de 1940 – les publicités pour les costumes des Nouvelles Galeries s'étaient muées en réclames pour uniformes[20] –, cette évolution frappe par son caractère massif, idéologique et, nous le verrons, la proximité de ses commanditaires avec le pouvoir.

Le comble de cette marchandisation du patriotisme est atteint par une marque de cosmétiques pour hommes, que ses créateurs ont eu le flair de baptiser « Brave Soldier ». Lancée en 2000, la société californienne qui la commercialise s'approprie les valeurs du guerrier idéal, et invite le futur client à les adopter en achetant ses produits : « Sois fort. Sois bon. Sois intelligent. Sois courageux. Brave soldat, la performance au-delà des limites[21] », clame le slogan de la marque, superposé à la silhouette d'un GI tenant son casque à la main. Alors que ce message aurait pu être celui d'une campagne de recrutement des forces armées, les communicants de Brave Soldier en font un argumentaire de vente qui, dans l'esprit d'union sacrée, fonctionne à double sens : le soldat apparaissant dans une publicité renforce le contenu du message, tout en se donnant lui-même une aura sans équivalent. Dénué de la légitimité guerrière que lui aurait conférée une collaboration avec le Pentagone, le fondateur de Brave Soldier a axé sa production sur l'image du militaire comme unique référence marketing. En pleine « soldat-mania », le regain de prestige engrangé par la figure nationale qu'est le GI a assuré, aux lendemains du 11 Septembre et en un temps record, le succès d'une gamme très récente[22].

Les séquences audiovisuelles à la gloire des soldats s'homogénéisent et se généralisent. Les genres fusionnent : si les publicités marchent avec du « militaire » dans leurs contenus, les militaires font appel au savoir-faire des publicitaires pour leurs campagnes de recrutement : le réalisateur Victor Milt a travaillé pour McDonald's, American Express, Colgate, Burger King et l'US Air Force. Ces campagnes publicitaires capitalisent non pas sur les qualités d'un produit, mais sur les rapports qu'entretient son fabricant avec la Défense nationale. L'association d'une entreprise à la machine de guerre suffit à démontrer au public l'excellence de son savoir-faire : la mise en avant d'un quelconque soutien accordé aux troupes par l'entreprise attire des clients tentés par une démarche de consommation « patriotique ». Les logiques comportementales à l'œuvre dans l'acte d'achat – on s'offre l'image de soi que renvoie le produit autant que le produit lui-même – sont plus que jamais exploitées. Les publicitaires jouent sur la volonté populaire de témoigner d'un sentiment patriotique, y compris par la voie du consumérisme. Le procédé fonctionne évidemment grâce à la force du sentiment natio-

nal américain, facile à titiller. Les publicités patriotiques usent toutes d'une même recette : des drapeaux, le nom de l'« Amérique »
dans la musique et des clichés folkloriques. En 1987, le constructeur
automobile Plymouth diffusait un clip valorisant les origines de sa
berline Reliant « née aux Etats-Unis », que le téléspectateur voyait
apparaître entre des drapeaux et de joyeux cow-boys, sur fond de la
chanson « reaganienne » *The Pride is Back* (« La fierté est de retour »)
du *countryman* Kenny Rogers. L'année 1991, année de guerre, fut
riche en publicités patriotiques, comme celle pour un pick-up Chevrolet conduit par tout ce que l'Amérique compte d'icônes populaires, du fermier au cow-boy en passant par les militaires et autres
vétérans.

On touche ici du doigt le pouvoir propagandiste de la publicité.
Sa finalité mercantile se double d'une communication politique
d'autant plus efficace qu'elle survient chez le spectateur dans un
contexte d'absence de recul critique. A l'opposé, une campagne de
publicité qui fait appel à une célébrité active dans la dénonciation
de la guerre est vite interrompue : l'acteur Danny Glover, engagé
par la société de téléphonie MCI, disparaît en mai 2003 des clips
publicitaires de la marque, menacée de boycott[23].

C'est dans cette optique qu'il convient de replacer les mesures
bienveillantes et « patriotiquement » philanthropiques de plusieurs
grandes sociétés américaines à l'attention de leurs employés réservistes. Dans un élan de générosité aussi efficace que la plus affûtée
des campagnes publicitaires, des multinationales américaines
(Microsoft, IBM et 103 autres[24]...) font savoir à coups de communiqués de presse qu'elles compléteront la solde des salariés appelés
sous les drapeaux en cas de manque à gagner, pour permettre à leurs
familles de jouir d'un budget identique à celui de l'avant-guerre.
Très médiatisées, ces mesures s'inscrivent dans le cadre de
l'« Employer Support of the Guard and Reserve » (« Soutien de
l'employeur à la Garde nationale et à la Réserve ») (ESGR), dépendant du Pentagone et chargé d'assurer une médiation entre les
entreprises et leurs salariés membres de la Garde nationale et de la
Réserve, qui représentent 46 % des effectifs militaires en 2003[25].
Institué en 1972 (de façon à anticiper la fin de la conscription programmée l'année suivante), l'ESGR est un organisme de gestion du
marché du travail en temps de guerre : des milliers d'entreprises et
d'employeurs (environ 11 000 en 2005) signent des « accords de
soutien » qui garantissent des droits aux salariés mobilisés et assurent

au pouvoir une certaine paix sociale, fort utile en temps de guerre : dans la France de 1914, les ministères de l'Intérieur et du Travail créaient le Comité central pour le déplacement des chômeurs et des réfugiés belges et français, qui veillait à maintenir une certaine concorde dans les usines grâce à des comités permanents de conciliation et d'arbitrage. De nos jours, les réticences politiques vis-à-vis de l'interventionnisme social qui caractérisent l'histoire récente des Etats-Unis connaissent donc de notables exceptions.

Afin de marquer l'utilité de son action, l'ESGR délivre chaque année des prix aux acteurs économiques les plus impliqués : véritables labels de patriotisme certifié, le « *Patriot Award* », le « *Above and Beyond Award* », le « *Pro Patria Award* » et le « *Secretary of Defense Employer Support Freedom Award* » sont mis en avant par la communication de leurs milliers de récipiendaires annuels et démontrent l'attachement des acteurs économiques à la défense nationale. Dans un même ordre d'idées, l'administration Bush crée, en 2003, l'« Army Spouse Employment Partnership Program » (« Programme de l'armée du partenariat pour l'emploi des épouses ») (ASEPP) : fondé sur la signature d'accords entre le Département de la Défense et les plus gros employeurs du pays (généralement classés dans le « *Fortune 500* »), cet organisme « offre aux femmes de militaires l'opportunité d'atteindre la sécurité financière[26] ». Il raffermit surtout les bases de l'économie de guerre. Une partie de la main-d'œuvre étant déployée sur le champ de bataille, les épouses de soldats constituent une alternative que ne manquent pas d'exploiter ces entreprises, non sans acquérir au passage une image d'employeurs attentifs aux familles de combattants.

En 2003, la sollicitude des ténors du capitalisme américain ne connaît plus de limites : le géant des communications AT&T fournit à titre gracieux des centraux téléphoniques pour que les soldats puissent joindre leurs proches le plus souvent possible[27] ; le groupe hôtelier InterContinental reverse 1 % de ses recettes à un organisme d'aide des forces armées[28] ; des agences d'intérim comme Adecco se mobilisent, elles aussi, pour trouver un emploi aux femmes de soldats[29] ; les garderies Girls & Boys Clubs ouvrent gratuitement leurs portes aux enfants des GI's[30], dont un petit millier se voient offrir en 2004 des vacances par l'opération « *Purple* » de la chaîne de supermarchés Sears[31]. A partir du « *Veterans Day* » de 2002, les 3 400 enseignes américaines du géant de la distribution Walmart servent de catalyseurs bellicistes : des « *Walls of Honor* » (« Murs de l'Honneur ») sont installés à l'entrée de chaque enseigne, afin que les familles de soldats y apposent les photographies de leurs « héros » préalablement reproduites de façon instantanée par Kodak, partenaire de l'opération. Des livres d'or, placés à proximité, recueillent les messages de soutien et de reconnaissance des clients de Walmart[32]. En résumé, la plupart des secteurs d'activités sont gagnés par ce phénomène d'action « militaro-sociale ». En même temps qu'elles engrangent la sympathie de l'opinion, ces entreprises « patriotes » s'associent à l'effort de guerre, non par l'impôt auquel des géants comme Microsoft ou IBM parviennent à soustraire plusieurs milliards de dollars chaque année[33], mais par une forme de paternalisme promilitaire : leurs dons visant à minimiser l'impact sociétal d'un déploiement de troupes, ces sociétés contribuent, en plus, à la propagande d'acceptation du conflit lancée par le gouvernement et consolident l'union sacrée. En parallèle, les institutions concernées (armée, ministères...) rapportent avec force éloges, dans leurs communiqués, les initiatives « de soutien » prises par ces auxiliaires informels, qui profitent au passage d'une forme de publicité originale financée par l'Etat[34]. Accolée au nom d'une société, la mention « *Support our Troops* » fait donc office de label indispensable. Celui-ci est arboré par les centaines d'entreprises qui, à l'instar de Starbucks, Pizza Hut ou McDonald's, sont contractuellement liées à l'Army and Exchange Airforce Service (AAFES), dont la mission consiste, depuis 1895, à offrir aux soldats et à leurs familles des tarifs préférentiels ainsi que des activités stimulant leur moral[35].

Le constat est identique pour les biens de consommation. La production automobile américaine, symbole de l'« *American way of life* », en est l'exemple frappant : l'acculturation guerrière prévaut chez la marque Jeep, qui puise dans le champ lexical militaro-patriotique le nom de deux modèles chargés de redresser son bilan, les « *Patriot* » et « *Commander* » : symbole du positionnement commercial de la marque, le lancement du « *Commander* » s'accompagne d'un partenariat entre Chrysler et « Opération Gratitude », une association active dans l'envoi de colis aux soldats créée après le 11 septembre 2001. Afin de donner plus de retentissement à son nouveau modèle, Chrysler fait de son réseau de concessionnaires une plate-forme de collecte de dons pour « Opération Gratitude »[36]. Soucieux de valoriser ses origines militaires remontant à la Jeep Willys de la Seconde Guerre mondiale, le constructeur annonce cette collaboration par le parachutage d'un 4×4 « *Commander* » chargé de paquets à l'attention des troupes. Là encore, une action « militaro-humanitaire » sert de toile de fond à la communication du constructeur sur les qualités militaires de son engin. Conçus à partir de 2003 pour le marché américain, le *« Commander »* et le *« Patriot »* surfent sur une mode initiée par General Motors, qui commercialise avec succès, depuis 2002, des dérivés « civils » de son célèbre Humvee, le véhicule des forces armées américaines. Reprenant la silhouette carrée du Hummer H1, dérivé à peine modifié du Humvee, les versions « civilisées » et surtout moins coûteuses que sont le H2 et le H3 investissent les artères des grandes villes américaines, gagnées par une nouvelle forme d'omniprésence militaire. Dans cette veine martiale, Dodge, division du Daimler-Chrysler Group, dévoile à ses clients des modèles baptisés *« Caliber »*, *« Magnum »*, *« Hornet »* (qui reprend l'appellation d'un célèbre chasseur des forces armées, le F/A-18 « Hornet »). Tout aussi explosif, Dodge propose le *« Nitro »*. Pour ne pas être en reste, Ford réplique avec un pick-up baptisé *« Ranger »*, du nom des soldats d'élite de l'armée américaine capables, comme ce véhicule, d'évoluer sur n'importe quel type de terrain. La marque de luxe Lincoln étoffe sa gamme avec un 4×4 *« Aviator »* dont l'appellation *a priori* neutre prend, du fait de l'allure pachydermique du véhicule, une connotation très guerrière.

Le secteur de l'habillement participe au mouvement : au printemps 2002, les collections visibles sur les podiums de New York et Los Angeles font la part belle au look militaire : tissus « camouflage », vestes d'uniforme et autres déclinaisons de treillis constituent une des tendances lourdes de la mode[37]. L'intrusion du kaki dans les métropoles n'a plus le sens contestataire des vestes militaires arborées par les vétérans du Vietnam à la fin des années 1960. Au contraire, depuis les mandats Reagan et l'engagement victorieux des forces américaines au Panama, de tels vêtements permettent aussi à leurs propriétaires d'exprimer, à fleur de peau, un indéfectible soutien aux *« boys »*. L'armée l'a bien compris, et offre à qui le désire la possibilité d'acquérir un uniforme neuf dans les Marines Shops et ses boutiques militaires. Le retour du style militaire chez nombre de stylistes doit beaucoup aux conseils des agences marketing et des « cabinets de tendances » : chargés de sentir l'air du temps pour le compte des grandes marques, ces consultants apparus au milieu des années 1990 ont pour mission de « capter les tendances en gestation dans la société [...] en observant la rue, la vie et les envies des individus[38] ». Le contexte martial n'a pas échappé à leur flair. Nourrie d'observations, l'action de ces consultants relève du cercle vicieux, puisqu'ils contribuent, par leurs prescriptions stylistiques, à renforcer la militarisation du civil sur un plan vestimentaire : du haut de sa position prestigieuse, la haute couture donne le ton à la production du prêt-à-porter, à son tour gagnée par le phénomène.

Les termes relatifs à l'opération « *Iraqi Freedom* » trouvent grâce aux yeux des entrepreneurs et autres créatifs : la doctrine militaire dite « *Shock and Awe* » (« Choc et effroi ») désigne la stratégie de bombardements préalables à l'invasion de l'Irak. Entre mars et octobre 2003, le Bureau américain des brevets et des marques[39] comptabilise 29 demandes d'enregistrement et d'exploitation exclusive de l'expression « *Shock and Awe* », déposées, entre autres, pour la commercialisation de jeux vidéo, de boissons énergétiques et alcoolisées, de gants de boxe, de clubs de golf, d'insecticides, de sauces épicées, de compléments alimentaires, d'une ligne de lingerie, de shampooings, de préservatifs ou de jouets pour bébé[40]. La connotation positive que le « *Shock and Awe* » inspirerait aux consommateurs paraît donc susceptible, aux yeux des fabricants, de valoriser n'importe quel produit.

Des chansons « *patriotiques* » à la variété de guerre

Antithétique aux chansons censurées par ClearChannel, un mouvement musical patriotique éclôt avec le 11 Septembre : la variété locale se teinte aux couleurs de la bannière étoilée, et vend des millions de disques. Entre 2001 et 2005, année qui correspond à l'effondrement de la popularité présidentielle, plus de 65 chansons dédiées au contexte guerrier envahissent les ondes et les médias. Sur ce total très majoritairement country, 29 sont des *singles*, ou « simples », c'est-à-dire des titres tirés d'un album, vendus sous différents formats (CD, numérique) et destinés à être diffusés en radio et télévision grâce au clip qui les accompagne. Certaines chansons passent sur les ondes, parfois en haute rotation, sans faire l'objet d'un tirage en « simple », le but des maisons de disques étant alors d'inciter l'auditeur à faire l'achat de l'album. Dans la période, 17 de ces *singles* entrent au Top 40 des hits country, 22 dans le Top 10, et 10 à la première place des ventes country ou pop, tandis que 15 d'entre eux se classent en majorité dans les 40 premières places du Billboard

Hot 100, soit le hit-parade des *singles* tous genres confondus établi par le magazine spécialisé *Billboard*.

Très populaire aux Etats-Unis, où ses stars (Garth Brooks, Billy Ray Cyrus, Toby Keith, Clint Black, Tim McGraw, Kenny Chesney...) écoulent leurs albums par dizaines de millions d'exemplaires, incompris dans le reste du monde, le versant commercial de la « *country music* » domine le phénomène musical proguerre, constellé de quelques titres puisant dans la pop, le rap, le rock-FM, le hard-rock et le rock « sudiste », dont l'appellation découle ici autant de sa géographie que de penchants politiques séculaires. Genre issu du folklore pionnier et de la mythologie du Far West, ses interprètes, presque toujours blancs, arborent les attributs du cow-boy, chantent avec ferveur une Amérique idéalisée, chrétienne, faite de dévouement aux valeurs nationales, de croyance en leur universalité, et touchent d'abord un public qui s'inscrit dans une même orientation idéologique et géographique, celle du cœur des Etats-Unis. Cette audience dispose de radios spécialisées, héritières des stations d'ex-Etats confédérés qui, en pleine lutte d'émancipation des Noirs, étaient dans les années 1950-1960 les vecteurs de diffusion des chansons à la gloire du vieux Sud[41]. Fonds de commerce prospère, le patriotisme et ses dérivés semblent presque inhérents à une certaine country, même si d'éminents artistes ont pu s'en démarquer.

Du côté de la musique, les manifestations patriotiques évoluent au gré des circonstances, les périodes de guerre et de tensions politiques se révélant les plus fécondes : pendant la guerre de Sécession, des chansons portant les valeurs de chaque camp accompagnaient la mobilisation : le Sud se retrouvait autour de *Dixie*, un hymne officieux destiné à perdurer jusqu'à nos jours. *The Battle Hymn of the Republic*, pour le Nord, répandait dans l'armée et les sphères civiles ses vers abolitionnistes, avant d'acquérir l'aura revendiquée d'un hymne national accompagnant les occasions les plus solennelles. En 1917, l'engagement des Etats-Unis dans le conflit mondial donnait naissance à *Over There*, qui appartient désormais à la culture populaire américaine et dont on retrouve encore les notes dans un nombre incalculable de films, de séries ou de publicités.

Depuis que la radio a élargi les possibilités de diffusion, les chants guerriers claironnent leurs messages à toute la société : comme dans la France de la « drôle de guerre[42] », la Seconde Guerre mondiale fut, plus qu'auparavant, riche en musique patriotique mise à la disposition des auditeurs sur les ondes ou dans les juke-boxes. Couplé à l'essor de l'industrie musicale et au nombre croissant d'interventions armées américaines, le développement d'une musique influant sur les masses ne s'est plus démenti : en 1966, alors que déferlaient les « *protest songs* » antiguerre et prodroits civiques de Joan Baez et Bob Dylan, le titre country *Ballad of the Green Berets* de Barry Sadler résonnait sur un autre air, qui exaltait le courage des soldats d'élite et se classait au sommet du Billboard pendant cinq semaines, pour s'écouler à 9 millions d'exemplaires. Quatre ans plus tard, Merle Haggard mettait à l'index la vague contestataire dans *The Fightin' Side of Me* et remportait la première place des ventes country. En 1973, Johnny Russel livrait au public le hit country (nominé aux Grammy Awards) *Rednecks, White Socks and Blue Ribbon Beer*, qui parlait à cette Amérique des Etats « centraux » et sudistes (où vivent les « *Rednecks* ») attachée à ses couleurs nationales (« *Red* », « *White* » et « *Blue* »), à son armée (un « *Ribbon* » est une décoration militaire), et scandalisée par les penchants libertaires de la jeunesse. L'année suivante, en plein scandale du Watergate, Johnny Cash publiait l'album et la chanson *Ragged Old Flag* (« Vieux drapeau en lambeaux »), reprise par Elvis Presley et consacrée à l'intemporalité du sentiment patriotique, exacerbé au même moment dans le *Stars and Stripes Forever* du Nitty Gritty Dirt Band. La décennie 1980 correspondit à une explosion des ventes de country, incluant des titres à consonance patriotique qui renvoyaient au renouveau de guerre froide des années Reagan. Vieux countryman, Charlie Daniels composait, après la crise des otages de l'ambassade américaine de Téhéran (1979-1980), le hit *In America* en l'honneur d'Etats-Unis rassemblés derrière leur gouvernement. Républicain fidèle, James Brown donnait en 1985 sa version soul d'une fierté nationale retrouvée avec un ultime tube, *Living in America*, 4ᵉ du Billboard, succès mondial (fait rare pour le thème porté) et bande originale d'un vrai film de guerre froide, *Rocky IV*. En 1991, la guerre du Golfe favorisait le succès d'autres titres coulés dans le même moule : *American Boy* d'Eddie Rabbit peignait le portrait type d'un Américain au mode de vie simple, travailleur, père de famille, et prêt à combattre pour son pays (le très conservateur Bob Dole, candidat à la présidence en 1996, l'a diffusé pendant ses meetings électoraux) ; entre autres succès, citons *Some Gave All* (« Certains donnent tout ») (1992), hommage aux soldats signé par la superstar country Billy Ray Cyrus et certifié 9 fois disque de platine ; l'album « *American Patriot* » de Lee Greenwood (1992), *50 000 Names Carved on the*

Wall (« 50 000 noms gravés sur le mur ») de George Jones qui magnifiait, en 1997, le courage de soldats tombés au champ d'honneur pendant la guerre du Vietnam. Dix ans plus tard, Craig Morgan composait un *Paradise* inspiré par l'intervention au Panama (1989) et dont les couplets rappellent que celle-ci fut « gagnée pour l'Oncle Sam ».

La période du 11 Septembre, la guerre contre la Terreur et la course à la guerre d'Irak déclenchent un phénomène musical certes issu d'une tradition, mais sans précédent par son intensité : de septembre à décembre 2001, on assiste à un tir groupé qui se caractérise par la présence continue d'au moins 3 titres à consonance patriotique classés dans le Top 10 des ventes country, animées au-delà par une dizaine de morceaux du même genre. De 2001 à 2005, plusieurs tubes « patriotiques » dépassent de loin leur audience habituelle, s'imposent au Billboard « généraliste » et entraînent dans leur sillage quantité de morceaux similaires. Des chanteurs, principalement country, rivalisent d'élans bellicistes, abordés suivant différentes thématiques, parfois distinctes, souvent mêlées.

Un discours construit sur la grandeur éternelle des Etats-Unis, défenseurs de la liberté, s'exprime dans le tube emblématique *God Bless the USA* de Lee Greenwood, diffusé en 1984, ressorti à l'occasion du 11 Septembre puis de l'opération *« Iraqi Freedom »* (sous le titre *God Bless the USA 2003*), après quelques modifications des paroles destinées à l'insérer dans chaque contexte. Le succès du titre ne s'est jamais démenti, faisant rimer sans peine patriotisme et opportunisme : « Je voudrais remercier mes chères étoiles/ De vivre ici aujourd'hui/ Parce que le drapeau se dresse toujours pour la liberté [...]/ Et je suis fier d'être américain/ Où je sais que je serai toujours libre/ Et je n'oublierai jamais les hommes qui sont morts/ Pour me donner ce droit/ Des lacs du Minnesota aux montagnes du Tennessee/ A travers les plaines du Texas et d'une mer à l'autre/[...] Il y a de la fierté dans chaque cœur américain [...]. » Entre le 22 et le 29 septembre 2001, ces paroles sont diffusées 2 605 fois sur les radios américaines et touchent environ 55 millions d'auditeurs[43]. Fin mai 2003, soit un mois après la victoire autoproclamée en Irak, le hit connaît une énième carrière grâce à la reprise des dix apprentis chanteurs du crochet télévisé *American Idol*, qui entre dès sa sortie à la première place des ventes de *singles*.

Auréolé de son statut de star, Neil Diamond permet à son *America* de bénéficier, fin 2001, d'une trajectoire semblable. Les cendres des Tours sont encore chaudes que Hank Williams Jr reprend, lui aussi, un de ses vieux hits. Intitulé *Country Boy Can Survive*, le morceau devient *America Will Survive* et offre une relecture de l'union sacrée : « Vous ne pouvez pas nous effrayer/ Et vous ne pouvez pas nous faire fuir/ Nous sommes des hommes et des femmes pleins de liberté et de joie/ [...] Nous sommes du nord de la Californie et du sud de l'Alabam'/ Et tout et tout ce qu'ils sont parvenus à faire c'est rassembler le pays/ Il n'y a plus de Yankees et de Rebelles maintenant/ Mais un peuple uni et rassemblé. L'Amérique survivra. » Adepte de la nuance, Neil McCoy signe en 2003 un autre *America Will Survive*, dont l'esprit habite également *America Will Always Stand* de Randy Travis.

Dans ce sillage foisonnent les titres empreints de messianisme : en octobre 2001, le duo Brooks and Dunn réédite son single *In America*, monté à la première place des ventes country en perpétuant, pendant trente-trois semaines consécutives, le mythe du rêve américain. Sorti en mai 2001, l'album dont est tiré *In America*, intitulé « *Steers and Stripes* », revient par la même occasion dans les *charts*, où il reste classé soixante-dix semaines au Billboard 200, et cent quatre semaines dans les ventes country. Alignées sur ces standards, *In America* du Charlie Daniels Band (2002), *Red, White & Blue Forever* de Mark Farner (2002), *Liberty (An Anthem For A Free World)*, (« Liberté [Un hymne pour un monde libre] ») de Ronny Kimball (2003) et *My Lucky Stars And Stripes* de Dyers Daughters (2004) allongent la liste des chansons en l'honneur du drapeau, comme *This Ain't No Rag, It's A Flag* (« Ce n'est pas un torchon, c'est un drapeau ») de Charlie Daniels ; *American By God's Amazing Grace* (« Américain par la grâce de Dieu ») de Luke Stricklin, *In God We Still Trust* de Diamond Dio (2005), *Living in a Promise Land* repris par Lonestar tentent, avec des fortunes diverses, de renouveler le carton de Greenwood, décliné en concept-albums par LeAnn Rimes, les Oak Ridge Boys et Charlie Daniels, auteurs respectifs de *God Bless America* (2001), *Colors* et *Freedom and Justice for All* (2003). Phénomène du Net en 2002, le clip quasi amateur de la chanson créée par Dennis Maladone, *America We Stand As One*, a été visionné à des millions de reprises.

Autres pièces de choix, les chansons dédiées aux soldats contiennent souvent des rythmes de marche militaire. De la Seconde

Guerre mondiale à la guerre d'Irak, tous les vétérans sont célébrés, séparément ou en même temps, et reflètent la continuité historique chère aux autorités. Trois angles principaux sont utilisés : l'hommage aux morts, le sens du devoir et la séparation des familles.

Entre la fin septembre et octobre 2001, *Riding with Private Malone* (« Rouler avec le soldat Malone ») permet à David Ball de renouer avec un succès qui le fuit depuis plus de cinq ans : condensé de country patriotique, arrivée en 2ᵉ position des *charts* spécialisés et 36ᵉ du Billboard Hot 100, classée pendant plus de vingt semaines, la chanson conte l'histoire d'un homme qui achète, pour quelques billets, une mythique Chevrolet Corvette de 1966 dont la boîte à gants contient une lettre écrite par son ancien propriétaire, le soldat Malone, déployé au Vietnam : « Il a combattu pour son pays et n'est jamais rentré », *dixit* le texte, mais sera toujours présent aux côtés du conducteur, pour la plus grande « fierté » de ce dernier. Profond respect des soldats, soutien aux déploiements militaires, communion autour des valeurs simples que véhicule une automobile légendaire, tels sont les thèmes incontournables du genre, déclinés dans une multitude de *singles*.

Chaque titre en hommage aux soldats « morts en héros » fonctionne sur un même schéma, qui glorifie le « sacrifice » et enjoint à ses proches ainsi qu'au peuple d'exprimer leur « reconnaissance ». Censées annihiler la douleur d'un deuil, ces complaintes patriotiques cadrent avec l'idéologie guerrière de l'Etat et son cortège de commémorations : *American Child* de Phil Vassar (2002) reste pendant vingt-neuf semaines dans le Billboard country, où il culmine à la 5ᵉ place, et atteint la 48ᵉ place du Hot 100 ; *If I Die Before You Wake* (« Si je meurs avant ton réveil ») de Dustin Evans (2003) prescrit à son tour une ligne de conduite « patriotique » aux familles de soldats. Deux ans plus tard, c'est Tracy Lawrence qui s'y colle, avec *If I Don't Make It Back* (« Si je ne reviens pas »).

Une kyrielle de titres scandent la promptitude des « bons Américains » à passer sous les drapeaux aussitôt la patrie menacée : cité précédemment, *Where Were You (When the World Stopped Turning)* (« Où étais-tu [quand le monde cessa de tourner] ») d'Alan Jackson met en évidence la solidarité nationale dès septembre 2001, devenue sous sa plume le symbole d'une nation en guerre. Le *single* est numéro 1 des *charts* country cinq semaines consécutives et 28ᵉ du Billboard Hot 100 : « As-tu éprouvé une bouffée de fierté pour le drapeau/[pour] Les héros qui trouvèrent la mort en accomplissant leur geste ? » écrit Jackson. Autre promoteur allégorique d'un pays uni, le plus célèbre des groupes chrétiens DC Talk sort *Let's Roll* un an jour pour jour après la tragédie. Avec ses paroles archétypales, *Where The Stars And Stripes And The Eagles Fly* d'Aaron Tippin, rallie cette tendance dans la foulée du « Mardi noir » : « Je suis né par la grâce de Dieu/ Dans un endroit extraordinaire/ Où la bannière étoilée vole avec un aigle [...]/ J'ai fait allégeance à ce drapeau [...]/ Si tu éprouves de la fierté, tu feras de même », chante Tippin, qui lance un mot d'ordre musical d'union sacrée, suivi par les amateurs de country prompts à lui offrir la 2ᵉ place des *charts* ainsi que la 20ᵉ du Billboard Hot 100.

L'emploi de la première personne du singulier fait souvent partie des figures stylistiques propres au genre, et donne un caractère impératif aux paroles. Fin 2003, *American Soldier* du célèbre Toby Keith s'inscrit dans la tradition des peintures sonores à la gloire de l'Américain modèle, forcément soldat : « J'essaie juste d'être un père, d'élever une fille et un fils/ D'être attentionné pour leur mère [...]/ Je prépare leur futur, c'est ma responsabilité [...]/ Je travaille dur jusqu'aux vacances, et parfois toute la nuit/ [...]/ Et je ferai toujours mon devoir quel qu'en soit le prix/ J'en ai chiffré le coût, je sais qu'il s'agit d'un sacrifice/ Oh, je ne veux pas mourir pour toi, mais si on me demande de mourir/ Je le ferai avec honneur, parce que la liberté ne s'obtient pas pour rien/ Je suis un soldat américain, un Américain [...]. » Les « Américains » propulsent le titre au top des ventes country pendant quatre semaines, et au 28ᵉ rang du Hot 100, tandis que son interprète récolte le titre d'« *Entertainer of the Year* » lors des 38ᵉ Academy of Country Music Awards. Quelques jours avant le lancement d'« *Iraqi Freedom* », Craig Morgan donne *God, Family And Country*, vibrant appel au rassemblement patriotique qui titille la mémoire collective : « Il grandit à une époque/ Où un niveau d'école primaire/ Etait tout ce dont on avait besoin/ Pour travailler à la ferme familiale [...]/ Un jour, il a dit "au revoir" à sa petite ville/ Et enfilé le kaki de l'armée/ Des moments difficiles sur les lignes de front/ Ecrivant des lettres sur un papier humide/ Sans le moindre mot pour les horreurs qu'il avait vues/ Il était d'une génération/ Qui répondait à l'appel sans poser de question/ Ils savaient qu'il fallait gagner/ Parce qu'ils combattaient pour... Dieu, leur famille et le pays [...]. » Usant d'ingrédients similaires, les anciens de 1941-1945 et du Vietnam sont honorés, entre autres, dans l'album « *Flags of our Father : A Soldier's Story* » (« Les Drapeaux de nos pères : un histoire de soldat ») (2003) de l'ancien soldat Keni Thomas, ou encore par 4You et son *Stand Proud, Stand Tall* (« Reste fier, Reste grand ») (2004).

Attachés à magnifier l'armée et ses hommes, les hits rock-FM *Citizen Soldier* de 3 Doors Down, *Red, White and Blue (Love it or Leave)* de Lynyrd Skynyrd, *The Fightin' Side Of Me* (« Mon côté combattant ») de Merle Haggard, *Spirit of the Free* de Michael Chain, *Tough Little Boys* (« Robustes petits gars ») de Gary Allan, ou l'album « *Prayer Warrior* » d'Eric Horner, surfent en 2003 sur cette vague. Les déclinaisons du thème semblent infinies : citons *Somethin' To Be Proud Of* (« Ce dont on peut être fier ») de Montgomery Gentry, suivi de *Before You Go* du Dr Sam, *Red, White and Blue Americans* de Mark Leland (2005) et *Soldier For The Lonely* de Jeff Hughes (2005).

Variantes radicales des appels à la mobilisation, les hymnes d'une Amérique en colère séduisent tout autant l'auditeur. Spécialiste du genre, le multiplatiné Toby Keith compose en 2002 *(Courtesy of the Red White and Blue) The Angry American* (« [Avec la gracieuse permission du drapeau] L'Américain en colère »). Le titre atteint le sommet des ventes country, la 25ᵉ place du Billboard et reste classé vingt semaines durant. Ses paroles agitent, avec des mots plus crus, la même « colère » qu'évoquait George W. Bush dans ses premières interventions du 11 Septembre : « Cette nation que je chéris a été attaquée[...]/ La Statue de la Liberté a commencé à montrer son poing/ Et l'aigle volera/ Et ce sera l'enfer [...]/ Justice sera faite/ Et la bataille fera rage/ Et vous regretterez d'avoir provoqué les Etats-Unis d'Amérique/ On va vous botter le cul/ A la façon américaine [...]. » Tiré par cette « locomotive », l'album de Toby Keith grimpe, lui aussi, à la première place tous styles confondus et se vend en un an à 3,2 millions d'exemplaires[44]. Habitué à mettre en vers la parole républicaine, Keith livre également *The Taliban Song* peu avant l'invasion de l'Irak, que ses paroles décrivent comme une « chanson d'amour patriotique » : « M. Bush a décroché son téléphone pour appeler l'Irak et l'Iran, et leur a dit : "Maintenant, espèces de fils de putes, vous feriez bien de ne plus faire d'affaires avec les Talibans." [...] » Toujours en 2001, le groupe Saliva commercialise *Pride* (« Fierté »), qui apostrophe les commanditaires des attentats : « Un message à nos ennemis/ Ne déconnez jamais avec ceux qui eurent à combattre pour devenir libres [...]/ La fierté de l'Amérique, c'est la peur qu'il y a dans tes yeux. » Plus explicite, The Buzz Wigby Orchestra offre, pour les fêtes de fin d'année 2001, *All I Want For Christmas Is Bin Laden On A Stick* (« Tout ce que je veux pour Noël c'est voir Ben Laden empalé ») ; en mars 2003, après une tournée des bases américaines d'Afghanistan, la superstar Clint Black livre *Iraq and Roll*, sa version du discours belliciste, diffusée en rotation lourde par les radios[45] : « Nous ne pouvons ignorer le Mal/ Il reviendra pour faire pire/[...] Irak, [...] je suis de retour et je suis un GI Joe high-tech/ Je prie pour la paix, [je] me tiens prêt pour la guerre/ Et je n'oublierai jamais/ Qu'il n'y a pas de prix trop élevé pour la liberté », chante Black, qui stigmatise plus loin les opposants « dressés aux côtés de Saddam ». Autre pièce majeure d'une country proguerre, *Have You Forgotten* de Darryl Worley synthétise en mars 2003 les arguments usuels en faveur de l'engagement irakien, et fait du lien Irak-11 Septembre le moteur de ses paroles : « J'entends certains dire que nous n'avons pas besoin de faire cette guerre/ Mais je dis qu'il y a des choses pour lesquelles il faut se battre/ Comme notre liberté et ce morceau de terre/ [...] Avez-vous oublié ce qu'on a ressenti ce jour-là ?/ En voyant le sol de la patrie en flammes/ Et son peuple détruit/ Avez-vous oublié quand ces tours sont tombées/ [...] Certains disent que ce pays ne cherche qu'à combattre/ [...] Après le 11 Septembre, [...] je trouve ça très bien. » Quant au clip de la chanson, il mêle les images des attentats à celles des musiciens en studio admirant des photos de soldats. Parmi de nombreux détails, on retient le tee-shirt de la star, imprimé à l'effigie de George W. Bush coiffé d'un Stetson et surmonté du slogan « *Fighting Side* », sur l'inévitable fond de bannière étoilée. Classée vingt semaines dans les *charts* country, en première place du 5 avril au 17 mai 2003 (soit avant, pendant et après l'invasion de l'Irak), cette chanson donne son titre à un album du même nom, dont elle « booste » les ventes jusqu'au 4e rang du Billboard, avec 214 000 copies en première semaine.

Chargé en mauvaise foi, le hit de Worley se veut le digne successeur du *Let's Remember Pearl Harbor* chanté par Sammy Kaye pendant la Seconde Guerre mondiale[46] ; avec l'essor constant des moyens de diffusion, cette époque fut féconde en titres galvanisants *(We Are The Sons Of The Rising Guns)*, voire haineux et racistes *(We Are Gonna Find A Fellow Who Is Very Very Yellow And We're Gonna Beat Him 'Til He's Red, White And Blue)* (« Nous allons chercher un type qui est très très jaune et nous allons le frapper jusqu'à ce qu'il devienne rouge, blanc et bleu »)[47]. Dans l'ambiance guerrière du début 2003, on constate que tout sens du second degré disparaît :

bien qu'ouvertement parodique, *Don't Mess With America* (« Déconne pas avec l'Amérique ») de Cledus T. Judd est pris, en dépit (ou en raison) de ses outrances, au pied de la lettre par un public friand de chansons exhalant un nationalisme extrême. Ces auditeurs approuvent l'idée d'une « Statue de la Liberté restée droite/ Avec ses F-15 et ses forces spéciales [...]/ Pour défendre la liberté et sa nation ».

Troisième et dernier volet des chansons hommage aux GI's, l'épreuve de la séparation entre les soldats et leurs familles figure chez la plupart des paroliers. Douloureux mais toujours accepté avec courage par les compagnes et les enfants des soldats, le départ à la guerre est l'occasion d'exprimer la « fierté » qu'inspire le port de l'uniforme et l'inamovible soutien dû à ces hommes. Si le second conflit mondial vit Franky Master chanter *Goodbye Mama, I'm Off for Yokohama* (« Salut Maman, je pars pour Yokohama »), la guerre contre la Terreur va, plus que jamais, se révéler prolixe en avatars.
I'm Already There (Message From Home) (« Je suis déjà là [Message de la maison] ») de Lonestar (2001) touche le public sensible aux émotions d'un couple séparé par la guerre : le titre reste six semaines n° 1 des ventes country, et atteint la 24ᵉ place du Hot 100 ; en quête d'un succès similaire, *Thank You* de Tony Diana, *The Soldier Song* de Sally Mudd, *The Letter (Almost Home)* de Clint Daniels (2003) surenchérissent. Père de soldat, Rockie Lynne accouche, peu avant la guerre d'Irak, d'un concept-album *(« Songs for Soldiers »)* dénué de toute particularité conceptuelle. Dans *I Kissed My Son Goodbye*, il donne l'exemple paternel et embrasse son fils qui part « sauver la liberté ». Le même ressort se trouve à l'origine du morceau *Bumper of My SUV* (« Pare-chocs de mon 4x4 »), dans lequel Chely Wright défend, en 2004, le choix d'apposer un autocollant *« Support our Troops »* sur son imposant véhicule : « Mon frère y est », chante-t-elle. Apologie d'une nation en guerre, *They Also Serve* (« Ils servent aussi ») de l'ancienne gloire John Conlee évoque en 2005 « ces mères et ces pères, [ces] filles et fils/ [qui] Ne portent pas d'uniforme ou d'arme/ Mais [qui] sont en guerre ». Et Conlee de s'émouvoir devant le soutien moral dont font preuve l'« arrière » et les familles des militaires. Favori du crochet télévisé *American Idol*, le jeune Josh Gracin, 24 ans, participe en 2004 au mouvement avec *The Other Little Soldier*, qui s'attarde sur la vie des enfants de soldats, que le chanteur qualifie d'« autres petits soldats » pour le courage manifesté lors de la séparation d'avec un père admiré.

Dans un registre plus « rock », les stars de 3 Doors Down placent *When I'm Gone* à la 4ᵉ place du Billboard, où le titre demeure quarante-cinq semaines grâce à un important soutien radiophonique : une semaine avant le début d'« *Iraqi Freedom* », le *single* est le 5ᵉ titre le plus diffusé. Classé 2ᵉ des *charts* country en 2004, *Letter from Home* (« Lettre de la maison ») de John Michael Montgomery met l'auditeur dans la peau d'un père s'adressant à son cher fils affecté en Irak qui, écrit-il, le « rend fier ». Après les lettres vient le moment où les familles attendent le retour du guerrier, que s'attachent à retranscrire nombre de chanteurs : le Top 10 *Almost Home* de Craig Morgan, *Come Home Soon* de SHeDAISY (14ᵉ au Billboard country), *Comin' Home* de MRS Project ou *Letters From War* de Mark Schultz témoignent, avec d'autres, d'une tendance moins rentable, parfois transposée à la mémoire des vétérans de toutes les guerres, à l'image de *Letters From Home, Tribute to Veterans* de Jerry Calow. Puis s'accentue le temps du remerciement, avec *Our American Heroes* de Leland Martin (2004) et ses clichés d'une famille de militaires de père en fils, ou *Thank You* chanté par The Mark Owens & Steve Wilbur Band (2005). Mis en musique (et en images dans des clips), le retour du combattant auréolé de gloire est le théâtre de retrouvailles émouvantes. Ce cliché consolide l'image d'Epinal de soldats rentrés sains et saufs, évoqués dans le mètre étalon qu'est devenu le tube de 1976 *Coming Home Soldier* de Bobby Vinton. A l'époque, le pays était encore sous le choc de soldats revenus moralement broyés du Vietnam. En 2003-2004, les musiciens patriotes veulent exorciser le spectre de cette défaite à travers la guerre d'Irak, comme Johnny Proctor et *Your Soldier Is Coming Home*. Ultime parangon du genre, *I Just Came Back From A War* de Darryl Worley (2006) permet au chanteur de traiter le sujet des « héros » rentrés au pays et incompris d'une société opposée à la guerre pourtant salvatrice. En revanche, on cherchera en vain toute trace de morceau consacré aux blessés dans les classements des meilleures ventes.

Le poids du nationalisme et du contexte belliciste agit directement sur le sens de certaines chansons, interprétées en fonction des circonstances : en 1984, alors que l'intervention au Liban virait à la catastrophe, Bruce Springsteen voyait son tube *Born in the USA* (dédié aux vétérans du Vietnam maltraités à leur retour) faire l'objet d'une récupération républicaine. Devenu l'hymne de la première guerre du Golfe, la ballade *Get Here* d'Oleta Adams traitait simplement de la distance entre deux personnes qui s'aiment. La plus forte mobilisation militaire depuis le Vietnam en fit la complainte des séparations douloureuses mais acceptées entre les familles et les combattants, qui auront l'occasion d'applaudir la diva lors de concerts organisés dans les bases américaines du Moyen-Orient. *Take Me Home* de Phil Collins (1986) subit un sort identique plus de quinze ans après sa diffusion. Avec *Travelin' Soldier*, les Dixie Chicks interprétaient en 2002 une chanson sur l'amour platonique d'une serveuse et d'un jeune soldat en partance pour la guerre : malgré l'absence d'accents patriotiques, le titre, en phase avec le contexte, est embrigadé dans le mouvement. Numéro 1 des *charts* country, classé vingt-cinq semaines et 25ᵉ du Billboard, *Travelin' Soldier* figure sur les centaines de listes que dressent des internautes américains soucieux de recenser l'ensemble des morceaux « patriotiques » disponibles. D'une manière générale, ce sont toutes les chansons grand public consacrées à l'idée de séparation qui sont enrôlées par la guerre : *Far Away* (« Loin ») de Nickelback hisse en 2003 le groupe dans le Top 10 du Billboard.

Pour illustrer ces musiques, un nombre incalculable d'internautes réalisent des clips plus ou moins travaillés qu'ils postent sur les sites de partage de vidéos : superposant aux morceaux précités des photographies de soldats dans différentes attitudes, ces séquences dites d'« hommage aux troupes » sont visionnées et commentées par des millions de personnes. Cette micro-propagande, issue de multiples foyers de production, renforce la parole guerrière de façon inédite.

Très rentable, objet d'émissions spéciales de grandes chaînes comme ABC ou Fox News, la variété patriotique est portée par les labels country ainsi que par des majors du disque (Warner, Sony, Dreamworks, Universal, Epic...), toutes attirées par le marché. Fin octobre 2001, Columbia met en vente la compilation « *God Bless America* », dont une part des profits est destinée au Twin Towers Fund, créé par la Mairie de New York. Le disque entre à la 1ʳᵉ place du Billboard, avec 181 000 copies écoulées en première semaine, surtout dans les enseignes de Walmart ou Kmart[48]. Très réactif, Columbia renoue avec une exploitation commerciale des « chansons de guerre » fort développée par ce même label entre 1941 et 1945[49]. A la suite de ce succès, une floppée de compilations patriotiques – qu'il serait vain de citer en intégralité – envahissent les bacs[50] : chaque fois, les codes graphiques des pochettes reprennent les couleurs du drapeau, invariablement présent sur les albums des chanteurs.

Au premier abord, le manque d'originalité des paroles laisse songeur. Articulée autour d'un champ lexical codifié et répétitif, adressée à un public populaire où figurent ces 20 % d'individus entrés dans l'armée par patriotisme plutôt que pragmatisme[51], la bande-son « va-t-en-guerre » invite l'auditeur à s'identifier aux histoires et aux personnages, archétypes de citoyens disciplinés et de cellules familiales modèles. Livrés à des individus susceptibles de les connaître par cœur et mis en rotation lourde sur les radios, ces couplets guerriers alternent avec les ritournelles « apolitiques » et impactent une part de l'opinion – d'abord le socle des plus fidèles conservateurs – en complément de la rhétorique gouvernementale : la carte géographique de la country correspond à celle du fort recrutement militaire des Etats du Grand Sud, qui représentent à eux seuls environ 44 % des volontaires de 2003, tandis que leur population n'excède pas 38 % à l'échelle nationale[52].

En réalisant une variété « américanocentrée » et martiale, ses interprètes teintent le paysage musical aux couleurs militaires, et se font les promoteurs d'une propagande dont les cibles vont jusqu'à payer pour en subir les assauts, l'acte d'achat traduisant un engagement formel. Hits d'un patrimoine musical guerrier, ces standards réinvestissent de manière récurrente les ondes et désormais Internet, gagnés par leur potentiel d'endoctrinement. En cela, le genre mérite l'appellation « nationaliste », puisque destiné au seul public américain, motivé à soutenir les conflits par le biais de ce support musical.

Auxiliaires tacites du pouvoir, ces musiciens se transforment en activistes politiques : outré par les remarques critiques des Dixies Chicks à l'égard du Président, Toby Keith diffuse lors de ses concerts un photomontage des chanteuses accolées à Saddam Hussein, suivant un procédé d'amalgame classique. Tout aussi marqué, le vétéran de la country Charlie Daniels adresse en 2003 une « lettre ouverte aux nazes d'Hollywood » dans laquelle il prend fait et cause pour l'administration Bush. La même année, il réitère sa défense des idéaux conservateurs dans un livre titré *Ain't No Rag : Freedom, Family and the Flag (Ce n'est pas un torchon : Liberté, Famille et Drapeau)*. L'année de la guerre d'Irak, Michael W. Smith est invité par George W. Bush, fan de sa musique, à composer un titre en souvenir du 11 Septembre : la chanson, *There She Stands* (« Elle se tient debout »), est également jouée lors de la Convention nationale républicaine de 2004. Toujours en 2004, Mark Schultz interprète à la Maison-Blanche son titre *Letters From War*, suivi, en une autre occasion, de Dusty Drake pour *Homeland*.

Ce positionnement vaut à ses adeptes un soutien actif du Pentagone et des acteurs économiques de la Défense, qui accompagnent leurs actions promotionnelles : depuis l'orée de la Seconde Guerre mondiale, l'United Service Organizations (USO), officiellement indépendante, organise des tournées de chanteurs « patriotes » dans les installations militaires américaines et les bases d'Irak ou d'Afghanistan. Le financement provient, entre autres, de différentes multinationales sous contrat avec le Pentagone : certaines retirent un bénéfice certain des conflits (les industries d'armement Boeing, Northrop Grumann, Lockheed Martin, BAE Systems, ou AT&T, Microsoft), d'autres participent à leur processus d'acceptation (ClearChannel depuis 2002), ou demeurent intimement liées, dans l'inconscient collectif, à la propagation du mode de vie américain (Coca-Cola, un des premiers sponsors de l'USO[53]). L'Army Entertainment Division, dédiée au « divertissement des soldats et de leurs familles », complète cette action. La plupart de leurs têtes d'affiche, comme Donovan Chapman, venu en 2007 à la base de l'Air Force de Randolph pour « encourager les nouvelles recrues[54] », apportent leur renommée et leurs talents au soutien moral des bataillons.

Les clips des chansons, véritables petits films de propagande, bénéficient de l'assistance du secrétariat de la Défense, qui intervient *via* son département des Relations publiques et le bureau en charge de l'« assistance aux productions cinématographiques, émissions télévisées et clips musicaux » : pour le clip de *They Also Serve*, John Conlee obtient de filmer à Fort Campbell où est affectée la 101e division aéroportée, dont les familles de soldats posent, photos de militaires en main ; Toby Keith chante son *American Soldier* dans un hangar de F-16, Gary Allan apparaît sur le tarmac d'une base d'hélicoptères, et 3 Doors Down investit un porte-avions, le *USS George Washington*, à l'occasion du clip de *When I'm Gone*. Alternent alors images du groupe jouant sur le pont d'envol du navire face à un public de soldats et séquences de décollage des jets. Esthétisant au possible le matériel de guerre, ces odes filmiques à l'union des « frères d'armes » et aux plus puissantes forces militaires du monde se concluent le plus souvent sur une « dédicace à tous les hommes et femmes qui servent notre armée » ; *Soldiers* de Drowning Pool est illustré de semblable façon, avec un clip dans lequel des soldats reprennent en chœur qu'« il n'y a pas de compromis [pour] porter haut [son] sacrifice ». Enfin, les pom-pom girls appelées par l'USO à se produire devant les soldats rythment leurs pas sur ceux de morceaux militaristes, comme le *Thanks to the Brave* de JD Danner.

La plupart des hérauts de cette scène s'investissent dans des opérations militaro-caritatives : Diana Nagy, artisan du rock chrétien, collecte 1,5 million de dollars pour l'envoi de colis aux troupes. Parfois, le contenu des paquets est purement idéologique : en 2007 et 2008, Five for Fighting réalise et distribue deux disques à l'attention précise des soldats, avec le soutien de l'Army and Air Force Exchange Service (AAFES), une agence du Pentagone chargée du « soutien moral » des effectifs : tirés chacun à plus de 200 000 exemplaires et téléchargeables gratuitement, « *CD for the Troops* » et « *CD for the Troops II* » offrent sans surprise un « *best of* » de country patriotique. Avant cela, Keni Thomas, ex-Ranger, reversait une partie des bénéfices de son album « *Flag of our Fathers* » au Hero Fund, qui, par l'intermédiaire de la Special Operations Warrior Foundation, finance les études d'enfants dont les pères sont morts au combat. Le soutien des chanteurs peut prendre d'autres tournures : sollicité par l'armée, le multiplatiné Kid Rock autorise, en 2008, la Garde nationale à utiliser son titre *Warrior* (« Guerrier ») dans le cadre d'une campagne de recrutement. 3 Doors Down procède à l'identique, en corrélant la parution de son *single Citizen Soldier* à une opération d'enrôlement conçue autour du titre.

Dès 1942, les professionnels de l'industrie musicale les plus influents, regroupés au sein de l'American Society of Composers, Authors and Publishers, soutenaient l'effort de guerre avec le Music War Committee, dépendant de l'Office of War Information et destiné à produire un flot de titres propagandistes[55]. Rien de tel au XXIe siècle, où la composition de chansons « patriotiques » découle d'un accord subtil entre la sensibilité profonde des auteurs, la logique commerciale et le soutien des instances officielles. Inscrit dans la durée, le phénomène des « chansons patriotiques » se maintient au-delà de l'effondrement de l'union sacrée, comme l'ont montré les périodes précédentes. Même si son audience se rétracte, il s'affirme comme le support populaire du courant nationaliste et le ciment folklorique du noyau dur républicain.

Le sport, un porte-drapeau idéal

Plus large est l'influence du sport. Objet d'une forte médiatisation, le base-ball, le basket, le football américain, le hockey sur glace, la Nascar et des sports moins populaires portent de multiples traces du nationalisme, du militarisme ambiant et de la guerre.

Les grandes fédérations sportives américaines s'inscrivent dans le mouvement commémoratif des attentats du 11 Septembre, qui entraîne le report de la plupart des matches prévus cette semaine-là. Toute l'année, puis à chaque date anniversaire, le souvenir est présent : enceintes dévolues à la ferveur des foules, les stades sont, avec les concerts événements, les seuls espaces propices à la communion nationale pour des centaines de milliers de personnes. A partir de septembre 2001, des dons conséquents et médiatiques affluent des fédérations, des équipes, écuries de course, franchises, joueurs et pilotes[56]. Rouverts dix jours après la tragédie, les gradins et les terrains regorgent de patriotisme : en 2001, tous les maillots de la saison de football américain portent des écussons rouge-blanc-bleu rappelant « ceux qui sont morts le 11 septembre ». Une devise, *« We Shall Not Forget »* (« Nous n'oublierons pas ») apparaît, au base-ball, dans le cadre des cérémonies d'anniversaire qui recouvrent les terrains de drapeaux géants. Le slogan figure aussi sur un logo aux couleurs de l'Amérique orné d'un ruban semblable à celui qu'on porte, depuis 1991, pour signifier son soutien aux soldats. Les bases des terrains et d'autres zones de jeu en portent la marque pendant toute la saison 2002. Des tee-shirts imprimés du sigle commémoratif, conçu par la Major League Base-ball (MLB), sont distribués aux supporters. Des joueurs fêtent un *« home run »* ou un *« touchdown »* en agitant le drapeau national ; autour et sur les terrains, des représentants de l'armée participent aux cérémonies. Des exhibitions, ici d'hélicoptères de combat, là de troupes en uniforme[57], parent le souvenir d'un prolongement guerrier.

De soutien à la guerre, il est également question à propos de l'Afghanistan puis de l'Irak. Les tournées des bases qu'entreprenaient en 1917 les base-balleurs des Louisville Slugger et d'autres franchises restent au programme du patriotisme sportif, mais beaucoup de disciplines s'y sont agrégées. Imprégnées d'un fort attachement à leur armée, les personnalités du sport relaient l'idéologie dominante : « Nous pourrions être vos sportifs préférés et être qualifiés de héros, alors que vous êtes les vrais héros[58] », explique à des soldats l'ancien joueur de base-ball et commentateur John Kruk. Cette humble assertion est une figure imposée pour tout sportif rencontrant des soldats. Au sommet des fédérations, l'enthousiasme est actif : « En tant qu'institution, la Major League Base-ball considère le fait de soutenir nos troupes par tous les moyens comme un privilège[59] », estime son dirigeant Bud Selig. Autre sport institutionnel aux Etats-Unis : les courses de « stock-car » et leurs puissants mais rudimentaires bolides qui tournent chaque semaine, sur des circuits ovales, à plus de 300 km/h et pendant quatre heures. Gérées par la National Association for Stock Car Auto Racing (Nascar), ces compétitions remplissent des tribunes comptant chacune des centaines de milliers de places. Initié par les administrateurs de la Nascar au début des années 1980, le rapprochement entre la compétition et les forces armées est depuis fusionnel : dès cette époque, des manœuvres militaires, avec hélicoptères, chars et parachutages, sont organisées au centre des circuits pour occuper l'avant-course. Le spectacle militaire devient une tradition sportive. « Si vous assistez à une course de Nascar, vous verrez que les forces armées représentent une grosse part de l'ensemble[60] », rappelle Brian France, président de la fédération. A la périphérie, les gestes de soutien aux soldats sont trop nombreux pour être énumérés : révélatrice de la popularité de la Nascar et du patriotisme de ses fans, l'opération « A Million Thanks » est par exemple montée avec le soutien de la fédération et de l'Automobile Club, sous le patronage du programme « America Supports You », créé par le Pentagone. « A Million Thanks » permet depuis 2001 de rassembler des millions de lettres de remerciements adressées aux troupes[61], qui reçoivent aussi des exemplaires dédicacés par les pilotes du pneu Goodyear utilisé en course, pneu dont les flancs sont marqués du message « *Support our Troops* »[62]. Attractions d'un sport né dans le Sud et réputé conservateur, les voitures sont parfois peintes aux couleurs d'un camouflage militaire type « désert », comme celle de l'écurie Budweiser lors du « *Memorial Day* », voire ornées de stickers étoilés « *Support our Troops* » et autres silhouettes de soldats. Ici, les forces armées jouent un rôle sportif au plus haut niveau : en 2001, la Navy sponsorise une équipe en Nationwide Series[63], que ne risque pas de doubler l'US Marine Team, partie prenante des Busch Series[64]. L'équipe US Army Racing, inscrite depuis 2002 en Nascar Cup series, est « pilotée en l'honneur des [...] hommes et femmes qui défendent [le] pays[65] ». Victime d'une certaine désaffection pour les nombreux déploiements de la guerre contre la Terreur, la Garde nationale concourt, elle, avec la National Guard Racing.

Ce modèle nationaliste n'est pas réservé aux sports « populaires ». En 1991, la guerre du Golfe était omniprésente jusque sur les parcours de golf de la Ryder Cup, prestigieux trophée opposant des équipes composées des meilleurs joueurs européens et américains. Ces derniers, encouragés par le président des Etats-Unis, comptaient dans leurs rangs des golfeurs clamant leur amour du pays, comme Corey Pavin, qui arborait une tenue de camouflage floquée « Tempête du désert », sous les acclamations chauvines d'un public venu en Caroline du Sud encourager sa sélection à coups de « *USA ! USA !* » dans un océan de drapeaux. Quelques mois auparavant, les « *boys* » combattaient Saddam. Marqué par l'événement, Paul Azinger, golfeur de la sélection américaine, commentait sa victoire, la première depuis 1983, sur un ton martial et reaganien : « La fierté américaine est de retour. Nous sommes allés là-bas et on a cogné les Irakiens. Nous avons maintenant ramené la coupe. Je suis fier d'être américain[66]. »

Ces manifestations prospèrent sur une base solide : facteur de distraction des masses et d'embrigadement populaire, le sport, qui s'est développé en tant que spectacle organisé à partir de la révolution industrielle, est aux Etats-Unis plus qu'ailleurs relié par de multiples passerelles à la guerre et aux institutions militaires. Toute compétition nationale ou locale offre à l'armée une occasion de se montrer, par l'intermédiaire de soldats conviés et applaudis. Chaque édition de la course des 500 Miles d'Indianapolis donne lieu à un étrange rituel : des soldats en uniforme prennent la position adéquate pour faire des pompes au-dessus d'un sol fait de briques, seul vestige de l'ancien circuit, qu'ils embrassent de façon synchronisée[67]. Grâce aux nombreuses publicités qui hachent les matches, notamment de basket, les forces militaires surgissent dans des clips adaptés au public : ces courts-métrages valorisent la performance mentale et physique du soldat sur un mode hollywoodien accompagné d'un slogan de recrutement apparu en 1981, *« Be All That You Can Be »* (« Sois tout ce que tu peux être[68] »), qui n'aurait pas détonné dans la promotion d'articles sportifs.

Exerçant un métier physique par excellence, le soldat est assimilable au sportif professionnel, lui-même admiré pour sa quête de performance, son physique athlétique et sa combativité. Or, les compétitions sportives nationales et surtout internationales sont, depuis leur avènement, un moyen pour des puissances rivales d'affirmer leur supériorité grâce à des athlètes, des équipes, des écuries ou des voitures de course portant haut les couleurs nationales. Nul besoin de revenir sur l'instrumentalisation du sport par les régimes autoritaires (le nazisme et les jeux Olympiques de Berlin en 1936, la saga des « Flèches d'argent »), ni même de détailler la « guerre des médailles » qui opposait les Etats-Unis au bloc soviétique. Entre-temps, les GI's revenus de la « vieille Europe » en héros avaient repris la vie civile, parfois au sein d'équipes sportives professionnelles enrichies, par leur présence, d'une dimension patriotique.

Les sports comptent leurs héros de guerre, qui cumulent l'aura d'un athlète à celle, plus morale, du défenseur de la patrie : Jack Lummus, un joueur des New York Giants (mort à Iwo Jima), et l'artilleur Maurice Britt, des Detroit Lions (amputé d'un bras), sont les seuls footballeurs distingués de la Médaille d'honneur du Congrès. Les noms d'une vingtaine d'autres sont inscrits sur le monument des soldats tombés entre 1941 et 1945[69]. Dans le monde du sport, ils font l'objet d'un culte à part. La tradition des sportifs héroïques et héroïsés s'est perpétuée : en juin 2002, le footballeur Patrick Tillman accède à une notoriété qui dépasse de loin le cadre déjà très large des fans : son choix de renoncer à un contrat de 3,6 millions de dollars pour s'engager dans l'armée fait de lui un nouveau Nile Kinnick, autre footballeur et héros de guerre : détenteur en 1939 du trophée Heisman, il était déjà célèbre avant de s'engager dans l'US Navy pour, déclara-t-il, « avoir l'honneur de servir son pays ». Grâce aux commémorations, ces exemples continuent à motiver des volontaires issus du sport professionnel dont parle ensuite la presse, comme l'ancien footballeur Jeremy Staat, lui-même inspiré par Tillman[70]. Conséquence attendue des mobilisations militaires post-1941, nombre de sportifs portent l'armée dans leur cœur. Au sein du football, les anciens engagés ou membres d'une famille comptant un ou plusieurs soldats étaient, en 2007, au nombre de 46[71]. Si l'on ajoute les coaches et l'encadrement des franchises, le total dépasse la centaine[72].

Le sport lui-même, surtout d'équipe, exige une discipline et une solidarité communes au métier des armes. Les architectes de la formation militaire américaine y furent sensibles dès la fin du XIXe siècle : les premiers établissements d'enseignement supérieur à accorder au sport une place importante dans l'emploi du temps de leurs étudiants ont été, au début du siècle dernier, les collèges et les académies militaires. Avec la multiplication des guerres, le nombre, l'importance et l'influence de ces lieux de formation n'ont cessé de croître. Légende du football américain, Vince Lombardi (1913-1970) commença par exemple à exercer ses talents d'entraîneur au sein de West Point (la prestigieuse école des officiers américains) avant d'utiliser son expérience dans d'autres équipes « civiles » qui se forgèrent un palmarès mythique. Dans le même temps, la sélection de West Point, les Black Knights (« Chevaliers noirs »), toujours inscrite dans le championnat traditionnel, remportait le titre national entre 1944 et 1946. Hissés au rang de modèles, le soldat et son éthique guerrière infusent les terrains de toutes les disciplines, à différents échelons de compétitions où concourent les équipes de la Navy, de l'Air Force et des autres corps. Autre fait important : le rôle joué par l'armée dans la normalisation, dès la fin du XIXᵉ siècle, des règlements sportifs que devaient suivre, en base-ball par exemple, les soldats avides de se distraire avant leur démobilisation – plutôt que de s'adonner à la boisson et autres passe-temps « immoraux[73] ». Comble d'une association sport-guerre devenue identitaire, le base-ball, discipline typiquement américaine, servit à démasquer des espions allemands ignorant tout de ses règles et de ses joueurs. Tant sur un plan pratique que symbolique, le sport fait partie intégrante de la culture militaire, et inversement : les jours fériés à connotation nationale et militaire (le « *Memorial Day* », le jour de l'Indépendance ou le nouveau « *Patriot Day* ») sont fêtés dans les stades, où les équipes revêtent des tenues et des accessoires spécifiques[74].

Cette symbiose doit beaucoup à l'engouement que suscitent les compétitions. Ici, le sport est une affaire de masses, donc de pouvoir et d'influence. Son poids économique augmente sans cesse depuis les années 1950, avec une croissance accélérée dans le dernier quart de siècle, au point de faire du secteur l'un des plus rentables de l'économie américaine : en 2006, ses revenus cumulés dépassent les 200 milliards de dollars, soit le double de ceux générés par l'industrie automobile du pays[75]. En bref, le sport occupe une place centrale dans la société. Logique, donc, que l'armée s'y soit implantée. Pour les troupes, les matches qui se jouent au pays sont aussi une distraction de choix.

Suivis par un public très majoritairement masculin, certains sports et la passion qui anime leurs fans reproduisent un mode de pensée nationaliste : on encourage une équipe non par choix, mais par les hasards de la naissance. Originaire de Pittsburgh, un passionné de football américain sera derrière les Steelers, équipe portant l'identité de sa ville. Il adopte les couleurs, les chants, les traditions de son camp qu'il porte avec virilité face à l'adversaire. On peut objecter que cette situation n'est pas une exception, et que le public sportif de la plupart des pays fonctionne ainsi. La différence se situe sur le plan du contexte : si d'autres peuples, notamment européens, font bien du sport un exutoire pour le nationalisme qui s'exprimait jadis en temps de guerre, la corrélation politique maintenue aux Etats-Unis entre les guerres, récurrentes, et le sport, devenu un moyen de leur acceptation, fait de l'univers sportif un catalyseur du nationalisme, et donc un élément à part entière de la mécanique militariste. Aussi, quand les mêmes Steelers de Pittsburgh affichent leur admiration des soldats, leurs fans sont encouragés à en faire autant. Par conséquent, le sentiment national et l'idéologie qui s'expriment lors des compétitions prennent des formes plus organisées qu'un hooliganisme perturbateur. La violence prête à s'exprimer dans le cadre des classiques rivalités sportives est orientée vers l'ennemi extérieur du moment.

Enfin, la violence intrinsèque du football américain, sport le plus populaire aux Etats-Unis et quasi-religion pour les fans du Sud, n'est pas en reste. Dans l'esprit d'une filiation revendiquée par ses acteurs, ce sport renvoie à la guerre : l'allure martiale des joueurs, casqués et harnachés dans de véritables armures, les rapproche des tenues de combat. L'avancée d'une équipe dans le camp adverse, mesurée en « yards », et la brutalité des contacts donnent à l'ensemble l'allure d'un champ de bataille. Les métaphores guerrières adoptées au début du XXe siècle par les pionniers du football moderne se sont généralisées, entre les années 1970 et 1990, à l'ensemble des commentateurs comme dans les films promotionnels de la fédération, la National Football League (NFL) ; « Nous voulions nous entre-tuer. C'était un combat à mort. Nous étions des guerriers[76] », expliquait un joueur des années 1960. Plus largement, les coaches mettent en œuvre leur stratégie pour « imposer leur volonté à l'ennemi » ; les équipes, vues comme des « armées » vêtues non de maillots mais d'« uniformes », mènent des « attaques terrestres dévastatrices » et autres « blitz » à coups de « bombes » ; les « quaterbacks » (joueurs offensifs et puissants) sont surnommés les « field generals » (« généraux de terrain »), les « linebackers », défensifs, « cherchent et détruisent » – référence à la tactique de « search and destroy » mise en œuvre au Vietnam –, pendant que d'autres restent dans leur « trou de tirailleur » (« *foxhole*[77] ») pour intercepter l'adversaire. A l'inverse, il semble tout à fait logique d'entendre des responsables militaires présenter leur plan en usant d'un vocabulaire footballistique, comme le général Schwartzkopf en 1991 à propos d'une audacieuse manœuvre de contournement des forces irakiennes qualifiée de « *Hail Mary*[78] », soit l'appellation d'une passe en profondeur difficile à réussir. En somme, le football recourt aux mots de l'armée, tandis que l'armée recourt aux mots du football, d'où une parfaite association entre leurs représentants respectifs.

Les conservateurs peuvent compter sur le Super Bowl : passionnant presque toute l'Amérique, l'événement sportif le plus suivi aux Etats-Unis est le show de tous les superlatifs. Avec environ 100 millions de téléspectateurs annuels, la finale dominicale du Super Bowl est aussi depuis sa création en 1966 une longue séquence de communion patriotique aux accents militaristes plus ou moins prononcés selon le contexte international. La retransmission du match dure quatre heures pour soixante minutes de jeu et suit un cérémonial précis. Avant le match se succèdent des stars de la chanson et un clip d'environ sept minutes en hommage à la Déclaration d'indépendance, dans lequel apparaissent tantôt des personnalités politiques évoquant avec émotion les valeurs du pays et l'union de ses forces vives, tantôt des Américains ordinaires et des militaires, tous rassemblés pour réciter le texte fondateur. Aucune dissonance politique n'est tolérée, et la censure s'effectue en amont : vedettes en 2006 du show de la mi-temps, les Rolling Stones ne purent interpréter l'un de leurs derniers titres, *Sweet Neo Con*, proscrit par la NFL[79]. Les publicités font aussi partie intégrante des festivités : haché par d'incessants arrêts de jeu, le match se prête, avec chacun des quarts temps prolongés et pendant la mi-temps d'une heure, à la diffusion de clips commerciaux jouant souvent la carte de l'humour, et ponctuellement celle du patriotisme. En 2002, *Monster.com*, site d'annonces d'emploi, offre son espace publicitaire à Rudolf Giuliani, le maire de New York, qui célèbre l'« union du pays » en plein écran avec sa ville à l'arrière-plan. Présent dans tous les sports, Budweiser sait aussi faire vibrer la corde patriotique. Bière américaine par excellence, sa « Bud » est synonyme, depuis ses réclames des années 1920, d'adoration des mythes et des grands moments nationaux (l'esprit pionnier, la conquête de l'Ouest, la « terre promise » en 1936, l'union sacrée en 1943, le retour des héros en 1945...).

Son film publicitaire du Super Bowl 2002 montrant un fier attelage de chevaux s'inclinant devant la statue de la Liberté et la ligne d'horizon de Manhattan amputée du World Trade Center déclenche un enthousiasme considérable. A chaque Super Bowl, une cinquantaine d'annonceurs fignolent des vidéos pour l'occasion, dans lesquelles l'« esprit américain » et la témérité des braves soldats sont, en temps de guerre, loués par des marques de bière, de sodas ou d'automobiles. On retrouve également au programme des traditions une interview présidentielle, et l'hymne national chanté par une star de la variété. En 1991, alors que la campagne de bombardements commençait en Irak, le speaker du XXV⁰ Super Bowl annonçait à une foule constellée de bannières et de pancartes dédiées aux soldats : « Pour honorer l'Amérique, particulièrement tous les courageux hommes et femmes qui servent notre nation dans le golfe Persique et partout dans le monde, chantons tous en cœur l'hymne national que va interpréter [...] Whitney Houston. » La ferveur patriotique parvenait ainsi aux troupes, pour qui l'événement est toujours retransmis sur la chaîne des forces armées. Par un effet miroir, les fans sont immuablement gratifiés d'une séquence des soldats suivant le match en direct. Bénéficiant d'invitations, des militaires assistent à la rencontre en uniforme, et sont acclamés lorsque leurs visages apparaissent sur les écrans géants.

Le Super Bowl entretient un lien étroit avec les forces armées et le Pentagone : « La NFL a une vieille tradition de soutien à l'armée, explique son porte-parole Brian McCarthy. Nous avons une grande reconnaissance pour ce que font les troupes, et nous sommes honorés d'associer l'armée au Super Bowl[80]. » Au-dessus du stade, les as de l'Air Force Thunderbird ou les Blue Angels de la Navy accomplissent des figures lors d'une démonstration qui a lieu presque tous les ans depuis 1968. Sur le terrain, peu avant le début de la rencontre, le lancer à pile ou face peut être effectué par une personnalité militaire de haut rang, comme en 2009 avec le général David Petraeus, chef du CENTCOM. Pour résumer, le Super Bowl est un condensé culturel de l'Amérique la plus stéréotypée.

Moins qu'une exception, le football américain est plutôt la quintessence de la contagion nationaliste qui touche le sport. Les fédérations, les franchises et les joueurs sont associés depuis longtemps à l'effort de guerre : entre 1941 et 1945, les joueurs de base-ball convertissaient une partie de leur salaire en obligations de guerre.

Sur le plan du divertissement, le monde du sport s'est dans son ensemble lié à l'United Service Organizations (USO), une structure non gouvernementale, ainsi qu'à son pendant officiel, l'Armed Forces Entertainment, tous deux dévolus au soutien moral des soldats avec l'Entertainment Industry Foundation, créée à Hollywood en 1942 par de grands acteurs et censée intervenir en faveur des déshérités. Pendant la guerre contre l'Axe, de multiples opérations caritatives ponctuaient les matches de basket[81], de base-ball, de football américain, de boxe, et les tournois de golf ; privilège du soldat, le port de l'uniforme rendait gratuit l'accès aux matches de base-ball[82]. Depuis 1966 et la création du Super Bowl, la NFL et l'USO ont noué un partenariat prévoyant des visites aux troupes en opérations et des passages dans les hôpitaux militaires. De nos jours, des footballeurs des Ravens de Baltimore soutiennent, par leur présence, les collectes de sang destiné aux soldats[83] ; les Pittsburgh Steelers organisent le « match de l'honneur », caractérisé, dans l'avant-match, par la présence d'un vétéran de chaque guerre depuis 1945, invité sur le terrain pour être ovationné[84] ; créé par l'USO, le programme « Pro vs. GI Joe » permet à des soldats stationnés en Irak et en Afghanistan de se mesurer, par jeux vidéo interposés et sur Internet, aux stars du football, du basketball, du base-ball ou de la Nascar[85] ; invitées à visiter des bases militaires du Moyen-Orient par l'USO, des pompom girls de la NFL deviennent les *Sweethearts for Soldiers*, et posent, vêtues de lingerie « camouflage » ou « patriotique », pour un calendrier destiné aux soldats dont les bénéfices servent à leur confectionner des colis[86]. Véritablement lancés en 2003, les efforts de l'Ultimate Fighting Championship mobilisent les acteurs du combat libre auprès de l'Intrepid Fallen Heroes Fund[87], tandis que leur profil de « guerriers » facilite une coopération promotionnelle avec les Marines.

Portées par des franchises ou des athlètes identifiables à leur localisation géographique, ces initiatives et ces traditions offrent un maillage national à l'union du pays derrière son armée : avec sa franchise ou son équipe, chaque centre urbain ou Etat semble s'y associer. Les partenariats noués par les fédérations avec des instances liées au Pentagone ne laissent d'autre choix aux fans que de s'associer à un mélange devenu normal. L'effet de foule, très conditionnant, et l'absence dans le milieu sportif de toute critique audible donnent à l'ensemble une puissance d'endoctrinement sans égale. Rares sont les sportifs célèbres à s'opposer à la guerre : malgré son amitié avec George W. Bush, le cycliste texan Lance Amstrong sort du rang. Rafer Alston et le virulent Steve Nash, basketteur d'origine canadienne, représentent une NBA un peu moins homogène que les autres fédérations[88], en dépit de son appui à l'United Service Organizations.

Ces quelques exemples témoignent de l'implication des sphères politique et militaire au cœur de la société de consommation, qui modèle une communauté de pensée tout entière tournée vers la guerre. Cette communication se greffe sur la propagande gouvernementale et participe d'une dynamique propre aux guerres dites totales, car mobilisant l'ensemble des forces vives du pays, fût-ce sur le seul plan moral. Ces différents vecteurs signifient à l'opinion son devoir de reconnaissance et de déférence à l'égard des troupes, dont le soutien, forcément inconditionnel, empêche toute amorce de réflexion sur sa justification profonde. Ce processus touche, de manière ciblée, la jeunesse des Etats-Unis.

9

La jeunesse : conflits présents, conflits futurs

L'enseignement à l'heure de la guerre

Dans la plus pure tradition de l'enseignement européen d'avant 1914, le milieu scolaire demeure, aux Etats-Unis, un puissant vecteur de diffusion des valeurs traditionalistes et militaires. A ce titre, l'exemple de la France, symbole de la « vieille Europe », mérite d'être examiné : piliers des leçons d'histoire de la Troisième République française, l'esprit cocardier, le respect de l'autorité, de l'armée nationale et de son uniforme, le sens du devoir et l'amour de la patrie font partie des fondamentaux présents dans les salles de classe américaines.

Réformateur de l'enseignement primaire français au tournant du siècle dernier, l'historien Ernest Lavisse se fit, en accord avec le pouvoir politique, le chantre d'une école formatrice de combattants : « Nos soldats furent admirablement braves, enseignait-on en France avant la Première Guerre mondiale. [...] Vos grands-pères ont fait bravement leur devoir en défendant notre patrie. [...] Nos soldats aujourd'hui sont aussi braves[1]. » Le traumatisme de la défaite de 1870, la soif de revanche et le statut de grande puissance dont se prévalait le pays justifiaient le fond belliciste de sa doctrine pédagogique, servie par des manuels et une écrasante majorité de professeurs[2]. Ajoutons à cela la conviction messianique d'une mission universelle à l'égard des autres peuples, aussi puissante dans la France « bonne et généreuse[3] » de la Belle Epoque qu'aux Etats-Unis. Confortant ce credo, la Seconde Guerre mondiale incita différents spécialistes de l'éducation américaine à œuvrer en faveur d'un système capable de transmettre « une culture nationale, un ensemble de principes pédagogiques et moraux qui inspirent à la jeunesse un grand dessein pour l'Amérique[4] ». Les leçons d'histoire, la nouvelle importance de l'éducation physique et le renforcement des rituels patriotiques donnèrent le ton de cette évolution[5]. Avec la victoire de 1945, la position de superpuissance, l'éclatement des forces armées mobilisées aux quatre coins de la planète et l'interventionnisme des gouvernements successifs expliquaient en grande partie le contenu d'un enseignement toujours attentif aux dogmes de la « religion civique ». Pendant la guerre froide, les principaux syndicats d'enseignants proclamèrent leur attachement patriotique ; sous le maccarthysme, les professeurs prêtaient serment, tandis que la période produisait des mises à l'index de programmes et d'ouvrages scolaires sous l'influence de groupes toujours actifs, comme la conservatrice National Parent-Teacher Association[6].

Les programmes ne sont pas imposés au niveau fédéral. Leur contenu est élaboré par les conseils scolaires, élus dans chaque district, qui rassemblent parents, professeurs, représentants d'associations et de groupes, libéraux ou conservateurs de la Majorité morale, soutenue dans les années 1980 par le président Reagan, puis de la Coalition chrétienne, au poids politique supérieur. L'enseignement doit pour partie sa relative uniformité aux manuels scolaires, publiés par quelques géants de l'édition : ces livres sont conçus après un processus de consultation des versions préparatoires auquel prennent part des spécialistes de l'éducation, des associations diverses – parfois jusqu'aux anciens combattants de l'American Legion – et autres lobbyistes. Avec les questions religieuses, scientifiques, économiques et sexuelles, les sujets historiques, au demeurant peu goûtés des élèves, sont au centre de controverses qui se règlent souvent devant les tribunaux. Un ouvrage peut faire l'objet d'une demande de retrait en justice[7], pour avoir par exemple attenté à la mémoire des vétérans du Vietnam. Dans la vingtaine de livres de référence des classes primaires et secondaires, les mécanismes d'entrée en guerre ou les réalités des violences militaires exercées contre les civils en ex-Indochine sont effleurés. Sauf exception, le consensus domine : les mythes nationaux et l'imaginaire patriotique remplissent le millier de pages des manuels les plus diffusés, dont l'ethnocentrisme des titres – *The Great Republic*, *Land of Promise (Terre promise)*, *The American Way*, *The American Tradition* ou *Life and Liberty*[8] – est éloquent. En parallèle, et depuis une trentaine d'années, le système scolaire public, où passent 90 % des jeunes Américains, subit un « appauvrissement intellectuel[9] » progressif et une baisse du niveau des compétences générales – non spécifique aux Etats-Unis – qui alarment, dans les années 1980, des spécialistes de toutes tendances[10]. Dangereuses en démocratie, la contraction des références culturelles et l'absence d'éveil à l'esprit critique produisent des masses de citoyens incomplets. Facteur d'inquiétude au cœur du débat éducatif américain, la mission d'homogénéisation d'une société multiculturelle dévolue à l'école est remplie par des moyens assez inattendus.

Le système éducatif est conçu comme une séquence de familiarisation au monde militaire, doublée d'un instrument au service du développement des forces armées. Tel fut l'objectif, en 1958, du vote par le Congrès du *National Defense Education Act* prévoyant des fonds fédéraux à l'attention des universités, en réaction à l'avancée technologique de l'URSS dans la conquête de l'espace avec *Spoutnik*, mis en orbite l'année précédente. Selon un président d'université, les collèges et les établissements d'enseignement supérieur représentaient alors des « bastions de [la] défense [américaine] aussi essentiels que les bombardiers supersoniques[11] ». Depuis la fin de la conscription, instaurée en 1973, cette politique est devenue indispensable au renouvellement annuel des forces armées.

Au début des années 1970, les spécialistes en opérations de recrutement n'hésitaient pas, paraphrasant Lavisse, à concevoir la classe comme un lieu où « est inculqué aux jeunes le sens du devoir et de la communauté nationale[12] ». Le mental des jeunes enfants devait donc être structuré en fonction des impératifs de défense, de façon à faire de chaque élève un futur combattant dévoué à la nation. L'instauration d'un état de guerre, à partir du 11 septembre 2001, impulse une nouvelle dynamique à ces plans.

Le pouvoir fédéral se montre en effet très attentif aux contenus des leçons dispensées dans le cadre des fêtes nationales, notamment le « *Veteran Day* » du 11 novembre ou l'« *Armed Forces Day* » chaque troisième samedi de mai depuis 1949. En complément du jour férié qu'est le « *Memorial Day* » (en l'honneur des soldats tombés et instauré à l'échelle nationale par Nixon en 1971), ces dates commémoratives offrent à l'Etat, par l'entremise des ministères de l'Education et des Anciens Combattants, l'occasion de donner une empreinte « nationale » aux contenus pédagogiques. Orientés vers les sites Internet d'organismes fédéraux, sollicités par les autorités, les direc-

teurs d'école, les proviseurs[13] et les professeurs de tout le pays y
trouvent depuis la fin des années 1990 des directives qui, suivies à
la lettre, donnent à leurs leçons un angle orienté vers une sacralisation de la nation et de son armée.

Plus encore depuis 2001, les cours d'histoire proposés dans le
cadre du « Jour des vétérans » par les ministères de l'Education et
des Anciens Combattants[14] sont mis au service d'une pédagogie
militaire : entre la maternelle et leur cinquième anniversaire, les jeunes Américains participent, lors des célébrations des « *Veterans
Day* » et « *Armed Forces Day* », à toute une série d'activités destinées
à faire naître chez eux une vive conscience patriotique. Lue dans les
écoles, la parole présidentielle donne le ton des commémorations
qui rendent hommage « au courage, à l'amour de la Nation et au
dévouement [des] vétérans », qualifiés d'« exemples[15] » pour la jeunesse. Sous une forme ludique, le programme « Veteran Affairs-
Kids » (ou « VA-Kids »), téléchargeable sur Internet, s'articule
autour de cette thématique et s'emploie à susciter un engouement
juvénile pour les référents nationaux[16] : une souriante mascotte, qui
n'est autre que l'aigle américain « cartoonisé » – symbole classique
des empires prédateurs –, conte l'histoire de la bannière étoilée et
inculque sur un ton amusant les règles inhérentes à sa présentation :
« Lorsqu'un ou plusieurs drapeaux sont accrochés à la même hampe,
c'est le drapeau américain qui doit être au sommet[17] », explique-t-on.
Le ton péremptoire avec lequel cette prééminence est énoncée divi-
nise les couleurs nationales. La dévotion à la bannière étoilée occupe
ainsi une place centrale dans les instructions relatives au « *Veterans
Day* » : sont en effet prescrites des cérémonies d'« allégeance au drapeau » sur fond d'hymne national dans la cour de récréation ou
avant le début d'activités sportives, la mise en place dans les réfec-
toires de « décorations patriotiques » à grand renfort de couleurs
nationales, voire le déguisement des enfants en soldats à partir
d'uniformes de papier préimprimés[18].

Dans un même esprit, le programme « VA-Kids » propose aux
tout-petits des jeux à connotation militaro-patriotique[19] : des séries
de dessins proposées pour les activités de coloriage représentent,
dans un style propre aux livres pour enfants, le mont Rushmore, le
Capitole, la statue de la Liberté, la cloche de la Liberté, qui alternent avec un porte-avions, des vaisseaux de guerre, des bombardiers
V1, des chars d'assaut Abrams et autres hélicoptères Apache, repré-
sentés pêle-mêle comme autant de symboles de l'Amérique. Hissé

au rang des monuments historiques les plus connus, l'arsenal militaire inspire aux enfants un respect construit sur une même fierté patriotique. Parmi les autres « activités ludiques », on trouve aussi les « médailles à composer et à imprimer soi-même » à partir de mots clés (« Héros », « Honneur », « Bravoure », « Courage », « Liberté ») et de cocardes interchangeables. Ce programme balise la créativité en fonction de qualités militaro-civiques qui acquièrent un statut référentiel dans l'univers enfantin.

La banalisation de l'armée se poursuit dans les classes supérieures : les « 6-12 ans[20] » peuvent s'amuser à remettre dans l'ordre des lettres afin de reconstituer des mots en partie identiques à ceux des médailles à imprimer. Là encore, l'ordre d'apparition de termes désignant alternativement des corps d'armée (« Navy », « Air Force », « Marines », « réserve »), des séquences militaires (« service », « bataille », « victoire ») et des valeurs « morales » (« bravoure », « famille », « protéger ») caractérise des cours d'instruction non pas civique, comme c'est désormais l'usage en Europe, mais militaire.

Regroupées sous la thématique des « Leçons de liberté », d'autres séances font l'impasse sur les mécanismes historiques pour privilégier, dès l'école primaire, la « connaissance du pays et de ses valeurs[21] ». Or, l'introduction aux « valeurs » passe ici par la parole des anciens combattants : selon les consignes ministérielles, les enseignants doivent inciter leurs élèves à rechercher la présence de vétérans dans leur famille[22] ou à « devenir l'ami d'un ancien combattant » afin que celui-ci vienne raconter à la classe son expérience de guerre. Mais, comme n'importe quel document historique, le témoignage nécessite un travail d'analyse précis. Les instructions officielles n'y font aucune référence, semblant laisser la réalisation de cette étape à l'entière appréciation de l'enseignant[23]. Si ce projet affiche l'ambition de faire « voir l'histoire à travers le regard d'un vétéran[24] », son intérêt pédagogique reste orienté : sans confrontation avec des connaissances préalables, le récit du soldat ne reflète qu'un point de vue subjectif, car marqué par sa propre sensibilité et le poids des années. Désignées comme partenaires du programme, les organisations officielles d'anciens combattants que sont les Veterans of Foreign Wars, l'American Legion ou le Military Order of the World Wars présentent aux élèves leur ligne politique conservatrice. Au final, la part de travail historique se limite à la réalisation du devoir dit « Vie d'un vétéran », qui consiste à soumettre un questionnaire dont le contenu appelle des réponses convenues : « Où étiez-

vous pendant Pearl Harbor/ lors du débarquement en Normandie ? », « Quels effets ces événements patriotiques ont-ils eus sur
votre famille[25] ? ».

Si l'on suit les instructions officielles, les élèves quittent leurs salles de classe avec des connaissances sur la « vie d'un vétéran » aussi
tronquées et déformées que peut l'être la mémoire d'un témoin. Les
Départements de l'Education et des Anciens Combattants ne cherchent pas à développer l'esprit critique des enfants, préférant poser
les bases d'un culte du soldat dont la parole doit être appréhendée
comme une vérité immuable et sacrée. Toute initiative s'écartant de
ce précepte repose donc sur l'entière responsabilité du professeur,
qui juge en son âme et conscience s'il convient de sensibiliser les
élèves aux oublis de l'intervenant. Plus globalement, le terme générique de « Lessons of Liberty » donne à penser que la « liberté » est
toujours liée à la pratique guerrière. Surtout, ces études imposent
l'idée que le recours à l'action armée par les Etats-Unis repose invariablement sur des impératifs de défense en même temps qu'il obéit
à des idéaux universels, telles la justice et la paix.

Légitimant tous les engagements militaires passés, le contenu des
leçons distille une morale soldatesque : ces cours glorifient les
notions de sacrifice, de courage, de combativité de l'armée et, donc,
le respect de la force et l'acceptation de la violence conflictuelle. Le
programme d'« Etude de l'histoire des vétérans » lancé en 2004
repose sur la lecture d'ouvrages rédigés sous l'égide des autorités[26] :
Soldat pour toujours ou Voix de la guerre : servir à l'arrière et au front[27]
offrent une sélection d'épiques récits de guerre. Tout au long de
leurs pages s'affirme une vision magnifiée et idyllique de l'appel sous
les drapeaux qu'aucune critique historique ne parasite ; Voix de la
guerre est subdivisé en chapitres dont chaque titre résonne comme
une leçon de morale formulée sur un mode impératif[28] : le chapitre I,
« Répondre à l'appel », offre des témoignages de jeunes combattants
qui affirment avec enthousiasme « leur sens du devoir, honnête et
spontané ». Sans perspective historique, la parole d'un vétéran de
1917 est mise sur le même plan que celle d'un ancien du Vietnam ;
il n'en subsiste que la constance d'un sentiment patriotique qui
jaillit dans de brèves citations faciles à mémoriser : « Je savais qu'il
me fallait y aller », affirme l'un, tandis que l'autre explique son aver-
sion pour les « planqués » de l'arrière : « Je ne voulais pas être affecté
en Allemagne alors que la guerre était au Vietnam[29]. » Ces élans
superficiels ne sont jamais confrontés aux âpres désillusions qui leur

ont succédé, notamment dans la jungle vietnamienne. Même chose avec le chapitre III (« Baptême du feu »), qui, loin de refléter l'angoisse extrême des soldats lâchés au cœur d'une bataille, insiste sur le « passage accéléré à l'âge adulte », la « sagesse » et les manifestations de solidarité que génère la participation au combat[30]. L'édulcoration de la réalité guerrière se poursuit dans l'évocation du Vietnam – « une expérience largement positive pour la plupart [des GI's[31]] » – ou au travers du témoignage d'une infirmière qui, après sept ans de service, n'évoque jamais les hommes qu'elle a vus souffrir ou mourir. L'esprit d'union nationale n'est pas oublié dans la partie titrée « Ils servent aussi », véritable apologie de la guerre totale : « Les guerres ne se gagnent pas seulement par la force, mais avec les hommes et les femmes qui travaillent pour l'infanterie [...] : les agents de renseignements, les infirmières, les scientifiques et les cartographes, les commerçants et les artistes qui tiennent chacun leur propre rôle sur la grande scène qu'est la guerre[32]. » Après avoir vu la guerre comme un spectacle, les écoliers apprennent donc que la « victoire » se joue également sur le « front intérieur[33] » et requiert la mobilisation des forces vives de la nation auxquelles ils appartiendront un jour.

Ce tableau nous renvoie une fois encore aux vieilles puissances européennes qui imprégnaient les écoliers studieux de valeurs militaro-patriotiques, assorties d'un messianisme bon teint. La fonction pédagogique attribuée au « Jour des vétérans » passe pour la réincarnation pure et simple des « Journées patriotiques » décrétées au début de la Première Guerre mondiale par le gouvernement français[34]. Depuis 2004, la tendance se renforce : sur ordre de la présidence, les commémorations du « *Veterans day* », jusqu'alors cantonnées à une journée de classe, s'étalent désormais entre le 7 et le 13 novembre. Pendant toute la durée d'une semaine dite « de conscience nationale des anciens combattants[35] », les professeurs sont chargés d'appliquer des « programmes du souvenir » insistant sur la « valeur du sacrifice consenti par les vétérans [...] de la Seconde Guerre mondiale, de Corée, du Vietnam, du Golfe et de la guerre contre la Terreur[36] ». Les instructions officielles replacent l'Irak dans la continuité des guerres décidées, peut-on lire, pour « la sécurité [des Etats-Unis] et la paix dans le monde ». Essence des discours officiels, ce tour de passe-passe rhétorique inculque aux nouvelles générations l'idée selon laquelle le 11 Septembre constitue le point de départ de la guerre contre le terrorisme, guerre dans laquelle la campagne d'Irak s'intègre avec un simplisme désarmant.

Afin de rendre ces notions plus concrètes, les écoles organisent chaque année des visites du porte-avions *USS Lexington,* reconverti en musée : « Parfois, les meilleures leçons sont enseignées en dehors de la classe, expliquent les communicants du bâtiment de guerre. Les écoles, les scouts et des groupes de jeunes de tout le pays sont montés à bord [...] pour une aventure hors du commun. [...] Les groupes [scolaires] se prépareront au combat comme les pilotes [...]. Il s'agit d'une leçon patriotique sans équivalent[37]. » Depuis 1992, les concepteurs du musée ont dénombré plus de 200 000 enfants venus passer une nuit sur le porte-avions pour suivre un « programme qui produit un sentiment de camaraderie, inspire l'amour du pays, tout en s'amusant[38] ! ». D'autres sorties scolaires sont organisées au cimetière militaire d'Arlington, où se dressent plus de 285 000 stèles[39]. Parmi les 4 millions de visiteurs annuels, des milliers de jeunes élèves, accompagnés de leurs professeurs, s'inclinent devant les monuments aux morts, la main sur le cœur ou au garde-à-vous. Avec eux, le noyau dur des patriotes est formé.

FBI, CIA, NSA et DIA pour les « petits »

Le FBI a ouvert son site pour « jeunes » depuis 1999, avant d'être imité après 2001 par la CIA, la NSA et la DIA (Defense Intelligence Agency), spécialisée dans le renseignement militaire. Mascotte amusante, fiches téléchargeables du matériel militaire utilisé et programmes ludiques (« analyse de photographies aériennes, puzzles, décodage... ») calibrés en fonction de différentes tranches d'âge sont mis à la disposition des enfants, des parents et des professeurs.

Intéressons-nous à la CIA des *« kids »* : tandis que les grandes figures de l'agence (ses chefs, ses héros) ont droit à leur panégyrique, l'univers fascinant des agents secrets se trouve à portée de main grâce à la visite virtuelle du « musée de la CIA » : ses gadgets (micros, caméras), son équipement (combinaison de vol ultraperfectionnée, avion espion U2) et ses prises de guerre (« masque à gaz d'Al-Qaida », « manuel d'entraînement terroriste ») construisent l'image de l'institution. Sur les *« Kid's pages »* de la CIA, des jeux proposent par exemple de retrouver, dans des grilles de lettres, les mots « Courage, George Bush, *Headquarters, Honor, Intelligence,*

Nathan Hale [le premier espion américain en activité au XVIIIe siè-cle], *Patriots*, Satellites, Secrets, *United States*[40] », dont la juxtaposi-tion crée un univers mental tout acquis à la politique nationale : le site inculque, suivant un texte mis en ligne le 12 avril 2007, que « la CIA est une agence gouvernementale indépendante qui fournit aux leaders des Etats-Unis des informations en lien avec la sécurité nationale, et qui leur permettent de prendre d'importantes décisions en toute connaissance de cause[41] ». Malléables, les jeunes enfants lisent des descriptifs qui n'ont que peu à voir avec les scandales récents. Les plus petits découvrent par exemple que « l'amour du pays et le dévouement à leur mission » caractérisent les agents de la CIA, présentés comme les protecteurs ultimes contre le terrorisme.

De manière systématique, les enfants sont également renseignés, avec beaucoup de pédagogie et sur le mode de l'amusement, au sujet des « nombreux métiers » utiles à chaque agence. Regroupant en 2005 un total de 97 500 employés, le FBI, la CIA, la NSA et la DIA créent un environnement favorable au renouvellement de leurs effectifs, en augmentation constante depuis 2001 : la DIA, qui comptait par exemple 7 500 recrues avant les attentats, en compta-bilise désormais 16 500. La jeunesse représente donc, là aussi, un enjeu de taille[42]. Dans ce domaine et depuis décembre 2005[43], l'adresse Internet de la NSA se révèle en pointe de l'attractivité enfantine : les plus jeunes y trouvent un site au graphisme de dessin animé, où surgissent de sympathiques personnages « animalisés » proches de l'univers Disney. Le site s'appelle *« Cryptokids, America's Future Codemakers & Codebreakers »* (« Cryptokids, les futurs concep-teurs et casseurs de codes de l'Amérique ») : entre autres activités, des rubriques invitent à « créer ses propres codes secrets » et expli-quent « comment [...] travailler pour la NSA ». La banalisation des pratiques menées par une agence responsable d'un nombre considé-rable d'écoutes domestiques et illégales est en bonne voie. A l'opposé, on cherchera en vain les *« Kid's pages »* du Sénat, tandis que celles de la Chambre des représentants semblent bien pâles.

L'armée dans le système scolaire

Loin de se limiter aux leçons d'histoire officielle, l'acculturation militariste du système scolaire américain passe également par un ensemble de mesures fédérales qui facilitent l'intrusion de l'armée dans les établissements.

Avec le Junior Reserve Officer Training Corps (JROTC), la militarisation repose, dès l'âge de 11 ans, sur la pratique d'activités sportives et militaires. Distinct des cours d'éducation physique et agrémenté de leçons d'histoire « batailles », le JROTC bénéficie d'un encadrement partagé entre enseignants volontaires et représentants de l'armée, qui œuvrent au sein d'écoles spécifiques ou dans les installations scolaires. En 2004, on recensait 3 184 établissements, souvent implantés au cœur des quartiers déshérités[44].

Derrière le paravent d'ambitions éducatives et « citoyennes », ces institutions contribuent, depuis 1862 et les années de guerre civile, à accoutumer les adolescents à une présence militaire, au respect de la hiérarchie, et promeuvent « l'ordre, l'autodiscipline [et] l'honneur » : une ou deux fois par semaine, les « cadets » volontaires se rendent à l'école vêtus de l'uniforme de l'« arme » dans laquelle ils « servent » (Navy, Air Force, Marines, Army, Cost Guards), participent à des défilés en tenue de parade, et suivent une ou deux semaines d'entraînement estival dans une base militaire ; entre autres objectifs, le JROTC vise à développer « la citoyenneté et le patriotisme », qui passent par le « respect pour le rôle de l'armée dans l'accomplissement de la nation[45] ». Ces valeurs sont requises pour toute « préparation à la carrière militaire », comme le souligne Colin Powell, ex-chef d'état-major interarmes, secrétaire d'Etat de 2000 à 2004 et ancien membre du JROTC[46]. En résumé, ces dispositifs d'embrigadement instaurent un service militaire préadolescent et optionnel, dans lequel l'enrôlement dépend, en théorie, de l'autorisation parentale. Formalisées par le *National Defense Act* de 1916, ces structures d'un autre temps ne vont pas sans rappeler les « bataillons scolaires » français au sein desquels, entre les années 1870 et 1892, les jeunes garçons pratiquaient des activités physiques suivant un mode paramilitaire. Instrument de recrutement informel (30 % des 281 000 « cadets » recensés en 2004 ont intégré l'armée[47]), le JROTC a vu son budget passer de 215 millions de dollars en 2001 à 326 millions en 2004 et 340 millions en 2007[48] : « L'armée, précise un rapport consacré au recrutement, doit trouver d'autres moyens d'exposer la jeunesse et ses parents aux aspects positifs de la vie militaire[49]. » Usant de crédits qui font souvent défaut aux aides fédérales, le JROTC pallie les carences de l'enseignement classique. Les participants, souvent issus de milieux défavorisés, sont canalisés vers une carrière militaire qu'encourage, en outre, le bonus alloué à la solde des cadets arrivés au terme du programme et prêts à s'engager[50].

Tentaculaire, l'institution militaire cherche à s'imposer par le biais d'un service d'orientation spécifique : l'« Examen d'aptitude professionnelle des Forces armées » (ASVAB) est un questionnaire à choix multiples de niveau sixième que l'on propose aux étudiants afin de « les guider en fonction de leurs centres d'intérêts personnels ». Dans la pratique, les candidats sont prioritairement orientés vers les métiers de la carrière militaire[51]. Organisé par les agents recruteurs, l'ASVAB se révèle stratégique pour les « informations concrètes et personnelles » qu'il permet d'obtenir, en présélectionnant des individus « aptes au service[52] » et donc à démarcher d'urgence. Enfin, les adeptes de l'école buissonnière traînant avec leurs camarades sur le parking du collège ne sont pas négligés : plusieurs dizaines de semi-remorques affrétés par le ministère de la Défense font la tournée des « bahuts » : les « *Army Cinema Vans* », « *Army Adventure Vans* », « *Air Force ROVers* » et autres « *Navy Exhibits Centres* » s'intallent à tour de rôle en face des établissements scolaires pour attirer les jeunes grâce aux couleurs criardes de leur présentation et au matériel ludique (jeux vidéo, simulateurs de vol, de char, films...) qu'ils mettent à la disposition du public. Avant de faire appel au sentiment patriotique, les clips conçus pour motiver les jeunes gens à s'engager empruntent, depuis les années 1980, les codes des films d'action, puis des jeux vidéo. Les séquences commandées par le Pentagone vendent une représentation de la guerre assortie de slogans dignes des dialogues d'un *Rambo* : « La question n'est pas de savoir si tu vas au combat, mais quand » ; « Ceux qui traitent les jeunes Américains de mauviettes n'ont pas vu mes Marines se battre à 3 heures du matin » ; « Ils n'hésitent pas à aller au combat avec le sourire. Ils donnent le meilleur d'eux-mêmes pour le pays », certifie le sergent d'un clip post-11 Septembre.

L'esprit militaire s'impose aussi aux lointaines périphéries de la vie scolaire : rappelons que les jeunes délinquants condamnés à des peines d'incarcération de douze à trente mois peuvent passer, depuis 1983 et pour une durée de trois à six mois, dans des camps de redressement dits « *juvenile bootcamps* », dont l'encadrement et la discipline militaires sont conçus comme une alternative volontaire à la prison. Suivant la loi, le sujet doit, entre autres activités, participer au « cérémonial caractéristique d'un entraînement militaire[53] », proche du « *boot camp* » des recrues de l'armée et synonyme de solution pédagogique. Egalement proposés par des sociétés privées, ces stages « de choc » démontrent, par leur seule existence, l'image positive des forces armées, quand bien même les résultats demeurent sujet à controverse.

Depuis la guerre froide, la visibilité de l'armée dans les écoles n'a jamais cessé de croître, accentuée de manière significative avec la fin de la conscription, annoncée en 1968 et effective en 1973. Les agents recruteurs disposent, pour l'exercice de leur mission, d'un guide fort précis : le *Manuel de recrutement scolaire* expose en détail les « techniques » permettant d'«assurer une présence permanente dans les établissements », de « susciter un intérêt chez les élèves, leurs parents, le personnel éducatif » et de « pénétrer le marché des écoles [*sic*][54] ». Imprégné de méthodes marketing, ce document donne aux officiers du recrutement un corpus de techniques indispensables à leur travail : connaissance du calendrier scolaire et extrascolaire de chaque établissement afin d'intervenir lors des moments de rassemblement des jeunes (Jour des vétérans, compétitions sportives, kermesses), aptitude à se fondre dans le personnel enseignant et à repérer « les élèves et les personnalités influents » (« athlètes », « délégués de classe ») afin d'entretenir de bonnes relations avec ces derniers[55].

La contagion des espaces pédagogiques par les représentants de l'armée se fait, depuis les années 1990, au moyen de dispositifs juridiques originaux. Sur le principe d'un chantage financier, l'amendement Solomon – inclus dans la loi d'orientation militaire votée en 1995 – ainsi qu'une disposition du *No Child Left Behind Act* (2002) conditionnent, avec l'amendement Hutchinson, le versement des subsides fédéraux alloués au titre des politiques d'éducation, de santé, de l'emploi et des transports à la pleine coopération des facultés, grandes écoles, lycées et collèges : les chefs d'établissement sont tenus d'autoriser « un libre accès à leurs étudiants [...] de 17 ans et plus » aux agents recruteurs, éconduits à 19 228 reprises en 1999[56], mais également de communiquer au bureau de recrutement local les « nom, adresse, numéros de téléphone, date et lieu de naissance, niveau d'éducation et de diplômes » figurant dans le dossier de chaque inscrit[57], soit un total qui dépasse les 30 millions d'individus[58]. Chaque semestre, le secrétaire à la Défense « dresse la liste [...] des établissements » jugés coupables de « pratiques opposées [...] à l'enrôlement » qu'il sanctionne, le cas échéant, par une annulation de leurs crédits fédéraux[59]. De même, c'est le ministère de la Défense qui, avec le Département de l'Education, rappelle à l'ordre les proviseurs récalcitrants[60].

Présenté par l'administration Bush comme la mesure phare de sa politique éducative, la clause militariste noyée au milieu des 670 pages du *No Child Left Behind Act*[61] reprend l'esprit de l'amendement Solomon, à deux nuances près : les millions de jeunes des milieux défavorisés[62] y sont visés – les « subventions fédérales spéciales » vont logiquement aux établissements des quartiers difficiles – et les filières de recrutement, jusqu'alors limitées à l'Université, se trouvent dorénavant élargies aux niveaux d'études inférieurs.

Ces textes pénalisent les établissements publics, dépendants d'une manne gouvernementale dont leurs prestigieux homologues du privé se passeraient avec moins de casse. Cette distorsion correspond à la politique de recrutement des forces armées, qui vise pour des raisons compréhensibles les jeunes des quartiers populaires, parmi lesquels figurent la majorité des étudiants du public[63]. A l'origine du fichage d'une partie de la jeunesse par les instances militaires, ces lois s'inscrivent dans la logique de transposition de techniques marketing que préconisent, depuis les années 1990, les études sociologiques commandées par le Pentagone en matière d'optimisation du recrutement[64]. Grâce aux bases de données que permettent de dresser les renseignements transmis par chaque établissement, la tâche des « chasseurs de têtes » de l'armée est facilitée : la connaissance individuelle des dossiers scolaires autorise un repérage des élèves et étudiants sensibles au démarchage militaire. Que de chemin parcouru depuis les lendemains de la débâcle vietnamienne : l'armée, tout juste professionnalisée, eut à composer avec un rejet massif des valeurs militaires par des pans entiers de la jeunesse. Afin de mieux lutter contre cette désaffection, le Pentagone commanda une série d'analyses poussées[65] venues compléter les résultats de la « Youth Attitude Tracking Study » (YATS), une enquête d'opinion des jeunes âgés de 16 à 24 ans menée chaque année depuis 1975[66] et sur la foi de laquelle étaient élaborées les stratégies de recrutement en matière de publicité ou d'argumentaires. La soif de connaissance des us et coutumes de la jeunesse américaine franchit un cap avec l'amendement Solomon et le *No Child Left Behind Act*, qui individualisent les investigations comportementales et aboutissent à un fichage de masse.

Dans une même logique, le ministère de l'Education annonce, en mars 2004, la mise en œuvre d'un projet de banque de données nominatives étendu à l'ensemble des étudiants du pays : complément idéal aux textes législatifs qui nous intéressent, le « National Student Record Data System » (NSLDS) est constitué d'« informations que le Département [de l'Education] et d'autres agences fédérales peuvent utiliser dans le cadre de recherches[67] ». On imagine sans peine quel profit pourrait en tirer une « agence fédérale » liée au Pentagone et dotée, grâce au NSLDS, de ressources collectées hors de toute contrainte et dans une perspective de rationalisation. Ajoutons que la base légale du service militaire américain est toujours en place depuis 1948, après une éclipse entre 1975 et 1980 : non abrogé, le *Selective Service Act* impose toujours aux jeunes Américains de s'enregistrer, dans les trente jours suivant leurs 18 ans, à des fins civiles liées aux programmes fédéraux, mais également militaires. Dans ce but, ces données sont versées au Conseil d'études et de recherche pour le communication et le marketing (« Joint Advertising Marketing Research & Studies » [JAMRS]) créé en 2005 par le Pentagone. Son but : « étudier la sensibilité, les croyances et les attitudes de la jeunesse américaine[68] » et constituer des bases de données utiles au recrutement. Recoupant leurs informations, le NSLDS et le JAMRS ont l'avantage de désamorcer les procédures judiciaires qu'entament régulièrement des citoyens contre des lois jugées liberticides[69]. Cette volonté étatique de collecte des informations personnelles s'inscrit dans la dynamique globale de contingentement de la population mise en œuvre après le 11 Septembre et qui donna naissance au *Patriot Act.*

Fort de ces nouveaux outils, l'agent recruteur s'emploie à convaincre sa cible : les jeunes gens en échec scolaire et les bons élèves ne disposant pas des ressources nécessaires aux études universitaires. Une fois recensés, ils sont contactés par téléphone ou démarchés à leur domicile. En faisant tour à tour miroiter les opportunités offertes par l'armée en termes de formation, d'emploi et d'aides à la scolarité, les recruteurs disposent d'un atout de poids pour remplir les objectifs chiffrés qui leur sont assignés.

Ce système est une conscription déguisée et inégalitaire. L'immixtion forcée des agents recruteurs dans le cocon sanctuarisé des études opère un renversement du précepte relatif à l'armée de métier : les volontaires ne vont pas d'eux-mêmes vers l'armée, c'est l'armée qui, forte d'un accès privilégié, tente de séduire jusque dans l'inti-

mité de leur quotidien des individus encore marqués par l'adolescence, vulnérables parce qu'en quête de repères, et rarement aptes
à mesurer toutes les implications d'une incorporation ; *a fortiori* lorsque l'engagement est présenté sous un angle ludique, sportif ou
comme le moyen de « voir du pays » et de fuir un environnement
précaire. Tel est pourtant l'angle retenu par les nouvelles campagnes
publicitaires d'enrôlement orchestrées par McCaan Erickson, une
agence qui a déjà signé la communication de McDonald's, Disney
et Nintendo[70], trois des grandes marques préférées des jeunes classes
d'âge. Doté d'un poste budgétaire – 1,2 milliard de dollars – parmi
les plus élevés des dépenses de communication fédérales[71], le discours des armées a réduit la place des anciens couplets sur le patriotisme. Désacralisé, l'acte d'engagement prend la forme d'une
démarche pragmatique qui apporte un soutien financier pour l'accès
aux coûteuses études universitaires en même temps qu'une formation morale – « intégrité, persévérance » – indispensable à la constitution d'un adulte accompli[72].

C'est pour prévenir ce genre d'impairs que fut voté en 1974, un
an après l'abrogation du service militaire, le *Family Educational
Rights and Privacy Act*, une loi visant à protéger les étudiants des
sollicitations extérieures[73], notamment militaires. Déjà mise à mal
par la signature d'accords entre les écoles, en déficit chronique, et
les grandes entreprises qui inondèrent dans les années 1990 les classes de matériels pédagogico-publicitaires, la loi préservait son efficacité dans les seuls Etats qui veillaient scrupuleusement à son
application. Avec l'amendement Solomon, le pouvoir fédéral reprit
la main et le *Family Educational Rights and Privacy Rights* fut vidé de
sa substance. Sous couvert de réforme éducative, le législateur parvint à satisfaire une revendication du Pentagone, pour lequel
l'implantation des agents recruteurs en milieu scolaire fait partie
d'un « plan stratégique[74] » : le *No Child Left Behind Act* formalise
donc un droit de préemption des armées sur un certain vivier écolier
en même temps qu'il vise à remédier à la diminution du nombre de
jeunes engagés[75]. De ce point de vue, le nom choisi pour la loi « éducative » prend un tout autre sens : « Aucun enfant n'est laissé à
l'écart »... des bureaux militaires. Or, ce titre rime avec une devise
de soldat : *« No man gets left behind »* (« Aucun homme n'est abandonné »).

Doté d'un droit d'ingérence dans la gestion du système éducatif, le
ministère de la Défense jouit donc de prérogatives qui amputent les

compétences des Départements de l'Education, du Travail, de la Santé et des Transports[76]. Cette loi altère l'équilibre constitutionnel en dotant le Pentagone d'un droit de veto tacite sur les dépenses éducatives votées par le Congrès[77]. La prééminence du ministère des Armées, qui consacre la primauté des affaires militaires, s'exerce au détriment de la qualité du système éducatif. En simplifiant les procédures d'annulation des crédits instituées par l'amendement Solomon, le *No Child Left Behind Act* poursuit dans la même veine : dorénavant, la suppression des aides fédérales spéciales ne nécessite plus l'intervention personnelle du secrétaire à la Défense, mais celle de commissions au fonctionnement plus souple. Si de telles orientations peuvent se justifier dans le contexte exceptionnel d'une nation en péril, force est de constater que ni les circonstances de 1995, ni même celles nées du 11 septembre 2001 n'autorisent un tel diagnostic.

Ce « détournement » des subventions fédérales est issu d'un combat cher au Parti républicain, opposé à l'interventionnisme de l'Etat providence dans le système scolaire qu'instaura le président Johnson en 1965. Ne pouvant, pour d'évidentes raisons politiques, remettre en cause le dispositif, les parlementaires des années 1990-2000 en firent l'auxiliaire du recrutement militaire.

Adopté par un Congrès à majorité républicaine, l'amendement Solomon constitue une riposte juridique aux mesures prises par plusieurs universités « libérales » à l'encontre du recrutement militaire. Menacés de coupes budgétaires par un Pentagone tout-puissant, les campus rebelles sont pour la plupart rentrés dans le rang. En revanche, l'amendement du *No Child Left Behind*, plus contraignant que ses prédécesseurs, est à replacer dans le contexte de veillée d'armes qui caractérise l'après-11 Septembre, lorsque toute mesure susceptible d'accroître l'influence de l'armée et de son ministre de tutelle remporte une quasi-unanimité. Fidèle à la logique d'un budget qui accordait en 2003 environ six fois plus de crédits à la défense qu'à l'éducation[78], la mise en balance de l'enseignement au profit de la machine de guerre dénote le poids acquis par les questions militaires dans la gestion du pays et, au-delà, l'enracinement d'une culture de guerre qui, portée par les élites gouvernementales, parlementaires et militaires, marque de son empreinte les choix politiques des dirigeants. Comme nous venons de le constater, une loi d'orientation militaire intègre, avec l'amendement Solomon, des dispositions qui influent sur la politique éducative, tandis qu'un texte d'une portée spécifiquement éducative, le *No Child Left Behind Act*, comprend une mesure en faveur des questions militaires. Enfin, l'ensemble bafoue l'*Equal Educational Opportunities Act* de 1974, qui reconnaît aux enfants scolarisés dans le système public le « droit aux mêmes chances en matière d'éducation ». Le mélange des genres ne saurait être plus poussé.

Les jouets, sous-produits d'une culture martiale

Par le biais de jouets pour enfants puis pour adolescents, l'industrie du divertissement participe à l'acculturation militariste de tout un peuple. Sous une apparence futile, le jouet diffuse un message qui fait de lui un précieux marqueur historique : « Par sa nature même, écrit le spécialiste François Theimer, il épouse servilement l'évolution et les travers de la société et les renvoie tel un miroir à ceux qui se penchent pour l'étudier[79]. » A la fin 2001, le monde du jouet est gagné aux Etats-Unis par un processus qu'ont connu la plupart des pays en guerre : les classiques petits soldats et autres jeux « guerriers » épousent la conjoncture politique. Les interventions de la « guerre contre le terrorisme » en Afghanistan puis en Irak donnent naissance à une nouvelle génération de jouets, portée par la brusque explosion du marché : la période des fêtes des années 2001-2002 connaît un retour en force des figurines de soldats, dont les ventes grimpent de 36 % par rapport à 2000[80]. Pris d'assaut dans une conjoncture économique plutôt morose, les rayons jouets des grandes surfaces se parent d'une nouvelle ligne, l'« *American Freedom Fighters, Live from Afghanistan Frontline*[81] » (« Combattants américains de la liberté, en provenance directe du front afghan »). Son modèle vedette, un élément des forces spéciales du commando Delta prénommé « Tora Bora Ted », est à l'origine des plus grosses ventes de la catégorie. La concurrence n'est pas en reste : à côté des classiques et plus impersonnels « GI Joe, vrai héros américain » que Hasbro décline en versions « afro-américaine », « hispanique » et « asiatique » – reflétant l'hétérogénéité ethnique des forces américaines –, l'offre fourmille d'avatars des combattants d'Afghanistan, à l'image des « *Freedom Forces* » produits par la firme Blue-Box Toys.

Autres articles en plein « boum », les armes factices et autres modèles réduits de missiles « pour enfants » d'Estes Industries : leurs exemplaires s'écoulent à un rythme effréné, avec une nette préférence pour l'emblématique *Patriot*. Spécialités américaines, les cartes à collectionner réservées aux sports s'ouvrent à la « guerre contre le terrorisme » : loin des habituelles équipes de base-ball, le leader du marché Topps, copié par ses concurrents[82], propose des séries centrées sur les attentats du 11 Septembre intitulées *Enduring Freedom Pictures Cards* » et divisées par thèmes : citons « L'Amérique unie », « Les leaders de la nation » ou « La défense de la liberté » qui, outre des images à la gloire de l'armement américain, comprennent des cartes à l'effigie du président Bush « rassurant la nation », « ralliant les troupes », « travaillant dans son cabinet » ou « donnant l'accolade aux secouristes[83] ». A l'opposé du « Bien » que symbolise cette série, les *Terrorists Cards* de la société US Trading Cards LLC représentent, pêle-mêle, Oussama Ben Laden, le colonel Kadhafi, Saddam Hussein et Yasser Arafat que le fabricant décrit comme « quelques-uns des plus détestables personnages que la Terre ait jamais portés[84] ». Soit un décalque pour jeunes de la politique extérieure du moment. L'apparition des cartes « patriotiques » de Topps remonte à la guerre de 1991 : cependant, le message politique véhiculé à l'époque n'atteignit jamais les sommets embrigadants relevés dix ans plus tard.

Avec deux siècles d'écart, ces cartes reprennent à l'identique le vieux concept des images d'Epinal récupérées par le pouvoir napoléonien pour construire sa légende[85]. Chez Topps, les batailles de Bonaparte laissent la place aux « grands moments » de la présidence Bush, mais une même emphase donne à ces images le ton d'une épopée. Signe d'une totalisation de la guerre – on retrouve une production identique dans l'Allemagne et l'Angleterre des années 1940[86] –, ces différents produits s'apparentent, tout comme les figurines de soldats, à des instruments de propagande : de la même façon qu'elle amasse les cartes de sportifs célèbres, la jeunesse américaine est appelée à collectionner et à s'échanger, dans les cours de récréation, les portraits d'hommes politiques magnifiés par leur attitude et leur discours. L'idéologie du pouvoir infuse de jeunes esprits que les attentats de septembre ont au moins autant ébranlés que le monde des adultes.

Si l'on excepte les scories de guerre froide présentes dans les jouets américains et vendus en Europe, ces procédés d'influence ont disparu du Vieux Continent depuis 1945 : les études sur le premier conflit mondial montrent comment l'univers enfantin a été nourri d'images de guerre par des jouets très spécifiques : les jeux de société « La marche sur Berlin » ou le conte du « Petit Chaperon rouge » revisité, avec « Grand-Mère la Paix » menacée par le « Loup boche », ont bercé la prime jeunesse des futurs soldats de 1939[87]. La logique perdure aux Etats-Unis, où la constance du patriotisme populaire ne se dément pas. Porté par un niveau de vie élevé, l'industrialisation du jouet et la massification de sa diffusion, le divertissement enfantin a acquis une portée didactique et propagandiste considérable, puisque chaque déploiement des forces armées génère une génération de jouets toujours plus variés. Sans remonter jusqu'au XIXe siècle, rappelons qu'il en fut ainsi depuis le Vietnam – née en 1964, la déclinaison en figurine du célèbre « GI Joe[88] » n'arbore plus, défaite oblige, sa tenue d'alors – jusqu'aux nombreuses miniatures de Humvees, Abrams et hélicoptères Apache déployés lors des deux guerres du Golfe. On observe une continuité, voire une complémentarité, entre les efforts gouvernementaux menés dans le cadre de l'école (patrimonialisation de l'armée, identification aux militaires) et l'offre des rayons jouets.

Dans les années 1980, le département marketing de Hasbro décidait, après sollicitation d'un panel d'enfants, de proposer à la vente un groupe d'« ennemis » – dits *bad guys* – que leurs jeunes clients apprendraient à connaître grâce à toute une gamme de produits dérivés (*comics*, dessins animés...). A partir de ce support promotionnel, les enfants pouvaient mettre en scène leurs personnages et combattre les « méchants » par l'entremise de leur GI Joe[89]. Destinée à offrir une « épaisseur biographique » à de simples figurines articulées, cette diversification permit de relancer un article démodé. A partir de 2001, la formule initiée par le fabricant des *American Freedom Fighters* » délaisse le socle fictionnel pour la réalité subjective que portent des médias ralliés à l'union sacrée : ces enfants puisent dans l'actualité les scénarios de leurs divertissements, avec, nous sommes en droit de l'imaginer, de profondes conséquences sur leurs représentations du monde. Comme des gamins de 1914-1918 singeant les tranchées, ces jeunes Américains jouent à se mettre dans la peau des soldats d'élite traquant Ben Laden. L'offre atteint des niveaux inédits : pour s'amuser à neutraliser Oudaï, fils aîné de Saddam Hussein, il suffit d'acquérir sa marionnette ensanglantée. Pour capturer le dictateur déchu, sa poupée en version hirsute fait merveille[90]. Avec l'arrivée sur le marché de nouvelles figurines à l'effigie du président Bush et de Donald Rumsfeld[91], le chef de l'Etat et ses adjoints prennent place dans l'univers enfantin, au même titre que les autres jouets de guerre. Mieux, ces doubles miniatures détrônent, en chiffres de ventes, le célèbre GI Joe en même temps qu'ils lui enlèvent le titre de « véritable *"action hero"* américain[92] ». Leurs déclinaisons parlantes répètent des extraits de discours – « la liberté a été attaquée », « le terrorisme ne gagnera pas » – qui, tels des *gimmicks*, imprègnent la mémoire des enfants. Très rapidement en rupture de stock et imité par la concurrence[93], Talking Presidents Inc. ajoute à son catalogue d'autres dérivés du chef de l'exécutif : les figurines du Président en tenue de pilote ou vêtu d'un blouson militaire assorti du plateau de *Thanksgiving*[94] permettent aux tout-petits de rejouer dans leur chambre les scènes phares de la geste bushiste, du spectaculaire appontage sur le porte-avions *Abraham Lincoln* annonçant la « victoire en Irak » (1er mai 2003) à la visite surprise des troupes un « *Thanksgiving day* » (27 novembre 2003). Tel est d'ailleurs l'usage préconisé par John Warlock, initiateur du projet, qui revendique une admiration sans bornes pour le Président[95]. Fruits d'un culte de la personnalité et de l'autorité, ces jouets ont pour ancêtres directs des figurines produites à l'orée des guerres mondiales : assemblé en 1939 par la société française Quiralu, le soldat en plomb du général Gamelin eut comme pendants, de l'autre côté du Rhin, la figurine de Hitler et sa voiture d'apparat, du fabricant Tipp & Co.

Les fillettes ne sont pas oubliées : égérie du camp conservateur pour l'extrémisme de ses idées, la poupée parlante de l'éditorialiste Ann Coulter[96] reprend un format qui lui permet de se mêler aux impersonnelles « Barbie » produites par le leader mondial du secteur Mattel et déjà parées, un an après la première guerre du Golfe, d'uniformes militaires, de médailles et du grade de sergent sous le nom de « *Barbie Marine Corp Sergeant*[97] ». « MP Jennifer » apparaît, elle, comme la version féminine du GI Joe[98].

Les plus grands ne sont pas en reste : l'industrie du jeu vidéo reprend, pour ses derniers titres, un même réalisme ethnocentriste, avec des simulations de jeux de guerre où les décors de villes arabes sont légion (*Full Spectrum Warrior*, *America's Army*, *Call of Duty Modern Warfare*) et dont le but consiste à effectuer les missions accomplies par l'armée américaine : faisant intervenir dans le cours du jeu des flashes d'information inspirés de CNN ou Fox News, *Kuma War* propose également de prendre la tête d'une escouade chargée d'éliminer Oudaï et Qusaï, de capturer Saddam Hussein ou de reprendre Fallouja[99]. Si, côté adulte, les chaînes d'information en continu distillent leurs nouvelles sur le mode du divertissement, avec force jingles et génériques cinématographiques, on constate que les enfants sont, à l'inverse, alimentés en divertissements qui reprennent les ressorts de l'information. La distinction entre la réalité et le jeu s'estompe donc très vite.

A l'affût des tendances, les fabricants répondent ainsi à une demande diffuse : le succès commercial de jouets politiquement connotés et personnifiant un idéal d'héroïsme patriotique repose sur le choix d'achat des adultes, influencés en cela par leur environnement psychologique, mais également sur le désir des enfants, qui dépend plus d'un effet de mode lié aux publicités, à un souci de conformisme et, globalement, au besoin d'imiter leurs aînés : fondement éducatif, le mimétisme est le canal de diffusion des valeurs bellicistes. La reproduction par l'enfant de comportements réservés aux adultes – la violence d'une bataille –, sur le mode ludique et selon des normes manichéennes imposées, est l'expression indiscutable d'une culture de guerre qui se perpétue au fil des décennies. Les plus jeunes prennent l'habitude de soutenir les troupes et de se rallier au Président, intégré dans l'imaginaire infantile et au monde fabuleux des héros intouchables. Comme l'avait démontré John Locke dès la fin du XVIIe siècle, les jouets contribuent à la formation intellectuelle par leur capacité à imposer des habitudes positives ou négatives[100]. Avec les vagues successives de « war toys », la guerre subit un processus d'acceptation mêlant archaïsme et modernité : par l'intermédiaire des jouets comme le « Forward Command Post[101] » (« Poste de commandement avancé ») – une « maison de poupées » avec son mobilier, incendiée, criblée de balles, vidée de ses occupants et convertie en « poste avancé » par un GI surarmé –, ce sont les destructions d'habitations et les victimes civiles des conflits qui finissent par être admises pour, finalement, ne plus susciter l'indignation, et ce, dès l'âge de 5 ans[102]. Le « Forward Command Post » rappelle les habitations en flammes imprimées sur le jeu de tir « Gare au 75 » vendu en France à l'aube de la Première Guerre mondiale. Là encore, on note le réflexe de fierté des armes nationales suggéré par le nom du jouet, qu'il s'agisse du « 75 », des Stukas bombardant une ville en flammes dans un jeu allemand de 1940[103] ou de la sempiternelle figure du GI. L'enfant est placé dans le camp de son pays afin d'en manier les armes « patrimoniales » dont le potentiel dévastateur est magnifié. Parallèle et contradictoire avec le mythe des guerres propres que véhicule le discours officiel, la réapparition de ces objets ludico-guerriers participe de l'acceptation par ces futurs adultes de la violence militaire. Comme au XIXe siècle, lorsque les maisons de poupées aux intérieurs finement reproduits permettaient aux élites bourgeoises d'inculquer à leur progéniture les arts de la décoration et de l'apprentissage ménager[104], le « *Forward Command Post* » enseigne l'inévitabilité des « dégâts collatéraux ».

Le potentiel de conditionnement de certains jouets « militaires » suscite l'intérêt du Pentagone, qui, de concert avec les grandes firmes d'armement, participe à chaque étape de leur conception : gages d'un réalisme central dans l'intérêt des enfants, les conseils et les données nécessaires au processus de fabrication sont délivrés par des bureaux annexes du ministère. Celui-ci y trouve un double intérêt : psychologique, avec ladite banalisation infantile de la violence guerrière, et pratique, grâce à une préformation ergonomique au maniement d'armes en tout point semblable à celui des jouets précités. De manière significative, la symbiose discrète qui unit en 2001 le monde du jouet aux hautes sphères du pouvoir profite de l'imbrication de la politique et des affaires : Hasbro, un des plus gros fabricants de jouets, comptait Paul Wolfowitz, secrétaire adjoint à la Défense, parmi les membres de son conseil d'administration[105].

Des jeux vidéo embrigadants

Depuis le tournant du millénaire, les jeux vidéo rivalisent avec Hollywood en termes de résultats financiers et d'audience[106]. Ce secteur revêt donc une importance croissante dans la stratégie de communication des armées : au-delà de leur finalité ludique, les jeux vidéo ont acquis, grâce au progrès technique, les caractéristiques d'un média pluridimensionnel : scénarisés, ils délivrent un message qui, par son interactivité, touche le destinataire avec une efficacité supérieure aux supports filmiques. Adeptes de ce divertissement, les jeunes classes d'âge sont, ne l'oublions pas, celles visées par les campagnes de recrutement.

Désireux de s'impliquer davantage dans la conception de jeux de simulation destinés au grand public, le ministère de la Défense américain a mis les bouchées doubles : avec la conclusion d'un accord de joint-venture entre l'armée et l'université de Californie du Sud est né en 1999 l'Institut des technologies créatives (ITC), où scénaristes, spécialistes en effets spéciaux et développeurs de jeux vidéo travaillent aux côtés de conseillers militaires[107]. Dans les locaux de l'ITC sont élaborés des programmes de simulation et des théâtres de guerre virtuelle à l'attention des soldats. Les plus réussis entrent ensuite en phase de commercialisation.

Cette nouvelle approche se concrétise dans le contexte de guerre post-11 Septembre : depuis le 4 juillet 2002, le site *america's army.com*, qui appartient à la websphère du Pentagone, propose en téléchargement gratuit le jeu du même nom, réaliste par la précision de son graphisme et le sens poussé des détails. Il appartient à un genre très en vogue, dit « *First Person Shooter* » (« Jeux de tir subjectif »), qui permet d'incarner d'un point de vue omniscient un personnage armé et confronté à un grand nombre d'ennemis.

Disponible sur Internet et sur le site de l'armée, *America's Army* est un jeu évolutif dont les mises à jour sont téléchargeables à intervalles réguliers. Réalisé avec le concours des spécialistes du secteur, le programme initial a coûté la bagatelle de 6 millions de dollars, dépensés par l'institut MOVES (Modeling, Virtual Environment and Simulation Institute), qui n'est autre qu'une structure créée *ex nihilo* par le ministère de la Défense à partir de capitaux publics. Si les compagnies de jeux vidéo ou les majors du cinéma bénéficiaient jusqu'ici d'une aide « logistique » de l'armée, cette dernière ne disposait pas, pour la réalisation des produits « militaro-culturels », de studios placés directement sous son contrôle. Grâce à MOVES, concurrent d'Electronic Arts, Ubisoft et autre Nintendo, c'est chose faite[108]. Cette société d'« *entertainment* » donne naissance à un processus de fabrication et de diffusion totalement original : transposé au secteur cinématographique, il reviendrait à projeter gratuitement dans les salles obscures des films conçus et réalisés par le ministère de la Défense. La stratégie interventionniste du Pentagone marque une nouvelle étape dans l'histoire de la propagande.

Configuré en fonction des desiderata du pôle Recrutement de l'armée, *America's Army*, premier logiciel conçu par MOVES, apparaît, selon les propres mots de ses concepteurs, comme un « outil de recrutement » des plus efficaces[109]. Lorsque le projet est lancé, en 1999, les forces armées peinent à attirer les jeunes[110]. Trois ans plus tard, alors que le jeu est disponible, le 11 Septembre et l'union sacrée qui en découle ont créé les conditions d'un changement de tendance : les développeurs d'*America's Army* intègrent au scénario du jeu des missions en relation avec la « guerre contre la Terreur ». Le succès est au rendez-vous. Téléchargé par 5,5 millions d'internautes en trois ans d'existence[111], ce programme se distingue de la concurrence par l'authenticité que lui confère le label « jeu officiel de l'US Army », sa gratuité ainsi que sa compatibilité avec un matériel informatique standard. Elargie aux consoles de Microsoft et Sony, sa diffusion profite de la bienveillance des autorités de classification des jeux vidéo, qui l'autorisent aux enfants de 13 ans alors que des titres concurrents et tout aussi violents font l'objet d'interdictions aux mineurs[112]. Appliquée à un programme téléchargeable gratuitement, l'efficacité de cette restriction reste précaire : rien n'empêche un enfant connecté à Internet de passer outre.

Les prétentions affichées des concepteurs d'*America's Army* sont claires : « Suivez un entraînement réaliste et vivez l'appartenance à l'*"America's Army Team"* », annonce le site de l'US Army.

Sous couvert de jeu, les Relations publiques du ministère de la Défense disposent d'un instrument des plus ingénieux : ce programme ludico-propagandiste permet d'attirer la jeunesse américaine dans les bureaux de recrutement, où des CD-Rom d'installation sont distribués[113] ; implantés à proximité des établissements scolaires, dans les foires et les manifestations sportives, les recruteurs démarchent les adolescents qu'ils captivent à l'aide de stands itinérants dotés de systèmes de simulation *America's Army* dignes des plus grandes salles de jeux vidéo. Mais, à la différence des complexes dévolus à ce type de divertissement, les « *Adventure Vans* » des forces armées ne proposent que des parties gratuites[114] ; face à des écrans à 180 degrés, les joueurs prennent place dans des maquettes de véhicules militaires montés sur vérins hydrauliques et manient, pour plus de réalisme, des M16 infrarouges. L'effet est saisissant : grâce au décor de ville arabe, on a tout à fait l'impression de circuler en plein cœur de Bagdad, où les « terroristes » deviennent les cibles à éliminer dans un fracas de détonations. La guerre apparaît comme un jeu auquel on participe, sans toutefois courir les risques inhérents aux zones de combat. Les informations alarmistes sur l'horreur du conflit sont relativisées par le vécu d'une expérience amusante. Dans l'intimité de sa chambre d'adolescent, le joueur d'*America's Army* embrasse « virtuellement[115] » la carrière. A travers l'entraînement, le choix du corps d'armée, l'affectation, la mobilisation et les missions à accomplir, le « volontaire » se coule dans la vie militaire. A l'instar d'autres jeux « multijoueurs » qui rassemblent sur Internet leurs communautés d'adeptes, aucune limite de temps n'est susceptible de mettre un terme à la partie. Dans ce monde parallèle dit « immergeant », chacun choisit d'endosser une identité virtuelle

dont la montée en grade dépend de son assiduité et de ses performances.

Les phénomènes d'addiction et l'influence psychologique de cette
formule sont connus : des internautes peuvent s'impliquer dans la
progression existentielle de leur doublure numérique au détriment
de leur vie sociale[116]. A ceci près que le fanatique d'un jeu de che-
valerie n'a pas d'autre alternative, pour faire vivre son personnage,
que de se réfugier dans l'univers pixelisé de son écran d'ordinateur.
La donne diffère avec *America's Army*, puisque conduire un Hummer ou un char fait partie des spécialisations propres à la carrière
militaire : le joueur d'*America's Army* dispose en permanence de la
possibilité de mettre sa vie au diapason de son existence virtuelle.
Etudiée à cette fin, l'ergonomie du site officiel – où sont disponibles
les indispensables mises à jour périodiques – impose, sur un bon
tiers de l'écran, une boîte de dialogue permettant, en un clic,
d'entrer en contact avec le bureau de recrutement le plus proche.
Toujours au niveau virtuel, le choix des termes utilisés lors de l'inscription en ligne concourt à donner l'impression que l'on vient de
souscrire un engagement solennel : « Bienvenue dans l'Armée de
l'Amérique », nous informe le courrier électronique du site officiel.
Après diverses instructions quant à la procédure à suivre, le message
se termine par une exhortation à « jouer » des plus festives : « Alors,
qu'est-ce que tu attends, soldat ? Vas-y ! » Le brouillage des repères
prévaut dans la conception du site, où les rubriques spécifiques à
l'armée se mêlent aux entrées du jeu. Leur contenu pratique le
mélange des genres : que l'on se renseigne sur *America's Army* ou
sur l'armée – *via* son site officiel –, l'emploi d'un vocabulaire identique saute aux yeux, de même que la charte graphique de leurs
pages Web, rigoureusement semblables. L'« armée » virtuelle est
présentée comme « une équipe *(team)* que rien n'arrête » – le terme
« *team* » désignant l'alliance de plusieurs joueurs en réseau – et dont
les éléments « deviennent, par leur entraînement, leur technologie et
le soutien dont ils bénéficient, toujours plus forts pour surmonter les
défis qui s'offrent à eux[117] ». Cette définition reprend, quasiment au
mot près, celle que les services de communication de l'armée ont
coutume de proposer dans leurs clips publicitaires : « Rejoins une
équipe gagnante ! » exhorte un spot de l'armée de terre[118]. Une tentation à laquelle auraient succombé deux joueurs d'*America's Army*
sur cinq.

L'omniprésence des références militaires distillées par *America's Army* imprègne les pratiques langagières des communautés de joueurs[119]. Par amour du jeu et par mimétisme, des millions de jeunes adoptent les normes comportementales de l'armée. Enfin, la distillation d'une idéologie messianique et binaire n'a pas été omise par les développeurs, qui rappellent aux membres d'*America's Army* qu'ils ont rejoint le corps des « soldats virtuels, défenseurs la liberté sur le Net[120] ». Soit, à deux mots près, un extrait du credo des soldats américains, dont la doctrine surgit dans une multitude de jeux, comme le best-seller *Call Of Duty Modern Warfare 2* : « Nous sommes l'armée la plus puissante de toute l'histoire de l'humanité, explique une séquence d'introduction. Chaque combat est notre combat, parce que ce qui arrive là peut survenir ici. [...] L'apprentissage des outils de la guerre moderne fait la différence entre la prospérité de ton peuple et ceux promis à la destruction. Nous ne pouvons te donner la liberté, mais nous pouvons te donner les moyens de la gagner. [...] Voici venu le temps des héros, le temps des légendes. » La familiarisation avec la violence guerrière est, du point de vue des militaires, une des lignes de force de ces programmes : *Call of Duty Black Ops*, sorti en 2010, permet à ses joueurs de demander un bombardement au napalm, d'en apprécier l'efficacité, pour finalement cautionner l'usage d'un matériel proscrit par les lois de la guerre et pourtant utilisé en Irak.

Depuis le 11 Septembre et à la faveur des progrès technologiques de la propagande, l'endoctrinement de la jeunesse mute et s'amplifie. Un titre comme *Conflict Desert Storm*, développé avec le concours de consultants du Pentagone et sorti en 2002, ne donne pas au joueur le choix de son camp : il doit y incarner un soldat américain dont l'ennemi à abattre est irakien. Réalisé par l'Institut des technologies créatives à l'aide de fonds militaires et grâce aux conseils éclairés d'experts de l'armée, *Full Spectrum Warrior*, d'abord destiné à l'entraînement des chefs d'escadre[121], participe d'une même logique, cette fois sur la console du géant Microsoft. Peu à peu, à partir du début des années 2000, chaque branche des forces armées bénéficie de plusieurs jeux (*Air Force Delta Storm*, *Soldier of Fortune* pour les Marines, *SOCOM : US Navy Seals*) dont plusieurs accèdent au stade commercial.

Le succès enregistré par le ministère de la Défense dans l'industrie du jeu vidéo incite les professionnels du secteur à s'aligner sur les standards définis par les programmeurs de l'armée : de *SOCOM 3 :*

US Navy Seals à *Ghost Recon Advanced Warfighter*, une série de variantes d'*America's Army* – dont deux suites ont été produites en 2003 et 2008 – déferlent dans les rayons spécialisés. La volonté du Pentagone d'alimenter la jeunesse américaine en divertissements conformes à l'idéologie du pouvoir consacre une culture de guerre totalitaire : porté par les mécanismes concurrentiels du marché, ce procédé d'influence encadre les loisirs des enfants. En incarnant un personnage, le joueur tend à adopter ses valeurs. Les états-majors disposeront donc de soldats caractérisés par un univers mental les rendant encore plus perméables aux raccourcis officiels et enclins à faire usage d'une violence que les progrès constants de l'armement n'auront pas manqué de décupler. Parce que les jouets d'aujourd'hui participent à la construction des citoyens de demain, le message que délivrent les divertissements post-11 Septembre prémédite l'acceptation des prochains conflits ; les jeux vidéo de guerre sortis à la fin des années 1990 donnaient à voir moult décors arabisants, comme signal annonciateur des prochains déploiements militaires. En 2006, *Kuma War* – également adopté comme support d'entraînement par l'armée américaine[122] – propose d'incarner un élément des Forces spéciales chargé, dans le cadre de la « guerre contre la Terreur », de « mener l'assaut contre l'Iran »[123]...

Les comics, *des modèles guerriers*

La « guerre contre la Terreur » irrigue les *comics*, bandes dessinées américaines dont les titres phares et périodiques généralement mensuels sont lus chaque mois par environ 70 millions d'*aficionados*.

Les attentats s'intègrent très vite à de nombreuses histoires, que des éditeurs concurrents (Image Comics, Chaos ! Comics, Dark Horse Comics et DC Comics) rassemblent dans des volumes publiés en commun. Pour la bande dessinée, l'union sacrée se matérialise au niveau économique et artistique, assurée ici par l'association de 140 scénaristes et dessinateurs, dont Alan Moore et Frank Miller, prompts à remiser leur approche iconoclaste d'un genre quelque peu figé au bénéfice du conformisme de l'unité nationale. Après *9-11 : September 11, 2001 (Artists Respond)*, la seconde publication, *9-11 : September 11, 2001 (The World's Finest Comic Book Writers & Artists Tell Stories to Remember)*, mêle sur sa couverture Superman, le premier des superhéros, aux héros du moment que sont les secouristes.

La tendance à l'héroïsation forcenée est donc respectée, tout comme la mise en avant du drapeau, brandi par Superman ou un Hulk colérique, muscles tendus, sur les décombres des Tours. A l'instar des titres cités plus haut, Marvel Comics, géant de la bande dessinée américaine intégré au groupe Disney, publie en décembre 2001 des albums « hommage » dont les bénéfices record[124] sont promis à des œuvres caritatives. Transcendant la concurrence que se livrent les éditeurs – à l'exception de Superman et Batman, absents pour des questions de copyright propre à DC Comics –, ces volumes, comme *Heroes (The world's greatest super hero creators honor the world's greatest heroes 9.11.2001)* ou *A Moment of Silence*, participent des mois durant à la glorification d'une Amérique unifiée, et offrent à leurs lecteurs une préface du maire de New York, Rudolf Giuliani : « Nous réalisons tous maintenant qu'il n'est pas nécessaire de lire des œuvres de fiction pour trouver des exemples d'héroïsme. Les vrais héros du quotidien américain ont toujours été là[125] », écrit-il. Toujours chez Marvel, *The Amazing Spider-Man #36* projette dans l'après-attentats la crème des superhéros que sont Spiderman, Daredevil ou un Captain America de retour pour une réaction vengeresse très attendue. Au préalable, le héros-titre célèbre l'unité du pays : « Ces dernières années, notre peuple a été [...] divisé. Mais cette fois nous ne faisons qu'un. Nos drapeaux apparaissent dans des lieux inattendus, le sol de notre patrie est revitalisé par les larmes et une même détermination. » Dans une série d'aventures intitulée *La Renaissance des héros* (juin 2002-février 2003), Captain America a entendu les appels – contradictoires – lancés par George W. Bush sur la nécessité de reprendre une vie normale. Le plus « patriote » de tous ces guerriers s'installe à New York, la ville martyre. Interpellé par des Américains, Spiderman avoue lui-même ne pas comprendre la raison de ces attaques, explicables par l'histoire des relations entre les Etats-Unis, le Moyen-Orient et l'Asie centrale. L'absence de réponse du superhéros avalise les paroles présidentielles.

George W. Bush est ainsi immortalisé en « président de guerre » parmi les superhéros de *The Avengers*, devenus ses porte-parole : dans le volume hommage de DC Comics cité plus haut, un personnage annonce qu'après le 11 Septembre « ce pays aura besoin d'un autre genre de soldat. [...] Ce n'est pas la guerre qu'a vécue mon grand-père. C'est une guerre de rats. Il n'y a qu'une seule façon de chasser des rats [...] qui se cachent dans leurs trous », explique-t-il, reproduisant là différents aspects du discours officiel sur la nature

de la guerre contre la Terreur, les grottes de Tora Bora ou l'anima-
lisation de l'ennemi. Or, la nature de cet ennemi justifie qu'on agisse
contre lui en usant de méthodes « criminelles », comme le souligne
le superhéros Green Lantern, né pendant la Seconde Guerre mondiale et toujours prêt à reprendre du service. Dans cette logique,
le « superespion » Nick Fury explique « n'avoir ni le temps ni
l'envie de discuter des questions de morale en temps de guerre », et
condamne le « respect de règles diplomatiques que personne d'autre
ne suit », règles qu'il juge responsables de la mort de nombreux
innocents.

Associé aux représentations du terrorisme, l'Irak y est visible, plus
ou moins maquillé : la série *Justice Society of America* développe,
entre novembre et janvier 2004, une intrigue autour de l'invasion
d'un pays du Moyen-Orient appelé le « Kahndaq », dont les habitants accueillent leurs libérateurs dans la liesse. Dans *Secret War*,
paru d'avril 2004 à décembre 2005, une alliance de superhéros issus
de l'écurie Marvel se constitue afin de renverser un régime qui
confie des armes modernes à une organisation hostile ; toujours chez
Marvel Comics, *The Ultimates 2* montre, entre décembre 2004 et
mai 2007, l'action d'une équipe similaire missionnée pour envahir
l'Irak avant le déclenchement de la guerre. Né en 1992, SuperPa-
triot, sorte de « Captain America » plus radical, participe lui aussi
aux opérations ; en 2006, la nouvelle série *Task Force 1* conte les
aventures de « super soldats » dans un monde post-11 Septembre,
tandis que le talentueux Frank Miller décide de confronter Batman
à Al-Qaida. Autre nouveauté, *War Heroes*, de Mark Millar, met en
scène un président John McCain parant ses soldats de pouvoirs
extraordinaires après des attentats perpétrés contre le Congrès, formule reprise par la série *Iron Maiden One*.

Les principes de la guerre conduite avec courage par des soldats
conscients de leur devoir sont de nouveau à l'honneur des « *War
comics* », ou bandes dessinées de guerre, genre que la Seconde
Guerre mondiale a rendu florissant jusqu'aux contrecoups du Vietnam et au tassement des ventes pendant les années 1970. A la fin
du siècle, les séries *Our Army At War* (1952-1977), *Our Fighting
Forces* (1954-1978), *Fightin' Marines* (1955-1984), *Fightin' Army*
(1956-1984), *Sgt. Rock* (1959-1988), *The Unknown Soldier* (1970-
1982), *The 'Nam* (1986-1992), et des dizaines de titres à la gloire
du bellicisme ont disparu avec Charlton Comics, leur éditeur de
référence. Le journaliste Karl Zinsmeister, « intégré » aux troupes

pendant l'opération « Liberté pour l'Irak » puis conseiller du président Bush, publie en 2005 chez Marvel Comics *Combat Zone : True Tales of GI's in Iraq (Zone de combat : vraies légendes des GI's en Irak)*, un opus qui réactive les « *War Comics* », dont le personnage du sergent Rock ressuscite en 2002 sous forme de figurine type « GI Joe »...

Pendant plus de trente ans, la production grand public s'est uniformisée : la Comics Code Authority (CCA), instance d'autorégulation des éditeurs patronnée par les plus puissants d'entre eux, a imposé dans son « manifeste » de 1954 un ensemble de règles qui interdisent par exemple que « les policiers, les juges, les officiels et les institutions soient présentés sur un mode susceptible de générer un sentiment d'irrespect vis-à-vis de l'autorité établie[126] ». Tout *comic* passant outre prend le risque de ne pas être distribué, dans la mesure où les libraires refusent presque toujours de proposer à la vente une publication dépourvue du sceau de la CCA. L'autocensure a donc considérablement restreint la liberté créatrice et les prises de position.

Après le 11 Septembre, la recette éculée continue de fonctionner : le « Bien », incarné par les Etats-Unis, et le « Mal », personnifié sous les traits stéréotypés d'islamistes barbus, s'affrontent dans une lutte sans merci.

Depuis leurs origines, les héros des *comics* se frottent aux aléas politiques[127]. A cet égard, les héros post-11 Septembre se situent dans la tradition : en juin 1938 naissait Superman, premier superhéros et archétype du genre dans sa version *comics*, créé six ans auparavant par le jeune scénariste américain Jerry Siegel et son ami le dessinateur canadien Joe Shuster. Le surhomme capable de voler au secours des causes universelles allait inspirer Captain America, Green Lantern et des bataillons entiers de justiciers spectaculaires. Moins de deux ans plus tard, Pearl Harbor et le basculement des Etats-Unis dans le conflit mondial marquaient de leur empreinte toutes les strates de la société américaine. Avec d'autres piliers du divertissement, les *comics* jouaient déjà un rôle de premier plan dans la propagande gouvernementale[128] : la typologie des superhéros et les conventions qui régissent leurs aventures en ont fait des supports idéologiques propices à tous les développements. Autre atout de poids, l'entrée en guerre de ces « super-Américains » avait précédé de plusieurs mois celle de l'administration Roosevelt.

Inattendu, le succès de Superman déclencha un phénomène, ouvrit un « âge d'or », et révéla les attentes du public. Si ses sources d'inspiration sont repérables du côté de l'Europe des débuts du siècle (l'Homme invisible, Fantomas...), voire aux Etats-Unis mêmes (Zorro...), les caractéristiques du personnage posent les jalons d'un style qui a marqué la culture populaire américaine : physique hors normes, pouvoirs surnaturels et mental d'exception permettent à Superman de faire face à toutes les situations. Défenseur de la veuve, de l'orphelin, des défavorisés et de causes toujours justes, le personnage endosse une double identité : d'individu lambda, il mute en humanoïde doté de facultés phénoménales et revêt pour l'occasion un costume distinctif qui met en valeur sa musculature. Dès janvier 1939, Superman apparaît dans la presse quotidienne, qui publie ses *comic strips* au succès croissant, tout en faisant l'objet, c'est une première, d'une publication qui lui est dédiée. En moins de trois ans, le surhomme devient une icône dont les aventures s'écoulent à 12 millions d'exemplaires, parmi lesquels une part non négligeable complète le paquetage des Marines.

Avant d'être un formidable redresseur de torts, Superman vit sous l'identité de Clark Joseph Kent, un Américain modèle issu des vagues d'immigration qui ont participé à la construction du pays. Humble citoyen, Kent aspire, dans les Etats-Unis encore marqués par la Grande Dépression, à une réussite sociale pour laquelle il travaille sans compter. Ce portrait est, au fond, celui de nombreux Américains, ainsi que le fruit fictionnel du melting-pot. Or, Clark Joseph Kent a un secret : il jouit de superpouvoirs et d'une quasi-immortalité. Ces avantages se révèlent décisifs dans son combat contre le crime et la pègre, fléaux des grandes villes américaines. Superman devient une véritable star, qui synthétise et hypertrophie des valeurs (l'ambition, le courage, l'héroïsme, le patriotisme...) conçues comme spécifiquement américaines. Ce modèle sera repris, peu après, pour le personnage de Steve Rogers, *alias* Captain America, né dans une famille irlandaise installée à New York. Beaucoup d'autres suivront.

La première aventure de Superman le conduit à Washington, et l'amène à débusquer des faits de corruption qui touchent le Sénat. Dans la deuxième, il se mesure à des espions et à un industriel de l'armement qui tente d'influencer l'administration au sujet d'une guerre civile en cours au San Monte, Etat imaginaire d'Amérique du Sud proche par bien des points de l'Espagne. La chute du récit traduit l'état d'esprit qui règne aux Etats-Unis : sur injonction de Superman, les adversaires règlent leur différend entre eux. Lorsque la guerre éclate en Europe, les premiers échos du conflit parviennent jusqu'au *strip*, publié par différents journaux entre le 13 novembre et le 16 décembre 1939, sans jouer un rôle fondamental dans l'intrigue. L'histoire suivante, parue à partir du 17 décembre, oppose Superman aux agents d'une puissance étrangère dont la mission consiste à entraîner les Etats-Unis dans la guerre. C'était sans compter sur Superman, « super-Américain » qui déjoue le complot. Les penchants isolationnistes sont bien là : le scénario démontre qu'un engagement militaire américain découlerait d'une machination orchestrée par des puissances d'argent, comme l'ont expliqué différents best-sellers des années 1920-1930 à propos de la Première Guerre mondiale[129]. Perméables aux secousses du temps, les aventures de Superman se gardent de citer des noms de pays ou de dictateurs : transparentes, les allusions suffisent, à l'image du discours d'un personnage nommé Karl Wolff faisant l'apologie d'une race supérieure.

Dès les débuts de 1940, DC Comics, l'éditeur, comprend que la série séduit le public classique d'enfants et de jeunes adultes friands d'aventures extraordinaires, mais aussi les soldats encore cantonnés dans leurs casernes, et, on peut le penser, quelques-uns de leurs supérieurs. Soudain, Superman change de ton. Le 27 février 1940, alors que les belligérants s'enlisent dans la « drôle de guerre », un *strip* montre Superman attrapant le Führer par le cou, avant de le traîner devant la Société des Nations où le maître de l'Allemagne est jugé aux côtés de Staline. La couverture du *comic* annonce la couleur, avec un superhéros boxant Hitler. Le propos se radicalise : comme Lex Luthor, ennemi récurrent de la série, les dictateurs de l'Axe représentent le Mal absolu que Superman devra éradiquer. Sensible à l'impact psychologique d'un personnage de plus en plus populaire, y compris dans le Reich, l'hebdomadaire de la SS, *Das Schwartze Korps*, réplique le 25 avril 1940 en insistant sur les origines israélites des auteurs, Siegel et Shuster, accusés d'être « mentalement et physiquement circoncis ». Pour ces fanatiques, l'affront est insupportable : Superman fut, d'après son scénariste, inspiré de l'*Ubermensch* (« surhomme ») de Nietzsche, lui-même récupéré, au prix de nombreux aménagements, par les théoriciens du nazisme soucieux de conférer à la doctrine de « race supérieure » une assiette philosophique. L'ensemble des superhéros qui emboîtent le pas à

Superman découlent de cette notion, mise au service des Etats-Unis et de la démocratie.

Quelques semaines après la bataille éditoriale *Superman/Das Schwartze Korps*, l'armée française s'effondre. Ce cataclysme choque l'opinion américaine, peu à peu résolue à rompre avec sa chère neutralité. Tandis que le pays se prépare à la prochaine élection présidentielle, les candidats fourbissent leurs armes. Depuis l'arrivée de Hitler au pouvoir, la question de l'attitude américaine agite avec une pression croissante l'intelligentsia et la société ; l'avancée japonaise en Chine constitue un autre sujet de préoccupation, renforcé par la crise des Sudètes et le démembrement de la Tchécoslovaquie. En mai 1938, le Congrès avait voté une augmentation drastique des crédits de défense. Après l'invasion de la Pologne, l'occupant de la Maison-Blanche faisait du 11 octobre le « *Pulaski Day* », conçu comme un signe de solidarité. Moins d'un mois plus tard, il fit abroger l'embargo sur les armes et les munitions qui empêchait des livraisons d'importance à la Grande-Bretagne. Face aux bouleversements stratégiques que provoquait la dislocation française, Roosevelt trancha en faveur d'une aide accrue à l'Angleterre. Malgré ces mesures, le Président, en quête d'un troisième mandat, promit qu'il n'enverrait « aucun Américain combattre dans une guerre à l'étranger ».

The Human Torch, dans le Marvel Comics numéro 1 d'octobre 1939, contredit cette promesse avec fracas. Création du professeur Horton, cet androïde converti aux idéaux de justice dirige ses pouvoirs contre l'Axe. Le lectorat des *comics*, sans cesse élargi, se voit proposer, dès janvier 1940, une flopée de héros qui combattent le fascisme : créé par Harry Shorten et Irving Novick, The Shield (« Le Bouclier ») conte les aventures de Joe Higgins, superhéros costumé aux couleurs du drapeau, chimiste de profession et fils d'un militaire victime des agissements d'un saboteur nazi. Higgins n'hésitera pas à expérimenter ses connaissances pour démultiplier sa force et intégrer le FBI ; on assiste à la naissance d'un superhéros s'apparentant à une version musclée de l'Oncle Sam, publiée par la bien nommée *National Comics*, doublé de super-héroïnes (Spirit of Old Glory, Miss America) en lutte contre les nazis. Dès février 1940, Namor, the Sub-Mariner, apparaît en couverture du quatrième numéro de *Marvel Comics*, sur le pont d'un *U-Boat* bardé de croix gammées et d'une tête de mort, s'apprêtant à faire feu sur un navire français. Aux prises avec deux soldats de la Kriegsmarine, le superhéros démontre sa supériorité en les mettant simultanément hors de combat. Très populaire depuis son apparition en juillet 1940, Alan Scott, *alias* Green Lantern, un ingénieur américain doté de pouvoirs surnaturels, est, lui, sélectionné par le Renseignement britannique pour faire échouer des opérations menées par des agents de l'Axe sur le sol anglais. Dans sa tâche, le superhéros est assisté par Bruce Wayne, *alias* Batman, qui rallie une masse croissante de lecteurs depuis mai 1939, et Jay Garrick, *alias* The Flash, autre personnage né au même moment.

La guerre des *comics* s'intensifie en janvier-février 1941 : Superman se pare, sur la couverture du 14ᵉ recueil de ses aventures, d'attributs ouvertement nationaux et patriotiques, tels un aigle posé sur son bras et un bouclier reprenant la « *Star spangled Banner* ». Avec lui, une armée de superhéros patriotes se dresse contre la barbarie. Cette nouvelle posture renvoie au processus déclenché par l'administration démocrate, et notamment la très marquante allocution radiophonique du Président, qui annonçait le 29 décembre le passage à une économie de guerre destinée à faire du pays l'« arsenal de la démocratie ». Dans un même ordre d'idées, le discours de l'état de l'Union prononcé le 6 janvier 1941 donnait à Roosevelt l'occasion d'affirmer le caractère fondamental de « quatre libertés », par essence opposées aux dictatures fascistes. La presse et l'opinion interprétèrent volontiers cette intervention comme le signe fort d'une imminente entrée en guerre : « Il n'y a qu'une conclusion à tirer de ce discours, explique le *Detroit Free Press*, c'est que nous participerons à la guerre [...] pour sauver l'Angleterre » ; « Le message du Président, souligne le *Los Angeles Times*, révèle que nous sommes formellement engagés aux côtés des nations qui résistent aux dictateurs. Nous leur expédierons des armes, et nous sommes prêts à en subir les conséquences. » Plus incisif, le *Philadelphia* clame que « l'Oncle Sam a fini de plaisanter ».

L'emblématique Captain America, né début 1941 sous les efforts conjugués de Joe Simon et Jack Kirby, illustre cette déclaration. Vêtu d'un costume assorti aux couleurs du drapeau, équipé d'un bouclier tout aussi évocateur, Captain America symbolise et encourage, avec plus de force que Superman, le patriotisme et la détermination dont devront faire preuve les citoyens des Etats-Unis lorsqu'il s'agira de combattre. L'adversaire est identifié : en mars 1941, le premier numéro de *Captain America* présente, en couverture, le superhéros administrant un formidable crochet au chef du IIIᵉ Reich, sous le feu croisé de nazis en uniforme dans un décor où fourmillent les croix gammées. Au sol, une carte de l'Amérique et des plans d'invasion matérialisent la menace que fait planer le nazisme sur la jeune démocratie. Le *comic* se vend à un million d'exemplaires, et vaut à ses auteurs un flot de lettres hostiles, rédigées par les tenants de l'isolationnisme. Martelant le message à l'identique, la couverture du numéro 2, paru en avril, reprend, comme les suivantes, les mêmes ingrédients picturaux et propagandistes, jusqu'à l'entrée en guerre que provoque Pearl Harbor : cette fois, les Japonais sont caricaturés sous les traits de simili-vampires démoniaques prêts à toutes les traîtrises.

En phase avec cette ligne, Clark Kent, *alias* Superman, troque dans chaque aventure son costume de journaliste pour celui du superhéros, dont les couleurs renvoient aussi à la bannière étoilée. La métaphore est limpide : à leur tour, les Américains endosseront une tenue bardée des symboles nationaux – l'uniforme – afin de se transformer en défenseurs de la liberté et de combattre les puissances de l'Axe qui menacent la civilisation : en septembre 1940, le retour prochain de la conscription est consacré par le *Selective Training and Service Act*. La parabole devient encore plus transparente lorsque, dans les années 1990, certains personnages abandonnent leurs tenues « théâtrales » pour des armures futuristes d'inspiration militaire. Quant aux superpouvoirs, ils peuvent symboliser l'infinie capacité d'action des Etats-Unis et leur puissance économique. Ces codes scénaristiques et ces normes de représentation sont publiés, en 1941, dans plus de 200 journaux, et incitent DC Comics à diversifier son offre, et la concurrence, menée par Marvel Comics, à s'en inspirer.

Ce genre dévolu au divertissement prépare le public à la guerre. Les lecteurs sont encore et toujours invités à s'identifier aux personnages qui, à l'instar de Captain America, passent du statut de jeune homme à celui de héros en pointe de la lutte antifasciste. Le procédé fonctionne : ses fans se rassemblent au sein d'un club baptisé « Les sentinelles de la liberté », épousant une idée chère aux partisans de l'engagement militaire puis prépondérante dans le discours de l'administration.

Parmi les explications de cette précocité dans l'engagement des superhéros, on observe que nombre d'auteurs marquants, comme Siegel, Shuster mais également Jack Kirby, de son vrai nom Jacob Kurzberg, « père » du Captain America, ou Will Eisner, créateur de

The Spirit, évoluent dans les franges libérales, parfois israélites, et sensibles aux ravages de l'antisémitisme nazi dont leurs familles furent victimes. En novembre 1938, après la nuit de Cristal, le président Roosevelt condamne la politique hitlérienne, rappelant pour l'occasion son ambassadeur à Berlin. Côté éditorial, le constat est identique : chez All-American Comics, qui s'intégrera à DC Comics, figurent parmi les actionnaires des hommes d'affaires comme Harry Donenfeld, propriétaire de National Allied Publications et distributeur de *Superman*, ou son ami Jacob Liebowitz. Leur concurrent, Marvel Comics, est piloté par Martin et Abraham Goodman. Pour Simon, le courant isolationniste refuse de se rendre à l'évidence : « Les opposants à la guerre étaient très bien organisés, explique-t-il. Nous voulions faire valoir notre point de vue. »

L'attaque de Pearl Harbor, le 7 décembre 1941, scelle l'entrée en guerre des Etats-Unis contre les puissances de l'Axe. Le 18 décembre, le *War Powers Act* crée le Bureau de la censure, qui passe au crible l'ensemble de la production éditoriale et le secteur du divertissement. Avec la littérature, la radio et le cinéma, le marché florissant des *comics* n'est pas en reste. Chefs de file de la tendance, Superman et ses succédanés fournissent aux futurs combattants de l'Amérique un fond idéologique et galvanisant : avec des répliques telles que « l'idée de retraite ne fait pas partie de mon vocabulaire » (Superman), une attitude fière et déterminée au service d'un combat mené suivant une devise (« la vérité, la justice et l'idée américaine »), les superhéros servent d'exemples et prolifèrent. Wonder Woman, censée porter la cause féministe, se mesure dès décembre 1941 aux puissances de l'Axe. Entre 1941 et 1942, Superman se décline, lui, en héros de dessins animés produits par les Studios Fleischer. Ces courts-métrages d'animation investissent les salles de cinéma, où ils sont projetés en avant-programme et distillent une propagande de guerre efficace, pluridimensionnelle et désormais omniprésente jusqu'à atteindre, en 1945 et par le biais des *comics*, plus de 70 millions d'Américains, soit la moitié de la population des Etats-Unis. Passée cette juste mobilisation, les structures d'influence perdurent.

Avec la guerre froide, le modèle éditorial, rodé par une guerre victorieuse, continue à fonctionner ; Japonais et nazis laissent la place aux communistes, comme *The Red Skull*, squelette terroriste au service de l'URSS, ou les *Soviet Super Soldiers*, que combat Captain America : « Attention, cocos, espions, traîtres et agents de l'étranger, Captain America, avec l'aide de tous les hommes libres et loyaux, vous traque[130] », prévient par exemple le superhéros, suivi par ses confrères. Simultanément, les personnages plus réalistes de GI Joe, issus du *comic* né en 1942 et dessiné par le conscrit Dave Breger, guerroient sur les mêmes champs de bataille que les forces américaines, du moins lorsque leurs scénaristes ne les expédient pas dans un pays imaginaire : après 1970 et la débâcle en ex-Indochine, l'imprégnation politique et explicite des récits se révèle périlleuse sur un plan commercial, jusqu'à ce que les années Reagan et la reprise des personnages par Marvel revitalisent un temps cet angle de lecture. Cette propagande plurielle et simplifiée, sinon simpliste, qui diffuse la crainte d'une conspiration communiste à tous les niveaux de la nation, alimente les lectures des générations successives de jeunes Américains. Au fil des guerres menées par les Etats-Unis, les ennemis de *comics* apparaissent et impriment leur marque sur les futurs citoyens, et futurs soldats. Comme les jouets, ce mécanisme d'embrigadement n'est pas d'essence américaine : dans l'Europe de la Grande Guerre, en France notamment, les héros d'une bande dessinée balbutiante imprimaient une même approche de la guerre dans *Bécassine pendant la guerre* (1916), *Bécassine chez les Alliés* (1917) ou *Bécassine mobilisée* (1918). Les Etats-Unis se distinguent donc par la permanence du procédé, un style « musclé » ainsi qu'une industrialisation massive.

III

D'UNE GUERRE ESTHÉTISÉE
À LA RÉALITÉ DES COMBATS

10

La guerre « hollywoodienne » :
une superproduction « Pentagone »

Le sensationnalisme « embedded » *et l'information de guerre*

De 1965 jusqu'à l'offensive du Têt, début 1968, 86 % des informations de guerre diffusées en soirée par CBS et NBC traitaient de l'aspect technique des combats, sur un ton très souvent favorable[1]. Sous couvert de transparence, la stratégie du Pentagone consistant à « intégrer » des journalistes à leurs unités pendant l'invasion de l'Irak œuvre dans le même sens, et n'effleure que de très loin la démarche informationnelle de Robert Capa, versé pour *Life* dans les unités débarquant à Omaha Beach.

La liberté dont jouissaient les reporters de guerre au Vietnam sera encadrée en Irak. Si, comme le fit remarquer en 1975 le sociologue Marshall McLuhan, « le Vietnam a été perdu dans les *living rooms* de l'Amérique – et non sur les champs de bataille », la guerre d'Irak trouve, entre mars et mai 2003, un soutien paroxystique dans ces mêmes *living rooms*, grâce à des journalistes « intégrés » *(embedded)* décrivant ce qu'on leur donne à voir : l'avancée irrésistible de l'armada américaine. Ses effets sur les villes irakiennes seront moins couverts : l'ensemble des chaînes américaines, à l'exception de CNN (finalement expulsée par le régime baasiste), obéissent aux consignes de l'administration, qui enjoint tous les journalistes de quitter le pays. Le déséquilibre est manifeste : l'attention est centrée sur les « *boys* ». Des stéréotypes de guerre, vus au cinéma et à la télé-vision, s'exposent dans un format de télé-réalité transposé au champ de bataille.

A l'origine des « journalistes intégrés », on retrouve le producteur Bertram Van Munster, associé à son confrère, le spécialiste des « *blockbusters* » et républicain Jerry Bruckheimer, dans l'émission de télé-réalité militaire *Profiles from the Front Line*. Tous deux soumettent au département des Relations publiques du Pentagone leur idée de filmer, de l'intérieur, les divisions américaines pendant l'invasion. Acceptée, cette proposition n'est d'abord pas suivie par la chaîne ABC, avec laquelle travaillent Van Munster et Bruckheimer[2]. Le principe reste.

Pour la première fois, une guerre sera suivie par 775 journalistes, intégrés directement aux diverses unités lancées dans la conquête de l'Irak. George W. Bush lui-même avait promis, au soir du 11 Septembre, que son peuple serait le témoin privilégié de la guerre contre le terrorisme, de ses « raids spectaculaires [...] diffusés à la télévision[3] », de la même façon que les Nordistes avaient convié, le 21 juillet 1861, leurs familles à assister par centaines, dans des tribunes et des emplacements créés à cet effet, à la bataille de Bull Run. Au service du spectacle et d'une information biaisée, la thèse officielle de caméras synonymes de vérité, aussi vieille que la présence d'opérateurs sur le champ de bataille, subjugue des médias ravis d'avoir autre chose à diffuser que les écrans verts de la première guerre du Golfe. Reste à observer ce qu'il a été jugé utile de montrer au public.

Pendant la guerre civile, le photographe nordiste Mathew Brady présentait « au pays la terrible réalité du conflit » à travers les corps sans vie de l'ennemi confédéré. Moins d'un an après la Seconde Guerre mondiale[4], les opérateurs de guerre, y compris ceux du Signal Corps lâchés sur les plages de Normandie, ne cadraient pas les morts de leur camp, tant par autocensure patriotique que par respect des consignes, qui, outrepassées, leur auraient de toute façon fait gaspiller une pellicule précieuse. A l'ère du numérique, le comportement reste similaire. A l'exception des séquences fournies par le régime baasiste et relayées par Al Jazeera lors des combats de mars 2003 – qui provoque l'ire à sens unique des autorités américaines –, les rares cadavres de soldats américains montrés à l'écran seront, en 2005, ceux des acteurs de la série *Over There*, dont le caractère polémique s'explique en partie par la transgression d'une norme séculaire. Tout est pensé pour éviter un *remake* de Mogadiscio et des corps démantibulés de soldats. En affichant pas ou peu ses pertes, dépersonnalisées et présentées sous la forme d'un faible bilan comptable, on évite l'impact glaçant des images montrant des corps figés dans des postures morbides qui rappellent trop violemment la réalité de la guerre, une réalité capable d'éroder le soutien au pouvoir. Quant aux victimes « collatérales », une mise en perspective avec les morts du 11 Septembre aide à relativiser...

Peut-on parler de censure ? Pas vraiment. CBS et CNN diffusent les images des militaires américains prisonniers, blessés ou tués, non sans condamner leur existence. Pourtant, toutes les chaînes avaient diffusé des séquences montrant des prisonniers ennemis et les corps sans vie de soldats irakiens. Cette indignation sélective, calquée sur le pouvoir et qui doit interpeller jusqu'aux plus patriotes, prouve la rigueur du manichéisme qui imbibe les esprits, et met en évidence une volonté ardente de démontrer la barbarie de l'adversaire, ignoble au point de se repaître de la douleur des valeureux libérateurs. Dans ce contexte mental, la censure est accessoire, sinon inutile et contre-productive.

Les consignes délivrées en février 2003 par le sommet de la hiérarchie militaire ont beau jeu d'insister sur les « restrictions minimales[5] » imposées aux journalistes : « Nous devons raconter les faits – bons ou mauvais – avant que d'autres n'alimentent les médias en désinformations[6]. » Sans évoquer le classique (et difficile) devoir qu'ont les commandants d'encadrer la parole de leurs hommes, on retient que seule la divulgation de l'identité ou de photographies de soldats blessés et reconnaissables est qualifiée de « sensible », avec l'interdiction de révéler au public les « règles d'engagement » ou d'ouverture du feu[7]. Le contrôle de l'information est plus pernicieux : « Personne n'a jamais tenté de savoir ce que j'écrivais, je n'ai jamais subi ni pression ni censure[8] », explique un journaliste français intégré à trois reprises à l'armée américaine. Et pour cause : le système des « embedded » s'adresse avant tout aux citoyens américains. L'opinion des autres Etats, massivement opposés à la guerre, ne basculera pas.

Sur un total de 775 places disponibles, 100 seulement sont réservées à la presse non américaine. Passons sur la question éthique de la cohabitation d'un journaliste avec des soldats, et les liens qui se créent comme autant d'entraves au report objectif de l'information. Le problème est ailleurs : les journalistes américains dépêchés par les majors de l'information baignent dans l'union sacrée caractéristique des phases de déploiement militaire. Sur tous les écrans et dans les journaux, un ton épique enrobe une mise en scène et des images faisant la part belle au matériel militaire. Le film de guerre se regarde en temps réel. Le tabloïd New York Post fait sa une avec une photo de Saddam surmontée du titre : « *Dead Man* ». *USA Today* place le dictateur dans une ligne de mire. Incrusté sur le décor des journaux télévisés, un compte à rebours, façon *24 heures chrono*, égrène les heures, minutes et secondes jusqu'au terme de l'ultimatum devant déclencher la charge des divisions de l'Amérique.

Jamais une guerre n'avait été lancée avec un tel méli-mélo de recettes de l'« *entertainment* » et de nationalisme extrême : « Aux braves soldats américains qui vont combattre pour nous, je dis "merci et Dieu vous protège" », lance Dan Abrams, présentateur de MSNBC, chaîne d'info en continu, une heure avant l'expiration de l'ultimatum. Au moment des premières frappes, Shepard Smith, un des journalistes vedettes de Fox News, assène que, « cette fois, la campagne pour libérer et désarmer l'Irak a bien commencé[9] » ; « *Good Morning Bagdad* », titre, au matin du 20 mars, le *Daily News* de New York, qui distille un étrange parfum de revanche plein de références au Vietnam. Sur CNN, un reporter « *embedded* » s'enthousiasme pour la « machine à tuer la plus létale du monde » ; « Balayés. Les GI's tuent 300 Irakiens sans perdre un seul homme », titre en une le *New York Post* du 22 mars.

Du point de vue des stratèges en communication officielle, les journalistes sont « sûrs », du moins dans leur écrasante majorité, à commencer par ceux des trois chaînes d'information les plus regardées (Fox News, CNN, MSNBC) : « Les reporters venaient avant l'entretien me demander quel était le message que je voulais faire passer, avoue Josh Rushing, alors porte-parole des Marines. Ils savaient que le public n'avait pas envie de voir un jeune soldat en uniforme être bousculé par des questions trop critiques[10]. » Leurs comptes rendus des batailles ou de la vie quotidienne des GI's sont consommés en temps presque réel, et focalisent sur l'aspect militaire et héroïque des opérations, sans toujours recontextualiser ces informations à l'échelle du conflit ou dans une optique culturellement critique. Le temps est à l'uniforme, et à l'uniformisation.

Quelques jours avant l'invasion, les médias utilisent les codes de présentation d'un conflit conventionnel, soit l'opposition armée de deux Etats. Plus question, ici, de faire la guerre au terrorisme ou à Al-Qaida. L'ennemi, c'est l'Irak, comme le rappellent les titres-*jingles* des grandes chaînes : « *Objectif Irak* » (« *Target Iraq* », MSNBC), « *War on Iraq* » (CNN), « *War with Iraq* » (ABC), autant d'expressions qui font appel aux réflexes d'un peuple en guerre – « *America at War* », titre CBS. Pour la plupart de ces chaînes, toute référence à la « guerre en Irak » disparaît au lendemain du 1er mai, jour de la proclamation présidentielle de la « fin des opérations majeures ». La phraséologie militaire, formatée selon les règles de la propagande, devient, au moins pendant le pic de fièvre guerrière, celle que s'approprient les médias dominants. Loin d'un parallèle après tout envisageable, sur le plan de la démarche, avec les volontaires des Brigades internationales de 1936, ceux qui partent combattre aux côtés des Irakiens sont tous des « terroristes étrangers » attaquant les troupes venues « libérer l'Irak » et désormais en lutte contre des « forces anti-irakiennes ». D'autres mots sont proscrits, comme « occupation », à moins que celle-ci ne soit qualifiée de temporaire. Outre une connotation négative, ce terme irrite l'opinion et heurte ses représentations d'une Amérique non conquérante : selon un sondage d'avril 2003, environ la moitié des Américains interrogés pensent que leurs soldats rentreront au plus tard d'ici un an, 28 % avant deux ans, et 21 % au-delà[11].

Pendant les premiers jours de l'invasion, les points médias des porte-parole militaires sont relayés sans filtre journalistique : la presse constate au bout de plusieurs jours que le port d'Oum Qasr et la ville de Bassora ne sont pas tombés, comme l'affirmait l'état-major. Leurs habitants, en majorité chiites et hostiles à Saddam, s'opposent aux troupes britanniques, témoignant là d'un sentiment national irakien venu complexifier la présentation binaire du pouvoir américain. Difficile, pour les reporters consciencieux, de multiplier les points de vue : on se souvient que, pendant l'offensive afghane, ceux réticents à arborer un pin's aux couleurs du pays devaient s'en excuser, tandis que les journalistes trop critiques étaient remerciés par leur employeur. Pour avoir accordé une interview à la télévision irakienne, le reporter Peter Arnett, de NBC, apprend à ses dépens que la guerre d'Irak déclenche les mêmes réflexes. L'objectivité, qui nécessite de présenter l'impact humain de la guerre, est une vertu des plus rares. Montrer les victimes civiles d'« *Iraqi Freedom* » revient à imiter Al Jazeera, la chaîne que l'administration a qualifiée de porte-voix d'Al-Qaida ou de la dictature baasiste[12]. Il faut donc s'en différencier, porter les valeurs de la nation, reprendre les dénégations de l'armée après des bombardements fatals à des dizaines d'Irakiens, voire s'enthousiasmer et rire aux éclats devant les images de la prise de Bagdad, comme l'envoyé spécial de MSNBC et beaucoup d'autres dans la salle « médias » du quartier général

américain[13]. Pour la presse la plus indépendante, comme le magazine *Mother Jones*, ou attachée à la permanence de l'objectivité, à
l'image du *Los Angeles Times*, ses éléments susceptibles de poser un
regard « antipatriotique » intègrent un convoi de ravitaillement loin
des premières lignes, ou voient leurs reportages se diluer dans le torrent nationaliste. Seule la mort de journalistes dans la chambre de
l'hôtel Palestine pris pour cible de façon pour le moins précipitée
par un char américain, et les explicitations troubles des porte-parole
militaires et politiques, provoquent une vague d'indignation dans la
presse *a priori* sérieuse, notamment le *New York Times*, loin de rencontrer un impact comparable à celui des *majors* des médias. L'opération « *embedded* » s'est donc révélée payante sur plusieurs points :
au contraire de l'opacité des informations distillées pendant la première guerre du Golfe, la « libération » de l'Irak fut saturée d'images.
Le modelage de sa perception par le public a gagné en confusion.

Plus que les consignes d'encadrement des journalistes « embarqués », la capacité manifestée par ces derniers à s'autocensurer et à
créer des images scénarisées découle au premier chef de l'union
sacrée, exploitée avec ingéniosité par les communicants officiels. En
ce sens, rien n'a changé depuis l'intronisation des caméras sur les
champs de bataille, même si les difficultés rencontrées pendant la
conquête du territoire irakien finissent par susciter quelques controverses entre la fin mars et le début avril, non pas sur le bien-fondé
de la guerre mais plutôt en raison d'une communication jugée insuf-
fisamment transparente.

Malgré tout, la couverture du conflit, écrasée sous le poids de la
propagande mais enrichie par des médias soucieux de satisfaire la
forte minorité antiguerre, laisse entrevoir ça et là un autre son de cloche. Après dix jours de guerre, NBC, CBS et ABC incluent dans leurs
comptes rendus le point de vue de la population irakienne. Pour le
pouvoir et l'armée, l'antidote à cette prise de conscience consiste en
des injections de patriotisme dans une veine émotionnelle.

*Des scénarios à grand spectacle : « Il faut sauver le soldat Lynch »
et « Un héros nommé Tillman »*

L'épopée de Lynch est célèbre. Le 1ᵉʳ avril, alors que les destructions et la mort semées par les divisions américaines refrènent
l'ardeur patriotique, le Département de la Défense diffuse un bref

communiqué sur une opération de sauvetage réussie derrière les lignes ennemies : Jessica Lynch, militaire de 19 ans, membre d'une compagnie logistique, était « portée disparue » depuis l'embuscade tendue le 23 mars 2003 contre son convoi. Elle a été récupérée[14]. Très vite, un flux d'informations s'agrège à ce premier fait, jusqu'à captiver l'Amérique. Alimentée en détails par des officiels anonymes et le Pentagone, qui dévoile le 2 avril une courte vidéo de l'opération[15], la presse s'enflamme, à commencer par les « institutions » que sont le *Washington Post* et le *New York Times* : « Jessica Lynch [...] a combattu avec acharnement et a abattu plusieurs soldats ennemis, [...] jusqu'à l'épuisement de ses munitions. [...] Elle continuait à tirer sur les Irakiens même après avoir été atteinte de multiples blessures par balles et vu mourir plusieurs autres soldats de son unité. [...] Elle s'est battue jusqu'à la mort. Elle ne voulait pas être prise vivante. [...] Lynch a aussi été poignardée[16] » ; prisonnière, « elle n'a pas mangé pendant huit jours[17] », a été battue[18], torturée[19] et violée[20]. De hauts gradés et des responsables politiques de premier plan, jusqu'au Président, reviennent sur l'épisode[21] : renseignée par un Irakien, l'armée a mobilisé quelques dizaines d'hommes et monté, sur ordre du général Franks, chef du CENTCOM, une spectaculaire opération de sauvetage, la première du genre depuis la Seconde Guerre mondiale. Une fois l'hôpital investi sous le feu ennemi et Jessica Lynch exfiltrée, on l'a couverte d'une bannière étoilée, le tout sous l'objectif d'une caméra. Affaiblie mais vivante, l'héroïne reçoit un accueil national des plus chaleureux, une avalanche d'onéreux cadeaux[22], et le statut médiatique d'« *American hero* » : « C'est une guerrière. Elle a fait exactement ce que j'attendais d'elle[23] », déclare sa mère à propos de la résistance opiniâtre du soldat Lynch. Autres « braves[24] », les Navy Seals, Rangers, Marines et membres de l'Air Force responsables de cet éclatant succès sont à leur tour honorés. En récompense de son humanisme, l'informateur irakien est lui aussi accueilli aux Etats-Unis avec sa famille. D'emblée, il est question de décorer la jeune téméraire, Américaine modèle originaire d'une petite bourgade de 5 000 habitants, en Virginie, deuxième d'une fratrie intégralement sous les drapeaux et engagée elle-même dans l'armée pour financer sa formation d'institutrice. Ce brassage de symboles ne pouvait qu'inciter la télévision à tirer un film de ces péripéties. *Happy end*, ou presque...

Dès la mi-mai, on apprend, grâce aux investigations de la BBC puis du *Los Angeles Times* et d'autres grands titres de la presse mondiale, que cette belle histoire doit sa mécanique à des stratèges en communication. Depuis son éclosion jusqu'à sa fin heureuse, l'odyssée de Jessica Lynch a été bidonnée. Elle n'a pas ouvert le feu avant d'être faite prisonnière, ses prétendus bourreaux l'ont conduite dans un hôpital où des médecins irakiens ont pu lui prodiguer des soins indispensables à sa survie, mais aussi donner toutes les indications aux troupes d'invasion pour récupérer leur soldat sans le moindre heurt : en l'absence des militaires baasistes, partis sans demander leur reste, le personnel médical attendait les sauveteurs américains, porte grande ouverte. Pourtant, l'assaut qui permit de libérer Lynch nécessita la destruction d'une porte et de nombreux tirs de M16. « C'était comme un film d'Hollywood, raconte un membre du personnel hospitalier. Ils criaient *"Go, go, go !"* avec des armes chargées à blanc et des sons d'explosions. Ils ont fait un show [...] [typique] des films d'action de Sylvester Stallone ou Jackie Chan[25]. » Pour revitaliser le sentiment patriotique d'Américains en proie au doute, rien de tel que des plans de *« boys »* courageux et triomphants où l'étendard de la nation figure en bonne place.

La supercherie, que le Pentagone s'obstine à nier[26], n'empêche pas le soldat Lynch – qui dénoncera huit mois plus tard des « exagérations[27] » puis la « désinformation[28] » – d'être décorée de la prestigieuse *Purple Heart*, un livre de paraître, et le téléfilm tiré de ses « exploits » de passer sur NBC le 9 novembre 2003 : lourde référence au très réaliste *Saving Private Ryan* de Spielberg, *Saving Jessica Lynch*, « basé sur des faits réels », poursuit la construction d'un mythe toujours vivant, comme en atteste, sept ans après, la fréquentation résiduelle du site dédié à la nouvelle célébrité[29]. Des sollicitations continuent de lui parvenir, par exemple lors du « Jour des vétérans » de 2010[30].

Cette affaire démontre encore la force des clichés hollywoodiens dans l'imaginaire américain (mais pas seulement, puisque personne dans le monde ou presque n'a douté de la version officielle), leur résistance aux révélations journalistiques, et la capacité du pouvoir à en jouer pour raconter des histoires, au sens propre comme au sens politique du terme – le *« storytelling »* atteignant ici son sommet : la séquence « Jessica Lynch » n'est qu'une série de mises en abîme, tant elle rappelle celle que conçoivent, dans le film *Des hommes d'influence (Wag the Dog)* (1997[31]), des conseillers présidentiels flanqués d'un producteur hollywoodien, eux-mêmes inspirés aux scénaristes par l'affaire des couveuses koweïtiennes. En quête d'un fait qui bouleversera l'opinion, ces « hommes d'influence » semifictifs trouvent la solution en livrant au public un personnage inventé, archétypal, et décidément précurseur : « Un brave soldat américain... abandonné en terrain ennemi... Un héros ! On ne peut pas produire une guerre sans héros ! [...] Il a été fait prisonnier ! » renchérissent les experts en communication du film. Où se situe la réalité ? Où est la fiction ? Partout. Seule différence, l'histoire a inspiré non pas une mais au moins deux chansons composées en l'honneur de Jessica Lynch, comme *She's a Hero (And A Woman Too)* du *countryman* Eric Horner, qui livre son hommage le 23 avril 2003[32], ou *The Jessica Lynch Song* de Lonesome Ride Bluegrass.

Les questions de fonds sur l'entrée en guerre, autant éclipsées que celles sur la résistance du Sud chiite, sont supplantées par le sort et le devenir de Jessica Lynch, la nouvelle héroïne nationale, martyre de la juste cause américaine. Autre élément à l'origine de l'impact rencontré par cette mise en scène : le souvenir du millier de soldats portés disparus au Vietnam, possiblement prisonniers de guerre et abandonnés lors du départ des troupes. La culpabilité ressentie par toute une nation peut ainsi être corrigée, et surtout agrémentée d'un *« happy end »*, à la manière des nombreux films tournés sur ce sujet dans les années 1970-1980[33]. Cette mémoire des prisonniers de guerre dont l'existence aurait été cachée par les administrations successives prend, grâce à Jessica Lynch, une autre direction, conforme aux idéaux américains et à la droiture de l'armée. Pour beaucoup d'Américains, sensibilisés par l'activisme d'organisations de vétérans, le scandale des prisonniers restés au Vietnam existe, malgré les conclusions définitives rendues par une commission sénatoriale en janvier 1993 et cautionnées par d'anciens combattants du calibre de John Kerry et John McCain[34]. « L'Amérique ne laisse pas ses héros derrière elle », répètent les communicants de 2003. « Il fallait avoir du cran, [...] et croire avec une foi inébranlable que votre pays allait venir vous récupérer[35] », explique le sénateur Roberts.

Au cours de sa progression, l'histoire de Jessica Lynch fait passer une série de messages : hommes ou femmes, les soldats américains sont courageux et combattent jusqu'à l'épuisement de leurs balles ; les Irakiens qui s'opposent à la marche des forces américaines sont, eux, de lâches barbares prêts à tuer au couteau et qui assouvissent leurs bas instincts sur les femmes de l'armée des Etats-Unis ; leurs prisonniers de guerre sont affamés et torturés. Mais l'armée américaine n'abandonne pas les siens, et d'autres héros sont là pour délivrer les premiers. La guerre y gagne en justification et les soldats en combativité. Le pays, lui, serre les rangs et glorifie son armée.

Presque un an plus tard, les mêmes objectifs président au maquillage des circonstances du décès du soldat Patrick Tillman, survenu le 22 avril 2004 dans les montagnes afghanes : laissant derrière lui une veuve et un frère lui aussi sous l'uniforme, Tillman constituait un modèle de patriotisme devenu célèbre depuis qu'il avait renoncé, après le 11 Septembre, à une lucrative carrière de footballeur – un contrat de 3,6 millions de dollars lui fut proposé[36] – pour s'engager dans l'armée. Tombé, comme beaucoup de ses camarades, sous les tirs accidentels d'autres militaires américains, il a été présenté, après destruction de preuves et ordres de la hiérarchie[37], sous les traits d'un héros mort au champ d'honneur : peu importe que Tillman ait, selon ses proches, fait partie de ces soldats désormais opposés à la guerre d'Irak (une rencontre avec Noam Chomsky était même programmée) et qu'il ait à ce titre refusé d'être instrumentalisé par le pouvoir[38]. Sa mort le statufie en exemple d'existence sacrificielle au service des Etats-Unis, alors marqués par la retraite de Fallouja et l'affaire des tortures : idole en uniforme, Tillman est intronisé au panthéon des héros nationaux. Ultramédiatisés, commentés par le Président[39] – « Tillman aimait le football, mais son pays plus encore », dira-t-il –, son décès et ses funérailles débutent un culte mémoriel que perpétuent une fondation et de multiples occurrences toponymiques.

La fabrication de héros fidèles aux canons du patriotisme officiel tranche, en ce début de siècle, avec les pratiques d'autrefois : John Bradley, Ira Hayes et Rene Gagnon, les survivants de la photographie du « planter de drapeau à Iwo Jima », furent instrumentalisés, adulés et statufiés après avoir participé à l'une des plus difficiles batailles de la guerre du Pacifique ; un authentique héros de guerre comme Audie Murphy (1924-1971), soldat le plus décoré de la Seconde Guerre mondiale puis acteur de cinéma, était, en dépit de sa petite taille, le prototype du guerrier d'exception prêt à mourir pour son pays et ses frères d'armes. La glorification dont il fut l'objet dans la presse de 1945, avec la publication de ses Mémoires quatre ans plus tard[40] et grâce au gros succès, en 1955, du film qui s'en inspirait, n'a pas eu besoin de manipulations pour se développer, et surtout a requis plus de temps que les quelques heures nécessaires à la « starisation » de Lynch et Tillman, nouveaux héros créés par et pour une propagande de guerre imposant son propre agenda à la réalité.

La statue de Saddam : pour l'imagerie révolutionnaire et démocratique

L'épisode de la « libération » de Bagdad ouvre un autre intermède de communication : le drapeau américain apposé sur une statue du Raïs déchu place Al-Fardous, par le caporal des Marines Edward Chin – devenu lui aussi célèbre –, et, peu après, la destruction de cette statue à l'initiative d'une foule d'Irakiens et grâce au soutien logistique de leurs libérateurs. La séquence mixe le souvenir d'Iwo Jima avec les images, diffusées après la chute du Rideau de fer, du déboulonnage de statues érigées par les dictateurs au pouvoir pendant la domination soviétique, voire de la chute du mur de Berlin. Pour les Etats-Unis, ces images illustrent la victoire. En prime, les GI's sont étreints par des Irakiens reconnaissants, à la manière des Français de l'été 1944. « J'espère que Dominique de Villepin et Jacques Chirac voient ces images », lâche, en direct, un commentateur hilare de Fox News. « Ah ! Quel symbole fantastique ! » lance son confrère de Sky News. « Pour les Marines, ce fut le moment où le sacrifice des leurs prit soudain tout son sens. [...] En ce jour, Bagdad est une ville animée par l'espoir que son futur sera meilleur[41] », explique-t-on sur CBS. L'histoire se fait sous les yeux du public américain : la tyrannie est renversée en même temps que son imposant symbole de bronze, et les prédictions de l'administration se vérifient.

L'opération fait appel au même répertoire émotionnel qu'en 1991, lorsque les Koweïtiens libérés de l'occupation irakienne saluaient l'entrée des troupes de l'Oncle Sam en agitant des petits drapeaux américains. Assurée par le Rendon Group, une efficace agence de communication, la distribution de bannières étoilées[42] – dont la présence massive n'étonna guère à l'époque – permit aux télévisions de tourner les séquences évocatrices sollicitant une nouvelle fois la mémoire de la Seconde Guerre mondiale, augmentée d'accessoires patriotiques censés rappeler au peuple américain combien leur pays peut être aimé.

Lors de la chute de Bagdad, plusieurs éléments auraient dû intriguer les téléspectateurs du « déboulonnage » d'Al-Fardous, et plus

encore les journalistes positionnés sur les balcons de l'hôtel Palestine, qui, coïncidence troublante, surplombent la statue sélectionnée
parmi les dizaines d'autres que compte la capitale : d'abord, les
Irakiens venus acclamer leurs libérateurs sont peu nombreux – une
bonne centaine sur 5 millions de Bagdadis –, ce que ne montrent
guère les plans serrés d'une prétendue « foule[43] » destinés à faire le
tour du monde. On pourra, certes, objecter que les habitants de
Bagdad, redoutant des combats isolés, préféraient rester à l'abri et
que seuls les plus téméraires bravèrent le danger. Il serait également
vain de croire que ce peuple n'espérait pas, un jour, abattre les symboles de la dictature ; pour autant, le sentiment national irakien est
fort et orgueilleux. Constitué au fil de nombreux soulèvements anti-
coloniaux et dans l'adulation des martyrs de l'indépendance, le
patriotisme mésopotamien ne pouvait s'accommoder d'une émancipation sous les canons américains, honnis depuis que ceux-ci
faisaient pleuvoir leurs projectiles sur les civils. Tel est, précisément,
l'un des buts poursuivis par la présentation américaine des événements : faire fi du nationalisme autochtone, taire l'antiaméricanisme
ambiant, et donner à croire que l'occupation sera paisible.

D'autres aspects de la scène interpellent, comme la sérénité qui
caractérise des GI's plutôt enclins à craindre des kamikazes potentiels parmi les Irakiens. Est-ce parce qu'une partie au moins de ceux
qui exultent ce jour-là appartiennent aux groupements proaméricains
entrés avec eux en Irak ? Certains visages, photographiés parmi les
troupes d'invasion et encore présents le 9 avril, étayent cette hypothèse. La mise en scène est le fruit d'une opération psychologique
de l'armée, confirmée dès juillet par le *Los Angeles Times*[44] et un rapport militaire déclassifié un an plus tard[45] : « Le colonel des Marines
[commandant le détachement] a vu la statue de Saddam comme
une occasion et a décidé que la statue devait tomber. »

L'opération de la place Al-Fardous embrasse plusieurs objectifs :
démontrer la ferveur que suscitent en Irak la fin du régime baasiste
et l'arrivée des forces américaines, renverser la désapprobation internationale, mais aussi venger l'affront du 11 Septembre en abattant
un symbole ennemi, spontanément recouvert d'une bannière étoilée
en provenance directe du Pentagone martyr. Parce que l'épisode
reproduit de grands moments d'histoire et devient ici « un grand
moment de télévision », la démolition de cette statue doit être, avec
l'appontage présidentiel façon *Top Gun* du 1er mai 2003, une des

images que l'on retient de la guerre, plutôt que celles des victimes collatérales et de leurs familles en larmes.

La traque des baasistes : un jeu de guerre

La suite idéale de l'Histoire forgée par les communicants repose sur la traque du modèle statufié, Saddam Hussein, et de ses affidés. Lorsque la tête de l'ex-dictateur est mise à prix, l'information se double d'un avis de recherche sous forme d'affiche aux normes cinématographiques : la composition de ses éléments, inscrits sur un dégradé de rouge et noir, fait apparaître le dictateur dans un portrait de trois quarts, souligné de phrases dont la police va croissant : « Saddam Hussein / 25 millions US $ / *WANTED*. » En dessous, les deux fils du Raïs seront barrés d'une croix dans les tirages effectués après leur mort. Les explications d'usage sur les coordonnées des instances à contacter pour fournir des renseignements reprennent la mise en page des crédits sur une affiche de film. Les producteurs (de la guerre) maintiennent le suspense.

La capture du dictateur, le 13 décembre 2003, prolonge la mise en scène : « *We got him !* » (« On l'a eu ! »), lance le proconsul Bremer, donnant une conclusion très « western » à cette traque poussive, couronnée par la « mise hors d'état de nuire » d'un vieillard hirsute, clochardisé mais censé commander les groupes antioccupation. Les images du chef d'Etat déchu, manipulé par des mains gantées de caoutchouc, lui faisant ouvrir la bouche et inspectant sa chevelure soumise à un semblant d'épouillage, s'adressent autant aux Américains qu'aux Irakiens. Celui qui fut présenté, avec justesse, comme le tyran d'un peuple et, avec force mensonges, comme une menace mortelle pour le pays et coresponsable des attentats, subit le sort réservé aux pires criminels de cinéma, face à l'objectif d'une caméra dont la présence n'en est pas moins contraire aux conventions de Genève. « Il va faire face à la justice qu'il a refusée à des millions de personnes », annonce le lendemain George W. Bush, dont la cote de popularité en baisse constante profite de l'annonce. « C'est la fin de la route pour lui », ajoute-t-il, usant d'une formule aussi filmique que chargée en euphémismes. « Nous avons atteint ce moment à force de patience, de détermination et d'action », termine le Président, qui présente l'arrestation comme un aboutissement, sinon la fin heureuse, du scénario commencé le

11 Septembre. Chacun s'en doute, cette « justice » sera mortelle, permettant de figer l'histoire selon les vues du vainqueur. Or, chacun sait aussi que ce vainqueur fut pendant plus de dix ans le soutien puis l'allié stratégique du dictateur, à qui il fournit, avec d'autres Etats occidentaux, l'armement sophistiqué indispensable à sa mainmise sur l'Irak, gage de stabilité et rempart contre la révolution islamique iranienne[46]. Rappelons qu'en 1988 Ronald Reagan et son vice-Président, George Bush père, parvenaient à bloquer une proposition de loi, le *Prevention of Genocide Act*, soumise par un groupe de sénateurs en rétorsion au gazage de milliers de Kurdes à Halabja et prévoyant des sanctions sévères contre le régime baasiste[47]. Lors de l'« Irangate » – provoqué par la vente secrète d'armes à l'Iran – puis après la guerre de 1991, les scandales sur le niveau de duplicité et de collusion des administrations, dont celle au pouvoir, se succédèrent dans la presse, sans laisser suffisamment de traces pour peser une décennie plus tard.

A des années-lumière de l'Histoire, le rapport des citoyens américains à l'Irak oscille, par l'image qu'en construisent leurs autorités, entre le film et le jeu : « *The game is over* », assenait quelques mois auparavant George W. Bush dans son ultimatum à Saddam. L'opération « *Iraqi Freedom* » est donc un « jeu ». Une fois le gouvernement baasiste tombé, la seconde manche implique d'arrêter 55 caciques du régime, réunis dans un très novateur « jeu de cartes » présenté le 11 avril 2003 par un porte-parole de l'armée[48]. Au recto, les photographies des supposés responsables de l'Etat soulignées de leur nom et de leurs fonctions. Au verso, un fond « camouflage » donne à l'ensemble sa signature militaire. L'objet rappelle les jeux de cartes produits depuis la guerre de Sécession et destinés à familiariser les soldats aux uniformes, grades ou, pendant la Seconde Guerre mondiale, aux aéronefs militaires ennemis. Le modèle 2003 s'en distingue : créé par six soldats du Renseignement militaire âgés de 27 à 31 ans[49], l'avis de recherche mélange astucieusement un jeu de société toujours prisé par la troupe aux « cartes à collectionner » produites par Topps et LLC – qui, après les attentats de 2001, mit en vente une série de 42 « *Terrorist Cards* » où Saddam Hussein figurait déjà aux côtés de Kadhafi et Ben Laden. Il y a fort à parier que beaucoup de soldats américains, parfois en train de sortir de l'adolescence, ont collectionné les cartes des joueurs de base-ball produites par Topps. Audelà de l'aspect pratique, la distribution des photographies des personnalités baasistes sous une forme liée à l'univers du jeu poursuit la représentation ludique de la guerre, à laquelle on adjoint, sur le fond, une ambition programmatique proche de la très surfaite « traque » des nazis jugés à Nuremberg en 1946.

Trait saillant de l'histoire, le jeu de cartes circule davantage parmi les civils que dans les rangs de l'armée : une semaine après la conférence du CENTCOM, seulement 200 paquets ont été distribués aux troupes, quand des entrepreneurs malins ou des fabricants bien implantés[50] n'ont eu, pour lancer leur production, qu'à récupérer la version numérique de bonne qualité mise en ligne par le Pentagone ou bénéficier d'un contrat tacite d'exclusivité, comme le spécialiste des jeux de cartes publicitaires Liberty Playing Card Company. Le jeu s'écoule à des millions d'exemplaires sur Internet, dans diverses boutiques et étals[51], sans parler des tirages originaux que des collectionneurs s'arrachent[52]. Souvenir patriotique ou fragment d'« *Iraqi Freedom* », le jeu de cartes des « 55 plus recherchés » prolonge, en société, l'univers guerrier imposé par le pouvoir : les photographies de ces inquiétants personnages, collectées par les services de renseignements, permettent aux Américains de mettre un visage sur ceux qu'on a présentés comme leurs pires ennemis, des ennemis désormais à portée de fusil. Une rapide succession de séquences évocatrices, enracinées dans la mémoire et l'imaginaire, compose désormais une nouvelle réalité fictionnelle.

11

La vérité du terrain

La stratégie : une barbarie « high tech »

La première phase de la seconde guerre du Golfe débute, le 19 mars, par une campagne de bombardements, présentée sous l'appellation « *Shock and Awe* ». Souvent traduite par « Choc et stupeur », ou « Choc et effroi », cette expression renvoie plutôt à un « choc » engendrant un « respect mêlé de crainte ». C'est bien dans ce sens qu'il convient d'interpréter l'objectif visé : énoncée dès 1996 dans le cadre de l'Institut national d'études stratégiques par Harlan Ullman, James Wade et un pool de spécialistes, la doctrine militaire dite « *Shock and Awe* » ambitionne de « concrétiser une domination rapide[1] » en écrasant l'adversaire sous un feu dont l'intensité, par la « stupeur » et la « crainte » qu'elle inspire, annihile en un temps très bref toute volonté et capacité de réaction[2]. Il s'agit donc d'exploiter au mieux la suprématie militaire américaine afin de vaincre le plus rapidement possible, selon les fondations théoriques de la guerre éclair ou « *Blitzkrieg* ». Bien que ses concepteurs revendiquent une dimension « révolutionnaire[3] », la stratégie du « *Shock and Awe* » demeure classique d'un strict point de vue militaire, proche, pour son volet aérien, des préceptes portés en 1921 par le général italien Giulio Douhet[4] – relayés peu après aux Etats-Unis par le général d'aviation William Mitchell – et mis en application à Guernica par la légion Condor puis les belligérants du second conflit mondial. « Le choc et l'effroi » puise dans les leçons tirées des conflits du XXe siècle et reprend les postulats énoncés par Sun Tzu ou Clausewitz. En somme, la « bonne vieille méthode de la puissance de feu[5] », comme l'assure un officier des Marines pendant la bataille de Fallouja.

Outre les capacités militaires et les communications ennemies, le « *Shock and Awe* » vise « les moyens de transport, la production alimentaire [et] l'approvisionnement en eau[6] » : privées des filières habituelles de ravitaillement comme de leurs matières premières, les populations civiles figurent parmi les cibles de l'attaque. Même si ses promoteurs s'en défendent et soulignent le caractère « moralement inacceptable[7] » de ces destructions, les « dégâts collatéraux », inévitables en temps de guerre, font partie intégrante de la doctrine. Entourés d'un groupe d'experts comprenant une majorité d'officiers généraux et d'amiraux, les auteurs du « *Shock and Awe* » citent en exemple les « expressions glacées arborées par les survivants des bombardements de la Première Guerre mondiale », l'« impact rencontré par les armes atomiques [...] sur les Japonais » ou les « leçons [...] de la guerre du Vietnam » et ses « tapis de bombes » comme des références à prendre en compte dans la définition d'une « stratégie de domination rapide[8] ». Si les rédacteurs de la doctrine plaident pour une limitation théorique du « *Shock and Awe* », celle-ci ne saurait, d'après eux, résister à certains « cas extrêmes[9] ». L'ampleur de la menace irakienne présentée par l'administration Bush fait entrer la seconde guerre du Golfe dans cette catégorie. L'autre aspect essentiel et non dit de la « domination rapide » trouve ses origines dans l'opinion américaine, devenue ultrasensible : prendre le plus vite possible l'avantage sur l'adversaire limite d'autant la période propice à une érosion du consentement à la guerre.

Vers la mi-janvier 2003, deux mois avant l'invasion de l'Irak, le Pentagone communique sur sa stratégie et met en avant l'ampleur des futurs bombardements : des tirs quotidiens compris « entre 300 et 400 missiles de croisière », soit plus que « pendant les quarante jours de la première guerre du Golfe[10] ». Un officiel du Pentagone confie à la chaîne CBS qu'« il n'y aura pas un seul endroit sûr à Bagdad ». Au début de l'invasion, la mention du « *Shock and Awe* » surgit de nouveau, notamment sur CNN, dont les téléspectateurs apprennent, le 22 mars 2003, que la « campagne "Choc et effroi" [a été] lancée sur l'Irak[11] » ; « les Etats-Unis et leurs alliés ont lancé un assaut aérien massif [...]. D'énormes explosions ont commencé à frapper la capitale irakienne ».

Ce point du discours pèse de deux façons distinctes : d'abord, le versant psychologique du plan d'attaque (« détruire la volonté de combattre ») est relayé, malgré ses contradictions patentes, par une grande partie de la presse : « Si le *"Shock and Awe"* fonctionne, promet en janvier 2003 la chaîne CBS, il n'y aura pas de guerre terrestre[12]. » Prise au pied de la lettre, cette théorie annihile la plus grande crainte de l'opinion, réticente à l'idée de soutenir un déploiement meurtrier. Ensuite, le nom de baptême lui-même, « Choc et stupeur », résonne comme un programme ou un slogan : le filtre médiatique a transformé la doctrine *« Shock and Awe »* en « campagne[13] », au sens le plus large du terme, militaire mais aussi médiatique. La phénoménale puissance de feu dont dispose l'armée des Etats-Unis doit donc provoquer un « choc » et une « stupeur » administrés au nom du peuple américain qui fut, le 11 septembre, la cible d'un autre « choc ». Ce « choc » plongea ses victimes dans un état de « stupeur » prolongée, destiné, selon la loi du talion, à être répercuté sur ses supposés instigateurs. Vu sous cet angle, et en partant du principe – intégré par une majorité d'Américains – que l'Irak aurait joué un rôle dans les attentats, la tactique militaire prend des atours vengeurs susceptibles d'emporter l'adhésion populaire. A l'instar des victimes d'un meurtrier présentes à son exécution, le peuple américain est donc convié, par écran interposé, à assister au déferlement des armes nationales contre un pays de l'« Axe du Mal ». Le 19 mars, les chaînes américaines retransmettent, en direct, de longs plans fixes et nocturnes de Bagdad sous les bombes, parfois sans commentaires mais émaillés d'assourdissantes explosions produisant d'innombrables incendies et autant de colonnes de fumées grisâtres. Ceux capables de se souvenir du discours présidentiel prononcé face au Congrès le 21 septembre 2001 y virent la satisfaction d'une promesse : les « raids spectaculaires » contre les supposés responsables des attentats ont bien été « diffusés à la télévision[14] », comme l'annonçait George W. Bush.

Par sa violence latente, le *« Shock and Awe »* se rattache à une tradition orale fort répandue, depuis le Vietnam, parmi les responsables politiques, militaires et certains faiseurs d'opinion : en 1965, le général Curtis LeMay, ancien chef de l'Air Force, expliquait que la seule façon de s'adresser aux Nord-Vietnamiens était de les menacer d'un « retour à l'âge de pierre ». Son lointain et éphémère successeur, le général Michael Dugan, en fit autant, début septembre 1990, à propos de l'Irak. Puis, lors d'ultimes pourparlers entre responsables américains et irakiens, c'est le secrétaire d'Etat James Baker qui, s'adressant à son homologue Tarek Aziz, reprenait la formule à son compte, avec une variante : la menace reposait sur un « retour à l'âge préindustriel », contradictoire avec les propos présidentiels tenus deux heures après le début des frappes et concernant les « prières [du chef d'Etat] pour les innocents Irakiens pris dans le conflit[15] ». Enfin, plus près de nous, la journaliste Ann Coulter, figure de proue des faucons républicains, prônait d'agir de la sorte avec la Syrie[16]. Cette continuité met en évidence une tendance à user de la crainte que suscite la puissance de feu américaine, notamment dans le cadre « diplomatique », tout en inspirant aux citoyens des Etats-Unis le sentiment d'être âprement défendus. La guerre d'Irak consacre une communication guerrière institutionnelle, annonciatrice d'une violence en décalage total avec des ambitions libératrices énoncées à maintes reprises.

Les trois semaines de « *Blitzkrieg* » donnent lieu à des déchaînements de violence intense. Durant sa progression vers Bagdad, l'armée américaine mène des « reconnaissances armées » dans la ville, que la troupe elle-même baptise « *Thunder Runs*[17] », référence aux « *Thunder runs* » (« raids de tonnerre »)[18] éprouvés depuis le Vietnam mais aussi, à une tout autre échelle, par les troupes britanniques matant en 1941 le soulèvement des nationalistes irakiens de Rachid Ali.

A partir du 5 avril 2003, des colonnes de chars lourds Abrams et autres blindés remontent, avec un appui aérien, les artères de la capitale irakienne, aux abords desquelles l'ennemi est écrasé sous un déluge de feu[19]. « Ils tirent sur tout ce qui bouge, sur tout ce qui est suspect, rapporte le reporter Rémy Ourdan. C'est "Feu à volonté !". [...] Ils n'ont pas de discipline de feu. L'initiative est laissée aux soldats, à des gamins de vingt ans[20]. » Confondus avec des combattants irakiens, de nombreux civils présents sur l'itinéraire des « *Thunder runs* » en sont victimes, malgré les règles officielles d'engagement qui imposent des tirs de sommation et de barrage[21] suivant la procédure (compressible en fonction du temps imparti) des « 4S » : « *Shout, Show, Shove, Shoot*[22] » (« Crie, Montre ton arme, Coup de semonce, Tire »). « C'est des conneries, juge un lieutenant à propos de ces précautions. C'est pas le moment de finasser[23]. » Plongés dans des batailles urbaines où les tirs ennemis proviennent de toutes les directions, les GI's, forts d'un armement supérieur, usent de leurs réflexes pour avancer et survivre. En pleine offensive, un officier supérieur américain explique, au sujet d'une division irakienne positionnée pour défendre Bagdad, que cette dernière est tombée « dans un hachoir à viande ». Versant terrestre du « *Shock and Awe* », cette équipée sauvage revêt un aspect psychologique qu'a clairement exposé le général Gene Renuart, directeur des Opérations au CENTCOM : « Le message [...] était [...] de faire comprendre que les troupes de la Coalition étaient dans les environs de Bagdad, de démontrer que [...] les autorités irakiennes ne contrôlaient pas la situation[24]. » Ce « message », adressé par l'intermédiaire de colonnes composées de 30 à 50 blindés ultramodernes perforant les lignes de défense avec un solide soutien aérien, n'a pas manqué de choquer ses destinataires, civils compris, et de précipiter la chute du régime, sans pour autant réduire toutes les poches de résistance dont certains acteurs ont décidé de se fondre dans la population.

Le déchaînement de la puissance de feu étant le fruit d'une tactique, il paraît impossible de concevoir une autolimitation des soldats dans l'usage de leurs armes. Avec des stratégies telles que le « Search and Destroy » ou le concept des « Free killing/firing zones » mis en œuvre au Vietnam[25], l'histoire a montré que le recours à des méthodes radicales fait exploser le nombre de bavures et d'exactions, déjà corrélé à l'engrenage de la violence[26]. C'est dans le cadre du « Search and Destroy » que, rappelons-le, le massacre de My Lai put se produire en mars 1968.

« Shock and Awe » et « Thunder runs » devaient précéder la « bataille des cœurs et des esprits » (« hearts and minds ») destinée à faire accepter aux Irakiens le principe d'une intervention armée et la mise sous tutelle de leur pays. L'expression « hearts and minds » est omniprésente dans l'histoire américaine : élément d'unité populaire depuis les Pères fondateurs jusqu'au Roosevelt rassembleur du New Deal[27], l'idée fut déclinée, pendant la guerre froide, à des fins de politique étrangère pour accroître l'influence du « monde libre », puis, dans le conflit vietnamien, sous forme de concept militaire englobant les opérations de contre-insurrection. Après Kennedy, le président Johnson, celui de l'escalade vietnamienne, fait référence à cette conquête des « cœurs et des esprits » à 28 reprises entre 1964 et 1968[28]. Face à cette contradiction originelle, les libérateurs autoproclamés et les méthodes appliquées par ces derniers lors des combats ont donné pour les populations, en Irak comme au Vietnam, le ton d'une occupation sanglante.

La guerre rudimentaire : des conceptions d'un autre âge

Les multiples exactions, détentions et exécutions sommaires s'inscrivent dans un cadre général de directives militaires forgées par le pouvoir politique et le haut commandement : la torture a été instituée et codifiée par le Pentagone, avec le soutien de la Maison-

Blanche, au cours d'un processus qui a transféré en Irak les pratiques de la base de Guantanamo[29]. Rien, cependant, n'aurait été possible sans quelques prédispositions parmi les militaires acceptant et même devançant les ordres de maltraitance. Les chapitres précédents ont montré combien l'adversaire, irakien ou non, avait été déshumanisé et caricaturé.

Le scandale des tortures trouve ses racines dans les mois, les années et les décennies qui ont précédé le conflit. Elaboré par le Pentagone dans les premières semaines de la guerre d'Afghanistan, le programme « Copper Green » encourage les pressions physiques et mentales sur les prisonniers, dans le but de générer plus de renseignements sur l'insurrection mais aussi, on l'oublie trop souvent, de répandre la terreur parmi la population. Les individus libérés d'Abu Ghraib ont pu témoigner des séances qu'ils subissaient ou des cris qu'ils entendaient, et décourager la résistance. Sur un plan pratique, les techniques d'interrogatoire, déjà abominables dans leur principe, ont été développées à partir de représentations racistes parfois inspirées d'écrits coloniaux français de 1844[30], en vertu desquelles l'usage de la force serait le seul moyen de compréhension des peuples arabes, et les humiliations « sexuelles » une arme de persuasion sans équivalent[31]. Parmi les éléments constitutifs de tels préjugés, on cite volontiers l'essai d'anthropologie de Raphael Patai *The Arab Mind*, publié en 1973 et devenu une sorte de « bible des néoconservateurs[32] ». Or, l'ouvrage a également été utilisé pour former des centaines de militaires, d'hommes des Forces spéciales et d'agents civils au sein du Middle East Studies, sous l'influence de son directeur, le colonel De Atkine[33]. Ce programme de recherche, dépendant du John F. Kennedy Special Warfare Centre and School, est implanté sur l'immense base de Fort Bragg où, là encore, enseignèrent à partir de 1961 les instructeurs français passés par les guerres d'Indochine et d'Algérie afin de dispenser leurs techniques de torture au sein du Centre d'entraînement à la guerre contre-insurrectionnelle : l'emploi de la « serpillière mouillée », utilisée en Algérie pour provoquer une sensation d'asphyxie, figure dans les méthodes d'interrogatoire post-11 Septembre[34].

La guerre menée par la France en Algérie demeure, malgré sa conclusion, un modèle pour une frange influente de l'intelligentsia militaire américaine. Si l'aspect technique de la torture devait à l'origine servir aux opérations secrètes menées au Vietnam du Sud (sanctionnées d'un échec final) puis en Amérique latine (couronnées d'un certain succès), le recentrage de la politique américaine sur quelques pays musulmans a réactualisé l'intérêt porté à l'expérience française : projeté une première fois à des responsables militaires et civils américains le 27 août 2003[35], le film italo-algérien *La Bataille d'Alger* (1966) montre les méthodes des parachutistes français contre les militants du Front de libération nationale algérien entre janvier et septembre 1957, sans prendre parti : *La Bataille d'Alger* reconnaît un impact militaire à la torture, puisque le réseau indépendantiste au cœur de l'action finit par être démantelé. Sur le carton d'invitation à la projection envoyé par la Direction des Forces spéciales, on pouvait lire : « Comment gagner une bataille contre le terrorisme et perdre la guerre des idées. Des enfants tirent sur des soldats à bout portant. Des femmes posent des bombes dans des cafés. Toute la population arabe manifeste une violente hostilité. Cela vous dit quelque chose ? Les Français ont un plan. Tactiquement, ce fut un succès. Stratégiquement, ils ont échoué[36]. » Autre référence française : le roman *Les Centurions* (1963), de Jean Lartéguy, compte parmi ses adorateurs les généraux Petraeus et McChrystal[37], qui ont exercé le commandement en Irak et en Afghanistan. Sur fond de guerre d'Algérie et d'opérations contre-insurrectionnelles, l'intrigue du livre recourt pour la première fois au *gimmick* scénaristique de la « bombe à retardement » nécessitant la torture.

Les éléments de comparaison entre l'Irak et l'Algérie sont nombreux : les méthodes de combat des groupes antioccupation ou la perméabilité des frontières, d'où arrivent et où se replient certains d'entre eux, ont convaincu les stratèges américains de s'inspirer des techniques de guerre asymétrique adoptées par l'armée française et déjà appliquées au Vietnam du Sud dans les années 1960, notamment avec le programme « Phœnix » qui associait la CIA, les Forces spéciales américaines et des troupes d'alliés vietnamiens dans des opérations de démantèlement des infrastructures ennemies et d'élimination de leurs membres. Des milliers ou des dizaines de milliers de civils sont tombés[38]. « Ils sont clairement en train de mijoter des équipes pouvant réaliser des trucs à la "Phœnix"[39] », jugeait Vincent Cannistraro, responsable du renseignement au sein du Conseil national de sécurité, du Pentagone et de la CIA entre 1984 et 1991. Un certain nombre de civils victimes des raids menés par l'occupant et les nouvelles forces irakiennes, équipées et encadrées par l'armée américaine, pourraient en être la conséquence[40].

Nommé en 2009 chef d'état-major des troupes américaines et des troupes de l'OTAN en Afghanistan, le général McChrystal, jusque-là basé en Irak, fait montre de l'éternelle contradiction entre un objectif (« pacifier ») et les moyens de l'atteindre : « Le conflit sera gagné en persuadant la population, pas en détruisant l'ennemi[41] », tranche-t-il dans un propos qui cohabite avec des modèles pour le moins rétrogrades : « Revenons aux leçons données par les Français Lyautey et Galula ! » lance l'officier à propos de l'Afghanistan, prenant en exemple les acteurs d'une colonisation efficace, auréolé d'un mythe pour le premier et objet, pour le second, d'une grande admiration parmi les hauts gradés américains, qui l'ont vu cité à de multiples reprises dans les documents doctrinaux de l'armée[42]. Fidèle à la théorie contre-insurrectionnelle des Etats-Unis, dont les manuels reviennent sur le cas algérien[43], McChrystal se présente comme « un grand admirateur de l'armée française, dont [il a] étudié le travail en Indochine et en Algérie[44] ». Le recours à la torture par la Task Force 6-26, placée sous son commandement[45], découle-t-il de cette admiration ?

Avec l'emploi d'une écrasante puissance militaire au mépris des conventions internationales (uranium appauvri, équivalent du napalm ou munitions au phosphore blanc), la codification de la torture ramène aux guerres coloniales, aux guerres de conquête et plus généralement aux conflits opposant une armée à des populations hostiles, mais aussi aux guerres dites « défensives » pour la civilisation, pourvoyeuses des pires atrocités. La modernité des armes est liée à l'archaïsme des théories, défendues par des officiers jeunes mais aussi rétifs au changement que leurs prédécesseurs, même si l'on constate sur ce plan une certaine hétérogénéité à l'échelle des divisions et au sein de celles-ci[46]. Ajoutons à ce sombre ensemble la stratégie de privatisation de la guerre, version moderne du mercenariat : aux côtés de l'armée d'active et de la réserve, les soldats privés des entreprises de sécurité sont un élément à part entière de la stratégie militaire[47]. La guerre contre la Terreur mobilise comme jamais les forces de sécurité des firmes paramilitaires, contractuellement au service des buts de guerre. Leur coût : plus de 100 milliards de dollars de contrats avec le seul Pentagone entre 2003 et 2008[48]. Kellogg Brown and Root, Blackwater et leur cinquantaine de concurrents fédérés au sein de la Private Security Company Association of Iraq fournissent des dizaines de milliers de soldats privés (souvent des anciens des unités d'élite) qui suppléent ou assistent les troupes américaines[49] sans toujours respecter les lois de la guerre, voire les lois tout court[50]. Ces sociétés paramilitaires exécutent des missions de protection des personnalités ou des infrastructures pétrolières, s'impliquent dans la formation des forces de sécurité locales, et participent à des interrogatoires renforcés ainsi qu'à des opérations de contre-guérilla[51]. Certaines disposent d'armes de guerre et d'un matériel aussi sophistiqué que des hélicoptères de combat. Or, la faiblesse des contraintes juridiques crée un sentiment d'impunité qui se conjugue aux mécanismes de haine engendrés par la guerre pour produire des comportements violents dans un total détachement. Les terroristes « doivent être terrassés, et c'est *fun*, au sens "satisfaisant" du terme, de pouvoir flinguer ce genre de personnes[52] », explique en 2005 un mémo de Blackwater. La répétition des morts de civils irakiens, tombés en nombre indéterminé sous les balles de soldats privés, prouve que les « terroristes » ne sont pas les seuls concernés. Après plusieurs scandales, ces contingents passent en 2007 sous la juridiction du Code de la justice militaire américaine[53] qui, malgré tout, ne constitue en aucun cas une garantie contre les exactions. D'autres facteurs, complémentaires à la stratégie de l'état-major, y ont contribué.

« First Person Shooter » in vivo : *l'arsenal ludique*

« Je n'ai pas encore flingué d'Irakien. Par contre, mon pote [...] en a déjà eu trois », déclare le Marine d'une division qui fonce vers Bagdad en avril 2003. Comment expliquer, autrement que par une prédisposition instillée en amont du conflit, le détachement et le sentiment de haine suintant des propos d'un jeune homme que rien ne prédispose à tuer des individus à des milliers de kilomètres de chez lui ?

De prime abord, les regrets de ce Marine vis-à-vis d'un rite initiatique non accompli renvoient à n'importe quelle guerre : âgé de 18 ans en 1940, Daniel Cordier, futur secrétaire de Jean Moulin, affirmait son désir de « tuer du Boche[54] » dès le début du conflit. Patriote, militant politique et ardent germanophobe, Cordier témoignait d'une formation idéologique génératrice de violence. D'autres hésitèrent avant d'ouvrir le feu sur de jeunes Allemands, et se remémorent leur geste avec émotion. Ici, la nouveauté de la deuxième guerre du Golfe réside dans les facilités techniques mises à la disposition des soldats : « Tuer le plus d'ennemis possible », comme l'exhortait Donald Rumsfeld au début de la campagne afghane, n'a jamais été aussi aisé.

Depuis la guerre du Golfe de 1991, l'état-major fait projeter dans l'enceinte de ses bases des films de guerre soigneusement sélectionnés : l'héroïsme de leurs personnages, ou l'impression d'invincibilité que dégagent certains plans d'un matériel militaire en action, provoquent l'excitation des soldats appelés à combattre. Bien documenté, le réalisateur Sam Mendes montre, dans *Jarhead* (2006), la ferveur collective, proche de celle d'un sport quelconque, que provoque le visionnage d'une célèbre scène d'*Apocalypse Now* : vue par les jeunes engagés bientôt prêts pour « Tempête du désert », l'escouade d'hélicoptères attaquant un village vietnamien sur fond de *Chevauchée des Walkyries* aiguise leur envie de passer à l'action. La question de l'illégitimité du conflit en ex-Indochine et son issue catastrophique n'existent plus. Seule compte la glorification de la « performance » militaire. Prise le 12 juillet 2007 par la caméra embarquée d'un hélicoptère américain et révélée par Wikileaks, la vidéo de la bavure qui fait, en avril 2010, le tour d'Internet et des médias illustre les effets d'une telle préparation : 8 civils, qualifiés de « pourritures » et jugés dangereux en raison de caméras confondues avec des armes, y sont abattus en toute décontraction.

Galvanisants, les divertissements appelés en renfort par la hiérarchie militaire pour créer un état d'esprit favorable au combat sont multiples. Millénaire, le recours à la musique se révèle omniprésent : casque audio sur les oreilles, la plupart des soldats engagés sur le théâtre irakien vivent le conflit et les combats sur fond de morceaux dérivés du rock « *hardcore* » ou du hip-hop le plus violent : le titre *Fire Water Burn*, du groupe américain The Bloodhound Gang, figure en bonne place dans ces *charts* officieux. Reprises en chœur, ces chansons fédèrent des soldats qui se retrouvent dans leurs paroles : « Le sol [...] est en feu, on n'a pas besoin d'eau, laisse brûler cet enfoiré », scande, d'une voix rauque, le chanteur du Gang. Citons, entre autres exemples, *Bodies (Let The Bodies Hit The Floor)* (« Corps [Laisse les corps chuter] ») de Drowning Pool, ou *Bombs over Baghdad* d'Outkast[55]. Pour tuer en musique, le « *heavy metal* » et le bien nommé « *death metal* », genres extrêmes du rock, font partie des favoris : des rythmes puissants avivent le courage, des accords graves et saturés plombent le son, et des paroles empruntant les champs lexicaux de la violence (« massacres », « sang », « tueries »...)

confèrent à l'action militaire qu'elles accompagnent un fond dramatique, celui d'une bande originale d'un jeu ou d'un film de guerre dont les soldats sont leurs propres héros.

Cette mise en musique de la guerre existait déjà sous l'Antiquité, au Moyen Age ou pendant l'époque moderne. Destinée à affûter le moral comme à effrayer l'ennemi, la sonorisation de la guerre franchit un pas pendant le second conflit mondial, avec des enregistrements qui remplacent les habituels musiciens militaires : en 1944, les équipages de chars américains utilisaient, à ces fins et de leur propre chef, les haut-parleurs de leurs blindés. Les conflits suivants, au Vietnam notamment, laissent aux soldats une certaine liberté « musicale » avec le consentement discret de la hiérarchie. Sur cette lancée, la guerre d'Irak de 2003 consacre une évolution radicale : grâce aux progrès de la miniaturisation, chaque soldat dispose d'un appareil d'écoute portable. En outre, le commandement fournit aux troupes le matériel adapté à la diffusion de morceaux pendant certains assauts, afin d'impacter le comportement de l'ennemi. Installées sur les véhicules de l'armée, de puissantes enceintes diffusent, le volume au maximum, la bande-son des combats définie par des officiers des Forces spéciales ou de simples soldats[56]. En novembre 2004, une compilation effectuée lors de la bataille de Fallouja comprenait, par exemple, Metallica, AC/DC avec *Hell's Bells* (« Les cloches de l'enfer ») ou *Shoot to Thrill* (« Tirer pour frissonner »), dont les textes sont sans ambiguïté : « Je ne ferai pas de prisonniers, je n'épargnerai aucune vie », ou « Je vais vous démolir [...], appuyer sur la gâchette [...], tirer pour frissonner, jouer pour tuer, j'ai mon flingue de prêt, j'vais tirer à volonté... » Si les porte-parole de l'armée présentent cette initiative comme une action de guerre psychologique destinée à « désorienter et créer la confusion chez l'ennemi[57] », ses aspects galvanisants et désinhibants ne sont pas commentés. Or, à la différence de leurs ennemis, susceptibles d'être impressionnés par le son et des genres musicaux extrêmes, les soldats américains saisissent le sens des paroles qui, dans le présent contexte, s'apparentent à un message, sinon à des ordres. Enfin, cette musique, que la morale conservatrice américaine n'a jamais cessé de réprouver pour son influence corruptrice sur la jeunesse, fait désormais office d'instrument militaire au service d'enjeux (conquête de l'Irak, prise de contrôle des ressources pétrolières...) massivement approuvés par les éternels contempteurs du rock : *Hell's Bells* d'AC/DC figurait, le 11 septembre 2001, parmi les titres

« déconseillés » à la radiodiffusion par le mémorandum de Clear-Channel.

Utilisé dans le but d'accroître la combativité et l'efficacité, le phénomène des jeux vidéo apparaît plus encore comme un support efficace, moderne, et donc caractérisque de la seconde guerre du Golfe. La complémentarité créée entre ce qui pourrait passer comme un simple passe-temps et les stratégies de combat a de quoi étonner. Amorcée en 1979, la mise en œuvre de cette synergie n'a porté ses fruits qu'au tournant du millénaire. Dans le courant des années 1990, l'armée a tenté, afin d'optimiser le rendement de ses recrues, de mettre à profit les progrès considérables accomplis par les jeux vidéo, parvenus au stade de simulateurs en trois dimensions : entraînement, acquisition de réflexes, préparation psychologique au combat sont les trois points que purent développer, grâce à ces nouveaux outils et ces nouvelles compétences, les services du Bureau de simulation et de modélisation du Pentagone (United States Department of Defense, Defense Modeling and Simulation Office)[58]. Parallèlement, le ministère de la Défense a, nous l'avons vu, investi le secteur du divertissement virtuel dans le but de modeler une jeunesse plus conforme à ses besoins. Quelques années plus tard, l'Afghanistan et l'Irak sont les théâtres d'expérimentation des efforts consentis.

En Irak, aux premiers jours de l'offensive de mars 2003, de nombreux reporters sont estomaqués par la facilité avec laquelle les jeunes GI's font usage de leurs armes. Photographe à l'agence Gamma, Laurent Van der Stockt est le témoin direct de l'assassinat d'une quinzaine de civils en quarante-huit heures par une unité de Marines : « J'ai vu cette troupe aguerrie tirer sur des civils irakiens [...], des femmes, enfants, vieillards tués sans sommation[59]. » Si la guerre donne toujours lieu à un spectacle d'une rare brutalité, différents facteurs aident à comprendre la capacité démontrée par des jeunes recrues, en vérité peu « aguerries », à mettre en œuvre une violence massive contre des adversaires ou des civils dénués d'intentions hostiles. Comment expliquer, en complément des points cités plus haut, cette désinhibition d'individus issus d'une société démocratique face à la mise à mort, la perte de repères moraux et l'explosion des seuils de violence que présuppose l'assassinat d'innocents ?

Lorsqu'il a ôté la vie sur pression de la gâchette d'une mitrailleuse, le sergent Swales s'est senti « comme dans un jeu vidéo grandeur nature [...]. C'était mon instinct qui prenait le dessus. Boum ! Boum ! Boum ! Boum[60] ! ». La seconde guerre du Golfe crée un précédent : pour la première fois, une génération qui a grandi avec une manette dans les mains, parfois remplacée par un pistolet infrarouge et des jeux de tirs en guise de passe-temps, est envoyée faire la guerre : en 2003, les moins de 30 ans représentent 65,5 % des effectifs de l'armée d'active, mais 85 % des 230 521 hommes déployés en Irak au 31 mars 2003[61] ; les soldats dont l'âge n'excède pas 25 ans constituent presque la moitié des forces armées américaines (47,4 %)[62]. Exposée depuis l'enfance à un environnement télévisuel et cinématographique ultra-violent, cette catégorie compose le gros des effectifs d'« *Iraqi Freedom*[63] ». Chez ceux-là, la frontière entre la guerre et le divertissement des jeux vidéo n'a eu de cesse de se flouter. Habitués à incarner des combattants armés, par écran interposé et sur un mode omniscient, les jeunes engagés franchissent plus aisément le pas du virtuel à la réalité de la guerre[64]. A la différence des jeunesses européennes ou japonaise, les conflits décidés par les gouvernements américains permettent aux « leçons de violence » administrées par ces différents canaux de passer au stade pratique. Sur le théâtre irakien, nombre de ces « *Baby Killers* » retrouvent des repères bien connus depuis leurs parties virtuelles, et s'appliquent à recréer les conditions d'une immersion ludique, par exemple avec l'écoute, en pleine bataille et au casque, de morceaux dignes d'une bande-son de jeu vidéo[65]. Les descriptions des combats restent parfois dans ce registre : « Canarder avec un tank, [...] ça a été une expérience incroyablement *fun*. C'était excitant. Tout le monde a passé un bon moment[66]. »

L'émergence de grandes compagnies de logiciels, leur collaboration avec le secteur de la Défense et le perfectionnement du réalisme des productions ont ouvert de nouvelles possibilités au secteur du recrutement et à l'armée elle-même. Depuis les années 1990, les outils de formation militaire que sont les simulations de combat ont envahi le marché des consoles de jeux et autres ordinateurs personnels. Avec une pratique assidue, leurs adeptes développent des réflexes aiguisés ainsi que des connaissances théoriques et pratiques sur les règles d'engagement de l'adversaire : « La première fois que j'ai appuyé sur la détente, confie un jeune soldat d'*"Iraqi Freedom"*, je n'ai pas hésité [...]. J'ai visé [...] et j'ai tiré à 20 reprises. C'était comme si je jouais à *"Ghost Recon"* à la maison[67]. » Formée en amont, profitant des progrès accomplis dans la formation militaire, la nouvelle génération accroche ses cibles avec une spontanéité étonnante : selon une étude, un maximum de 25 % des soldats américains de la Seconde Guerre mondiale utilisaient leur arme pour tuer[68] ; ils étaient 55 % en Corée[69], puis 95 % au Vietnam[70]. Le défi suivant se situait donc dans la précision du tir. Or, des chercheurs de l'université de Rochester démontrent qu'un *aficionado* de jeux vidéo « d'action », type *First Person Shooter*, peut augmenter son acuité visuelle de 20 %[71].

Ces jeux vidéo de dernière génération – dont *America's Army* est un des exemples les plus aboutis en 2002-2003 – participent d'une entreprise de soumission de la jeunesse aux valeurs de l'armée en même temps qu'ils instituent une phase précoce d'instruction militaire, variante « high tech » de l'éducation spartiate : alors qu'ils sont très loin de l'âge requis pour une carrière militaire, des enfants assimilent un socle de connaissances relatives au maniement des armes. Car, faut-il le rappeler, une partie de *Full Spectrum Warrior* n'excède pas quelques secondes lorsqu'un joueur inexpérimenté oublie les techniques élémentaires de la guerre urbaine (mobilité, rapidité, furtivité, coordination avec les autres « *gamers* ») ou se révèle incapable de viser juste. « La direction d'un instructeur qualifié n'est pas toujours nécessaire à un entraînement efficace », remarque le docteur Scott Beal, membre de l'Institut de recherche de l'armée[72]. « Nous sentons que jouer à des jeux vidéo nous prépare mieux à l'entraînement et à remporter nos futurs combats[73] », précise le chef d'une unité d'infanterie. Les jeux *America's Army*, *Full Spectrum Warrior* et leurs succédanés apparaissent comme des outils de propagande doublés d'instruments de formation au combat. Sous-jacente, cette pédagogie militaire développe la dextérité, mais aussi le mental « guerrier » de ses adeptes, exposés depuis leur enfance à une violence médiatique qui les aura confrontés, jusqu'à l'âge de 13 ans – suivant une étude de 1992, donc antérieure à l'explosion commerciale des jeux vidéo – à environ 100 000 actes de violence télévisés, dont 8 000 séquences de meurtre[74], influant sur les probabilités de voir le spectateur adopter à son tour des comportements violents[75]. Vu sous cet angle, le jeu vidéo puis la guerre sont des exutoires individuels et sociaux ; par le réalisme des graphismes, le passage entre le procédé de mise à mort du jeu vidéo, banalisé par sa fréquence, s'en trouve facilité. En vrai, l'excitation fébrile du combat pousse le soldat à mobiliser ses réflexes et ses connaissances, acquis au cours de centaines d'heures d'entraînement virtuel. De même, on constate une complémentarité et une continuité troublante entre l'ergonomie des jeux vidéo et celle des viseurs nocturnes équipant les soldats :

l'ennemi y apparaît sous des traits pixellisés très proches d'un graphisme ludique qui le déshumanisent. Depuis 2004, le dispositif d'armement Common Remotely Operated Weapon Stations (CROWS) permet même de remplacer les soldats « mitrailleurs », trop vulnérables dans leurs tourelles, par un système de tir commandé depuis l'intérieur du véhicule à l'aide de caméras et d'un véritable « joystick[76] ». Les images issues des caméras de visée embarquées à bord des hélicoptères Apache montrent combien leur rendu visuel s'apparente à celui d'un jeu, *Call of Duty Modern Warfare* notamment, dont une mission permet de prendre en main un hélicoptère de combat. Un autochtone devient une silhouette, un paquet entre ses mains peut être une arme. L'écran de visée, sur lequel tout se joue, est un filtre supplémentaire entre l'exécutant et sa victime, visée avec précision à plus de 1,5 kilomètre. « Laissez-moi tirer ! [...] Allez, laissez-moi les flinguer, *fuck* ! » demande par radio l'artilleur à son supérieur, sur la séquence vidéo révélée en 2010. La décision est prise avec empressement, tandis que le geste, accompli par un joystick mortel, suscite la joie d'un joueur touchant au but : sur les vidéos précitées, les tireurs qui viennent d'abattre leurs cibles poussent des « *Yeah !* » tonitruants, assortis d'insultes et autres cris de joie. Cette réaction figure aussi dans l'illustration sonore de la séquence « hélicoptère » de *Call of Duty Modern Warfare* : le détachement et le plaisir de tuer s'y imposent comme la norme que promeut un jeu dont les ventes dépassent les 13 millions d'exemplaires, et qui occupe une partie du repos des soldats[77].

L'impact de ces jeux vidéo s'apparente à un système d'endoctrinement ultrasophistiqué : parce que le jeu récompense un certain type de violence, l'individu est, dès le plus jeune âge, conditionné pour développer des gestes précis. Sur le champ de bataille comme face à son écran, le jeune soldat, virtuel ou non, fait « pratiquement la même chose, observe un GI. Essayer de tuer l'autre. Le but est le même : [...] survivre[78] ». Des expériences scientifiques ont démontré que la brutalité d'un jeu vidéo encourage les comportements violents lorsque ses règles récompensent l'exercice de la violence[79]. Dans le cas d'*America's Army*, la violence avec laquelle les soldats combattent se trouve effectivement récompensée par la progression du joueur, à condition que ce dernier en fasse un usage conforme aux objectifs de l'armée. La stratégie d'influence psychologique qui apparaît derrière « *AA* » n'a pas d'autre but que de combler le fossé qui sépare le divertissement du réel. Par l'adoption d'un procédé qui exploite l'univers mental des nouvelles générations, il s'agit donc, pour l'armée, de normaliser l'idée de « tirer pour tuer », inscrite dans un cadre ludique, et donc d'aseptiser la mise à mort. Enfin, ces jeux vidéo entraînent à tirer, comme n'importe quel simulateur, mais aussi à voir mourir[80], puisque les personnages abattus reproduisent les mouvements et les cris d'hommes mortellement touchés.

Les pilotes de drones Predator, ces aéronefs commandés depuis le sol, sont le prototype parfait des soldats « modernes » et la meilleure illustration de cette confusion entre jeu vidéo et réalité : depuis leur base de Nellis, dans le Nevada, ces hommes dirigent, grâce à leurs écrans de contrôle, des appareils qui survolent l'Irak et neutralisent l'ennemi sans courir le moindre risque. Notion clé, la distance entre le point décisionnel et sa conséquence militaire rend la guerre immatérielle. Pour la première fois dans l'histoire des conflits, les dégâts infligés à l'adversaire ne sont perceptibles que par l'intermédiaire d'un écran, comme la séquence d'un jeu vidéo. La logique de déshumanisation des guerres, au sens du « dépassement des capacités physiques et mécaniques du corps humain[81] », qu'introduit la technologie des guerres modernes atteint un nouveau sommet : la violence mise en œuvre est déconnectée de la peur ressentie par son auteur, hors d'atteinte d'une réplique ennemie et presque immunisé de l'aspect troublant que revêt l'acte de tuer.

La violence belliciste mise en avant dans ces jeux est favorisée par l'indulgence sélective des institutions juridiques. Alors que les autorités de classification sont attentives à la brutalité débridée de jeux comme la série des *Grand Theft Auto* – interdite aux moins de 17 ans –, leur action se fait moins incisive lorsque la violence à laquelle sont exposés les adolescents s'exerce dans un cadre militaire virtuel. Les pouvoirs publics sont tentés par l'adoption d'une posture équivalente, à l'instar des représentants de l'Etat de Washington, rapporteurs d'une loi punissant de 500 dollars d'amende un marchand qui vendrait à un mineur des jeux permettant de frapper un détenteur de l'autorité (policier, pompier[82]). A l'opposé, la diffusion de programmes autorisant la mise à mort d'individus considérés par le pouvoir fédéral comme des « ennemis des Etats-Unis » ne fait pas partie des comportements punissables. On retrouve donc la « philosophie » manichéenne présente, depuis des siècles, dans d'autres jeux. La sophistication de ces divertissements pixélisés leur confère un pouvoir d'endoctrinement inédit.

Morts et blessés : un bilan trompeur

Le 7 septembre 2004, le secrétaire à la Défense reconnaît que 1 000 de ses soldats sont morts en Irak, tout en prenant soin de rappeler qu'une part non négligeable d'entre eux ont été victimes d'accidents. Trois mois plus tard, la remarque ne tient plus : le premier millier de militaires morts au combat est une réalité[83].

En 2008, à la veille de l'élection présidentielle, le bilan officiel fait état de plus de 4 193 soldats tués et 30 754 blessés[84], catégorie dont sont exclues les 66 935 victimes de syndrome de stress post-traumatique[85] ainsi que les suicides des vétérans, qui représenteraient depuis 2005 environ 20 % des 30 000 cas recensés chaque année aux Etats-Unis[86]. En outre, les soldats exempts de blessures visibles mais touchés par un traumatisme cérébral non diagnostiqué sont plusieurs milliers, voire dizaines de milliers à rester en dehors des statistiques[87] : cette blessure, typique du souffle produit par les explosions d'engins piégés, est longue à prendre en compte. Ajoutons à ce total assez flou le millier de morts et les 4 949 blessés de l'opération « *Enduring Freedom*[88] », et l'on obtient une évaluation qui explose les chiffres officiels.

« Il est clair que je n'aurais jamais pensé que nous enregistrerions les pertes que nous avons connues pendant la semaine écoulée », déclare Donald Rumsfeld le 15 avril 2003. A l'époque, les forces américaines comptent moins de 100 morts. A la une des actualités dans le monde entier, l'étonnante franchise du ministre, tout comme dix-huit mois plus tard le passage à quatre chiffres de la comptabilité macabre, masque d'autres données plus dévastatrices. Certains témoignages de soldats donnent à penser que le Pentagone ne joue pas la carte de la transparence. « Je ne crois pas que la dépêche de CNN faisant état de seulement douze morts soit exacte[89] », s'interrogeait l'un d'entre eux après une embuscade. Le bilan des blessés, rapporté sur différents sites officiels, semble aussi opaque : pendant longtemps, le chiffre de la période mars-mai 2003 a été classifié ; néanmoins, on sait, d'après l'évaluation fournie par le lieutenant-colonel Allen DeLane, responsable des transports vers l'Andrews Air Force Base, que 8 000 hommes, tous états confondus (blessures, accidents, maladies, troubles psychologiques) y ont transité entre le début d'« *Iraqi Freedom* » et août 2003[90]. Les bilans – contradictoires – communiqués à la même période par le Pentagone et le commandement central du Qatar avancent des chiffres jusqu'à 10 fois inférieurs, respectivement 827 et 926 blessés. Ces évaluations se fondent sur les critères très restrictifs retenus par le ministère de la Défense, en vertu desquels les soldats qualifiés de « blessés » doivent avoir été les « victimes directes d'une action hostile ». Les autres, touchés par un « feu ami », accidentés ou malades, n'apparaissent pas dans les bilans officiels. Ce système de comptabilité arbitraire laisse de côté un nombre indéterminé de victimes qui disparaissent de statistiques alarmantes.

L'hôpital américain de Ramnstein, dans le Nord de l'Allemagne, est une des survivances de la guerre froide. Depuis l'invasion de l'Irak, cet établissement est au centre d'une intense activité : chaque jour, un ballet d'hélicoptères et d'avions de transport militaire amène son lot de GI's plus ou moins atteints. En moins de dix mois, les médecins militaires ont vu défiler 9 000 blessés parmi lesquels 1 200 furent amputés d'un ou plusieurs membres. Les cas les plus désespérés sont exfiltrés vers les Etats-Unis où leurs familles accompagnent ces derniers instants de vie. Les chiffres du Pentagone ne tiennent pas non plus compte de ces rapatriés, parfois morts cliniquement, et dont on ignore le nombre exact.

Une part importante des blessés incapables de retourner sur le théâtre d'opérations sont transférés aux centres médicaux de Bethesda ou Washington, les plus grands hôpitaux militaires des Etats-Unis. Avec le taux exceptionnel de 96 % de ses lits occupés par des soldats, les capacités d'accueil de Walter Reed ne permettent plus d'accueillir entre 2004 et 2005 tous les combattants évacués d'Afghanistan et d'Irak en provenance quotidienne du centre médical de Landstuhl en Allemagne ou de l'hôpital de la Navy de Rota, situé sur la côte atlantique de l'Espagne. A hauteur de 20 par jour, les convalescents sont dirigés vers des hôtels de la ville afin de céder la place aux nouveaux arrivants qui viennent emplir les 5 500 chambres. Des départements spécialisés dans le traitement de pathologies « civiles » sont désormais réservés aux blessés[91]. De l'aveu du porte-parole de l'établissement, les 3 900 membres du personnel médical, en sous-effectif, ne comptent déjà plus leurs heures supplémentaires, indispensables à l'administration des soins que nécessitent fractures, blessures par balles ou explosifs et amputations[92]. A cause des engins piégés que la guérilla dissémine sur le trajet des patrouilles, le service de chirurgie orthopédique de Walter Reed est surchargé dès la fin de l'été 2003[93].

La couverture médiatique contribue à alourdir le mystère. Si les *networks* livrent chaque jour à leurs spectateurs des comptes rendus de l'occupation, ceux-ci consistent le plus souvent en une reprise des communiqués militaires. Or, la fiabilité de ces documents est incertaine. D'une moyenne de 10 blessés par jour, le nombre de soldats atteints par balles, roquettes ou engins piégés a augmenté depuis l'été 2003 (+ 35 % en août) dans des proportions telles que le CENTCOM publie de nouvelles listes de blessés seulement lorsque ces derniers sont victimes d'attaques ayant fait un ou plusieurs morts[94]. En 2004, les progrès du chaos alourdissent ce bilan : l'America's Heroes for Freedom (AHOF), une organisation d'aide aux soldats, annonce en octobre 2004 le chiffre de 10 000 soldats affectés en Irak et en Afghanistan « blessés ou malades » puis rapatriés aux Etats-Unis[95]. La proximité de l'AHOF avec les positions de l'administration apporte, sur ce point, une certaine caution à ses données. D'un tout autre bord politique, le Centre national d'encadrement des vétérans de la guerre du Golfe comptabilise, à la fin septembre 2004, 20 245 évacués dont 7 500 « blessés du champ de bataille[96] ». Deux mois plus tard et pour la seule base américaine de Landstuhl, on dénombre 17 878 militaires traités[97]. Loin de ces chiffres, le bilan officiel faisait état, en novembre 2004, de 8 458 blessés.

Le foisonnement d'informations contradictoires entretient l'ignorance du public. S'ils ambitionnaient de lui fournir l'éventail de points de vue nécessaire à une juste compréhension des événements, les directeurs de rédaction opteraient, par exemple, pour des reportages sur les hôpitaux militaires ou des interviews de soldats blessés. En lieu et place de ce travail essentiel, les télévisions expédient une trentaine de camions satellite afin de couvrir, à l'automne 2004, le procès pour viol du basketteur Kobe Bryant. Dans les émouvantes scènes de retour, les soldats qui apparaissent à la télévision sont intacts ou à peine égratignés : les épouses pleurent de bonheur et les enfants se suspendent au cou des « héros ».

Blessés et propagande de guerre ne font pas bon ménage. Les Etats ont toujours tenté de masquer la choquante vérité des conflits que révèle sans détour la non moins cruelle vision des blessés. « Ils sont trop vrais[98] », juge le critique des médias Norman Solomon. « Vous ne voulez pas les regarder [...], c'est triste, désespérant, dérangeant [et] choquant[99] », assure un reporter qui a vécu parmi ces victimes de la guérilla irakienne. En 1944, les opérateurs du Signal Corps, chargés d'enregistrer les images de la guerre, s'autocensuraient en évitant de fixer sur pellicule des soldats alliés gravement blessés. En 2003, ceux qui brident leur potentiel d'information ne sont pas des journalistes militaires appointés par l'armée. Ils en reproduisent pourtant le cadre de pensée : dans l'ensemble, les médias subissent encore l'influence de l'union sacrée. Dans les journaux et sauf exception[100], les soldats tués ne laissent d'autre marque que le rappel respectueux de leur nom, éventuellement flanqué d'une sobre photographie. Quand ils deviennent visibles, les mutilés et autres invalides personnifient l'impitoyable réalité de la guerre. Ils portent, de la façon la plus probante qui soit, les stigmates des aventures afghane et irakienne, et offrent une image à laquelle le pouvoir refuse d'être associé. Or, les progrès de la médecine militaire et la résistance des gilets pare-balles aidant, les éclopés du Golfe sont proportionnellement plus nombreux que lors des précédents conflits. Parce que la vision de ces hommes sape le moral de l'opinion et personnifie l'échec de l'occupation, l'accès à cette souffrance se limite d'abord à la presse de moindre audience et aux sites Internet « alternatifs[101] ». Associés au scandale des armes de destruction massive, les clichés de militaires devenus aveugles, paralysés ou incapables de se mouvoir sans prothèses rappellent que, chaque jour, des citoyens sacrifient leur existence pour une cause usurpée. Ce n'est qu'en 2007 que leur sort, détaillé par le *Washington Post*, fera les gros titres[102].

Les impressions livrées par les témoins privilégiés que sont les soldats blessés donnent à ces lointains événements un réalisme brutal : « Avec douze autres soldats, je gardais un hôpital entre Tikrit et Mossoul. [...] On nous appelait les treize fantômes, tant nos chances de survivre étaient minces », confie le Marine Lopez-Santini, devenu sourd et aveugle suite à l'explosion d'une bombe au passage de son Humvee. « J'ai peur de ce que les gens vont dire ou penser de moi », soupire Hilario Bernanis, amputé de ses jambes et d'un bras. Comme ses camarades, il « ne pensait pas revenir dans cet état[103] ». Aurait-il embarqué pour l'Irak avec la même détermination s'il avait su le sort dramatique qui l'attendait ? Afin d'éviter ce genre de questions et des propos dissuasifs pour les futures recrues, la communication officielle garde ses distances : critiqué, George W. Bush se rendra au chevet des blessés, non sans mettre en balance le triste sort de ces hommes avec le « Mardi noir » ; la première visite présidentielle eut lieu le 11 septembre 2003.

Fin 2010, la guerre contre le terrorisme a causé selon toute vraisemblance plus de 5 500 morts et 100 000 blessés dans les rangs américains. Dix fois moins qu'au Vietnam en termes de soldats tombés, et deux fois moins de blessés. Sur ce plan, la première guerre du nouveau siècle égale la guerre de Corée. Nuançons : 1 789 000 et 2 594 000 soldats ont servi respectivement en Corée et au Vietnam, alors qu'environ 1 600 000 ont été déployés sur le théâtre afghan ou/et irakien. Ceux-ci présentent toutefois une spécifité qui donne aux guerres de l'administration un profil inédit : le recours massif aux sociétés militaires privées fausse encore le bilan. Fin 2006, les « firmes de sécurité » rassemblent un contingent cosmopolite fondu dans les 100 000 contractuels présents en Irak, soit environ 30 000 de moins que l'armée régulière déployée, et dix fois plus que lors de la première guerre du Golfe[104]. En Afghanistan, le nombre est équivalent, et donc supérieur à celui des soldats en uniforme national[105]. Devenues des auxiliaires de l'armée d'occupation, ces puissantes entreprises se substituent pour partie aux soldats attendus par leurs familles, et autorisent un allègement conséquent du dispositif militaire. Or, les « contractuels de Défense » enregistrent des pertes, chiffrées depuis la guerre d'Afghanistan à un millier fin 2010, dont un quart seraient de nationalité américaine. Selon d'autres sources du secrétariat au Travail, leur nombre serait de 2 230, seulement américains[106]. Flouté par l'opacité des données que transmet le Pentagone[107], ce décompte n'apparaît pas dans les chiffres officiels. Pour ces hommes bien mieux payés que leurs homologues du « public », la machine à fabriquer des héros n'est d'aucune utilité. Leur présence permet donc d'amenuiser le ressenti de la guerre dans l'opinion.

Le total des pertes demeure relativement faible au regard des statistiques vietnamiennes : environ 1 300 militaires sont tombés en 2005 quand la guerre devient impopulaire. La capacité d'acceptation de l'opinion a vite montré ses limites. En cause, une sensibilité avivée par les discours sur les « guerres propres », des moyens d'information en passe de retrouver leur raison d'être, mais aussi les retours d'expérience des soldats, plus parlants que nombre de reportages.

Des ravages psychologiques

« Pour moi [...], c'est des images [...] de bébés dont le crâne gît à même le sol, des hommes avec la tête à moitié arrachée, les orbites vides et la bouche grande ouverte. Je vois ça tous les jours [...]. Tout le long de la route vers Bagdad, du 20 mars au 7 avril, rien d'autre que des corps carbonisés[108] », confie le soldat Anthony Combs. Selon une étude médicale officielle réalisée sur un échantillon de plus de 6 000 soldats, un militaire sur six souffre de troubles psychiatriques encourant « un risque significatif de problème de santé mentale[109] ». Les médecins du département de psychiatrie et de sciences comportementales du Walter Reed Army Institute of Research relèvent des formes de grave dépression, d'anxiété et de stress posttraumatique. Aussi vieux que les guerres, ces symptômes sont plus connus depuis le Vietnam sous l'acronyme PTSD ou « *Post Traumatic Stress Disorder* » (« syndrome de stress post-traumatique »). La coopération militante qui se développa, à la fin des années 1960, entre le psychiatre canadien Chaim Shatan et les activistes des Vietnam Veterans Against the War permit d'avancer dans ce domaine.

Les statistiques de PTSD au sein des troupes américaines sont un indicateur de l'impact psychologique du conflit : entre l'invasion de l'Irak et septembre 2003, 865 soldats ont été évacués pour des problèmes psychiatriques ou neurologiques[110]. Si l'on étend cette période jusqu'à 2007 – étudiée par des statistiques officielles –, le total atteint les 39 365 soldats (Afghanistan inclus[111]). En 2010, le bilan passe à 66 935 victimes, touchées à des degrés divers[112]. Ce résultat impressionnant rappelle que les guerres modernes, certes moins meurtrières pour la puissante armée américaine, laissent de lourdes traces.

Le colonel Malone, chef des services psychiatriques de l'hôpital militaire de Bagdad, n'a pas tenu le coup : « J'avais l'impression d'être pris dans un piège. Il fallait absolument que je parte. Si je n'avais pas pu, j'aurais préféré mourir[113]. » Ces pathologies sont étroitement liées à une proximité continue avec différentes confrontations mortuaires dont personne ne sort indemne : la violence et la fréquence des accrochages, l'exposition aux tirs ennemis, la peur de mourir et la vue de camarades tués dont ils doivent en plus évacuer les dépouilles, en sont les causes premières. Pris dans une embuscade, un GI raconte : « Plein d'explosions monstrueuses [...], comme dans un film hollywoodien. J'avais si peur, j'ignorais qu'on pouvait avoir aussi peur. Je me disais [que] mon heure était arrivée [...] : le véhicule devant moi a été frappé par trois roquettes. Et, là, j'ai perdu les pédales, j'ai hurlé, j'ai dit n'importe quoi[114]. »

Les faibles taux de PTSD enregistrés pendant la guerre du Vietnam l'ont montré : le stress post-traumatique peut mettre plusieurs années avant de se manifester. Or, plus de 50 % des soldats atteints de problèmes psychiatriques ne font pas, à leur demande, l'objet d'un suivi médical approprié, de peur qu'un tel traitement n'entrave leur avancement[115]. Parfois objets de brimades, ceux que la troupe a coutume d'appeler les « *psychos* » rechignent à confier leurs problèmes à un spécialiste. Il faudrait donc s'attendre, d'après les experts, à ce que 20 % des vétérans de la deuxième guerre du Golfe soient touchés par la maladie[116]. Face à l'ampleur des chiffres, le Pentagone pratique la dissimulation des cas avérés en modifiant les critères de prise en compte par le ministère des Anciens Combattants, en charge des pensions[117].

La manifestation des troubles psychologiques reflète l'enlisement en Irak. A tel point que les retours au pays sont précédés de cinq à sept jours d'un programme de réadaptation à la vie civile qui comprend notamment des « entraînements aux retrouvailles familiales[118] ». Leurs proches les ont vus partir pour une « guerre humanitaire », selon le général Tommy Franks, alors commandant de la Coalition. Ils devaient « libérer un pays » et empêcher un dictateur de livrer ses armes de destruction massive à des terroristes. En lieu et place du chimérique arsenal, beaucoup font face à la mort. Avec l'absence de ligne de front, la configuration du conflit est telle que 80 % des membres de l'armée américaine ont été confrontés à une situation traumatisante en Irak.

Comme les générations précédentes rentrées du Vietnam, les plus exposés aux combats se réfugient dans un mutisme qui suscite l'incompréhension de leurs proches : « De retour en Floride, confie un GI revenu de Sadr City, je ne parvenais pas à trouver le sommeil [...]. Je restais assis toute la nuit [...] à observer dans une glace [...] mon visage agité de tremblements. Du coup, je dors toute la journée alors que ma famille [...] veut me voir. J'en aurai honte jusqu'à la fin de mes jours[119]. » Trente ans auparavant, un nombre considérable de GI's envoyés au Vietnam sombraient dans l'alcoolisme et la toxicomanie[120]. Ecrasés par le stress, certains soldats d'Irak recherchent dans les anxiolytiques facilement disponibles des « béquilles chimiques » qui leur permettront de tenir le coup : « J'avais entendu dire que le service de Santé mentale distribuait des antidépresseurs à la louche pour les soldats qui sont maintenus ici de force au-delà de leur temps réglementaire[121] », explique le soldat Goetz.

La prise de produits dopants est une constante depuis la nuit des temps. Pour faire face à l'usure physique et psychologique de leurs troupes, les états-majors ont organisé, plus ou moins officiellement selon les époques, la distribution de substances diverses et parfois addictives : l'alcool a longtemps été, du vin des légions romaines au rhum épais du poilu, le principal instrument de reconstruction des forces combattantes et un facteur d'annihilation des peurs. Depuis la Première Guerre mondiale, les conflits ont ajouté les drogues de synthèse (cocaïne, héroïne, méthadone, amphétamines) à la gamme des substances psychoactives proposées par l'encadrement militaire. Les circuits d'acheminement des drogues vers les conscrits américains font du Vietnam l'exemple le plus caractéristique du dopage institutionnel à finalité militaire : les GI's n'avaient aucun mal à se procurer toutes sortes de produits[122], notamment le psychédélique LSD – né en 1938 et expérimenté dans les laboratoires de l'armée américaine[123] – ou d'autres drogues dures. Les dessous de ces affaires de stupéfiants ont beaucoup participé à la construction d'une légende noire du Vietnam mêlant les administrations Johnson et Nixon, groupes mafieux locaux, CIA et Air America, la compagnie qui transportait pour le compte de l'agence d'énormes cargaisons d'héroïne. En Irak, l'armée américaine veille au respect d'une légalité qui n'entrave en rien la mise en place d'une toxicomanie « de combat » : sous couvert de thérapies médicamenteuses, les médecins militaires de la Navy (à laquelle sont rattachés les Marines) et de l'Air Force prescrivent, depuis la première guerre du Golfe, des *Go Pills* : très controversés pour les effets secondaires qu'ils occasionnent dans un usage « guerrier », ces excitants du système nerveux génèrent, comme les autres amphétamines, un sentiment de puissance physique, décuplent l'agressivité et diminuent les sensations de faim, de fatigue et de souffrance[124] : l'impact de cette substance sur l'organisme participe à la création d'une sorte de « super soldat » ; capable de performances physiques hors normes, il exauce les vœux des chefs militaires les plus ambitieux.

La similitude des pathologies psycho-traumatiques observées chez les militaires du Vietnam et d'Irak, et la proximité commune aux deux conflits des grands centres de production d'opium – la Syrie, le Liban et surtout l'Afghanistan, qui a détrôné le Triangle d'or depuis la chute des Talibans[125] – augurent-elles d'une répétition dans le cadre mésopotamien d'un trafic organisé sur le modèle vietnamien ? Depuis des siècles, le trafic de drogue est un vecteur d'influence des puissances occidentales : l'Angleterre a livré, en

Chine, deux guerres dites « de l'opium » (1839-1842 et 1856-1858) ; au sortir de la Seconde Guerre mondiale, les Etats-Unis n'ont eu de cesse, avec la coopération des réseaux français établis en Indochine, d'intégrer le pavot à leur stratégie anticommuniste au Sud-Est asiatique, en accordant par exemple leur appui au Kuomintang qui, évincé par Mao, devait ses ressources financières aux champs de pavot[126]. Sous l'administration Reagan, une entreprise occulte d'instrumentalisation du trafic de drogue permit de financer secrètement la guérilla antisandiniste. La conclusion d'une alliance avec les seigneurs de l'opium telle qu'elle existe depuis 2001 en Afghanistan pourrait suivre une logique identique. Alors que quelques figures des opérations occultes des années 1970-1980 sont actives dans l'affaire irakienne (Rumsfeld, Cheney, l'amiral Poindexter ou John Negroponte), on peut s'interroger sur le « boum » de la production d'opium consécutif à l'occupation de l'Afghanistan par les forces américaines.

Le nombre de suicides croît avec une inquiétante régularité : en juillet 2004, 5 soldats mettaient chaque mois fin à leurs jours, contre une moyenne mensuelle de 2 depuis le déclenchement des opérations. Alors que le taux moyen de suicides dans l'armée est de 10,5 par an pour 100 000 soldats, les troupes affectées en Irak atteignent le chiffre de 13,5[127] en janvier 2004. A l'amorce du retrait décidé par le président Obama, ce ratio atteint en 2008 les 20,2 pour 100 000[128], un niveau jamais atteint. La proportion interpelle d'autant plus que le nombre de suicides serait, de l'aveu d'une porte-parole de l'armée, traditionnellement au plus bas en temps de guerre, « car l'adrénaline [...] et l'instinct de survie fonctionnent à plein régime[129] ». Ces statistiques ne tiennent pas compte du nombre de soldats qui se donnent la mort une fois rapatriés aux Etats-Unis[130]. Or, leur total annuel dépasse celui des tués en service depuis les débuts de la guerre : pour la seule année 2005, 6 256 vétérans se sont donné la mort, alors qu'un peu plus de 2 162 soldats étaient tombés depuis 2003[131]. L'effet démoralisateur d'un suicide au sein d'une unité, sans commune mesure avec la perte d'un camarade au feu, a poussé l'état-major à agir. Dès octobre 2003, les services de santé de l'armée ont décidé de l'affectation d'un médecin spécialisé par compagnie, chargé de prescrire à bon escient des antidépresseurs et des somnifères aux éléments de retour des zones de combat[132]. Au vu des statistiques, la mesure n'a eu aucun résultat probant.

L'autre « espoir » réside dans la robotisation : réduire la présence du soldat sur le théâtre d'opérations sans grever sa puissance de feu offre le double avantage de réduire les pertes – et donc de limiter les réticences antiguerre –, mais aussi d'épargner aux militaires les séquelles du combat. « Laissons la technologie faire le boulot[133] », déclarait en 1992 un stratège de la Navy. La guerre d'Irak a inauguré les drones armés qui permettent à des pilotes stationnés sur le sol américain de conduire des opérations au cœur de Bagdad. De façon très inattendue, ces hommes de l'Air Force souffrent, eux aussi, de symptômes de stress, quoique moins prononcés[134]. Surtout, leur engagement ne se traduit par aucun suicide : ces militaires interviennent sur le champ de bataille tout en regagnant leur foyer en fin de journée. Avec les avancées technologiques de l'Agence des projets de recherche avancée de Défense (Defense Advanced Research Projects Agency) (DARPA[135]), les conflits des années 2030-2050 feront appel à des armements permettant de se passer de présence humaine dans un nombre croissant de situations. L'apparition sur les champs de bataille de drones terrestres, sous forme de chars ou de véhicules blindés commandés à distance, suit le cours naturel de l'évolution des guerres. C'est sans doute en parfaite conscience des ravages subis par les troupes, à l'origine de l'érosion du soutien à la guerre, que les responsables de la DARPA ont doublé les crédits alloués à la recherche des systèmes dits « autonomes » entre 2001 et 2003[136].

Le bourbier irakien

Depuis leur arrivée en Irak, les soldats des forces d'occupation vivent dans un climat de tension extrême. En zone américaine, les missions de routine, comme les simples patrouilles, sont rendues exténuantes par une guérilla dont on a le plus grand mal à évaluer l'ampleur. « La télévision n'en montre même pas la moitié[137] », constate, en 2004, un Marine affecté dans les environs de Samarra. Les explosions de bombes sur le passage des convois de chars ou de véhicules légers se produisent plusieurs dizaines de fois par jour ; « Potentiellement, chaque tas d'ordures porte en lui ta mort », témoigne un ancien Ranger[138]. Les GI's peuvent, à tout instant, être pris pour cible par des tireurs embusqués[139]. Fin octobre 2004, on dénombre 80 à 100 attaques par jour[140]. L'adversaire frappe puis se fond dans la foule. « C'est une guerre d'un genre différent, analyse le vétéran Robinson. Tout le monde est ton ennemi. Il n'y a pas de ligne de front [...] et le danger vient de partout à la fois[141]. » Des obus de mortier sont tirés chaque nuit ou presque sur l'enceinte fortifiée des bases américaines, vidées de leur statut de sanctuaires sécurisés. Peu atteignent des soldats, en tout cas directement. Mais, en empêchant l'appréhension de retomber pendant les temps de repos, les roquettes de la guérilla acquièrent une portée psychologique : « Comment expliquer [...] la panique qui t'empêche de respirer quand une roquette touche ton bâtiment[142] », déplore un soldat. Le seul fracas des détonations véhicule l'image d'un ennemi omniprésent, capable de rapter un caporal à l'intérieur même du camp[143]. A Mossoul, un kamikaze vêtu de l'uniforme de la Garde nationale irakienne parvient, le 21 décembre 2004, à s'introduire dans le réfectoire de la base américaine pour y faire sauter sa ceinture d'explosifs. Bilan : 14 soldats tués et 70 blessés[144]. La confiance embryonnaire qui lie les soldats américains aux membres de la nouvelle armée irakienne s'effrite.

Les premières attaques, dès l'installation des troupes dans les villes « libérées », ont fait voler en éclats nombre d'illusions : il n'est plus question d'aller se mêler à la foule irakienne. Si le dialogue est encouragé dans le cadre des missions, les ordres sont clairs : interdiction d'accepter de la nourriture des autochtones ou de partager un verre d'arak, l'alcool étant théoriquement proscrit pour l'ensemble des personnels stationnés en Irak. Le fossé d'incompréhension se creuse. Certains pensent que les Irakiens sont des ingrats : à peine débarrassés de Saddam, ils se retournent contre leurs sauveurs ; « Très vite, ils ne voulaient plus des Américains[145] », constate le sergent Nestor Torres, de la 3e division d'infanterie. « Je n'ai plus envie de les aider, de leur sourire ni d'être [...] sympa », annonce un Marine désabusé. Au nom de ses « frères d'armes », il ajoute : « Maintenant, on a vraiment la haine contre les Irakiens, parce qu'on était là pour les aider[146]. » Un nombre croissant de soldats éprouvent une « haine » décuplée pour les 24 millions de personnes qui les entourent, et dont certaines sont coupables d'avoir tué ou blessé l'un des leurs. En face, la barbarie des terroristes qui égorgent des innocents apporte d'autres arguments.

Tous les ingrédients du « bourbier » sont là, agrémentés de graves manquements dans l'organisation de la guerre.

L'impréparation des troupes

De 2003 à 2006, le dispositif d'occupation, qui repose principalement sur les effectifs de l'armée américaine, souffre d'un nombre insuffisant de soldats et de troupes trop peu ou pas préparées. Au moment d'engager ses forces, le Pentagone s'était fait le chantre d'un déploiement « léger », aussitôt critiqué par des spécialistes comme le général Shinseki[147], chef d'état-major de l'armée de terre. L'armement, de loin supérieur au matériel ennemi, devait faire la différence.

Succédant à la conquête militaire du pays, l'allègement du contingent commence en mai 2003. Dans l'idéal, la guerre aura un faible impact sur la population américaine, grâce à un parfait équilibre entre les troupes nécessaires aux objectifs fixés (mise en place d'un régime « allié », contrôle des ressources énergétiques...) et le nombre de GI's tués, qui doit rester faible. Sans escalade du nombre des effectifs, le souvenir du Vietnam sera contenu. Avec l'essor de la guérilla, le calcul se révèle erroné, dans la mesure où le déficit de troupes a accentué les difficultés des unités américaines, victimes de pertes croissantes. Sur le terrain et quoi qu'en dise le secrétaire à la Défense, nombreux sont les officiers à témoigner de forces au bord de l'effondrement[148]. En plein siège de Fallouja, au mois d'avril 2004, le républicain Richard Lugar, président de la Commission des affaires étrangères du Sénat, déclare sur la chaîne Fox News : « Nous avons probablement besoin d'envoyer davantage [de troupes] [...]. Notre crédibilité est en jeu[149]. » Bousculé, le ministère de la Défense ne tarde guère à revenir sur sa décision de ramener le contingent américain de 137 000 à 115 000 hommes pour le « transfert de souveraineté » programmé le 30 juin 2004. « En Irak, il n'y a pas seulement eu une défaillance pour prévoir une insurrection majeure, mais aussi pour s'adapter [...] de manière adéquate à l'insurrection qui a suivi les combats majeurs[150] », observe la commission Schlesinger (chargée par Donald Rumsfeld d'enquêter sur la situation des détenus irakiens). Par la mise en évidence des problèmes structurels de l'armée, l'ex-secrétaire à la Défense Schlesinger (1973-1975) souligne à quel point l'administration Bush a sous-évalué, malgré les alertes lancées avant guerre par de nombreux experts, les conséquences d'une longue occupation, en n'accordant pas à ses forces les « moyens de faire face au chaos dans lequel la guerre allait précipiter le pays ». L'ancien chef du Pentagone persiste et évoque, en des termes choisis, la « perte de contrôle d'une armée dépassée par la résistance à laquelle elle se heurte[151] ». A l'approche des élections programmées par le proconsul Bremer en janvier 2005, les responsables politiques américains ne peuvent rester sourds plus longtemps aux demandes de leur état-major. Fin septembre 2004, le général Abizaid lève le tabou d'une affectation de troupes supplémentaires, une affirmation qui avait valu à son prédécesseur, le général Franks, les cinglantes critiques de Donald Rumsfeld. Pour l'analyste militaire Andrew Krepinevich, l'occupation de l'Irak poursuivie sur un modèle identique à celui utilisé jusqu'au mois d'août 2004 aurait entraîné un épuisement durable de la machine de guerre américaine[152]. Pis, l'organisation structurelle de l'armée rend ardu le maintien prolongé d'un contingent déjà faible numériquement[153], alors que la situation militaire requiert, au minimum, le doublement des effectifs. Ces débats internes montrent enfin combien le commandement fut morcelé, et l'opposition vive entre les chefs de file de l'administration et quelques officiers supérieurs qui, après s'être soumis à l'autorité du pouvoir politique, manifesteront leur désaccord sur la stratégie, sur Abu Ghraib[154], voire, pour ceux arrivés à l'âge de la retraite, en réclamant la démission de l'emblématique Rumsfeld[155].

L'impréparation tactique et psychologique des soldats américains est l'autre donnée essentielle à la compréhension d'un problème qui, là encore, renvoie aux carences relevées lors du conflit vietnamien dans le cadre des guerres asymétriques. Les nouveaux engagés sont parfois affectés en Irak après six mois d'entraînement : le lieutenant Seth Dvorin, un jeune officier de 24 ans dénué d'expérience, reçoit peu après son arrivée une mission à hauts risques, pour laquelle il n'a aucune formation spécifique : suivre l'itinéraire des patrouilles américaines afin d'y repérer les bombes mises à feu à distance. « Le temps d'appeler la brigade de déminage [...], vous êtes mort[156] », déplore la mère de Seth Dvorin, tué au bord d'une route d'Iskandariyah le 3 février 2004 par un engin qu'il essayait de désamorcer[157].

Le décalage entre mission et formation est un des principaux griefs des engagés : une enquête d'opinion *Stars and Stripes*, réalisée en août 2003, met en évidence une proportion de 40 % de sondés enclins à dire que « leur travail en Irak a peu ou rien à voir avec leur entraînement[158] ». Coïncidence ou pas, le pourcentage de réservistes dans l'armée (40 % environ) se superpose à ce résultat. Là encore, la composition même des forces américaines entre en jeu : simples salariés qui signent dans la Réserve afin d'arrondir leurs fins de mois, les réservistes sont, littéralement, des soldats du dimanche jetés dans un environnement requérant un savoir-faire très particulier. Avec leur week-end de stage mensuel dévolu à un sommaire apprentissage du métier de soldat, la plupart n'ont aucune expérience de la véritable violence de guerre, et encore moins de la contre-guérilla. Pourtant, à peine déployées, ces unités d'amateurs appelées à se substituer aux professionnels du combat doivent se muer en forces de stabilisation et de maintien de l'ordre.

Formées pour terrasser une armée conventionnelle, les forces d'invasion ne disposent pas des qualifications nécessaires à la gestion des populations occupées. « Nous ne sommes pas des forces de maintien de la paix, [mais] des spécialistes du combat », souligne le caporal Anthony Arteaga[159]. « On nous a dit de faire la guerre, de gagner [...], puis d'autres étaient supposés se charger du reste[160] », pense le sergent Wright. « On n'est pas entraînés pour ça[161] », ajoute le sergent Quinones. Particulièrement éclairant, le cas du 1er bataillon du 124e régiment d'infanterie illustre le gouffre qui sépare ses qualifications réelles de celles nécessaires aux ordres de mission reçus à son arrivée en Irak, dans les derniers jours d'avril 2003 : jusqu'alors, les hommes du 1er bataillon installaient des batteries antimissiles *Patriot* en Jordanie. Du jour au lendemain, on les affecte à des opérations de contre-insurrection. Le même décalage s'observe chez les Marines, corps expéditionnaire par excellence, également mobilisé dans le cadre de l'occupation. En raison d'une formation axée sur l'offensive, les Marines s'adaptent à un large éventail de situations de combat, sans se montrer toujours capables de faire face avec doigté aux imprévus d'un banal checkpoint.

La stratégie d'ensemble de l'armée américaine rompt avec les circonstances irakiennes : depuis la déroute vietnamienne, les chefs d'état-major ont veillé, en vertu des doctrines dites Weinberger puis Powell, à ne plus engager leurs troupes sur des théâtres non conventionnels. Dans le cas d'une dégradation des conditions de guerre, comme ce fut le cas au Liban en 1983, l'option du retrait rapide a toujours été privilégiée[162]. Quoi qu'en aient dit les plus zélés des néoconservateurs, l'occupation de l'Irak portait en germe les ingrédients d'un bourbier. Pourtant, par excès d'optimisme et pour ne pas effrayer l'opinion, la stratégie post-Vietnam n'a pas été modifiée[163].

Les troupes britanniques, perçues comme l'ancien colonisateur, sont parvenues à minimiser les tensions liées à leur présence dans des villes comme Oum Qasr, Bassora ou Kerbala, tombées en avril 2003 après une solide résistance. Au même moment, la zone d'occupation américaine, moins longue à conquérir, se muait en terre d'insurrection. Gardons-nous cependant d'alimenter le mythe du tact des forces britanniques, trop souvent opposé de façon caricaturale à l'impulsivité qui caractériserait leur allié américain. Très vite, le contingent de Sa Majesté a été amputé des deux tiers de ses effectifs, jusqu'à ne plus compter que 10 000 hommes, pour une zone d'occupation deux fois moins étendue que l'espace sous juridiction américaine : la discrétion des soldats britanniques est forcée. Il n'en est pas moins vrai que des cultures militaires et des normes de mise en œuvre de la violence propres aux deux armées accentuent le contraste entre le Sud et le Centre du pays. Côté américain, la stratégie privilégie une réponse rapide. En cause, une formation tout entière axée sur un usage massif de la violence, comme en atteste le « credo du soldat américain » inculqué à chaque aspirant : « Je suis un guerrier [...]. Je sers le peuple américain [...]. Je reste prêt à être déployé [...] et à détruire les ennemis des Etats-Unis[164]. » Ce dogme montre à quel point le soldat américain n'est pas adapté à la gestion d'une situation aussi explosive qu'une cité peuplée d'autochtones au mode de vie si différent du sien : « En raison de la prééminence que revêt le combat dans l'enseignement et l'action de [ces] soldats, note l'officier britannique Nigel Aylwin-Foster, placé sous commandement américain en Irak, il était insensé d'attendre d'eux qu'ils manifestent [...] le *self-control* indispensable pour gagner "les cœurs et les esprits" [des Irakiens][165]. » La confession d'un sous-officier américain responsable d'un check-point démontre la justesse de cette analyse : « Maintenant qu'on fait dans les opérations de maintien de la paix, rien n'a vraiment changé, explique le caporal Richardson. On tire toujours un coup de sommation au-dessus de ceux qui ne nous écoutent pas[166]. » En résumé, l'arme demeure le principal instrument de communication. Pour des autochtones déjà las des difficultés de la guerre, perturbés par l'intrusion de militaires étrangers et incapables de décrypter l'accent américain, cette façon d'entamer le dialogue n'aura guère aidé à faire évoluer l'image des soldats de l'Oncle

Sam. Au contraire, leur rudesse accroît le ressentiment et fait naître des vocations résistantes.

Face à la hausse continue du nombre de ses morts, Washington programme une « irakisation » progressive des forces antiguérilla, suivant un système éprouvé aussi bien en Corée qu'au Vietnam. Il devient urgent de substituer aux détachements américains des troupes irakiennes sous l'autorité théorique du gouvernement intérimaire, notamment dans le cadre des patrouilles, cibles de choix pour les tireurs embusqués ou les engins piégés. Entre 2004 et 2005, le Pentagone ordonne le déblocage de 3,4 milliards de dollars alloués à la reconstruction afin de procéder dans les plus brefs délais à la constitution de ces forces « irakisées », prêtes à faire leurs emplettes dans le complexe militaro-industriel américain. Le résultat sera probant, ne serait-ce qu'à première vue : tandis que la capacité d'intervention des forces irakiennes augmente, les troupes américaines limitent leur action et réduisent les pertes. Suivant le principe des vases communicants, celles-ci se répercutent dans les rangs de leurs alliés, puis, à partir de 2008, sur le théâtre afghan où est redéployée l'armée.

Un matériel inadapté

Sans rappeler le mécontentement que provoquent presque toujours chez les soldats des conditions de vie difficiles, de vives critiques dirigées contre la conduite de la guerre pointent les carences du matériel militaire. Un constat fort étonnant pour la première armée du monde...

Le sous-équipement des troupes d'occupation est chronique, surtout dans les unités de réservistes et de Gardes nationaux, qui regroupent plus de 40 % des forces américaines basées en Irak. En octobre 2003, environ 32 000 soldats, soit un quart des effectifs globaux, n'ont toujours pas reçu de gilet pare-balles en Kevlar-céramique, capable de résister aux rafales d'AK-47, l'arme la plus répandue en Irak[167]. Certaines recrues ont dû attendre le mois de juin 2004 pour en bénéficier[168]. L'été précédent, qui correspond à la montée du mécontentement parmi la troupe, les munitions de M16 ont manqué. Afin de répartir équitablement le stock entre chaque unité, les chargeurs d'une capacité de 180 balles n'étaient remplis qu'à 30 %[169]. Face aux assauts de l'ennemi, et en raison des nombreuses opérations de contre-insurrection, l'armée ne parvint plus à réapprovisionner ses réserves. Du coup, le Pentagone s'est tourné vers les fabricants israéliens, pourvoyeurs depuis 2004 de quelque 313 millions de balles[170]. Mieux que les chiffres des pertes, les statistiques des carnets de commandes militaires parlent d'elles-mêmes : loin de faiblir, la guérilla gagnait du terrain.

La « flexibilité » des forces américaines, si chère à Donald Rumsfeld[171], ne doit pas masquer leur décalage opérationnel avec le contexte irakien. La nature du conflit a changé, mais pas celle du contingent, taillé pour la guerre éclair. Les planificateurs du Pentagone ont, par leurs choix politico-stratégiques, sous-estimé la capacité de mobilisation des ennemis : le char M113, le plus maniable des blindés américains, est trop volumineux pour manœuvrer dans les rues où se repliait la guérilla. A cause de son bruyant moteur, les insurgés en détectaient l'approche avec suffisamment de délai pour tendre des embuscades ou placer des bombes auxquelles son blindage ne résiste pas.

Les célèbres Humvees en sont un autre exemple : ce 4x4 doté de redoutables capacités de franchissement est désormais plus à l'aise sur l'asphalte des quartiers chics de Los Angeles – où les stars hollywoodiennes en firent leur coqueluche – que dans l'Irak occupé : pendant des mois, à peine 235 Humvees sur les 10 000 acheminés en Irak sont dotés d'éléments de blindage, réservés en priorité aux officiers de commandement. Les exemplaires standards arborent des vitres en plastique, une carrosserie d'aluminium et de matière composite, voire un toit bâché pour les plus anciens, désignés au sein des troupes par le sobriquet de « cercueils en carton[172] ». Conçu pour évoluer hors milieu hostile, à l'arrière des lignes, et donc utilisé à contre-emploi pour les patrouilles « légères », le Humvee rend ses occupants très vulnérables aux tirs d'AK-47, lance-roquettes et autres éclats de bombes à retardement, responsables de la moitié des pertes. A la hâte, les habitacles ont été renforcés par des panneaux de contreplaqué et des sacs de sable, tandis que des gilets pare-balles sont accrochés aux portières. En avril 2004, en pleine bataille de Fallouja, des Marines soudent eux-mêmes des plaques de protection sur leurs engins, dont les éléments mécaniques (moteur, freins, châssis) ne sont pas prévus pour supporter la surcharge pondérale[173]. Une fois épuisées les 70 tonnes de pièces de métal importées dans l'urgence, les soldats américains n'ont d'autre choix que de fouiller les décharges irakiennes en quête de métaux de récupération[174].

Paradoxaux sur des tout-terrain d'une valeur de 130 000 dollars l'unité (qui firent en 1991 la fierté de l'armée américaine), ces bricolages inefficaces et rudimentaires ne tranquillisent pas leurs occupants, transformés, selon leurs dires, en « pièces de tir au pigeon[175] ». Quant aux exemplaires équipés de plaques de protection, leur blindage ne peut dépasser la catégorie B7 (AK-47, mines et faibles charges explosives) en raison d'essieux incapables d'encaisser le surpoids. Dans l'attente de nouveaux Humvees blindés, programmés au plus tôt pour le printemps 2005[176], l'armée recourt à des engins chenillés, des « Strykers » certes solides mais moins maniables et non adaptés à un usage intensif[177]. Même constat au sujet des camions de ravitaillement, privés de blindage à leur arrivée en Irak, et nécessitant des escortes de chars Bradley lorsqu'ils circulent en convoi[178]. Utilisés de façon intensive, ces engins laissent vite apparaître les signes d'une usure prématurée : des roulements et des suspensions d'une durée de vie de 1 300 kilomètres, soit environ un an en usage normal, en effectuent presque 2 000 par mois. En plus d'être vulnérables, les camions des forces américaines ne disposent pas toujours d'un équipement radio ; lorsque l'un d'eux est pris sous le « feu ami » d'un appareil de l'Air Force, personne ne peut avertir le pilote de son erreur[179].

Tenaillées par l'angoisse de perdre un être cher, des centaines de familles remédient aux manquements de l'armée à leurs frais, expédiant en Irak les radios, gilets pare-balles ou talkie-walkies réclamés par les « boys[180] ». Ces équipements coûtent cher (1 400 dollars pour un gilet), sommes que les foyers démunis sont dans l'impossibilité de débourser. Sous la pression d'Operation Truth (« Opération Vérité »), qui regroupe des militaires et leurs familles, le Sénat finit par voter un amendement à la loi de finance 2005 prévoyant le remboursement des sommes investies[181]. Les responsables du Pentagone s'opposent au vote des mois durant : il s'agit, dans leur esprit, d'une condamnation des choix logistiques de l'armée[182]. Après avoir freiné des quatre fers la mise en application de ces dispositions législatives, le ministère de la Défense ne consent à publier les formulaires de remboursement que sept mois après l'adoption de l'amendement. Entre-temps, Operation Truth a donné naissance à l'Iraq and Afghanistan Veterans of America, la première organisation d'anciens combattants de la guerre contre la Terreur.

L'inégalité de traitement entre les différentes unités passe mal. D'autres clivages parcourent les troupes : les soldats d'active, mieux

équipés, sont jalousés par les réservistes, qui s'estiment lésés en raison de leur « matériel vieillot[183] ». Le colonel Zimmerman, membre
de la Garde nationale du Tennessee, dénonce l'écart qualitatif entre
des corps militaires qui constituent, selon lui, « deux armées[184] » distinctes. D'un point de vue sociologique, cette catégorie de « sous-
équipés » se subdivise entre les recrues disposant des moyens d'assurer leur propre protection et ceux, laissés pour compte car désargen-
tés, qui s'apparentent à des soldats de seconde zone. Quel climat
règne-t-il au sein d'unités ainsi morcelées ? Ce chacun pour soi met
à mal l'esprit de camaraderie cher aux « frères d'armes » qui, du fait
de leur condition sociale différente, ne partagent plus tout à fait le
même sort. L'institution militaire, qui revendique un traitement
égalitaire pour chacun de ses membres, a autorisé en son sein la per-
pétuation et le creusement des discriminations inhérentes à la vie
civile.

En mars 2004, cet énième paradoxe provoque un début de scandale. Fortement critiqué, le ministère de la Défense intervient
auprès de la firme Point Blank Body Armor pour interrompre la
vente au public de son gilet pare-balles de dernière génération
« Interceptor™ OTV », réservé aux commandes gouvernementales[185].
Pendant que la concurrence savoure, les soldats comme les familles
concernées perdent toute confiance en l'armée, qui a failli à ses
devoirs élémentaires. Beaucoup en concluent que leur vie compte
peu aux yeux de l'état-major. Pis, alors que la solidité des nouvelles
protections (céramique, Kevlar) permet de traiter des blessures
autrefois mortelles, le nombre d'invalides s'accroît et avec lui la
charge des pensions. D'où la dénonciation d'une froide entreprise
de réduction des dépenses : les faibles chances de survivre à ses blessures en l'absence de gilet pare-balles ont permis à l'armée de minimiser ses frais de retraites militaires. « On doit vivre avec ça [à
l'esprit[186]] », déplore Ronald Pepin, un Garde national stationné à
Bagdad. Gangrenés par le désespoir, les soldats de la 2e brigade de
la 3e division d'infanterie stigmatisent des troupes « aussi fatiguées
que leur équipement[187] ».

N'invoquons pas trop vite l'imprévoyance d'une administration
prise de court pour expliquer des dysfonctionnements aberrants.
L'optimisme affiché avant guerre par le gouvernement américain faisait l'objet d'une critique vigoureuse, mais étouffée par le consensus
national. Face aux hypothèses argumentées annonçant l'après-Saddam
comme une période de chaos, et aux multiples rapports, notes et

dossiers accréditant la thèse d'une guérilla probable, l'administration Bush a pris soin de ne pas ternir le climat de confiance nécessaire à la prolongation de l'illusion d'une guerre réussie : une
commande massive de munitions, de véhicules blindés et de gilets
pare-balles n'aurait pas manqué d'être interprétée comme le signe
d'une occupation difficile. En outre, les forces anglo-américaines
n'étaient-elles pas perçues par les Irakiens comme une « armée de
libération » que tous étaient impatients d'accueillir « à bras
ouverts » ? Pourquoi prendre le risque de freiner un imaginaire
populaire dont la caution enracinait le soutien à la guerre ?

12

Des soldats au bord de la rupture

Démoralisés

Vecteur du consentement populaire, la figure du soldat s'éloigne, quelques jours après la proclamation de victoire du 1er mai 2003, de l'icône portée par l'idéologie dominante. Un mouvement de grogne parcourt les divisions américaines stationnées en Irak : « Saddam n'est plus au pouvoir, les Irakiens veulent qu'on parte, alors qu'est-ce qu'on fait encore ici ? » se demande un sergent[1]. Ajoutée aux problèmes de matériel et aux débuts d'une guerre asymétrique, la frustration est d'autant plus lourde que l'annonce de la « fin des opérations majeures » par le Président a suscité l'espoir de rentrer au pays après une rapide victoire. La réduction progressive du corps expéditionnaire, passé en quelques semaines de 250 000 à 137 000 hommes, laissait croire que le désengagement suivrait son cours. Les plans de reconstruction et les attaques « anti-Coalition » en décideront autrement : « Les journaux nous montraient que le reste des troupes [...] rentrait [...], alors que nous, nous recevions les ordres pour la prochaine mission », regrettent des militaires anonymes. Le 1er juillet 2003, une lettre ouverte de soldats qui se présentent comme les « Oubliés et trahis de la 3e division d'infanterie, 2e brigade[2] » expose le désespoir ambiant : « Notre moral n'est ni haut ni bas. Notre moral est inexistant[3]. [...] Deux fois, on nous a dit qu'on rentrait à la maison, et deux fois on a reçu l'ordre de rester en Irak. Où sont l'honneur de la parole donnée et l'intégrité de l'armée[4] ? » s'indignent-ils dans cette missive adressée aux médias comme à la population, mais aussi à leurs représentants, suppliés de les « ramener chez eux ». Un comble de la part des membres d'une division dont la devise, forgée en 1918 pendant la bataille de la Marne, proclame : « Nous resterons là[5]. »

Ressenti comme une injustice, l'allongement de la durée d'affectation des personnels y est pour beaucoup. En apprenant à la fin de l'été 2003 que son épouse a subi une fausse couche, Jose Alvarez, caporal réserviste, demande un congé à ses supérieurs. Le refus définitif qui lui est opposé change du tout au tout sa façon de considérer l'institution militaire : « Pour moi c'est terminé. Au diable l'armée[6] ! » Presque un militaire sur deux est dans le même cas[7]. Quant aux soldats dont la situation matérielle n'était pas des plus confortables avant leur départ, la guerre contre le terrorisme s'est muée en calvaire. Si la loi oblige les employeurs à garantir l'emploi des mobilisés pendant toute la durée de leur service, les fiches de paie sont, sauf exceptions, celles de l'armée. Les épouses ne s'attendaient pas à être séparées de leur mari pendant une période aussi longue : « On a ici des gars dont les femmes divorcent, d'autres dont les enfants sont malades », explique le sergent Wooten, forcé de reporter son mariage[8]. La répétition de ces ennuis et les dégâts moraux qu'ils produisent au sein des unités achèvent de plomber l'atmosphère.

En août 2003, trois mois après la fin autoproclamée des « opérations majeures », un sondage réalisé au sein des troupes par le journal *Stars and Stripes*[9] produit des chiffres *a priori* étonnants : 49 % des soldats interrogés qualifient de « faible » le moral de leur unité, 35 % le jugent « moyen » tandis que 16 % le trouvent « haut »[10]. « Nous sommes dépassés. Nous sommes épuisés. Nous sommes largués[11] », dit le soldat Kimblade, détaché auprès de la 671e compagnie du génie. En août 2004, une autre enquête révèle un renforcement de la tendance : 72 % des sondés estiment « faible à très faible » le moral de leur unité, et plus de la moitié (52 %) sont enclins à définir leur propre moral de la même façon[12]. « Il ne faut pas se leurrer, [...] beaucoup d'entre nous ont touché le fond », déclare un officier de la 3e division d'infanterie, dont les 16 500 hommes sont maintenus en poste au terme de leur mission[13]. A la lecture des chiffres, on comprend que le moral était fragile dès l'invasion : la guerre peinait à rassembler, et les GI's ne sont pas partis la fleur au fusil-mitrailleur (comme les poilus de 1914, dont la propagande a tu la résignation pour vanter l'enthousiasme à monter au front). Cet état d'esprit reflète une année difficile, marquée par le développement continu de la guérilla. Quoi de plus démoralisant pour des soldats soucieux de se préserver et de retrouver leur famille que l'affrontement avec un ennemi qui méprise la mort ? « La vie terrestre n'est rien pour nous, car nous luttons pour gagner le paradis », psalmodient sur leurs vidéos propagandistes des individus cagoulés. A l'instar du Viêt-cong, les moudjahidine de toutes tendances partagent cette ligne sacrificielle. Chez l'occupant américain, le sentiment d'impuissance suscité par les mensonges de l'administration alimente la démoralisation, pire sentiment que puisse exprimer un soldat. Si le fossé qui sépare les GI's des autochtones ne suffisait pas, un second se creuse entre les troupes et leur hiérarchie, soumise aux impératifs politiques du Pentagone. La violence, selon une irrésistible courbe ascendante, bouche toute perspective de paix et rend illusoire l'amélioration décrite par la Maison-Blanche. « Les généraux disent que l'on n'a pas besoin de renforts. On voit bien qu'ils n'occupent pas le terrain[14] », déplore un soldat.

Si la première année d'occupation fut pénible, la deuxième le fut davantage encore. Pour les hommes d'« *Iraqi Freedom* », il ne faisait aucun doute que les suivantes seraient pires. Bientôt, ils ne seront pas loin de penser, comme ceux déployés au Vietnam et interrogés en 1969 par un comité d'historiens militaires, que l'administration devrait « prendre tous les bateaux et les avions à sa disposition, y mettre tous les soldats américains et nous faire sortir d'ici le plus vite possible[15] ». Avec l'effondrement moral constaté en 2007 chez les soldats affectés – parfois pour la cinquième fois – sur le théâtre afghan, l'intensification du conflit entraîne une érosion de la combativité chez des hommes souvent confrontés à la mort. Cette année-là, seulement 10,2 % des militaires d'« *Enduring Freedom* » qualifiaient de « haut » le moral de leur unité, contre 5,7 % deux ans plus tard[16].

Cette brusque chute de moral est-elle exceptionnelle ? Pas vraiment, si l'on se réfère aux expériences des guerres de Corée[17] et du Vietnam, où les difficultés rencontrées par les troupes eurent, en quelques mois, raison de leur état d'esprit. « Les chefs militaires considèrent le moral comme une des choses les plus importantes sur lesquelles ils peuvent et doivent agir[18] », écrivit le général Eisenhower. Ce prestigieux soldat n'était pas sans savoir qu'une troupe démoralisée impacte les opérations militaires, mais aussi, à court ou moyen terme, le soutien politique engrangé par les décideurs. Le mouvement qui permit à l'Amérique d'accepter le départ à la guerre d'hommes et de femmes subit un retour de balancier : sur le terrain, les soldats firent remonter leur vécu et leurs désillusions vers l'opinion. En janvier 1951, soit sept mois après le déclenchement de la guerre de Corée, l'idée que la participation américaine était une erreur ralliait une majorité d'Américains. Objet d'une contestation intense depuis 1967, le Vietnam recueillit un jugement identique et définitif à l'été 1968[19], quelques mois après la dévastatrice offensive du Têt, en janvier, qui fit comprendre aux soldats qu'ils ne seraient nulle part en sécurité. La parole des combattants parasita la propagande étatique, et amorça le recul du soutien à la guerre. Reste qu'au Vietnam la révolte planait sur des appelés, contraints et forcés de passer sous les drapeaux. Pour la première fois de leur histoire, les Etats-Unis ont engagé en Irak une guerre longue, menée par une armée de métier, donc de volontaires. Ce statut n'est pourtant pas si évident.

Une armée de volontaires… malgré eux

Toutes les dispositions permettant à l'armée de déroger aux termes des contrats signés par ses recrues ont été utilisées afin de maintenir un maximum de soldats en service actif : à quatre reprises, de novembre 2002 à septembre 2004, le ministère de la Défense recourt à la procédure dite « Stop-loss » (« Arrêt des pertes »), qui prolonge de quatre-vingt-dix jours la mission des soldats arrivés au terme de leur tour d'affectation, voire de leur contrat. Entre 2002 et 2008, plus de 58 000 hommes y sont astreints[20]. Dur pour le moral des troupes, impopulaire et jusqu'ici utilisé avec parcimonie – une seule fois, en 1990, depuis la guerre du Vietnam –, ce système fonctionne lorsque le Pentagone ne parvient pas à remplacer les combattants sur le départ. Dans le contexte irakien, l'ordre de « Stop-loss » apparaît comme un dernier recours, voué à compenser le déficit de nouvelles recrues formées et prêtes à combattre : face à des soldats de toute façon décidés à retourner à la vie civile et donc perdus pour l'armée, celle-ci ne recule pas devant une mesure impopulaire. Ce faisant, le ministère de la Défense complique un peu plus la situation sur le terrain et à l'« arrière ».

Les milliers d'hommes et de femmes contraints de rester sous les drapeaux ne sont plus des volontaires. Renouvelables, ces trois mois supplémentaires en Irak font d'eux des appelés d'un nouveau genre, enclins à effectuer leur mission avec résignation ou écœurement. Maintenu en poste, le soldat Goetz témoigne : « Voilà sept mois que mon service aurait dû s'achever. Au lieu de cela, je suis en Irak pour la seconde fois. [...] Je ne suis pas seul à ruminer ma colère et mon exaspération. Quand nous étions là, en 2003, il y avait déjà de la colère, mais il y a une différence entre la colère et une haine glaciale[21]. » En décembre 2004, huit soldats tombés sous le coup d'un « *Stop-loss* » décident, sans s'être concertés, de porter plainte contre le Pentagone pour prolongation abusive et forcée de leur contrat[22]. L'assignation en justice du ministère de la Défense pour un pareil motif constitue une première, vouée à l'échec : le règlement militaire prévoit ce type de situation.

En vertu de la clause dite « IRR » *(Individual Ready Reserve)*, tout engagé a, quelle que soit la durée de son contrat originel, une obligation de service valide pendant un délai de huit ans. L'été 2004 correspond à la mobilisation en service actif de la plus importante quantité d'« IRR » depuis la guerre de 1990[23]. Peut-on encore parler de volontariat à propos de 20 000 soldats sous-entraînés[24] et plongés entre 2003 et 2008 dans le chaudron irakien pour une durée de dix-huit à vingt-quatre mois alors qu'ils sont retraités de l'armée et retournés, pour certains d'entre eux, à la vie civile depuis juillet 1996 ?

Le traitement réservé aux blessés d'Irak est un autre marqueur du déficit de troupes. La pénurie est telle que le commandement déclare aptes au service des soldats atteints de stress post-traumatique ou de blessures mal cicatrisées. A force de pressions ou d'entorses aux règles de la médecine, des éclopés incapables de remplir normalement leur mission sont redéployés en dépit du bon sens[25]. De la guerre de Sécession à la guerre du Paraguay (1864-1870) en passant par les deux guerres mondiales – pendant lesquelles la Russie, puis l'URSS, le Reich et le Japon mobilisèrent leurs blessés –, le recours aux soldats théoriquement hors de combat traduit l'urgence d'une situation et la « totalisation » du conflit.

Le pressurage des effectifs ne connaît pas de limites légales. Comme en atteste le contrat d'engagement, le ministère de la Défense se réserve le droit de modifier les « lois [...] qui réglementent le personnel militaire [...] sans préavis ni avertissement », et peut « prolonger la durée d'engagement au-delà de vingt-quatre mois consécutifs[26] ». En d'autres termes, cette disposition donne le droit aux autorités militaires de se soustraire aux clauses du contrat.

Ces dispositions rétroactives font de chaque soldat et de chaque vétéran un élément mobilisable à merci.

Composée de soldats aigris par leur sort, la physionomie coercitive des troupes d'occupation se renforce, aiguisant derechef le ressentiment antiaméricain des populations irakienne et afghane. L'image de puissance de l'armée américaine, plus que jamais « colosse aux pieds d'argile », sort écornée de cette analyse : la longue occupation irakienne révèle des faiblesses « humaines » qu'une force de frappe considérable était parvenue à dissimuler.

Effet immédiat des prolongements d'affectations comme de la croissance régulière des pertes, 49 % des membres du corps expéditionnaire envisagent, dès l'été 2003, de ne pas rempiler[27]. Ce chiffre, très élevé par rapport aux précédents conflits, met en lumière les problèmes de recrutement qui touchent l'armée américaine.

Le ratio de tués – plus faible que lors des conflits précédents – ne pèserait pas sur le renouvellement des effectifs : en 2004, le Pentagone décrit ses bureaux d'enrôlement comme étant « proches de la saturation[28] ». Le léger excédent de recrues compabilisées à cette période pour le service actif (587 personnes) est en fait fictif : cette lecture optimiste des statistiques résulte d'un artifice comptable autorisé par le programme des « Entrées différées » (« Delayed-Entry Program »), dans lequel les volontaires paraphent un contrat prévoyant une incorporation effective jusqu'à un an après la date de leur engagement[29]. Cette clause peut être rompue à n'importe quel moment avant le jour prévu[30].

Depuis 1973 et la fin de la conscription, jamais le ministère de la Défense ne s'était heurté à ce type de problème, hormis en 1979, de façon moins grave. Le triomphalisme du Pentagone s'accorde mal avec le corpus de mesures incitatives dont il a lui-même décidé la mise en place : tirant parti d'un taux de chômage plus élevé chez les vétérans[31], le ministère double puis triple la prime de réengagement proposée aux soldats d'Afghanistan et d'Irak[32]. Même chose pour la prime à la signature d'un « primo-engagé », qui passe de 20 000 à 40 000 dollars, susceptible d'être augmentée de 2 500 dollars si le volontaire convainc une tierce personne de signer, bonus auquel on peut ajouter 9 000 dollars pour renoncer à la clause d'« entrée différée ». Le secrétariat à la Défense n'étant guère enclin à la philanthropie, ce surcroît de dépenses n'aurait aucune raison d'être si les objectifs de recrutement étaient tenus. Face à une parole officielle qui évoque une politique de conservation des vétérans expérimentés, des voix discordantes et anonymes se font entendre : « Nous devons nous battre, surtout pour la Réserve et la Garde nationale. Les hauts gradés continuent à nier, mais [...] ça n'a jamais été aussi difficile[33] », confirme un agent recruteur. En 2004, les chiffres du recrutement de la Garde nationale enregistrent un déficit de 5 000 membres par rapport aux objectifs fixés[34], amorçant le premier mouvement de reflux depuis les pics de l'après-11 Septembre. Afin de limiter l'hémorragie, le Congrès, sur demande expresse du Pentagone, fait passer de 34 à 39 ans l'âge maximum d'enrôlement dans ces deux branches des forces armées[35]. Censée fournir un réservoir de 22,6 millions de recrues potentielles, la réforme ne produit pas l'effet escompté. L'échec global de la campagne de recrutement 2005 s'accentue dans l'armée de terre, jusqu'à devenir critique pour la Réserve et la Garde nationale[36]. Le ministère de la Défense persiste, et réclame l'année suivante une élévation de la limite d'âge à 42 ans non seulement dans la Réserve et la Garde nationale, mais aussi pour le service actif, jusqu'alors interdit aux volontaires de plus de 36 ans[37]. Dans sa fuite en avant, la politique de vieillissement des recrues tient compte des réalités économiques et de la courbe du chômage, qui croît avec l'âge. Chance pour l'armée, la crise économique de 2007 bénéficie aux bureaux de recrutement. Prises dans l'urgence, ces mesures font passer le budget de recrutement de 3,4 milliards de dollars en 2004 à 7,7 milliards en 2008[38].

Fidèle à ses traditions, l'armée américaine fait preuve, après le 11 Septembre, d'une plus grande ouverture aux étrangers détenteurs de la Carte verte : alors que la procédure d'accession à la citoyenneté américaine a été durcie, l'enrôlement permet, grâce à un décret présidentiel de juillet 2002, de faciliter les démarches. Après un jour de service actif, tout étranger peut désormais déposer une demande de naturalisation. De plus, la loi de défense 2004 accélère le processus en modifiant les clauses de la loi sur l'immigration et la nationalité. L'obtention devient même automatique pour l'épouse et les enfants d'un soldat étranger mort en service[39]. Cette nouvelle intrusion d'une législation à vocation militaire instrumentalise, à des fins guerrières, l'attrait que constitue la citoyenneté américaine : à raison d'une moyenne de 8 000 volontaires par an[40], on dénombre en 2003 plus de 40 000 engagés, surtout venus d'Amérique du Sud, dont une part indéterminée complète les troupes affectées dans les zones de guerre[41]. Ce total ne suffit pas : en 2006, le sous-secrétaire à la Défense adjoint en charge des Personnels propose de faciliter l'accès à la nationalité aux jeunes sans papiers mais détenteurs d'un niveau d'études secondaires américaines et prêts à s'engager. L'année suivante, le *Dream Act*, ou proposition de loi pour le développement, l'assistance et l'éducation des mineurs étrangers *(Development, Relief and Education for Alien Minors Act)* inclut parmi ses articles une disposition censée exaucer le « rêve » des recruteurs et des immigrants : au terme de deux années d'un service sans tache, le candidat-soldat serait naturalisé[42]. La régularisation d'une catégorie de sans-papiers passerait donc par l'armée, et l'acquisition de la citoyenneté, soumise pour certains à leur incorporation, n'est pas sans rappeler les derniers temps de la Rome impériale[43]. Soumis à différents Congrès, le projet législatif n'a pas été adopté. Il demeure cependant une priorité pour le Pentagone[44].

Du côté des jeunes Américains, les stratégies de racollage intrascolaires se heurtent aux résistances des « libéraux », mais aussi aux problèmes structurels qui caractérisent la société. Avec 30 % de personnes en proie à l'obésité, des millions d'adolescents placés sous suivi médicamenteux – pour déficit de l'attention ou hyperactivité –, voire le fichage judiciaire induit par une criminalisation aiguë des comportements « déviants » (addiction cannabique, consommation d'alcool avant 21 ans), le nombre d'éligibles au service fond comme neige au soleil[45], même s'il arrive aux officiers de recrutement de contourner ces obstacles. Reste que la baisse générale du niveau scolaire entraîne chez les jeunes volontaires un taux d'échec aux tests d'aptitude (préalables à l'engagement) proche des 25 % entre 2004 et 2009[46]. Au total, ces divers facteurs excluent d'office, en 2009, 75 % des 17-24 ans[47]. C'est pourtant dans cette catégorie que les recruteurs enregistrent leurs meilleurs résultats, avec tout ce que cela implique en termes d'impréparation, d'inconscience et, plus globalement, de séquelles générationnelles (accoutumance à la violence, perte des repères sociétaux) ressenties par des individus projetés dans un contexte de guerre. Ajoutons à cela les effets de la propagande belliciste post-11 Septembre, qui, trois ans auparavant, façonnait des jeunes hommes poussés dans le chaudron irakien ou le guêpier afghan. Conditionnées pour développer une série de réflexes en liaison étroite avec l'idéologie guerrière, ces nouvelles recrues apportent leur concours à l'enracinement du chaos.

Soldats contestataires

Le mécontentement du corps expéditionnaire produit diverses manifestations d'indiscipline. Gardons-nous de voir dans toute entorse au règlement militaire l'expression du rejet de la guerre. De vives critiques à l'égard du matériel ou des conditions de vie ne remettent pas toujours en cause la volonté de combattre, au moins dans un premier temps. L'intensité des protestations croît depuis l'invasion : le plus gros des faits d'indiscipline a trait aux prolongations d'affectation. Dès l'été 2003, la grogne prend la forme d'actions variées.

Rompant avec leur devoir de réserve, quatre soldats décident, le 16 juillet 2003, d'exprimer leur rancœur à la télévision, lors du très suivi *Good Morning America* d'ABC, qui ouvre son antenne à des voix dissidentes. « On nous avait dit que le chemin le plus rapide pour retourner à la maison passait par Bagdad, c'est ce qu'on a fait. Et maintenant on est encore là-bas », dénonce le sergent Vega. « Si Donald Rumsfeld était là, je lui demanderais de démissionner[48] », ajoute son subordonné. Le théâtre d'opérations est également investi par la protestation, comme le montre une surprenante photographie : sur le pare-brise d'un camion militaire, conduit par un réserviste, apparaît une pancarte sur laquelle est griffonné : *« One week-end a month, my ass ! »* (« Un week-end par mois, mon cul ! »). La mise en scène est moins destinée à des supérieurs qu'aux photographes de presse, et donc à l'opinion publique. En mai 2004, la visite du secrétaire à la Défense en Irak est boycottée par une partie des troupes. « A son arrivée dans l'hélicoptère présidentiel, explique la mère d'un sergent, la plupart des soldats se sont dirigés vers le cybercafé de la base. Une façon de protester en silence, car tous le détestent[49]. » Les visites des officiels de l'administration s'effectuent face à des auditoires triés sur le volet. Tenus à l'écart, les soldats non retenus par les castings officiels reçoivent l'ordre de ne pas s'adresser aux « VIP »[50]. En dépit d'un cérémonial huilé, il arrive que la mécanique s'enraye : lors d'une visite au Koweït, Rumsfeld est déstabilisé par les mordantes questions d'une assemblée de soldats très remontés contre l'incurie d'un matériel qualifié d'« obsolète » et les prolongations d'affectation « injustes »[51]. Face aux hommes de la Garde nationale du Tennessee en attente de son premier déploiement d'importance depuis la guerre de Corée[52], le visage décontenancé du secrétaire à la Défense s'étale, en novembre 2004, à la une des médias d'information. L'apparition de soldats encore vierges de tout combat et déjà angoissés par leur mission complète le tableau d'une troupe au moral atteint que camoufle la censure. En octobre 2005, une maladresse des techniciens en charge de la retransmission d'une vidéo-conférence donnée par le Président révèle l'étroit contrôle auquel sont soumis les interlocuteurs du commandant en chef : préparées et répétées, les questions posées par les soldats comme les sujets évoqués par George W. Bush donnent une vision optimiste de l'occupation qui ne reflète en rien la réalité du terrain[53]. Dès lors, la frustration qu'éprouvent certains GI's débouche sur une prise de parole outrepassant le cadre d'expression délimité par l'armée[54].

Les quelques exemples cités plus haut constituent des violations de l'article 134 du Code de justice militaire, qui rend passibles de traduction en cour martiale tout « manquement à la discipline, trouble à l'ordre établi » et les « conduites de nature à jeter le discrédit sur les forces armées ». La plupart du temps, les coupables font l'objet de « sanctions non judiciaires » (« Non-judicial Punishment ») dites « NJP ». Prévues par l'article 15 du Code de justice militaire, les NJP concernent en théorie des délits mineurs. Ces sanctions sont délivrées par un commandant, et revêtent la forme de consignations à la base, d'amendes, de rétrogradations, voire de régimes de trois jours au pain et à l'eau. Le caractère infamant de certaines sentences n'empêche pas les sessions délibératives de déboucher sur des peines aussi graves que celles prononcées en cour martiale[55]. Le principal avantage de cette procédure réside dans son aspect informel et sa souplesse d'utilisation : la saisine des juges militaires officialise la gravité des faits et attire la presse. Même si les GI's incriminés sont libres d'exiger une comparution en cour martiale, peu usent de cette prérogative susceptible d'aggraver leur cas. De plus, les condamnations placées sous l'égide de l'article 15 n'étant pas enregistrées par un greffe, leur origine reste ignorée du public. Baromètre de l'humeur des soldats, de multiples condamnations en cour martiale aggraveraient le mécontentement des troupes. La très grande diversité des conduites punies par l'article 15 ne permet pas de déterminer quelle part des 80 000 sanctions non judiciaires prononcées en 2003 dans l'ensemble des forces armées[56] relève du « droit commun » ou de la protestation non autorisée. Les « NJP » sont utilisées comme artifices juridiques et deviennent donc des instruments de sanction en même temps que de dissimulation. Plus significatif, leur nombre augmente : entre 2002 et 2007, les NJP comptabilisées dans le seul corps des Marines ont doublé, puis fléchi en 2008 et 2009 (lors de l'« irakisation » effective du conflit) à un niveau qui excède encore de 30 % l'avant guerre d'Irak[57].

Se montrer trop disert sur le moral des troupes reste rarement impuni, ne serait-ce que pour l'exemple : « L'*establishment* [...] veut donner l'impression que tout est OK alors que [...] ce n'est pas le cas. Les soldats ne devraient pas être punis [...] seulement parce qu'ils ont donné à quelqu'un une image vraie de ce qui se passe ici[58] », regrette un officier anonyme. L'indulgence de l'état-major connaît des limites, révélées par l'initiative de Tim Predmore, un soldat de la 101e division aéroportée. En août 2003, Predmore adresse une lettre au quotidien de sa ville, le *Peoria Journal Star*, reprise le 17 septembre par le *Los Angeles Times* puis d'autres titres américains et étrangers. Intitulée « En Irak, nous faisons face à la mort sans raison valable », sa prose appelle à la fin de l'occupation, dont il dénonce l'hypocrisie et les horreurs[59]. Peu après, Predmore subit les foudres de l'article 15 et ses sanctions « non judiciaires » ; le 20 septembre 2004, un site d'inspiration libertarienne met en ligne une virulente tribune signée par le sergent Lorentz. Moins d'une semaine plus tard, ce sous-officier affecté en Irak est poursuivi pour « déloyauté » et « trahison », deux chefs d'accusation punis de vingt ans de prison[60] qui ont disparu des annales de la justice militaire depuis 1970. Intitulé « Pourquoi nous ne pouvons pas gagner », ce texte expose avec didactisme les raisons qui, selon son auteur, entraîneront inévitablement la défaite de son pays. Prenant le contre-pied exact du discours de l'administration, Al Lorentz écrit : « Sur ordre de la classe politique, nous [...] devons coller l'étiquette "terroristes et criminels" sur une guérilla de plus en plus efficace. [...] Nous sommes venus ici avec l'idée fantaisiste que les autochtones [...] nous couvriraient de pétales de roses [...]. [Ils] ne sont pas seulement pris d'une haine croissante à notre égard, [...] ils sont de plus en plus nombreux à le montrer. [...] On nous a dit que les Irakiens n'étaient pas fâchés après l'armée tout aussi hostile [...] qui occupe leur pays, et qu'ils ne nous en veulent pas de choisir leurs dirigeants pour eux [...]. [L'ennemi] reconstitue ses pertes plus vite que nous les produisons. C'est presque toujours le cas dans une guerre de guérilla, surtout quand [la] tactique employée pour combattre les rebelles est axée sur la destruction [...] plutôt que sur l'érosion de leur soutien. Pour chaque insurgé éliminé par une "bombe intelligente" nous tuons un nombre plus important de civils [...] et nous donnons naissance à [...] un sentiment de rage [qui] accroît le nombre de recrues pour la guérilla et son soutien dans la population. » Cette dénonciation de la politique répressive américaine n'est pas unique. On la retrouve dans la bouche d'autres soldats, qui renvoient aux principes fondamentaux de la contre-guérilla : pour ne pas s'aliéner les populations et isoler davantage l'armée conventionnelle, les représailles doivent rester sélectives. Or, les victimes « collatérales » recensées après les bombardements de supposées « infrastructures terroristes » rappellent que cet impératif n'est pas respecté. Plus terre à terre, le sergent Lorentz souligne que « les lignes de communication [ennemies] sont plus courtes [...] et moins vulnérables que [celles de l'armée américaine] », forcée d'importer tout ce dont elle a besoin. La guérilla, elle, se ravitaille sur place. Les attaques de convois et l'action menée par les preneurs d'otages contre les camionneurs étrangers sous contrat avec les forces armées américaines ont, rappelons-le, pour but de couper ces lignes de ravitaillement. Chaque fois qu'une compagnie de transport routier annonce son retrait d'Irak pour sauver la vie d'un employé kidnappé, la guérilla remporte une victoire. Or, la multiplication des ponts aériens entre bases américaines montre à quel point le contrôle des infrastructures irakiennes est insuffisant[61]. Enfin, Al Lorentz insiste sur l'avantage psychologique dont dispose l'adversaire, « soutenu par sa famille, ses amis et les [...] solidarités religieuses[62] ». Loin d'émaner de jeunes recrues désenchantées par le chaos irakien, cette analyse est celle d'un militaire fort de vingt ans d'ancienneté qui, de son propre aveu, a cru en la victoire. Précisons qu'Al Lorentz n'est ni un « libéral » ni un « gauchiste », deux des cibles favorites du camp républicain. Au contraire, il a été membre du très conservateur Parti constitutionnaliste, situé à l'extrême droite de l'échiquier politique et dont l'opposition au pouvoir fédéral aura peut-être facilité cette prise de position. Parce qu'il se propage avec d'autant plus d'aisance que les circonstances sont difficiles, le défaitisme inquiète la hiérarchie. La condamnation de ce sous-officier, passée comme les autres sous le régime des sanctions non judiciaires, démontre que les autorités tuent dans l'œuf, mais sans éclats, toute démarche légitimant l'argumentaire des militants antiguerre.

Entré dans sa vingt-quatrième année de service, le sergent Butler, membre de la 343ᵉ compagnie d'intendance, va marquer d'une pierre blanche les annales des troupes d'occupation. Le 13 octobre 2004, ce réserviste et la majeure partie de sa section se rendent coupables d'insubordination – un des actes les plus sévèrement réprimés par la discipline militaire – en refusant d'assurer le ravitaillement en essence d'une base située près de Nassiriya. Les véhicules dont ils disposent sont, de leur avis, lents et trop mal protégés pour un itinéraire aussi sensible. Selon l'épouse du sergent Butler, tous « se plaignaient depuis des mois [...] de l'équipement auprès de leur hiérarchie[63] ». Devant le mutisme du commandement, les 18 réservistes contestent une mission qu'ils qualifient de « suicidaire », sans toutefois remettre en cause la légitimité de la guerre. Vétéran de 1991, couvert de citations, Michael Butler n'ignore pas les conséquences de ses actes. Aucune comparution en cour martiale n'est ordonnée. Tous sont mis aux arrêts avant les conclusions de l'enquête. La sensibilité du dossier, gênant pour une administration dont le colossal budget de défense ne permet pas de protéger ses hommes, fait temporiser les autorités militaires[64]. Dans le contexte de l'élection présidentielle, l'image du Président sortant pourrait souffrir de la publicité de mesures disciplinaires expéditives, alors que John Kerry prend fait et cause pour les soldats désobéissants, soulignant les négligences de son rival dans la préparation de l'occupation. George Bush réélu, les mutins, dégradés, échappent à la cour martiale au profit de sanctions non judiciaires[65] ; la prudence des instances militaires donne l'impression que la désobéissance était justifiée, donc excusable. Or, le problème est loin d'être résolu. Michael Butler risquant de faire des émules, il est probable que la décision – annoncée trois jours plus tard – d'utiliser à grande échelle les avions-cargos militaires pour les livraisons de marchandises à toutes les bases d'Irak[66] ait été prise pour tarir le flot des mécontents.

D'autres cas de désobéissance, fondés sur l'illégalité de la guerre d'Irak, passent entre les mailles de la censure militaire : en juin 2006, le lieutenant Watada est le premier officier à refuser son déploiement en Irak. Il passe en cour martiale[67] ; environ 130 autres soldats qui refusent d'obéir aux ordres sont répertoriés, en novembre 2010, par l'organisation Courage to Resist, qui « soutient les troupes refusant de combattre[68] ». Le caporal Henderson en a fait l'expérience. Dans *Farhenheit 9/11* de Michael Moore, il apparaît en uniforme et annonce son choix de ne pas retourner en Irak. Sa prestation lui vaut une procédure de sanction[69]. Combien d'autres préfèrent la clandestinité ? On l'ignore. Plus discrets, d'autres soldats font preuve d'insubordination en « sabotant » leurs missions, ou en évitant des combats jugés inutiles et risqués[70].

Plus important que leur nombre, traditionnellement sous-évalué par le Pentagone, est la similitude qu'induisent ces exemples avec les premières insubordinations du Vietnam. Le pourrissement de la situation sur une pente conduisant aux mêmes conséquences inquiète les hauts gradés. A cette époque, l'indiscipline, conjuguée à l'enlisement, finit par imposer le retrait des troupes : « Beaucoup de GI's [...] ne veulent plus obéir aux ordres. Ordonner une offensive aujourd'hui revient à inviter à une mutinerie. Le risque d'une confrontation entre [les soldats] et leurs officiers augmente[71] », constatait le député Paul McCloskey en 1971. Selon les enquêtes officielles, cinq officiers américains ont été assassinés par leurs soldats dans le périmètre d'« *Iraqi Freedom* » entre 2003 et 2009[72]. Le mode opératoire – grenade ou explosifs – est identique à celui qui fut utilisé à plusieurs centaines de reprises au Vietnam[73]. Terme forgé à cette époque, le « *fragging* » (pour « fragmentation » des bombes) relèverait donc de l'anecdotique dans la guerre contre la Terreur. Sa répétition provoque pourtant une large couverture médiatique : la corrélation établie entre moral des troupes et cas de « *fragging*[74] » autorise toutes les spéculations.

Chez ces soldats perplexes, les consciences se déchirent entre l'obéissance aux ordres, l'instinct de survie, la camaraderie et des remords lourds à porter.

Objecteurs, déserteurs... et militants

La professionnalisation de l'armée n'a pas mis fin au statut d'objecteur de conscience, normalisé depuis 1917. Chaque année, quelques dizaines à quelques centaines d'engagés volontaires en réclament l'obtention, et se lancent dans une procédure rarement couronnée de succès. En 2003, selon des chiffres officiels, 30 d'entre eux ont vu leur demande aboutir[75]. L'année suivante, du fait de la guerre, le nombre de postulants double pour s'établir à environ 120[76]. Ce bilan contraste avec les 2 771 déserteurs reconnus en 2003[77] autant qu'il contribue à les expliquer : les refus opposés par les commissions militaires chargées de juger de la sincérité des requérants alimentent la désertion et son stade intermédiaire d'une durée de trente jours, dit « AWOL », c'est-à-dire « absents sans autorisation officielle » (« *Absence Without Official Leave*[78] »).

Les cas d'objection issus de l'opération « *Iraqi Freedom* » interpellent. Une telle posture semble absurde de la part de membres d'une armée professionnelle, sauf à nuancer la dimension volontaire assignée à chaque soldat américain présent sur le sol irakien ou afghan. Contraints d'aller se battre au Vietnam, les objecteurs y furent par exemple 200 000 à requérir le statut, soit 2,2 % des effectifs engagés[79]. Rappelons aussi qu'après le 11 Septembre la couverture médiatique d'union sacrée ne permettait guère aux individus tentés par la « carrière » de se façonner une vision concrète des épreuves qui les attendaient. Le rééquilibrage de la presse change la donne. Stationnés en Irak ou dans l'attente du départ, les soldats qui se déclarent objecteurs de conscience ou qui disparaissent témoignent d'une évolution radicale dans leur façon d'appréhender le conflit : la cause qu'ils sont supposés servir leur semble maintenant injuste, et indigne d'y perdre la vie. Il serait vain de distinguer les objecteurs « authentiques » de ceux voulant se sortir du bourbier ou ne pas y entrer. Le refus de combattre relève autant d'une lente maturation intellectuelle que d'une brusque prise de conscience ; marqué par une embuscade au sud de Ramadi pendant laquelle la riposte de son escouade entraîna la mort de plusieurs civils, le sergent Mejia, réserviste de la Garde nationale de Floride, fut le premier des hommes d'« *Iraqi Freedom* » à requérir le statut d'objecteur de conscience[80].

Le phénomène des désertions est suivi de très près par les responsables de la gestion des personnels militaires, toujours demandeurs d'études que l'Institut de recherche en sciences comportementales et sociales de l'armée livre avec régularité[81]. Les désertions augmentent depuis 1993, passant de 1 293 à 4 795 en 2001 dans la seule armée de terre[82] ; entre 1997 et 2001, on en totalisait 12 277[83]. A partir de la fin 2001, le mouvement s'inverse : selon les chiffres fournis par le Pentagone, on recense 4 000 déserteurs en 2002, 2 600 en 2003, et 2 450 en 2004. A partir de cette date, la tendance repart à la hausse. Le total des déserteurs depuis le déclenchement de la guerre d'Irak s'élève lui à 5 000 fin novembre 2004, et plus de 8 000 début 2006[84]. Avec un taux qui atteint tout juste 1 %, la proportion de déserteurs reste à première vue bénigne, surtout si on la compare, comme le souligne le major Edgecomb, porte-parole du Pentagone, aux 3,7 % relevés en 1971[85]. Deux hypothèses sont formulables : soit le degré de consentement des soldats est tel qu'il leur permet de supporter les conditions de la guerre, soit les chiffres officiels sont minorés, comme à l'époque du Vietnam. Observons au préalable que les services juridiques du Pentagone ont multiplié, depuis décembre 2003, les directives portant sur le sujet. Pourquoi éprouver le besoin de remanier ces lois militaires alors qu'elles auraient prouvé leur efficacité ?

Lorsqu'on prend quelque distance avec les rapports officiels, des informations parcellaires indiquent que, au mois de mars 2004 et en l'espace de deux semaines, 600 soldats de la seule armée de terre affectés en Irak ont profité d'une permission ou de leur temps de repos pour s'évanouir dans la nature[86]. Plus troublant : le nombre de soldats passés en cour martiale pour désertion triple entre 2002 et 2007 par rapport à la période 1997-2001[87], ce qui fixe leur nombre – hors individus « AWOL » sanctionnés par l'article 15 – à un minimum de 36 000 déserteurs en cinq ans. Or, le Pentagone admet parfois, comme en 2007, des « erreurs » comptables qui s'effectuent, remarquons-le, toujours à la baisse[88]. Versons au dossier les chiffres du budget alloué à la recherche immédiate des déserteurs, qui a augmenté de 60 % entre 2004 et 2006[89]. Si l'on se fie à ces sources parallèles, le taux de désertion atteint les 2,5 % pour la période 2002-2010. Le phénomène des désertions, par essence minoritaire, reste donc en deçà de la résistance des années Vietnam. Les tenants d'une armée de métier ont remporté leur pari.

L'impact des désertions est aussi financier et militaire : sachant que l'instruction complète d'un soldat revient à 38 000 dollars et que les trois quarts des déserteurs ont achevé la formation[90], le coût de leur remplacement annuel se compte au minimum en dizaines de millions de dollars. Plus gênantes, les traces sont morales et déteignent sur l'unité du déserteur, voire sur la nation en guerre ; c'est du moins l'ambition de quelques déserteurs, prêts à donner à leur geste une tournure militante : au terme de cinq mois de cavale, le soldat Mejia finit par se rendre en mars 2004 aux autorités militaires, non sans organiser une conférence de presse dans les locaux d'une organisation pacifiste, Peace Abbey, qui lui permet d'exposer, face à un parterre de journalistes, les raisons profondes de son choix. L'« abbaye de la paix » en arrière-plan, figé à côté d'une statue de Gandhi, Mejia brosse un sombre tableau de son quotidien dans le triangle sunnite : ses sept mois de patrouilles émaillées d'embuscades, le spectacle de civils pris sous des feux croisés, d'un Irakien décapité par une rafale, le quart des soldats de sa compagnie blessés[91], la mort au quotidien, bref, la guerre telle qu'il l'a vécue. « La peur de mourir détient le pouvoir de transformer les soldats en machines à tuer. J'ai été envoyé [cinq mois] en Irak et je suis devenu un instrument de violence. J'ai décidé de me muer en instrument de paix[92]. »

Les cas récents de désertion sont auréolés d'une lourde charge symbolique. A plus forte raison quand les précurseurs du mouvement, comme Jeremy Hinzman ou Brandon Hughey, se sont réfugiés au Canada, devenu pendant la guerre du Vietnam une terre d'accueil pour des dizaines de milliers de déserteurs de l'armée américaine[93]. Enchaînant les interviews et les conférences de presse, Hinzman et Hughey, bientôt rejoints par d'autres déserteurs, dénoncent la guerre menée en Irak avec une virulence dont se délectent les médias du cru, suivis par un public largement acquis à leur cause. Stephen Funk est une autre figure des nouveaux réfractaires. Pendant son stage d'entraînement, ce Marine âgé de 20 ans arrive à la conclusion que la guerre d'Irak est « immorale et injustifiée[94] ». Lorsqu'il reçoit le 6 septembre 2003 sa feuille d'affectation, Funk désobéit. Porté absent pendant quarante-sept jours, il refait surface, se déclare objecteur de conscience et, considéré comme déserteur, est emprisonné dans l'attente d'une comparution en cour martiale. Les principales organisations pacifistes se mobilisent, lui confèrent une aura médiatique et organisent des manifestations de soutien. Le 14 mars, au terme d'un procès transformé en tribune antiguerre, le verdict tombe : Funk est acquitté des charges de désertion – et disparaît donc des statistiques –, mais écope de six mois de prison pour « absence sans permission[95] ». La prise de parole des objecteurs de conscience, assimilés ou non à des déserteurs, est indissociable d'une démarche vouée à peser sur le pouvoir et à convaincre l'opinion de sa légitimité. Par leur dénonciation effrénée d'une intervention militaire qu'ils qualifient d'« illégale », cette poignée de « réfractaires-militants » mènent une campagne politique : réfutant toute accusation de « traîtrise » et de « lâcheté », ils s'évertuent à battre en brèche les justifications du conflit. Le radicalisme de leur posture se retrouve dans le ton et la virulence des termes qu'ils emploient : « C'est une guerre pour le pétrole, et je ne crois pas qu'un seul soldat ait eu dans l'idée, en s'engageant, qu'il combattrait pour le pétrole[96] », martèle le sergent Mejia. Dénonçant une série de scandales – comme l'uranium appauvri[97] –, les interventions des vétérans d'« *Iraqi Freedom* » rencontrent un écho médiatique parallèle à l'accroissement des doutes constatés par les enquêtes d'opinion. Déféré devant une cour martiale, le sous-officier est condamné à un an de prison, assorti d'une dégradation et de son exclusion de l'armée. Le parcours de ce soldat est celui de milliers d'autres : émigré sud-américain engagé en 1995 dans la Garde nationale de Floride pour financer ses études, Mejia est emblématique de la forte minorité « latino » déployée en Irak. Ce verdict, d'une sévérité toute relative, n'a pas empêché des soldats de suivre son exemple, démontrant par là que, de la crise de conscience à l'objection de conscience, il n'y a parfois qu'un pas.

Rétrospectivement, il est difficile de ne pas attribuer un rôle à Camilo Mejia et à Stephen Funk dans la prolifération, depuis leur jugement, du nombre d'objecteurs de conscience et d'organisations : Courage to Resist, Iraq Veterans Against the War (héritiers de Vietnam Veterans Against the War), Veterans for Common Sense, Citizen Soldier, Veterans for a Secure America, lié au général Clark, The Veterans' Alliance for Security and Democracy ou *Vote-Vets.org* s'agrègent à la galaxie de structures, nées après le 11 Septembre ou beaucoup plus anciennes, souvent marginales, aux motivations parfois divergentes et maintenues en activité grâce aux conflits qui ponctuent l'histoire américaine ; pendant la guerre froide, ce militantisme était suspecté à juste titre de fédérer les sensibilités communistes, ce qui valait à ses promoteurs une influence assez faible. Néanmoins, la tradition d'opposition au fracas des armes, fût-elle minoritaire, est bien enracinée aux Etats-Unis. D'essence religieuse, l'American Friends Service Committee, créé en 1917, s'est associé à la War Resister League, née en 1923, au Comité central pour les objecteurs de conscience, actif depuis 1948, pour former avec une vingtaine d'autres groupements le GI Rights Network, destiné depuis 1994 à conseiller les soldats sur leurs droits. The Centre on Conscience & War, une association qui assiste les demandeurs depuis 1940, assure avoir été contacté par plusieurs milliers d'entre eux, pour la plupart réservistes ; le standard de GI Rights Hotline, prépondérant dans le GI Rights Network, aurait reçu à partir d'octobre 2003 environ 3 500 appels mensuels, traduisant une augmentation de 75 % depuis août 2003[98]. Qu'en est-il, si ces chiffres ne sont pas exagérés, pour les autres associations du même type que comptent les Etats-Unis ? Certains candidats au statut d'objecteur téléphonent à l'occasion d'une permission, tandis que d'autres n'attendent pas d'avoir reçu le moindre conseil pour disparaître. Les plus désespérés appellent directement d'Irak, comme ce GI prêt à se tirer une balle dans le pied pour quitter son poste[99].

Mêlant aspirations sociales et rejet d'une guerre inutile, la conjoncture du Vietnam fut, pour ces groupes militants, la seule qui permit à leurs vues, désormais partagées par des tendances moins radicales, de s'imposer enfin. La fin des années 2000 prend une même direction : la destinée du mouvement pacifiste né pendant la guerre du Vietnam a montré que, pour porter, la voix des réfractaires requiert une conjonction de facteurs : passé un certain chiffre de pertes militaires, le quotient de population touché par la guerre atteint un niveau qui définit son seuil de « tolérance », tributaire de l'objectivité médiatique et de son degré de préparation psychologique. Modèle de guerre éclair, l'intervention de 1991 permit, par sa rapidité d'exécution, de paralyser les organisations antiguerre. Dans le cas d'un engagement prolongé, le soutien à la guerre ne cesse de s'éroder lorsqu'il devient évident, aux yeux d'une fraction majoritaire de la population, que la guerre menée au nom de la nation met en œuvre des moyens contraires aux principes qui l'ont justifiée : à l'instar des images d'enfants vietnamiens brûlés par le napalm des B-52, les tortures d'Abu Ghraib, scandale jumelé à l'insurrection sunnito-chiite d'avril 2004, ont été décisives dans l'effritement du soutien à l'intervention en Irak. En se proclamant « témoins de la souffrance d'un peuple dont le pays est en ruine, qui est [...] humilié par les raids, les patrouilles et les couvre-feu d'une armée d'occupation[100] », les « objecteurs-vétérans », devenus des hors-la-loi au nom de leur conscience, y apportent un surcroît de légitimité. Leurs paroles acquièrent d'autant plus de force que toute personne ayant soutenu la guerre peut s'y reconnaître : « Au début, j'étais pour. Je ne me suis même pas posé la question, confie Brandon Hughey depuis sa retraite canadienne. Ceux qui s'y opposaient, je les traitais de traîtres et de lâches, ajoute-t-il, soulignant par là son implication passée dans le consensus proguerre. Mais, sans armes de destruction massive [...] ni liens avec Al-Qaida, j'ai compris que nos vies de soldats étaient sacrifiées pour rien[101]. » Egalement diffusé par une myriade de sites Internet[102], ce discours trouve un nouvel espace de diffusion sur les grands espaces médiatiques : Dan Rather, journaliste vedette de CBS, tend en mars 2004 son micro au sergent

Mejia qui déclare : « Je ne peux pas dire que j'ai fait la guerre pour venir en aide au peuple irakien, [...] [ni] pour rendre l'Amérique et le monde plus sûrs, [...] [ni même] pour combattre le terrorisme. Je ne pourrais pas trouver une seule bonne raison pour être allé là-bas, pour avoir tiré sur des gens et m'être fait tirer dessus[103]. » Tout aussi vindicatifs, ses homologues repliés au Canada déposent, en juillet 2004, une demande d'asile auprès du gouvernement canadien[104]. Militante, la démarche place les Etats-Unis au même rang que les régimes autoritaires dont les opposants politiques, pourchassés et menacés, s'exilent dans des démocraties pour y vivre en sécurité et jouir d'une totale liberté d'expression. S'appuyant sur les critères de la législation canadienne – qui n'accorde le statut de réfugié qu'aux personnes risquant des « persécutions » dans leur pays d'origine –, les déserteurs fondent leur demande sur la peine de mort qu'ils encourent (non appliquée en l'espèce depuis 1941-1945) et de possibles représailles sur le territoire américain, comme en attestent les menaces reçues sur leurs sites Internet respectifs[105].

Déjà mal vu à Washington pour sa non-participation au programme de bouclier antimissiles et son refus de soutenir l'intervention en Irak, le gouvernement canadien est plongé dans l'embarras : si Pierre Trudeau, en charge du portefeuille de la Justice puis Premier ministre en 1967, avait accordé l'« hospitalité » aux GI's réfractaires et fait de son pays « un refuge contre le militarisme », le gouvernement qu'il dirigeait n'a jamais cessé, dans les faits, de soutenir l'effort de guerre américain : entre 1964 et 1973, le Canada a vendu pour 12,5 milliards de dollars de munitions et d'équipements aux Etats-Unis, également alimentés en agent orange par les usines chimiques d'Elmira, dans l'Ontario[106]. Dès lors, les administrations Johnson puis Nixon ont veillé à ne pas aviver plus que de raison les tensions avec leur voisin, même si son empressement à accueillir les « dissidents », en partie commandé par des considérations de politique intérieure, demeurait bien gênant. A cause de la ferme opposition à l'envoi de troupes en Irak affichée par son prédécesseur Jean Chrétien, le Premier ministre Paul Martin, dont les penchants proguerre sont avérés[107], est dans une tout autre position. La possibilité de voir se rouvrir, de l'autre côté des Grands Lacs, un appel d'air en direction des soldats démoralisés a de quoi effrayer l'administration Bush. Bill O'Reilly, animateur de Fox News, agite la menace d'un « boycott » des produits canadiens au cas où les « réfractaires » d'Irak obtiendraient le statut de réfugié. Selon lui, il s'agirait d'un

« camouflet à l'Amérique » : « L'économie canadienne est totalement dépendante des Etats-Unis », rappelle-t-il à juste titre[108] ; « Miner les fondements de notre armée en plein milieu de la guerre contre la Terreur en offrant un sanctuaire aux déserteurs [...] est un acte hostile[109] », tempête ce porte-parole officieux de l'administration républicaine. Il est donc peu probable que la rencontre à Ottawa, le 30 novembre 2004, entre le président Bush et le Premier ministre Paul Martin se soit cantonnée à de simples différends commerciaux, alors que la Commission d'immigration et du statut de réfugié (CISR) chargée d'étudier la requête des déserteurs américains tenait la semaine suivante sa première audience. Le jour venu, la CISR, composée de juges nommés par le gouvernement fédéral[110], décidait de repousser à 2005 l'énoncé d'un verdict finalement défavorable, et confirmé par l'ensemble des juridictions canadiennes en novembre 2007[111].

Les « préférences partisanes » dénoncées par de nombreux juristes canadiens ont-elles présidé à la décision du juge Brian Goodman ? Dans son verdict, celui-ci précise très diplomatiquement que « ses pouvoirs [...] ne [lui] permettent pas de rendre des jugements sur la [...] décision du gouvernement américain d'autoriser son armée à entrer en Irak[112] » (une décision au demeurant qualifiée d'« illégale » par la commission internationale de juristes de l'ONU[113]). La formule permet à Goodman de considérer « hors de propos » le point central d'un argumentaire fondé sur le refus d'obéir à des ordres qu'Hinzman juge « immoraux », et donc de saper les fondations des plaidoiries mises au point par les défenseurs des candidats à l'asile. Pour motiver ses conclusions, Goodman met en évidence les « mesures [prises par l'armée américaine] pour réduire les pertes civiles » en Irak, rappelle le lancement de « mesures disciplinaires » contre les différents abus constatés, allant jusqu'à expliquer la mort de 30 civils en quarante-huit heures par la reprise de communiqués officiels américains : « Ces personnes se trouvaient dans des voitures qui ne s'étaient pas arrêtées à un poste de contrôle [...] malgré [de] multiples avertissements[114]. » L'arrêt Goodman se double d'un plaidoyer pro-occupation, et transforme son auteur en porte-parole du Pentagone. La Commission de l'immigration rend donc un verdict en accord avec les orientations du gouvernement Martin. Surpuissants, les intérêts militaires américains autorisent une ingérence dans la politique canadienne.

Les GI's sur Internet

La guerre de Sécession fut la première guerre photographiée. La guerre du Vietnam fut la première guerre télévisée. La guerre d'Irak est la première guerre du Net.

A l'aube des guerres modernes requérant des masses d'individus, les facteurs de démoralisation des troupes et leurs rapports avec l'« arrière », notamment par le courrier, sont devenus un sujet de préoccupation pour les états-majors, qui redoutent aussi la fuite de renseignements utiles à l'ennemi. Dès la guerre de Sécession, l'importance des effectifs combattants produisit des lettres et des journaux intimes brossant le portrait d'un soldat que les historiens mettront un siècle à composer[115]. Pendant la Première Guerre mondiale, les lettres qui partaient du front étaient contrôlées : la censure militaire n'est pourtant jamais parvenue à bloquer tous les courriers « subversifs », et la publication des lettres de tranchées suivit de peu la fin du conflit[116]. Après l'an 2000, dans le cadre des nouvelles guerres, leur abondance et le laps de temps très court qui s'écoule avant une large diffusion, *via* Internet, sont l'une des révolutions introduites par *« Iraqi Freedom »* : aux mois, années et décennies autrefois nécessaires à la collecte de précieux documents se substitue une simultanéité qui influe sur leur étude et sur leur environnement : la « parole épistolaire » des combattants arrive dans les cercles familiaux à la vitesse d'un e-mail, support qui constitue l'écrasante majorité de la correspondance entre les soldats et leurs proches[117]. Quand la situation en Irak se révèle plus complexe que prévu, des familles de soldats transmettent le contenu de ces échanges à des organes de presse, à des associations, voire à des militants comme Michael Moore, qui, après leur mise en ligne sur son site, en tire dès 2004 un livre intitulé *Est-ce qu'ils nous feront encore confiance ? Lettres des zones de guerre*[118].

Depuis l'été 2003, les troupes maintenues en Irak se divisent entre ceux disposés à accepter leur sort[119] et ceux enclins à le dénoncer sur Internet, comme les soldats de la 3ᵉ division d'infanterie, évoqués plus haut et auteurs d'une lettre de protestation mise en ligne. L'impact médiatique provoqué par la campagne « Internet » spontanée que lancent à l'été 2003 les soldats victimes de prolongations d'affectation, familles incluses, tend à le prouver[120]. Les forums Internet, les plates-formes de discussion, les sites les plus variés sont le réceptacle direct du point de vue militaire, très gênant pour le pouvoir lorsqu'il diverge de la ligne fixée. Le site du colonel Hackworth (1930-2005), un des vétérans les plus connus des Etats-Unis, abrite une sorte de « main courante » des récriminations du front. Porte-parole officieux et animateur de l'association Soldiers for the Truth, ce septuagénaire couvert de décorations est aussi célèbre pour ses actions « héroïques » des guerres de Corée et du Vietnam que pour l'acuité de ses critiques[121]. La légitimité et le rayonnement que lui confèrent ses actions sur le champ de bataille font de lui un observateur très écouté, habitué des talk-shows et contributeur régulier de la presse magazine. A partir de l'été 2003, son site reçoit 500 mails quotidiens en provenance d'Irak[122]. Une presse en quête d'autres points de vue s'y abreuve.

Beaucoup de messages dénoncent l'écart entre cette existence et le tableau du pays qu'avaient brossé la Maison-Blanche et le reste de l'administration : « Vous seriez étonnés par le nombre de gars de ma compagnie convaincus que les préoccupations du Président sur les armes de destruction massive de Saddam étaient un ramassis de conneries, et que la vraie raison de cette guerre est l'argent[123] », témoigne le caporal Batton. « Cette soi-disant guerre de libération [...] n'est rien d'autre qu'une croisade lancée pour contrôler [...] le pétrole d'une autre nation [...], la seule raison de notre présence », lance Tim Predmore, de la 101ᵉ division aéroportée basée dans la région de Mossoul[124]. Ceux-là déclarent comprendre les insurgés. Le changement de régime, mis en avant comme une des justifications éthiques du conflit, est à son tour critiqué : « Qu'est-ce qui nous donne le droit de dire à quelqu'un d'autre comment se gouverner et comment vivre sa vie[125] ? » s'interroge un autre Marine. Internet devient le canal d'expression sur lequel un même témoignage est reproduit de site en site, révélant, comme l'écrivit Romain Rolland, « une parole amère qui contraste avec l'image conventionnelle que dessinent d'eux les cocardiers de l'arrière[126] ».

L'impact sur l'opinion ne saurait être surestimé, du moins à ce moment du conflit : la médiatisation des lettres de soldats désorientés par la guerre reste, à de rares exceptions près, circonscrite à la Toile, où la quête d'informations dépend de la curiosité et de la persévérance des internautes, dont le nombre (138 805 566 millions aux Etats-Unis en juin 2004[127]) reste très inférieur à celui des téléspectateurs. Les grandes chaînes offrent à leur large public une information « prête à la consommation », sélectionnée et hiérarchisée, dans laquelle le courrier de la guerre est peu visible. Exception qui confirme la règle, les premiers documents de ce type à faire l'objet d'une médiatisation massive s'inscrivent, à l'automne 2003, dans la ligne définie par l'administration Bush : l'« accueil à bras ouverts des habitants [irakiens] », les « sourires des enfants » et leurs « gestes amicaux », dont témoignent par courrier plusieurs éléments du 503e régiment d'infanterie, relèvent d'une grossière falsification, dont l'objet n'est pas sans rappeler la « joie » des colonisés décrite au XIXe siècle ou les « lettres de l'Est » compilées dès 1941 par la propagande allemande[128]. Le lieutenant-colonel Caraccilo fut, en Irak, le seul auteur de cette missive à la gloire des « forces de libération américaines » reprise à la hâte par les grands médias et la presse régionale. Une fois son texte écrit, le commandant de bataillon demanda à ses subordonnés d'y apposer leur nom de manière individuelle, comme si chaque signataire en avait été le rédacteur[129]. Aux quatre coins du pays, télévisions, radios et journaux locaux reprirent une seule et même lettre, aux mots identiques, mais paraphée par différents soldats. En fait, la correspondance du « front » suinte la démoralisation.

« J'ignore pourquoi je suis là, comme j'ignore quand je partirai d'ici », écrit le soldat Mike Prysner. Comme lui, beaucoup se sont engagés dans la foulée des attentats du 11 Septembre, « avides de servir la patrie ». Moins d'un an après, les idéaux partent en fumée comme les carcasses de Humvees et de blindés : « J'ai rejoint l'armée dès que j'en ai eu l'âge, poursuit Prysner. Maintenant j'essaye de comprendre[130]... » D'autres, au chômage ou dans l'impossibilité de poursuivre leurs études, n'ont trouvé que ce moyen pour s'en sortir. Ils ignoraient qu'ils risquaient d'y perdre la vie, les agents recruteurs n'hésitant pas à certifier oralement aux indécis qu'ils n'iraient jamais au feu[131]. « Je pensais avoir signé dans la Garde nationale pour des catastrophes naturelles et des ouragans. Jamais je n'ai signé pour ce merdier[132] ! », s'insurge le sergent Greenwood, réserviste du 124e régiment d'infanterie. Avant de parapher leur contrat d'incorporation, la lecture de la très cynique section 14a aurait appris à tous ces déçus de l'armée que « les promesses [ne figurant pas dans le présent accord] ne seraient pas honorées[133] ».

Passé l'été 2003 et les premiers signes d'agacement de ses troupes, le Pentagone, qui constate l'inefficacité des mises en garde prononcées par diverses personnalités, juge opportun de rappeler les normes de conduite qu'il veut voir régner au sein de ses forces armées.

A partir de 1967, alors que le conflit au Vietnam occupait 90 % des informations télévisées des plus grandes chaînes, l'apparition de soldats critiquant la guerre face à 50 000 Américains participait au retournement de l'opinion[134]. Dans l'esprit des artisans d'« *Iraqi Freedom* », cela ne doit pas se reproduire. Pour sa première conférence de presse en tant que commandant en chef de la Coalition, en juillet 2003, le général Abizaid condamne fermement l'initiative des hommes de la 3e division d'infanterie, auteurs d'une lettre électronique relayée la veille par la chaîne de télévision ABC : « Quelqu'un qui porte l'uniforme n'est pas libre de [...] dénigrer le secrétaire à la Défense ou le Président[135] », martèle-t-il. Après ce recadrage verbal, l'armée tire une rafale de nouveaux règlements militaires : le 1er décembre 2003, une directive détermine le cadre d'expression de la protestation au sein des forces armées et reprend les choses là où la guerre du Vietnam les a arrêtées[136] : l'exhumation puis la mise à jour d'un règlement publié en 1969 et censé contenir les récriminations de plus en plus subversives des appelés (le service national était encore en vigueur) méritent un examen attentif : dans sa version 2003, le texte rappelle avec force que la circulation de publications sans accord préalable de la hiérarchie est formellement prohibée. Or, depuis les débuts de l'occupation, le commandement se heurte à la volatilité des flux Internet, mis à la disposition des soldats dans leurs casernements.

Censée faciliter les échanges entre les militaires et leurs familles, voire offrir de nouveaux éléments de distraction aux soldats, cette ouverture totale des bases américaines sur l'extérieur constitue un bouleversement historique. Soudain, la théorie utopiste du « village planétaire » et la vocation émancipatrice que permet l'interconnexion des communautés humaines s'appliquent à l'univers fermé des installations militaires. En plein désert ou à la périphérie de Bagdad, le corps expéditionnaire n'est plus aussi isolé de l'arrière que le furent les contingents des conflits précédents. Face à leur écran, des dizaines de milliers de soldats, virtuellement présents sur les « *military rooms* » de Yahoo Etats-Unis et autres plates-formes de discussion, peuvent échanger avec n'importe qui, prendre des nouvelles fraîches de leur pays et, à travers de simples récits, des vidéos ou des photographies, communiquer leur propre vision de la guerre. De verticale, la communication devient horizontale. Gare toutefois à l'exagération : la priorité d'un GI connecté à Internet n'est pas de visiter des sites subversifs ou de militer contre la guerre : « Les simples soldats s'intéressent peu à ce qui se passe en dehors de leur zone, observe en novembre 2003 Yves Eudes, reporter intégré à une unité américaine. Ils ne cherchent pas vraiment à avoir accès à la télévision et aux journaux, et, quand ils consultent Internet, ils vont d'abord sur les sites de sport ou de musique, [...] pour oublier un peu l'Irak[137]. » Ce constat, dressé après quelques mois d'occupation, mérite d'être nuancé. Depuis, les désillusions se sont faites plus vives, l'indiscipline est montée en même temps que l'exaspération. Comme le notait déjà Yves Eudes, les soldats affectés en Irak sont « avides de savoir ce qu'il se passe dans leur ville natale[138] ». Quand celle-ci devient le lieu de manifestations antiguerre, le militaire se pose des questions que l'on retrouve sur la Toile. Bien que la proportion de soldats politisés et à ce titre actifs sur le Net reste faible au regard des effectifs déployés, l'impact de leur activité ne doit pas être négligée. Au terme de plusieurs mois de laisser-faire, la prolifération des directives du Pentagone destinées à réglementer l'expression de ses forces armées suffit à le rappeler.

Les initiateurs de l'équipement en bornes Internet des bases américaines – sans doute poussés par la perspective de réductions de coût – n'avaient pas pesé toutes les conséquences de ce choix, ou sous-estimaient les penchants contestataires de leurs hommes : cette guerre montre combien les technologies de communication modernes (Internet et multimédias) recèlent des implications en termes de contre-information qui dépassent les possibilités opérantes dans les précédents conflits. Si les hommes envoyés au Vietnam pouvaient, comme c'était la norme depuis l'avènement des guerres de masse, utiliser le support papier pour correspondre avec leurs proches ou, mieux, se confier occasionnellement par téléphone, la nature de ces systèmes de mise en relation restreignait au cercle familial la diffusion du message que la censure de guerre tentait, dans la mesure de ses moyens, de passer au crible. Avec Internet, les brèches de ladite censure militaire sont devenues des trous béants qui distillent un torrent d'informations. Sautant le relais que constituent des médias longtemps complaisants vis-à-vis de l'administration, le flot de nouvelles du front « made in US Forces » influe sur l'opinion et, donc, sur le cours de la guerre elle-même. Surtout, l'interaction est à double sens : il n'a jamais été aussi facile de répandre une propagande contestataire parmi les troupes.

La revue électronique GI Special, devenue Military Resistance, constitue une des premières formes de contre-information véhiculées

par le réseau à l'attention des militaires. Cette compilation quotidienne d'articles de presse préparée par l'association antiguerre Not
In Our Name est diffusée sous forme de courrier électronique que
chacun est ensuite libre « d'imprimer et de distribuer », selon le bandeau qui en orne la première page[139]. Annotée et commentée par ses
compilateurs, cette propagande numérique dispose d'un potentiel
de diffusion infini, puisque *GI Special* se présente sous la forme d'un
fichier copiable en deux « clics ».

Rien, dans ces premières années de guerre, ne peut empêcher
l'infiltration, chez des soldats coupés de l'actualité, d'informations
concernant les rapports entre l'administration Bush et les grandes
entreprises intéressées au marché de la reconstruction, les dangers
de l'uranium appauvri, l'ampleur des pertes en Irak et toutes les
techniques pour obtenir le statut d'objecteur de conscience. A ce
titre, le cas de Brandon Hughey, évoqué plus haut, est particulièrement éclairant : au cours de son stage d'entraînement, ce jeune
engagé veut comprendre les raisons pour lesquelles son gouvernement s'apprête à l'envoyer combattre. Informé de l'actualité par
Internet et les sites antiguerre qui y prolifèrent, il conclut que la
« menace des armes de destruction massive irakiennes » est inexis-
tante. De page Web en page Web, Brandon Hughey s'est connecté
sur un site pacifiste géré par des vétérans du Vietnam ; le passage au
Canada y est évoqué, et Hughey ne tarde pas à mettre ces conseils
en application[140].

Les réseaux de militaires opposés au conflit qui se réunissaient, au
temps du Vietnam, secrètement dans les bases[141] renaissent sur le
« réseau des réseaux » et profitent des possibilités offertes par Internet : les publications dans le collimateur de l'armée sont le plus souvent virtuelles, numériques et donc insaisissables, que ce soit par
blocage ou par filtrage[142]. Dans un premier temps, les juristes militaires en sont donc réduits à recycler des règlements obsolètes : la
directive sur les « activités de protestation au sein de l'armée » pro-
hibe l'« appartenance à des organisations considérées par le commandement comme préjudiciables à l'ordre et à la discipline ». Si
l'on s'en tient au flou créé par ce paragraphe, l'ensemble des mouvements pacifistes, des associations antiguerre, « anti-Bush » et
autres groupements gauchisants sont potentiellement concernés,
puisque leurs sites Internet disposent aussi de rubriques « conseils »
consacrées à l'objection de conscience, et, nous l'avons dit, aux vertus de l'émigration au Canada[143]. Ce genre d'adresse donne des

« astuces pour se faire réformer » et développe des argumentaires construits sur les raisons de refuser de servir. Un GI qui communique ses coordonnées à l'administrateur d'un site antiguerre doit-il être considéré comme membre d'une telle organisation ? L'inscription à une *Newsletter* (un « bulletin » électronique envoyé aux personnes qui ont donné leur adresse mail) ou des renseignements personnels inscrits dans la banque de données d'un groupement contestataire entrent-ils dans le champ d'application de la directive ? Dénuée de moyens de contrôle efficaces, cette dernière s'en tient donc à la mise en garde de principe.

Publiée le 2 août 2004, une nouvelle circulaire, consacrée aux « activités politiques des membres des forces armées[144] », va plus loin que la précédente, sans pour autant être suivie d'effets. Le document qui sert de référence au nouveau texte, rédigé dans une optique préventive en juin 1990, est ici remanié pour répondre de la façon la plus précise qui soit aux remous provoqués par les récriminations publiques de quelques soldats : la rubrique « ce qu'un soldat peut faire » est expurgée du paragraphe relatif à l'« écriture d'un courrier à [...] un journal pour l'informer du point de vue du personnel militaire sur des problèmes publics ou des candidatures politiques[145] ».

A l'heure où la correspondance entre les soldats et leurs familles se fait presque entièrement par courriers électroniques[146], les règlements antérieurs sont dépassés.

La guerre en multimédias : des soldats 2.0

Pendant la guerre du Vietnam, les administrations successives avaient sous-estimé le potentiel mobilisateur des mots et des images ramenés par les grands reporters qui sillonnaient le pays à l'abri d'une véritable censure. En Irak, le Pentagone est encore pris au dépourvu : les informations embarrassantes ne viennent plus seulement de l'extérieur – la presse, que des stratégies de communication tiennent à distance de la réalité du conflit –, mais directement des membres de l'institution.

En 2003-2004, le temps nécessaire aux révélations est réduit par la puissance des instruments de communication des soldats. Comme à My Lai, l'impact de l'horreur d'Abu Ghraib ou les vidéos d'exécutions sommaires créent de nouvelles fissures dans le soutien à la guerre : à l'ère numérique, tout va plus vite, y compris la montée des contestations qui, auparavant, demandaient de longues années pour disposer des ingrédients nécessaires à leur maturation.

Le scandale des tortures n'est que la partie la plus visible du phénomène. Des ordinateurs connectés au monde entier sont disponibles dans presque toutes les bases américaines. De là partent des récits, des photographies et des vidéos saisies par les caméscopes ou les appareils photo numériques, propriétés de soldats qui prélèvent autant de documents d'une vision brute de la guerre par ses protagonistes. Un nouveau regard, celui du soldat, s'ajoute donc aux points de vue convenus et vient bouleverser les représentations de la guerre. L'intérêt des documents n'est pas seulement ce qu'ils donnent à voir : ces photos sont autant d'objets historiques qui témoignent d'une sensibilité. Les clichés insoutenables d'Irakiens morts, parfois assortis de commentaires sordides ou moqueurs, sont lourds d'enseignements sur l'état d'esprit des soldats : « Où est le reste de ma merde ? » interroge le sous-titre d'une photographie de jambe arrachée, postée en 2004 sur le site *Under Mars.com*, recueil d'archives picturales prises par des soldats. D'autres fragments de corps sont légendés avec un humour noir et sarcarstique (« C'était ma tête ? », « Ils ont fait un trou dans ma figure »...) qui pourrait passer pour une réaction de défense face à l'horreur si celle-ci n'était pas étalée sur le Net. De février 2003 à 2008, plus d'un millier de photographies, pour la plupart datées et commentées, mêlent inclinations touristiques, intimité militaire et morbidité de la guerre sur le seul *Under Mars.com*.

Ces attitudes sont connues : pendant la Première Guerre mondiale, un cliché présente par exemple un jeune poilu, souriant, qui montre à l'objectif une main sanguinolante, celle d'un officier allemand[147]. Choquant, ce résumé pictural de la guerre n'avait pas non plus vocation à circuler, ni les moyens d'être vu d'un grand nombre de personnes. Si la Seconde Guerre mondiale, les guerres d'Algérie ou du Vietnam furent prolixes en photos réalisées par des militaires, le contexte irakien s'en distingue encore. En 2003, la société, qui reçoit de plein fouet ces instantanés, peine à comprendre l'ultraviolence, le cynisme et la perte des valeurs sociales que manifestent ses pairs passés sous les drapeaux. *Exit*, donc, le mythe des guerres propres, héroïques et révélatrices de la noblesse des comportements humains.

Les messages colportés par les photos de guerre des soldats sont multiples : une image qui montre un camion militaire dont le pare-brise arbore une pancarte de contestation critiquant en termes vifs la prolongation d'affectation renseigne autant sur les moyens de manifester son mécontentement que sur la volonté de montrer, par ladite photographie, l'existence de ce mécontentement : sur la pancarte en question, le message « *One week-end a month, my ass !* » (« Un week-end par mois, mon cul ! ») détourne un slogan du recrutement de la Garde nationale (« Un week-end par mois, deux semaines par an ») et s'en prend directement à l'institution. La phrase se retrouve griffonnée sur le flan d'un avion-cargo de l'Air Force, et apparaît sur de multiples supports, bien visibles grâce au Net qui semble, ici, le moteur de leur création. Plus que la contestation mise en image par ses propres acteurs, le phénomène des « guerriers reporters » commence, en 2004, à marquer de son empreinte la presse, qui y puise la matière première de sujets consacrés au quotidien des troupes[148]. Prise au dépourvu par la lame de fond des blogs et soucieuse d'offrir un contenu en phase avec le public qui en parcourt les textes, la presse s'est, dans son ensemble, mise à la remorque du phénomène, qu'elle a soutenu à grand renfort de superlatifs[149]. Le « village planétaire » est irrigué d'informations de première ligne qui sont, en plus, colportées par le combattant. Inédite par son ampleur, la liberté de ton que s'adjugent les soldats exaspère Donald Rumsfeld : « Ils se baladent avec des caméras numériques en prenant ces photos incroyables qu'ils font circuler [...], et qui parviennent aux médias, à notre plus grande surprise », confiait-il en 2004. Attirés par cette nouvelle filière d'approvisionnement en matériel d'information, les sites Internet de la plupart des organes de presse proposent aux soldats d'envoyer leurs propres clichés. C'est par exemple le cas du *Washington Post,* qui encourage à partir de 2004 les « Américains affectés en Irak [...] [à] soumettre des photographies de [leur] quotidien[150] ». Toutefois, les contraintes éditoriales propres aux grands médias empêchent souvent la publication des images les plus proches de la réalité guerrière, parfois d'une cruauté extrême. Celles-ci prennent place dans les multiples « web-galeries » dédiées aux clichés d'Irak[151], ainsi que sur les pages personnelles de soldats[152]. On ne compte plus les sites, forums, blogs[153] et autres « *chat rooms* » qui constituent autant d'espaces de liberté fréquentés voire tenus par des soldats désireux de faire partager leur expérience de guerre. Tel est, en tout cas, le revers de la médaille pour un Pentagone soucieux d'exploiter à ses fins (propagande, formation militaire) l'accoutumance informatique des nouvelles générations.

Lorsque la « blogomania » se déclenche aux alentours de la mi-2004, les bases américaines ne sont pas en reste. Les blogs sont des carnets de bord numériques qui donnent à lire, du plus récent au plus ancien, des billets quotidiens. Climat de guerre oblige, les conséquences sociales, politiques et historiques de ce phénomène culturel sont ici très spéciales. Chroniquer sa vie et permettre à un nombre illimité de personnes d'en prendre connaissance recèle, on s'en doute, des implications différentes si l'on est un internaute lambda ou un soldat affecté en Irak. Apparus au cours de la campagne afghane, les blogs font vite fureur chez les hommes d'« *Iraqi Freedom* ». Au jour le jour, ces derniers ne cessent d'alimenter leurs pages Web de témoignages à la première personne, bruts de décoffrage et agrémentés de photographies, voire de brèves séquences filmées. Très divers dans leur forme, revendicatifs ou sobrement descriptifs, désabusés, patriotes ou nationalistes, anonymes ou pas, les « journaux » numériques rédigés par des soldats se comptent par centaines et très vite par milliers[154]. Maillon d'une chaîne toujours plus longue, chaque blog fonctionne sur le mode de l'interconnection, en fournissant à ses lecteurs un répertoire d'autres blogs « amis » consultables, là aussi, en un clic[155]. Non contente de fidéliser des millions de personnes, la blogosphère militaire devient une source pour la presse, qui éprouve les plus grandes difficultés à rivaliser en termes d'authenticité. L'effet « feuilleton » que produit la lecture régulière des tranches de vie de soldats, une curiosité morbide liée à l'incertitude planant sur le sort des rédacteurs – seront-ils vivants demain ? –, l'intimisme de confessions libres, l'interactivité permise par la possibilité de poster des commentaires ainsi que l'indépendance d'un regard quasiment inédit sur un monde que le journalisme classique a du mal à restituer dans toute sa complexité, font que les rédacteurs des blogs les plus populaires, très professionnels dans leur présentation (*mudvillegazette.com*, *My War*, *Iraqfiles.com*...), sont rapidement dépassés par leur propre succès : « Je n'avais jamais reçu autant de louanges, [j'ignorais] que tant de gens [me] suivaient[156] », s'étonne Daniel Goetz, un des « héros » du mouvement.

Cette prise de parole est spontanée avant de devenir subversive. Constatant que leur vie est mal rapportée par la presse, les engagés de la génération Internet usent de ce nouveau média pour propager une autre version des faits, puis contester et militer. Sur le fond, cette motivation était celle des soldats contestataires de l'époque vietnamienne, qui créèrent plus de 130 journaux clandestins et anti-guerre depuis leurs bases du monde entier[157]. Avec les blogs, plus de problème d'impression et de distribution : enrichi d'une dimension participative, le message passe partout et très vite. En ce sens, les « journaux numériques », même individualistes, sont les héritiers de *Fatigue Press* ou *The Bond*, ces titres de la presse « *underground* » faite par les GI's.

Certains blogueurs, comme les soldats Colby Buzzell et Jason Hartley, se voient proposer des contrats d'édition[158]. Situation paradoxale s'il en est, les précurseurs du mouvement, jeunes enga-gés irrévérencieux plus que réellement contestataires, dotés d'un certain style et pleins d'insouciance à l'égard des règlements militai-res, parviennent, au terme d'une « *success story* » dont l'Amérique a le secret, à accéder au statut de vedettes que les shows télévisés s'arrachent. Au carrefour d'une opinion lasse de la guerre et de plus en plus méfiante à l'égard des médias, le phénomène ne peut surgir à meilleur moment. Surfant sur la vague, les directeurs littéraires signent à tour de bras des soldats devenus auteurs et dont la prose, imprimée en un temps record, est vendue sous le titre éponyme de leur blog. Après avoir explosé sur Internet, le phénomène glisse donc sur le support papier et inonde les librairies. L'offre en témoi-gnages d'« *Iraqi Freedom* » est pléthorique[159]. Depuis 2005, le récit de guerre se vend bien : de la Toile à l'édition, le passage d'un média à un autre suit un axe modernité-tradition.

L'impact de la guerre sur les sorties littéraires pouvait déjà, en France, être constaté à l'époque de 1914-1918, lorsque parurent en plein conflit *Le Feu* d'Henri Barbusse, *L'Appel du sol* d'Adrien Ber-trand (1916), *La Flamme au poing* d'Henri Malherbe ou *Sous Verdun* de Maurice Genevoix (1917). Après une prépublication dans *L'Œuvre* à partir d'août 1916, *Le Feu* est tiré à 200 000 exemplaires qui s'écoulent en quelques mois[160] et remporte le prix Goncourt, démontrant l'intérêt que suscite le témoignage du combat restitué dans toute sa violence : la censure, fatale à quelques passages des livres cités plus haut, n'empêche pas l'éclosion de sentiments « déviationnistes » sur le conflit. L'arrivée des récits de guerre lus par l'« arrière » était, dès 1916, très rapide, mais leurs répercussions sur le cours des événements sont difficiles à discerner : si 1917 fut, en France notamment, l'année d'une lassitude générale, la force coercitive de la conscription et la profondeur de l'endoctrinement transformèrent les réticences en résignation. En revanche, ces récits participèrent, après guerre, à la généralisation d'un pacifisme de toutes tendances.

Aux Etats-Unis aujourd'hui, la massification du processus de publication des vérités combattantes, un lectorat important et des moyens de diffusion bien plus larges ne sont pas sans conséquences : recrutement et image de la guerre sont frappés à des degrés divers. Enfin, l'intermodalisme médiatique qui mute les récits « *online* » et gratuits en objets livres profite de la contagion du champ culturel par la guerre pour en changer la diffusion : nul besoin de se rendre dans une librairie pour prendre conscience de la réalité du conflit, mise à portée de modem par un réseau reliant les personnes qui partagent un intérêt commun, en l'occurrence la recherche d'informations alternatives. Le succès des blogs rayonne bientôt dans l'ensemble des médias : la National Public Radio (NPR) et bien d'autres font part quotidiennement à leurs auditeurs des mises à jour de *CBFTW*[151] *(« Colby Buzzell Fuck The War »)*, les journaux publient de larges extraits, tandis que la télévision s'intéresse de près à la personnalité des rédacteurs. L'audience des « chroniques Internet » s'en trouve donc accrue, et personne ne peut passer à côté du phénomène. Acteurs et auteurs d'une sorte d'« info-réalité » absolument nouvelle, les « *milbloggeurs*[162] » disposent d'un pouvoir d'intervention socio-médiatique aussi insoupçonné qu'incontrôlable : ces blogs apparaissent comme le complément informationnel d'une presse qui, après être longtemps restée dans l'ombre du pouvoir, s'est vue accusée de « noircir le tableau » irakien par les partisans du conflit. Révolution sans équivalent, le mouvement des blogs militaires et contestataires reprend aussi, par leur langage cru et désabusé, le concept épiphénomène de la petite radio pirate *Radio First Termer*, née à l'initiative du sergent Rabbit dans le Sud-Vietnam en 1971 et qui parvint à émettre vingt jours durant. Néanmoins, l'audience des blogs, non limitée à leur « zone d'émission », jouit du potentiel de diffusion du Net et englobe les militaires comme les civils.

La lecture d'un blog crée des liens virtuels mais réels avec le soldat qui prend le temps de partager ses états d'âme. On a l'impression de connaître l'individu. Lorsqu'un « *milbloggeur* » tombe, l'impact de la nouvelle dépasse le cadre de ses proches pour toucher un public plus large, comme ce fut le cas lorsque Francisco Martinez, jeune soldat de 20 ans, perdit la vie à Ramadi une heure après avoir mis à jour son blog[163]. En raison de la masse des fidèles que comptent les « *milblogs* », le décès d'un soldat devient autre chose qu'un chiffre sur un bilan ou un nom au bas d'une liste. Le niveau de pertes militaires jusqu'alors jugé acceptable par le gouvernement le devient de moins en moins pour la population, qui tisse des liens avec les éléments de son armée très distincts du soutien irréfléchi à la machine de guerre que promeut l'administration Bush. De la même manière, la possibilité de confronter le récit d'expériences du terrain avec les discours idylliques des agents recruteurs a pu peser sur la crise des vocations militaires constatée à partir de 2004.

Le Pentagone et les réseaux sociaux

Redoutant l'impact d'une nouvelle mesure impopulaire, le Pentagone met du temps à réagir. Après deux années marquées par des règlements inadaptés et un étonnant attentisme à l'égard du Net, les juristes du Pentagone dévoilent, en avril 2005, une directive portant spécifiquement sur les « sites Internet tenus par les membres des forces armées en Irak[164] ». Son but : combler le retard qu'accuse un règlement conçu à une époque où Internet, *alias* Arpanet, était encore l'apanage du ministère de la Défense[165]. Selon ce document, les soldats désireux d'ouvrir un blog sont dorénavant tenus d'en aviser leur hiérarchie, qui pourra dresser la liste des blogueurs actifs. Ce préalable réglementaire comporte également un volet dissuasif : se sachant répertorié, l'auteur d'un « journal en ligne » sera enclin à l'autocensure. Néanmoins, la mesure survient trop tard : le nombre de « *military blogs* », dits « *milblogs* », a explosé et les techniques de contrôle n'ont pas encore fait leurs preuves. Comment vérifier les activités Internet de centaines de milliers d'hommes sans disposer d'un système de filtrage très affûté ? D'autre part, la fermeture d'un blog par des informaticiens militaires n'empêche pas les internautes d'en consulter le contenu, repris par une chaîne de sites « civils » ou « miroirs ». L'état-major s'en inquiète : un document adressé en août 2005 par son général en chef, James Schoomaker, à l'ensemble des officiers de haut rang officialise la mise en place d'une équipe spécialisée dans la traque des soldats contrevenants[166] : la Cellule militaire d'évaluation des risques d'Internet (AWRAC), créée le 15 juillet[167].

Ce même été, l'armée américaine décide de faire un exemple. Célèbre acteur de la blogosphère « militaire », Leonard Clark, membre de la Garde nationale affecté à Bagdad, se voit signifier le 19 juillet 2005 par ses supérieurs une peine de rétrogradation assortie de 1 640 dollars d'amende. Officiellement, la condamnation se fonde sur la « divulgation d'informations relatives aux mouvements de troupes, à leur localisation, aux attaques [de la guérilla] ainsi qu'à la stratégie militaire[168] ». Plus discrètes, les mesures de rétorsion qui frappent Daniel Goetz, autre blogueur d'envergure, méritent que l'on s'y arrête : l'amertume qui se dégage de la lecture de son journal et la rancune qu'il exprime à l'égard des autorités – « Si je parlais politique [...], je m'exposerais à des représailles au sein de l'armée », écrit-il – lui attirent les foudres de la censure militaire. Son blog est fermé, et le temps d'accès Internet imparti au soldat limité[169]. Dans une ultime mise à jour, Goetz renie ses écrits, sans parvenir à convaincre : « Je suis officiellement un supporter de l'Administration et de sa politique. Je suis un partisan de la guerre contre la Terreur et je crois en la mission en Irak. Je comprends mon rôle dans cette mission et je l'accepte. J'admets avoir signé un contrat qui donne au *Stop-loss* un caractère légal, et je retire tout jugement [...] dans lequel j'ai pu le contester. De plus, j'ai la plus haute confiance dans les qualités du commandement, ce qui implique le président Bush et l'honorable secrétaire à la Défense [...]. Si j'ai pu écrire quoi que ce soit [...] qui donne [...] à penser le contraire, veuillez considérer la présente comme une rétractation pleine et entière[170]. » Avant de faire pénitence, Goetz a pris soin d'avertir le lecteur que la suite de son texte ne refléterait qu'une position « officielle », en accord avec le règlement militaire. Cet acte de contrition témoigne donc des pressions exercées par la hiérarchie : pour éviter d'être condamnés aussi lourdement que Leonard Clark, les soldats fautifs doivent faire leur autocritique *« online »* et participer aux grossiers efforts de la propagande militaire. Enfin, ce marché présente l'avantage d'empêcher la presse de relayer un « boum » des sanctions antiblogueurs.

Sous couvert de protection des personnels déployés, les consignes de « Sécurité des opérations et de sûreté Internet » enjoignent, en septembre 2005, aux administrateurs de sites et autres rédacteurs de blogs d'instaurer un code d'accès à leurs pages Web. Sous prétexte de barrer l'accès à des « personnes malintentionnées », le Pentagone désire circonscrire la diffusion des états d'âme de ses soldats à un cercle d'intimes. Ce document culpabilise les blogueurs et les militaires relatant leur quotidien sur la Toile : « Tous les internautes ne sont pas des patriotes américains [...]. Prenez conscience que les méchants [sic] (terroristes, espions et criminels) sont là et essaient de profiter [...] des informations sensibles [...] sur les soldats et les installations militaires [...] que vous pourriez mettre en ligne[171]. » Dans le vaste répertoire des « informations sensibles » à rendre confidentielles, les photographies des dégâts commis par l'ennemi (bombes, attaques...), nombreuses sur le Net, soulignent de façon très concrète que l'équipement de la plus puissante armée du monde peut être détruit par des hommes dotés de faibles moyens. Encore une fois, le soutien à la guerre en pâtit.

Le caractère dissuasif du règlement militaire n'obtient pas l'effet escompté : en octobre 2005, le sergent de la Garde nationale Jean-Paul Borda, d'origine française, crée le portail *Milblogging.com*, où sont indexés des centaines puis des milliers de blogs militaires. Aubaine pour le public, cette centralisation aide aussi le Pentagone. Dix-huit mois seront néanmoins nécessaires pour qu'une nouvelle série de restrictions touche les différents corps d'armée : le 19 avril 2007, une directive ordonne aux soldats de ne plus poster de messages sur leur blog sans relecture préalable d'un commandant ou d'un officier de sécurité opérationnelle (OPSEC), et étend cette contrainte à l'ensemble des courriers électroniques, aux forums Internet et aux logiciels de messageries instantanées type MSN Messenger, désormais prohibés. Fait nouveau, les familles des soldats doivent, elles aussi, se conformer aux directives de l'OPSEC[172]. Les mails représentent l'essentiel des correspondances écrites, un contrôle généralisé semble ardu, voire impossible : début 2007, l'instance dédiée aux investigations, l'AWRAC, certifie avoir passé au crible 500 blogs et autres sites non officiels[173], sur un total qui dépasse de très loin le millier. Avec une probabilité de subir un contrôle égal à 50 %, cette statistique – invérifiable – mise sur la dissuasion. En parallèle, l'armée met en place des forums de discussion officiels, réservés à ses membres. La fréquentation n'est pas au rendez-vous : l'action de leurs modérateurs, dont le rôle est, comme sur tout forum « civil », de veiller à la bonne tenue des échanges, limite l'attractivité de cette initiative : tout propos iconoclaste n'entraîne pas, ici, le simple bannissement de son auteur, mais des sanctions militaires.

Face au mécontentement que suscitent ces mesures, dénoncées par trois sénateurs[174], le Pentagone fait vite machine arrière, sans doute conscient de leur inapplicabilité : le 2 mai, une circulaire précise qu'en vertu du Premier Amendement les soldats n'auront pas à soumettre leurs mails ou les mises à jour de blogs à une quelconque autorité. D'autre part, les familles des militaires échappent *in fine* aux contraintes « Internet » de la Sécurité opérationnelle[175]. Il n'empêche, de nouvelles interdictions, peu remarquées, subsistent : dans la directive du 19 avril 2007, une clause spécifie que « toute tentative de personnel non autorisé en vue d'obtenir des informations [...] sensibles [sera] considérée comme un acte de subversion et d'espionnage[176] ». Dans la mesure où les journalistes sont susceptibles d'appartenir à la catégorie des « personnels non autorisés », tout soldat prêt à fournir quelque renseignement risque, en théorie, les peines les plus lourdes.

Depuis 2005, l'explosion du « Web 2.0 » et l'avènement des réseaux sociaux posent un autre problème : toujours plus simples d'utilisation, les nouveaux outils de communication gratuits que sont MySpace, YouTube, Dailymotion, Facebook, Twitter ou Flickr permettent à n'importe quel individu de mettre en ligne des photographies, des vidéos ou des messages en un temps record, que les internautes peuvent commenter. Le 14 mai 2007, l'accès aux 11 réseaux sociaux les plus connus est bloqué dans les bases d'Irak et d'Afghanistan : la bande passante disponible sur les serveurs Internet des installations militaires serait ralenti par les flux que requièrent ces sites, où les échanges de vidéos et leur visionnage représentent l'essentiel des activités[177]. Contestée par les responsables de YouTube[178], cette version révèle la crainte de voir circuler des vidéos aussi scandaleuses que celle issue du système de visée d'un hélicoptère de combat abattant des civils, et visionnée depuis 2004 par des dizaines de millions de personnes. Autre contradiction : les jeux vidéo en ligne, type *America's Army*, bien plus gourmands en bande passante, n'ont pas été bloqués. De plus, cette restriction ne saurait interdire les fuites, mais seulement les retarder : un soldat ayant filmé quelques séquences de guerre peut les poster lors d'une permission.

La guerre de l'information se situe au centre du problème : début 2006, Donald Rumsfeld reconnaît la défaite de son camp sur Internet, où les pages défavorables à l'administration Bush et aux Etats-Unis sont bien plus nombreuses que celles condamnant leurs ennemis. Pour le chef du Pentagone, « le gouvernement fédéral commence à peine à s'adapter au XXIe siècle. Nous sommes engagés dans la première guerre de l'histoire à l'ère des e-mails, des blogs, des téléphones portables, [...] des messageries instantanées, des caméras numériques[179] [...] ». Revue de fond en comble, la « politique Internet du département de la Défense », suivant son ancienne appellation, est désormais traitée sous l'angle des « communications stratégiques » dans un mémorandum adressé aux principaux cadres du Pentagone[180]. Une nouvelle doctrine voit le jour, qui fait de cette question un « élément vital de la puissance nationale » nécessitant, entre autres points, d'« identifier et recourir de manière agressive aux capacités des médias du XXIe siècle (sites de partage de vidéo…)[181] ». Puis, à la mi-2007, un second mémo précise la nature de cette implication : chiffrées à 3 millions de dollars[182], les « activités interactives d'Internet » placées sous l'auspice du Pentagone y sont définies comme un moyen « essentiel [...] de fournir des informations au public [...] et de soutenir les opérations militaires [qui] créent des émotions, des raisonnements et des comportements ». Dans ce but, des participants aux réseaux sociaux missionnés par le Pentagone devront « conduire les activités Internet interactives en utilisant le langage et les expressions de l'audience visée[183] ». La jeunesse, par exemple, sera abreuvée de clips truffés de références aux jeux vidéo ou à ses films préférés, dont on recrute par ailleurs les artisans, à l'image de Mark Isham[184], compositeur de plus de 80 bandes originales.

Selon toute vraisemblance, le blocage ciblé des réseaux sociaux est une première étape de la nouvelle stratégie de communication du Pentagone, lancé dans une politique d'utilisation massive du Web 2.0. Au cours de son intervention programmatique de 2006, Rumsfeld préconisait de « déployer rapidement les plus efficaces capacités de communication militaire sur tous les nouveaux théâtres d'opérations[185] ». Non contente d'occuper physiquement des territoires, l'armée occupe l'espace Internet des plates-formes communautaires. Entre 2006 et 2007, chaque site officiel du ministère de la Défense se dote de liens permettant de participer, moyennant une inscription, aux réseaux sociaux interdits dans les camps d'Irak et d'Afghanistan. On retrouve ces occurrences vers les sites de partage sur les principales pages Internet des commandements intégrés, des forces armées en Irak, des corps d'armée, des régiments, des bataillons, tous pourvus de liens vers YouTube, Facebook, Twitter, Flickr, voire de blogs officiels. Des officiers supérieurs, comme le général Ray Odierno, commandant des forces armées en Irak, disposent d'un compte Facebook[186] sur lequel leurs « amis » se comptent en dizaines de milliers. Seule différence, mais de taille : la finalité de tels vecteurs est propagandiste avant d'être « communautaire ». Il s'agit d'abreuver ces communautés virtuelles et contrôlées en informations formatées *via* des canaux autrefois subversifs. Symbole d'une mise à profit du partage de vidéos, la « chaîne YouTube » des Marines ouvre le 4 septembre 2007[187] : titrés « Les Marines répondent à l'appel », « Le guerrier ultime » ou « Toujours prêt », les clips aux ambiances cinématograhiques, tournés à la façon hollywoodienne, portent les mêmes valeurs militaristes. En trois ans d'existence, la « chaîne » compte environ 4 millions de « Net-spectateurs » et quelques dizaines de milliers de commentaires, toujours positifs, du moins lorsque la possibilité de donner son avis n'a pas été désactivée. Cette censure explique le niveau inférieur de fréquentation des chaînes YouTube officielles par rapport au YouTube civil ; reste qu'un noyau d'indéracinables soutiens à la cause militaire trouve, avec les sites interactifs de l'armée, un espace visible et propice à son renforcement.

L'intérêt de cette stratégie d'occupation du web est pluriel : les inscrits des sites officiels reçoivent un flot d'images qui complètent celles déjà visibles dans les médias classiques, et prennent connaissance des positions de l'administration ou de l'armée par des canaux à la mode, plus appréciés que les sites du Pentagone, particulièrement chez les jeunes. Rien n'est plus simple que de dupliquer ces vidéos pour les poster, de façon virale, sur d'autres plates-formes. Comble de la modernité, les « suiveurs » du compte Twitter officiel de l'armée américaine déployée en Afghanistan reçoivent, à partir de l'été 2009, le décompte des morts ennemis quasiment en temps réel[188]. Utilisé comme une unité de mesure des progrès militaires accomplis sur le terrain, le chiffrage des morts, ou *« Body Count »*, en vigueur au Vietnam, trouve un nouveau moyen d'expression. Le procédé, qui livre l'information de manière individuelle, supprime l'intermédiaire que sont les médias, dont le travail consiste à mettre ces données en perspective. Ici, la personnalisation du système crée une proximité synonyme de confiance en l'émetteur.

Les plus hauts gradés stationnés en Irak tiennent leur propre blog informatif et participatif, sans doute mis à jour par des équipes de communicants. Les blogs publiés par des soldats ou ex-soldats font, eux, l'objet d'une nouvelle approche, décidée en 2006 au sein de l'Air Force puis généralisée : en octobre 2008, un premier mémorandum précise les enjeux du Web 2.0[189] et met l'accent sur l'« utilisation des nouveaux outils d'Internet », détaillés dans un guide très synthétique publié quelques semaines plus tard et distribué à l'ensemble des personnels[190]. Son but : fournir aux militaires des consignes permettant de mieux appréhender leurs échanges avec des adversaires idéologiques, pacifistes, citoyens critiques ou autres. Dispensées sous forme de tableau, les réponses prévues s'orientent, en fonction des interlocuteurs, vers une « notification à la hiérarchie », l'argumentation à l'aide de vidéos extraites des sites officiels ou la mise en avant du « riche héritage de l'Air Force ». « Nous voulons que nos 330 000 hommes s'impliquent dans les relations publiques[191] », souligne le colonel Caldwell, directeur du département en charge d'Internet au sein de l'Air Force. Enfin, les blogueurs indépendants et influents sont sollicités de diverses façons : l'ancien soldat Michael Yon, devenu reporter et blogueur critique de l'institution militaire, s'est par exemple vu proposer fin 2008 d'accompagner le secrétaire à la Défense Robert Gates en Afghanistan[192]. Traités avec considération, ces journalistes du Net alimentent les pages de leur blog à partir d'un « matériau » fourni par le ministère.

Internet et les réseaux sociaux doivent donc permettre aux valeurs de l'armée de rayonner, d'atteindre un large panel de cibles et de s'imposer. Cette volonté de contrôle est manifeste lorsque les réseaux sociaux deviennent à nouveau accessibles aux soldats : pour y être actifs, ceux-ci doivent désormais passer par les pages officielles de l'armée, qui supervise tout ce qui s'y poste et s'écrit. Critiqué pour son modèle fondé sur l'exposition de la vie privée, Facebook est, vu du Pentagone, un formidable outil de contrôle et de propagande. Ce type de site reposant sur le rassemblement d'individus en communautés, celles créées par l'armée agrègent les soldats, leurs familles, leurs proches et tous les patriotes désireux de compter un militaire parmi leurs « amis ».

Grâce au système de référencement de Google, moteur de recherche hégémonique qui hiérarchise les pages Internet les plus visitées et les mieux pourvues en liens, l'ensemble des sites créés par le Pentagone servent de relais permettant à sa « propagande numérique » de figurer dans les premières adresses indexées, puisque chaque site du ministère affiche des références vers ces adresses « 2.0 ». De plus, Google permet aux sites institutionnels de « remonter » dans son pal-

marès d'affichage en raison de leur supposée fiabilité. Les pages
« clandestines » créées par des soldats sont alors noyées dans le flot
des officielles, et les recherches, sur Google, associant les mots
« Irak », « guerre » et « armée américaine » débouchent plus souvent
sur des entrées issues de la propagande militaire. Après plus de trois
années d'investissement, l'action du Pentagone commence à porter
ses fruits, même si le Net « civil » et critique conserve de beaux restes. Cela posé, les services techniques de l'armée peuvent développer des systèmes de connection satellite plus souples et
transportables, qui autorisent les soldats éloignés de leur camp de
base à utiliser Internet[193].

IV

LA CULTURE DE GUERRE
EN REFLUX

13

Des opposants revigorés,
une nouvelle contestation

La guerre d'Irak : des réminiscences douloureuses

Tout gouvernement démocratique décidé à entraîner son pays dans la guerre doit prendre en compte l'acceptation de l'opinion. La tâche s'avère plus périlleuse lorsque le recours à la guerre est le fait d'une démocratie obéissant, comme c'est presque toujours le cas, à des impératifs économiques ou stratégiques. Après avoir bâti un consensus, le pouvoir belligérant s'efforce donc d'atteindre les objectifs assignés à son armée, avant qu'un délitement du soutien populaire n'entrave sa capacité d'action. Anticipant l'escalade vietnamienne, John McCone, directeur de la CIA de 1961 à 1965, prônait une intensification du pilonnage sur le Nord de la péninsule avant que « la pression [...] pour que cessent les bombardements de la part de diverses factions du public américain, de la presse, des Nations unies et de l'opinion internationale[1] » ne devienne trop encombrante. Conscient du phénomène, Richard Perle, apôtre néoconservateur de l'administration Bush, déclare le 13 juillet 2005 que « la question clé est l'opinion américaine. Un revirement du soutien des Américains serait catastrophique[2] ». Or, le cauchemar du faucon flirte avec la réalité depuis novembre 2004 ; selon un sondage publié le jour de cette déclaration, la guerre d'Irak figure en tête des préoccupations exprimées par les Américains[3]. En septembre 2005, une autre enquête révèle, pour la première fois depuis l'occupation de l'Irak, que plus de la moitié de la population se prononce en faveur d'un retrait accéléré des troupes[4]. Lors des élections de mi-mandat de 2006, la sanction tombe : le Parti républicain perd la Chambre et le Sénat, qu'il était parvenu, fait rare, à conserver en 2002, lors du premier mandat de George W. Bush. Le point de non-retour est atteint : la guerre est impopulaire, et ses répercutions se font sentir aux Etats-Unis mêmes : en mars 2007, presque un Américain sur deux connaît une famille touchée par les guerres d'Irak et d'Afghanistan[5].

Plus long conflit dans lequel se soit engagé le pays, la guerre contre la Terreur fait l'objet de rapprochements que le pouvoir souhaitait à tout prix éviter : pour plus de 50 % d'Américains, le Vietnam, première grande défaite des Etats-Unis, trouve son pendant en Irak, mais aussi de plus en plus en Afghanistan[6]. Malgré les dissimilarités des situations géographique et stratégique, un traumatisme vieux de trente ans remonte à la surface par à-coups : la guérilla, caractérisée au Vietnam par un mouvement rural, provoquait des combats en pleine jungle, tandis qu'ici l'action, moins meurtrière, est surtout urbaine, mais mobilise un ratio de réservistes et de Gardes nationaux très supérieur, en valeur absolue, à celui appelé en ex-Indochine[7], où les conscrits effectuaient leur service. Le spectre du désastre vietnamien, toujours vivace dans l'inconscient collectif américain, hante les analyses comme il le fit dans les années 1980 lors de l'engagement militaire au Salvador et de tous les conflits ultérieurs. « Plus jamais ça », prônent les citoyens scandalisés par la guerre perdue et ses 50 000 morts américains. D'où une sensibilité exacerbée face aux nombreux problèmes que pose l'occupation de l'Irak.

« Ça ressemble de plus en plus au Vietnam[8] », lâche, au sujet de l'Irak, un vétéran marqué par son expérience asiatique. « Tout était dévasté. [...] Partout, il y a des cadavres, pour la plupart des civils. La fumée et la puanteur se mêlent. On se serait cru dans un film d'épouvante [...]. On avait l'impression qu'il pouvait à tout moment se passer quelque chose, qu'ils allaient sortir des maisons et se mettre à nous tirer dessus de tous côtés. [...] Et la puanteur ! On en sentait le goût dans les rations, comme si on mangeait de la mort[9] », expliquait un soldat à propos du Vietnam, participant ainsi à la construction d'une mémoire dont les images et les mots reviennent brusquement. En août 2005, Henry Kissinger, sur CNN, éprouve le « désagréable sentiment » que la situation irakienne donne naissance aux « mêmes facteurs ayant conduit à la division du pays sur le Vietnam[10] ». Le prix Nobel de la paix est bien placé pour effectuer

des comparaisons : Kissinger, qui promit tant de fois à ses concitoyens une victoire imminente sur les partisans d'Hô Chi Minh,
entend ses propres mots reprendre vie dans la bouche des dirigeants
d'aujourd'hui. Le sénateur républicain John McCain, qui émerge
comme un candidat crédible à l'élection de 2008, dresse à son tour
un parallèle avec le Vietnam, où il a combattu[11]. Côté opposants, le
lien fait office d'argumentaire dès 2002.

Pour la première fois depuis 1973, les forces américaines sont
engagées dans un conflit de longue durée, déclenché sur la base d'un
mensonge, sans déclaration de guerre du Congrès, sans caution
onusienne et sans le soutien d'alliés comme la France, déjà critique
pendant le Vietnam. Au contraire des deux guerres mondiales,
l'identification des « ennemis de l'Amérique » n'allait pas de soi. Ni
le Vietnam ni l'Irak n'ont attaqué les Etats-Unis. Les mystifications
concernant les tirs contre deux destroyers américains dans le golfe
du Tonkin, les armes de destruction massive irakiennes ou l'insidieuse relation Irak-11 Septembre ne visaient qu'à changer la
donne. Autre similitude entre 1965 et 2003 : l'absence de solution
de repli dans le programme de l'administration[12] cohabite avec une
succession d'opérations militaires[13] et une hausse – plus modérée –
des effectifs déployés, sur fond de phraséologie recyclée du « dernier
quart d'heure » selon laquelle la victoire serait, en 2005, plus proche
que jamais[14].

Rien de mieux, pour vendre une guerre, que de prédire avec assurance une victoire rapide, bénéfique et sans douleur pour la nation
attaquée. C'est dans cette perspective qu'a été développé le concept
propagandiste de « guerre propre », associé au thème des frappes
« ciblées », énoncé dès la guerre de Corée (fort meurtrière pour les
civils entre 1950 et 1953) et rappelé en 1955 par le secrétaire d'Etat
John Foster Dulles : « Les nouvelles et puissantes armes de précision
[...] peuvent détruire des cibles militaires sans mettre en danger les
populations civiles », assurait-il à une opinion marquée par le conflit
achevé deux années auparavant. Le mensonge d'Etat des bombes
intelligentes atteignit son apogée avec la guerre du Golfe de 1991,
alors que 40 % des tirs ciblés ratèrent leur objectif[15]. La dissimulation de l'ensemble des conséquences produites par les interventions
armées des décennies passées (massacres de civils, effets de l'uranium appauvri, ravages de l'embargo) ne rend que plus violent le
retour à la réalité. Paradoxalement, l'aseptisation de la guerre par la
communication gouvernementale a accru la sensibilité des Américains

face aux images brutes et brutales du conflit. En augmentation croissante grâce à la révolution Internet, les photographies et les séquences vidéo qui restituent avec réalisme la situation irakienne ont un impact redoublant de puissance : en octobre 2003, une majorité d'Américains jugent « inacceptable[16] » le nombre de soldats tués, évalué à moins de 400. Il fallut 28 000 victimes militaires pour qu'un tel verdict soit prononcé en 1968. Début 2005, quand la guerre fait l'objet d'un rejet majoritaire, l'Etat le plus touché, la Californie, déplore 169 pertes parmi ses habitants envoyés en Irak[17]. Dans une réaction quasi épidermique, on rejette la guerre bien avant qu'elle ne tourne en un fiasco numériquement comparable. Tous les faits liés à la guerre d'Irak ou d'Afghanistan (nombre de morts, désertion, « *fragging* », manifestations, réveil de la presse, mouvements contestataires) sont lus en fonction de l'imaginaire vietnamien, même si l'ampleur des dégâts reste sans comparaison, du moins pour l'armée. Mieux, les opposants surfent sur ce rapprochement pour donner plus d'écho à leurs initiatives : récupérant une appellation utilisée en 1971, les Vétérans d'Irak contre la guerre organisent par exemple un nouveau « *Winter Soldier* » : comme autrefois, ces séminaires, dont le premier se tient du 13 au 16 mars 2008 à Silver Spring, réunissent sous le regard de la presse des centaines de participants (anciens combattants, soldats toujours sous les drapeaux, civils afghans et irakiens) qui dénoncent les effets du conflit[18]. En tout, une douzaine de « *Winter Soldiers* » se tiennent dans autant d'Etats[19].

L'avalanche de victimes civiles et un long cortège d'exactions ôtent aux forces armées toute prétention à incarner les valeurs que les Etats-Unis prétendent diffuser. Une prise de conscience similaire s'était manifestée en 1972, lorsque des enfants vietnamiens brûlés au napalm apparaissaient dans les journaux et sur les écrans des foyers américains. Si des photographies de jeunes Irakiens victimes d'armes aux mêmes effets pullulent sur la Toile, les médias américains demeurent dans l'ensemble plutôt réticents à les utiliser. L'emploi de napalm ou de phosphore blanc pendant l'invasion ou à Fallouja y est évoqué de façon très parcellaire et inégale[20], les rares organes d'information laissant l'imaginaire en illustrer les conséquences.

Parce que le Vietnam fait office de mètre étalon des consciences américaines, chaque exaction est rapprochée d'un événement resté dans les mémoires. Le « massacre d'Haditha », perpétré le

19 novembre 2005 par des Marines à l'encontre d'une vingtaine d'hommes, de femmes et d'enfants, convoque le souvenir de My Lai : le 16 mars 1968, un détachement de GI's assassinait entre 350 et 500 femmes, enfants et vieillards sud-vietnamiens. Le 12 novembre 1969, le journaliste Seymour Hersh révélait l'existence de la tuerie de My Lai dans le *New Yorker*. Des clichés de cet « Oradour » vietnamien paraissaient une semaine plus tard dans un support – *The Plain Dealer*, un quotidien de Cleveland – qui ne leur offrit pas, dans un premier temps, un effet comparable à la dissémination des photographies d'Abu Ghraib par le Net et dans l'ensemble des médias. Chaque fois, l'armée a essayé d'étouffer l'affaire et renvoyé, par ses mensonges, à une époque qui ébranla le socle de la religion civique américaine.

L'absurdité d'une guerre ingagnable devient évidente. Pour se sortir du bourbier, la recette du pouvoir est connue : escalade, certes moins prononcée, dans l'engagement des troupes ou « vietnamisation » et « irakisation » dont les échecs quotidiens, rapportés par la presse, valent aux journalistes l'accusation, souvent proférée par Rumsfeld, de ne colporter que les mauvaises nouvelles. Le général Westmoreland, chef des opérations militaires au Vietnam entre 1964 et 1968, parlait, lui, de « déloyauté ». Les points communs entre les deux guerres, loin de se cantonner au domaine historique, trouvent leurs racines dans un kaléidoscope d'images, d'impressions et de situations. La publication des photos des cercueils de militaires, enveloppés dans le drapeau américain lors de leur rapatriement aux Etats-Unis, fait grand bruit en avril 2004 : la vision de cercueils alignés recouvrant le sol de la carlingue d'un avion militaire ravive les mémoires. Prohibée depuis 1991, la dissémination d'un cliché (dans tous les sens du terme) de la guerre du Vietnam ne pouvait qu'avoir des effets sur l'opinion. Jusqu'à la débâcle indochinoise, le retour des « héros tombés » figurait au cœur d'un cérémonial militaire destiné à donner un sens patriotique et collectif à leur mort. Répété trop souvent, ce rituel risquait de retourner l'opinion. En mars 2003, le règlement militaire était renforcé afin d'élargir aux obsèques le périmètre de l'interdiction. Le choc d'une histoire qui se répète, provoqué par des photographies de jeunes Américains « revenus dans un sac en plastique », replace au cœur de l'actualité un souvenir qui symbolise le naufrage vietnamien. D'autres « clichés[21] » de la guerre du Vietnam alimentent les comparaisons : images de l'hélicoptère emblématique de ce conflit, le Bell AH-IG Hueycobra en rase-mottes au-dessus de Bagdad, flancs béants d'où dépasse une mitraillette embarquée de 7,62 mm ; l'effervescence contestataire qui entoure la Convention républicaine de 2004 esquisse un parallèle entre les troubles et les manifestations en marge de la Convention démocrate de 1968 à Chicago. Dans les deux cas, le parti au pouvoir se heurte à l'hostilité d'une part croissante de l'opinion, et les arrestations de manifestants se comptent par milliers ; l'éclosion des scandales de l'« Irakgate » ou du « Plamegate[22] », relatifs aux prétendues armes de destruction massive, apparaît, par leur suffixe (« -gate »), comme une énième référence au « Watergate », voire à l'époque qui vit un Nixon usé par la guerre et les scandales acculé à la démission.

Liés à l'occupation et aux morts du « front irakien », des faits divers plombent l'actualité des journaux télévisés américains : en pleine période électorale de 2004, la spectaculaire tentative de suicide de Carlos Arredondo – il est le père d'Alexander, Marine âgé de 20 ans abattu à Nadjaf par les rebelles sadristes – défraye la chronique. Lorsque Arredondo aperçoit, devant la porte de son domicile, un groupe de trois militaires à la mine contrite, il comprend l'objet de leur visite et s'immole par le feu, reproduisant le geste de Norman Morrison, le 2 novembre 1965, pacifiste qui s'inspira lui-même du moine Thich Quang Duc. Son acte de désespoir bouleverse l'Amérique.

Ces quelques exemples apparaissent comme les emblèmes d'une autre guerre revenue hanter les Américains. « On a déjà vu ce film, nous autres[23] », interpellent des vétérans. L'éventualité d'un retour de la conscription, dont la rumeur bruisse à l'été 2004, alimente la funeste comparaison. Envisagé par de hauts responsables comme Rumsfeld[24], proposé à plusieurs reprises par des représentants républicains et démocrates afin de surseoir au nombre insuffisant d'effectifs stationnés en Irak, le rétablissement du service militaire pourrait avoir fait l'objet d'un ballon d'essai destiné à tester l'opinion. L'idée provoque des réactions épidermiques que les dénégations de la Maison-Blanche auront du mal à apaiser. L'impopularité d'une telle mesure la rendait improbable, avant comme après les élections de novembre 2004. En 1973, la suppression du service national devait annihiler la cause première du mouvement antiguerre et l'agitation des campus, nourris par l'indignation que soulevaient les pertes de la jeunesse au Vietnam. Il convenait, aussi, d'ôter aux futures recrues les velléités de contestation qui s'exprimèrent de façon organisée au sein des troupes[25]. Après avoir laissé passer sa « chance » de l'immédiat après-11 Septembre, période pendant laquelle une telle réforme eût été envisageable, l'administration Bush ne pouvait donc alimenter l'opposition à la guerre par la mise en œuvre d'une décision équivalente à un suicide politique. En contrepoint, ce tollé enrichit le sens à donner au culte des soldats « héros », d'autant plus admirés que le passage sous l'uniforme, assez rédhibitoire depuis le Vietnam, n'est plus obligatoire. Le *Selective Service Act*, base légale et outil originel de la conscription, impose pourtant toujours aux jeunes Américains de s'enregistrer à leur majorité et de remplir un formulaire détaillé. Grâce à cette armature administrative, nul ne peut être certain que le service militaire ne sera pas un jour rétabli, comme l'explique l'agence en charge du « Selective Service System », dont « les missions consistent à être prêt à fournir [...] du personnel au ministère de la Défense dans l'éventualité d'une situation d'urgence[26] ». D'ici là, la « conscription déguisée » reste effective, par le biais d'une mobilisation massive des réservistes et le démarchage des classes sociales défavorisées qui, au temps du Vietnam, ne disposaient pas des facilités parfois accordées aux jeunes gens issus de riches familles pour s'exempter de leurs obligations militaires ou bénéficier d'une « planque ». Enfin, n'oublions pas, dans cette galerie de clichés mémoriels, le « *flashback* somalien » qu'a déclenché la bataille de Fallouja, où les cadavres de quatre « mercenaires » de la firme Blackwater ont été brûlés et exposés au-dessus d'un pont, à la façon des militaires américains tués à Mogadiscio en 1993.

La montée d'une contestation citoyenne et pluriforme

Diffuse dans l'ensemble de la société, la contestation devient aussi pluriforme que l'a été le discours proguerre. Relayée et avivée par ses adversaires de la première heure qui opèrent leur jonction avec les acteurs désenchantés du soutien présidentiel, une opposition citoyenne passe au crible toute l'action gouvernementale, notamment à partir d'Internet où différentes sensibilités se fédèrent autour de sujets polémiques : l'épisode du 11 Septembre, les retards et les lacunes de l'enquête, la contamination de l'atmosphère aux environs de *Ground Zero*, la mise sous tutelle des libertés par le *Patriot Act*, la question des armes irakiennes, la gestion de l'après-guerre, les crimes de l'occupation, les pertes militaires ou l'attribution des marchés de la reconstruction minent peu à peu l'« union sacrée » née des attentats et relancée avec l'entrée en guerre de mars 2003. A l'œuvre, des groupes comme *911Truth.org* ou *Halliburton Watch* bénéficient de la révolution qu'a introduite Internet dans les processus de mobilisation.

Marqueur de l'union sacrée, la popularité présidentielle s'érode jusqu'à ce que 'e déclenchement d'*« Iraqi Freedom »* lui redonne un coup de fouet : lorsque les troupes foncent vers Bagdad, George W. Bush rassemble environ 73 % de satisfaits, avant une chute d'approbation que la capture de Saddam Hussein, le 13 décembre 2003, enraye avec une remontée à 60 %. Passé ce répit, la courbe s'effondre : un an après les débuts de l'occupation, le Président a perdu, pour la conduite de la guerre, la confiance d'une majorité de la population.

L'appui massif dont se prévalait George W. Bush s'amenuise donc à cause de cette même guerre d'Irak, objet d'une préoccupation qui agrège un cortège de remontrances populaires. Comme au sortir de la Grande Guerre ou après celle du Vietnam, une part considérable de la population exprime sa défiance à l'égard de la politique institutionnelle – à peine 50 % des citoyens se sentent considérés par l'un des deux grands partis – et une volonté de repli isolationniste s'exprime[27]. De plus en plus pressant, un nouveau phénomène d'opposition politique et culturelle se manifeste, d'une ampleur inconnue depuis la fin des années 1960. Pour s'étendre et se faire entendre, ce mouvement bénéficie du nouvel outil qu'est Internet : fédérateur et participatif, le « réseau des réseaux » offre un espace d'expression aux voix dissidentes qui s'y sont épanouies depuis 2001, alimente la contestation et bouleverse la hiérarchie des médias. C'est par exemple à Russ Kick, administrateur du site *The Memory Hole*, ouvert à l'été 2002 et clos en 2009, que l'on doit, en avril 2004, l'électrochoc des 288 photographies de cercueils militaires, obtenues sur une bévue de l'Air Force au titre du *Freedom of Information Act* et reproduites par les grands titres de la presse.

Des millions d'anonymes reprennent le cours de leur action militante, ou y adhèrent pour la première fois. Ce mouvement est omniprésent : à l'échelle individuelle, les opposants prennent la parole sur Internet, débattent, ouvrent des sites ou des blogs. Blog journalistique désormais professionnel, *TalkingPoints Memo* voit son lectorat mensuel passer de quelques milliers à 60 000 fin 2003, jusqu'à plus de 700 000 en 2008[28]. *AlterNet*, pionnier de l'information sur les faces sombres de l'actualité, suit une évolution plus florissante encore. Par dizaines puis par centaines, de semblables initiatives s'associent à la dynamique, plus ou moins souterraines et de qualité variable mais dotées d'une véritable audience : parmi les plus représentatifs, le blog *Crooks and Liars* (« Escrocs et Menteurs »), fondé à l'été 2004, décortique l'actualité des médias, tandis qu'*Information-ClearingHouse* se présente sous la forme d'une revue de presse alternative. La nébuleuse contre-propagandiste devient une galaxie. Avec d'autres, ces plates-formes informationnelles créent un « réflexe Internet » qui jouera pendant les primaires démocrates et la campagne présidentielle, animées sur la Toile par les partisans zélés du sénateur Obama, un des rares hommes politiques à s'être prononcé contre la guerre d'Irak dès octobre 2002[29].

Rassemblés, ces citoyens s'expriment au sein d'associations déjà anciennes (l'ACLU, Human Rights Watch, Amnesty International, The War Resisters League, American Friends Service Committee, Central Committee for Conscientious Objectors, Project on Youth and Non-Military Opportunities...), plus récentes (*MoveOn.org*, née en réaction à la procédure d'*impeachment* lancée en 1998 contre Bill Clinton) ou créées pour l'occasion, comme Not In Our Name, United for Peace and Justice, CODEPINK, The World Can't Wait, Military Families Speak Out, Military Families for Peace, la coalition de groupes Act Now to Stop War & End Racism (ANSWER), The Coalition Against Militarism In Our Schools ou Veterans for Peace... ainsi que la coalition, plus vaste, Win Without War, formée en 2002 et regroupant une quarantaine d'organisations écologistes, confessionnelles, familiales ou de vétérans (Greenpeace, les acteurs d'Artists United to Win Without War, Families USA, Veterans for Peace[30]...). Tous ces groupes se positionnent comme des sources d'information et parfois de mobilisation. Leur succès témoigne d'une volonté d'engagement populaire façonnée par un contexte politique et culturel oppressant, et un système étatique attentatoire aux libertés : les manifestations les plus importantes surviennent fin août et début septembre 2004, dans le cadre de la Convention républicaine, qui mobilise les personnalités antiguerre et des foules comparables à celles des heures les plus chaudes du mouvement contre la guerre du Vietnam[31]. Aujourd'hui comme hier, la composition des cortèges démontre à l'Amérique attentiste ou proguerre que le refus n'est pas le fait exclusif d'intellectuels « libéraux ». Pour ces citoyens venus début septembre défiler en famille ou sous la bannière des organisations précitées, la localisation de la Convention républicaine – pour la première fois à New York – et sa proximité avec les dates commémoratives des attentats constituent un scandale de plus. Le 2 octobre 2004 et le 25 septembre 2005 verront les derniers rassemblements importants : l'impossibilité constitutionnelle de subir un troisième mandat Bush limite l'afflux d'opposants, ceux toujours prêts à manifester et à opter pour la désobéissance civile des « *die-in* » n'étant plus que quelques milliers, voire quelques dizaines de milliers le 15 septembre 2007.

L'activisme du Web atteint les lieux de sociabilité et les grandes artères des agglomérations américaines. Chaque dimanche depuis 2004, à l'initiative de Veterans for Peace, la plage de Santa Monica se hérisse de croix, d'étoiles de David, de croissants alignés, symbolisant les morts d'Irak et d'Afghanistan. Chaque tombe factice s'orne de noms et d'épitaphes envoyés par les familles des défunts. Un même cérémonial a été organisé face à la Maison-Blanche, à l'aide de petites boîtes représentant les cercueils des soldats tombés. Les quakers de l'American Friends Service Committee, né pendant la Première Guerre mondiale, montent en janvier 2004 le projet « Eyes Wide Open » (« Yeux grands ouverts »), qui présente, dans le cadre d'expositions itinérantes et en plein espace public, autant de paires de chaussures que de soldats tombés en Irak et en Afghanistan[32]. Accompagnés d'une myriade d'actions comparables dont les artisans s'organisent sur la Toile – comme au sein du groupe One Thousand Coffins (« Un millier de cercueils ») –, ces gestes contribuent à l'éveil des consciences assoupies par l'union sacrée et l'atmosphère militariste.

En écho au compteur de la dette nationale d'Union Square, un écran géant qui égrène les chiffres du « coût de la guerre en Irak » trône depuis le 25 août 2004 sur Times Square, tout près de l'inamovible bureau de recrutement des Marines[33]. Inauguré pour un montant déjà colossal de 134,5 milliards de dollars, l'affichage électronique se modifie en temps réel, au rythme d'environ 177 millions par jour, 7,4 par heure et 122 820 dollars par minute. Cette initiative de l'association Project Billboard, née en 2003, rappelle aux passants, dans une valse de chiffres vertigineuse, que l'occupation de l'Irak ne se contente pas de provoquer la mort de milliers de soldats et de dizaines de milliers de civils ; celle-ci représente également un fardeau qui plombe les finances du pays, un constat que la « crise des *subprimes* » rendra plus dévastateur encore trois années plus tard ; à la mi-2010, selon les chiffres du Congrès, la guerre d'Irak aura mobilisé plus de crédits, en dollars constants, que la guerre du Vietnam, avec 784 milliards de dollars dépensés contre 738. La guerre contre la Terreur, dans son ensemble, a absorbé 1 147 milliards de dollars[34]. Mis en place pour susciter l'indignation et faire réagir les passants, le panneau de Times Square rappelle celui financé par John Lennon et Yoko Ono, en 1969, interpellant les New-Yorkais à peu près au même niveau de la célèbre artère, avec le message tiré de leur *single* de Noël : « *WAR IS OVER ! If you want it.* » Dans un cas comme dans l'autre, on assiste à la conquête de l'espace public par la contestation sur un mode publicitaire, et donc dépendant de capitaux conséquents : la protestation combat l'ordre établi avec des armes identiques. L'achat de placards publicitaires à des fins « politiques », inauguré par le mouvement antiguerre le 12 mars 1967 dans le *New York Times*, en fait désormais partie.

Guantanamo, un des sujets les plus emblématiques de l'après-11 Septembre, est la cible d'une critique formulée par une part croissante de l'opinion américaine, après avoir été le fait des seules associations de défense des libertés. Les connexions sur le site Internet d'Amnesty International ont été multipliées par six depuis la publication, en juin 2005, du chapitre consacré à Guantanamo dans son rapport annuel[35]. Simultanément, le montant des dons versés par les Américains à l'ONG quintuple[36], confirmant un regain d'intérêt pour des groupements opposés au discours officiel. Sur la forme, les adversaires de l'administration Bush recourent désormais à des méthodes utilisées avec succès par les experts en communication républicains, notamment des slogans chocs, non exempts de raccourcis discutables. Cette tactique, employée de façon systématique par Michael Moore, est en passe de se généraliser : on se souvient qu'avant « *Iraqi Freedom* » un cadre de pensée faisant appel à des comportements de guerre froide a été mis en place par les partisans de la guerre. En désignant le Camp Delta et ses annexes secrètes de par le monde comme le « goulag de notre temps », les représentants d'Amnesty optent pour des méthodes équivalentes qui aboutissent à créer, par des analogies évocatrices, un électrochoc populaire. Derrière ce terme apparaît l'idée que les Etats-Unis rejoignent, par leurs actes teintés d'arbitraire, ce que l'« Empire du Mal » a fait de pire. Ramenant au titre du plus célèbre ouvrage d'Alexandre Soljenitsyne, l'utilisation spontanée, par la presse, du mot « archipel[37] » à propos des centres de détention secrets sous contrôle

américain, implantés en divers points du globe, n'est pas sans conséquences sur l'opinion. La question posée par les adversaires de
l'équipe Bush, les milieux antiguerre et les contestataires présents
jusque dans les rangs de l'armée devient plus insistante : la stratégie
employée ne revient-elle pas à accroître le ressentiment antiaméricain et à créer de nouvelles vocations terroristes pour un futur
« 11 Septembre » ? C'est en ces termes que l'opinion aborde le problème, consacrant l'enterrement de l'union sacrée née un matin de
septembre. Pris à leur propre piège, les pontes de l'administration
Bush n'ont pour seule réponse que les propos indignés et critiques
sur « le sérieux et l'objectivité[38] » d'Amnesty, dont le rapport est tour
à tour qualifié d'« offensant », « irresponsable » ou « répréhensible »[39].
D'apparence classique, la réaction de l'administration dénote une
évolution réelle : en d'autres temps, Amnesty aurait été accusé de
« soutenir le terrorisme ».

De la même façon que l'apologie belliciste s'infiltrait dans les
moindres recoins de la société, la critique du pouvoir peut, en 2005,
surgir de façon incongrue : à mi-chemin entre la blague d'étudiants
et une virulente démarche contestataire, deux entomologistes américains, Quentin Wheeler et Kelly Miller, baptisent leur découverte
(trois insectes de la famille des bousiers) du nom des trois plus hauts
personnages de la hiérarchie politique : *Agathidium bushi*, *Agathidium cheneyi*, *Agathidium rumsfeldi*[40]. L'initiative n'est pas passée ina-
perçue dans les médias américains[41] et tout donne à penser que là
était le but recherché par ces chercheurs, semble-t-il adeptes de
l'ironie : « Nous admirons ces leaders [...] qui ont le courage de
leurs convictions et qui sont capables [...] d'agir selon les principes
de la liberté et de la démocratie[42] », expliqua Wheeler. La juxtaposi-
tion du patronyme latinisé de dirigeants à un insecte prospérant sur
des matières fécales est osée ou d'un goût douteux. L'initiative
démontre que la volonté de participer à la dislocation du soutien
belliciste se matérialise dans tous les milieux socioprofessionnels,
jusque chez certains biologistes soucieux d'exprimer leur point de
vue malgré une profession dénuée de moyens d'expression politique.

Le nouveau bourbier militaire de l'Amérique irrigue enfin de multiples débats de société, comme la question écologique : son image
de « guerre pour le pétrole », déclenchée par un Président opposé
aux protocoles de Kyoto, donne des armes aux défenseurs de l'environnement qui voient dans les dizaines de millions de 4x4 et autres
pick-up vendus chaque année une grave menace écologique : gros

consommateurs de carburant, les propriétaires de « *Sport Utility Vehicles* » (SUV), généralement luxueux et surmotorisés, sont culpabilisés dans des clips télévisuels qui les désignent comme des « soutiens du terrorisme » financé par les revenus de certaines fortunes pétrolières. En 2004, ce mélange des genres aboutit à la formation d'une expression à succès, teintée d'ironie et calquée sur la formule d'« *Axes of Evil* », détournée en *Axles of Evil* (« Essieux du Mal »). A la faveur d'un subtil jeu de mots, le slogan pro-environnement et antipollution se double d'une critique antiguerre : « *No blood for oil* », scandent les manifestants qui adhèrent à de nouvelles organisations comme Climate Crisis Coalition. Avec la virulente attaque des 4x4, leur opposition prend une profondeur de champ intéressante : la cible n'est autre qu'un des symboles de l'« *American way of life* » que le renversement de Saddam devait préserver. A compter de cette période, rien ne freine plus la chute des ventes de ces véhicules, aggravée par la crise économique de 2008 et la hausse des cours du pétrole.

Comme la guerre du Vietnam qui catalysa le désir de changement sociétal d'une jeunesse, le bourbier irakien a créé un déclic dans l'esprit des Américains las de quatre années de « bushisme ». Les manifestations pacifistes sont l'élément démonstratif d'une contestation plus large, dénonçant pêle-mêle la guerre, la baisse continue des programmes sociaux au profit des hausses annuelles du budget de la défense, l'opposition des républicains au mariage homosexuel ou la défense du droit à l'avortement. Les plus enclins à voir l'époque du « *flower power* » de façon plus ou moins idéalisée rêvent d'être à leur tour partie prenante du phénomène. Les circonstances les aident : comme à l'époque de la Convention démocrate de 1968, l'immense cortège, composé de plusieurs centaines de milliers de personnes, est encadré par un déploiement impressionnant de forces de police. Au terme de la Convention, un peu moins de 2 000 manifestants sont interpellés puis parqués dans un entrepôt désaffecté en bordure de l'Hudson. A lui seul, ce chiffre pulvérise un record qui a valeur de symbole ; il est presque trois fois plus élevé que le précédent établi à l'occasion des émeutes de Chicago lors de la Convention démocrate de 1968. A ceci près qu'en 2004 le calme a prévalu. Mais, tout comme la guerre dénoncée par les manifestants, les arrestations sont « préventives ».

Les familles de soldats

Au cœur de l'enlisement militaire, la prise de parole des parents de soldats tombés en Irak porte un nouveau coup à la rhétorique guerrière. Vouée à étouffer toute velléité de contestation citoyenne et partie intégrante de la culture de guerre, l'exaltation des « sacrifices pour la liberté » est contredite par des mères et des pères éplorés, dont la douleur se mue en désespoir et en colère.

Le contrecoup du bilan de l'occupation se ressent partout. Le choc se fait d'autant plus ressentir que, fin mars 2003, environ 70 % des Américains ne pensaient pas voir leur armée subir de telles pertes[43]. La douleur des familles endeuillées s'immisce jusque dans le quotidien, par le biais du petit écran et d'une multitude de canaux. Des pères et des mères de soldats interpellent les figures du pouvoir : Sue Niederer et Cindy Sheehan sont les icônes du mouvement, actif au sein de l'association Military Families Speak Out (« Les familles de militaires prennent la parole »), ralliée en 2010 par plus plus de 3 400 familles[44]. Avec Military Families For Peace, ce genre de groupement est issu de ceux formés contre la guerre du Vietnam. Vêtue d'un tee-shirt floqué du slogan « Président Bush, vous avez tué mon fils », Sue Niederer interrompt, le 17 septembre 2004, un discours électoral de Laura Bush à Hamilton dans le New Jersey. Expulsée par le service d'ordre, cette mère devenue militante cherche à savoir, pressée par une meute de journalistes, « pourquoi les sénateurs, les législateurs [et] les députés n'envoient pas leurs enfants servir en Irak », au même titre que son fils, le lieutenant Seth Dvorin, mort à Bagdad en février 2004 à l'âge de 24 ans. Rapidement entourée par des agents du Secret Service – quelque peu en dehors du cadre dévolu à leur action[45] –, Sue Niederer est menottée, arrêtée par la police et inculpée pour outrage, sous les yeux de la presse[46]. Touchée par la mort d'un fils, Cindy Sheehan décide en août 2004 de camper en face du ranch texan de George W. Bush. Dans tout le pays, le geste suscite une admiration émue pour son opiniâtreté en même temps qu'un sentiment d'exaspération au vu de l'indifférence présidentielle. Sue Niederer et Cindy Sheehan rencontrent un écho d'autant plus important que leur action trouve sa résonance dans le parcours de mères en tous points semblables à des millions d'Américaines ordinaires, mais meurtries. Comme elles, des dizaines de milliers de parents vivent avec l'angoisse d'apprendre la mort de leur enfant au détour d'un flash d'informations, en répondant au téléphone, et sursautent au moindre coup de sonnette. *Last but not least*, le public américain raffole de ce genre de trajectoire, celle d'une citoyenne anonyme en révolte contre l'injustice des grands de ce monde et propulsée, du jour au lendemain, sous les feux de l'actualité. Un registre de condoléances mis en ligne par un internaute soucieux de glorifier le « sacrifice » des « héros tombés au champ d'honneur[47] » déborde de messages de soutien qui, non contents d'approuver son geste envers la « *First Lady* », laissent libre cours à leur rancœur : « Sue, continuez à dire la vérité » ; « Cette guerre me rend malade » ; « Ma profonde gratitude pour le courage dont vous faites preuve en condamnant cette guerre » ; « Vous êtes un exemple pour nous tous » ; « Cette guerre doit cesser » ; « Honte à cette administration » ; « Stop aux morts d'une guerre fondée sur des mensonges »[48]. Sur l'ensemble des messages de condoléances mis en ligne fin septembre 2004, les propos dans la même veine représentent plus de la moitié du total. Le reste se répartit entre une dizaine de « remerciements » adressés au défunt pour avoir « défendu la liberté » et 15 messages de sympathie dont l'apolitisme apparent plaide pour une neutralité toute relative.

Objet d'une tristesse nationale, la mort des soldats est à la fois l'origine et le moteur de la contestation : les obsèques des victimes de la guérilla irakienne deviennent le théâtre de rassemblements antiguerre spontanés que le pouvoir décide d'interdire. Afin d'éloigner les opposants et une presse désormais encline à répercuter leurs initiatives, le camp républicain fait voter le *Respect for America's Fallen Heroes Act*, en vertu duquel tout manifestant défilant à proximité d'une cérémonie d'inhumation encourt jusqu'à 100 000 dollars d'amende et un an de prison[49]. S'il s'agit officiellement de stopper les menées d'une Eglise du Kansas[50] dont les fidèles présentent, dans les cimetières, la mort des soldats comme un châtiment divin né de la tolérance des Etats-Unis à l'égard des homosexuels, le flou qui entoure la loi lui permet de s'appliquer à toute forme de protestation. En se servant du repoussoir que constituent les quelques centaines d'adeptes d'une Eglise marginale, intégriste et néonazie, les parlementaires attentent à la liberté d'expression. La médiatisation dont Sue Niederer et Cindy Sheehan font l'objet n'y est évidemment pas étrangère. Car les médias montrent un tout autre visage depuis que les forces américaines se heurtent violemment aux groupes anti-Coalition. Une prise de conscience collective se manifeste, liée pour certains au sentiment d'avoir failli à l'éthique du journalisme.

Le mea culpa *journalistique, réveil du « quatrième pouvoir »*

Le réveil de la presse coïncide avec les revers militaires et moraux survenus à l'été 2003, et précède donc de beaucoup le renversement du soutien à la guerre. La plupart des titres et des chaînes ont peu à peu accordé aux informations objectives la place qu'elles méritent, et donné la parole à des hommes politiques, des intellectuels, des citoyens et des soldats qui livrent une vision négative de la guerre.

Dès août 2003, les journaux officiels des forces armées, *Stars & Stripes* notamment, justifient leurs promesses d'indépendance éditoriale en publiant le résultat fracassant d'enquêtes conduites en Irak à propos du moral désastreux des troupes d'occupation. Par-delà ses révélations, le journal révèle une rupture notable entre pouvoirs civil et militaire. Les soldats et leurs officiers ne parviennent pas à contrôler le terrain, ce que nient les figures de l'administration, jusqu'à ce que le travail de la presse permette à chacun de trancher.

La bataille de Fallouja et les multiples actions de guérilla coordonnées d'avril 2004 jouent un rôle comparable à l'offensive du Têt dans le changement de ton des médias. A l'époque du Vietnam, le nombre de journalistes enclins à donner un avis défavorable sur la guerre fut multiplié par quatre après cette bataille[51]. Les reportages montraient soudain des images beaucoup plus violentes, aussi bien pour les soldats américains que les civils vietnamiens, même si, en 1969, des journaux aussi réputés que le *New York Times* refusaient encore de publier les premiers papiers du journaliste free-lance Seymour Hersh sur le massacre de My Lai[52]. Véritables césures, l'offensive du Têt et Fallouja sont des victoires militaires doublées de défaites politiques. Tombées dans le piège irakien, les forces américaines enregistrent un nombre de pertes hebdomadaires qui, frôlant les 70 morts officielles, dépasse de loin les niveaux antérieurs. Comme autrefois, les témoignages de soldats, dont on commence à montrer les corps blessés, traduisent une perte de confiance dans la victoire finale en Irak. Décuplée par une mauvaise conscience journalistique consécutive à l'« affaire » des armes de destruction massive, l'ardeur avec laquelle les médias relaient les événements deviennent un handicap de poids pour les républicains.

L'expérience du Vietnam a largement contribué à bâtir la réputation du journalisme américain, ternie par ses entorses à l'éthique informationnelle post-11 Septembre. Les révélations des années 1970 sur les actions illégales des services secrets, et bien sûr l'épisode du Watergate, ont conféré à la profession un prestige certain que l'avant-guerre d'Irak, fruit des manquements antérieurs, a fait voler en éclats. L'envie de reconquérir une légitimité plus qu'écornée pointe dans la couverture des médias « charismatiques » comme le *Washington Post*, le *Wall Street Journal*, *Newsweek* et surtout le *New York Times*, qui fait son *mea culpa* fin mai 2004 : « Pour ceux qui ont lu le journal entre septembre 2002 et juin 2003, l'idée que Saddam Hussein possédait [...] un arsenal effrayant [...] semblait évidente[53] », regrette un éditorialiste « médiateur ». Pourtant, l'évolution ne pèse pas de manière décisive sur le scrutin présidentiel, même si ce rééquilibrage de l'information et la recherche effrénée de « scoops » sur les manigances du pouvoir reflètent la bipolarisation de l'Amérique et toute la richesse de ses opinions. Impossible, désormais, de faire machine arrière : la tendance s'affirme après la réélection de George Bush, et se renforce même au gré d'événements tels que l'ouragan Katrina ou la crise des *subprimes*.

Survenu au même moment que la bataille de Fallouja, le scandale des tortures est révélé le 26 avril 2004 par *60 minutes II*, programme de CBS dérivé de la plus suivie des émissions d'information, puis quatre jours plus tard par le journaliste Seymour Hersh sur le site Internet du journal *The New Yorker*. Si des éléments concordants donnent à penser que ce type d'agissements était institutionnalisé depuis 2001, il faudra attendre la disponibilité de photographies et les effets d'une surenchère médiatique sur le bourbier irakien pour que le scandale éclate. Abu Ghraib offre soudain aux journalistes une source inépuisable de sujets qui minent les fondements de la guerre et, par-delà, entaillent l'idéalisme américain. Parce qu'une telle possibilité n'existait pas pendant l'union sacrée, l'affaire d'Abu Ghraib, qui englobe Guantanamo, les transferts secrets de prisonniers vers des centres de torture étrangers et les mystérieuses bases américaines, bouleverse la lecture de la guerre contre la Terreur. Ceux encensés hier sont sous le feu roulant de la critique, à commencer par Donald Rumsfeld, dont le *New York Times* et le *Boston Globe* réclament la démission au début de mai 2004[54]. Au terme de

dix-huit mois de bataille judiciaire contre le Pentagone, l'agence
Associated Press obtient en 2005 la publication, sur le site Internet
du Département de la Défense, des comptes rendus d'interrogatoire
des prisonniers de Guantanamo, qui révèlent les méthodes
employées par leurs geôliers. Mettant à profit ce recours au *Freedom
of Information Act*, le magazine *Time* publie, le 12 juin 2005, l'intégralité (84 pages) du procès-verbal d'interrogatoire de Mohammed
Al-Qahtani, *alias* « détenu 063 »[55]. Ces révélations pourtant prévisi-
bles suscitent un effroi qui entache la présidence Bush et accentue
la chute de l'exécutif dans les sondages.

A partir du 18 février 2007, le *Washington Post* publie une série
d'articles qui exposent le scandale du Walter Reed Army Medical
Centre[56], où les vétérans hospitalisés souffrent de conditions d'existence déplorables, tant sur le plan de l'hygiène, des infrastructures
que de l'attention du personnel soignant. Alors que le récit des dysfonctionnements de l'hôpital militaire apparaît dans quelques
médias depuis 2004[57], deux ans auront été nécessaires à leur exposition au grand public. A cette époque, deux représentants républicains, Tom Davies et Bill Young, étaient informés d'une situation
qu'ils crurent préférable de passer sous silence, afin de ne pas atten-
ter aux intérêts de l'armée[58]. De son déclenchement à la gestion de
ses multiples conséquences, l'ensemble du conflit essuie le feu de la
critique. Ce réveil et l'impulsion qui l'a provoqué ne sont pas sans
rapport avec ceux de la presse au temps du Vietnam, lancée dans
une quête de vérité qui culminera en 1971 avec la publication dans
le *New York Times* des *Pentagon Papers*. A l'origine, un « lanceur
d'alerte » [« *whistleblower* »] issu de l'institution, en la personne de
l'analyste militaire Daniel Ellsberg. Le scandale provoqué par ces
documents secrets sur les mensonges répétés du pouvoir est le fruit
d'un mécanisme identique à celui qui permettra la divulgation des
« *War Logs* » de Wikileaks, fin 2010, grâce aux fuites massives de
Bradley Manning, autre analyste qui put récupérer et divulguer,
grâce à l'informatique, soixante-dix fois plus de documents que Ellsberg. Différence de taille, leur consultation est, sur Internet, à la
portée du grand public. Cette transparence forcée mais prévisible
dispose, comme seule parade, d'un arrêt de la Cour suprême de
2006[59], venu restreindre la liberté d'expression (garantie par le Premier Amendement) des employés fédéraux enclins à révéler des pratiques illégales dont ils sont témoins. En 1989, le « *Whistleblower
Protection Act* » (« Loi de protection des lanceurs d'alerte »), garantis-

sait l'expression citoyenne et démocratique des employés fédéraux. Depuis, des projets de loi, déposés pour contrer le retour en arrière de 2006, n'ont jamais abouti, y compris sous la présidence d'Obama.

Les médias recommencent enfin à jouer leur rôle de contre-pouvoir : alors qu'éclôt le scandale des armes de destruction massive, l'administration tente de rejeter la paternité des informations mensongères sur la CIA et son directeur, George Tenet, qui aurait selon elle avalisé le contenu des discours y faisant référence. CBS et le *Washington Post*, dans son édition du 10 août 2003, répliquent, preuves à l'appui, que la CIA a bien émis des réserves sur la validité des renseignements relatifs à l'achat par l'Irak d'uranium au Niger ou à l'utilisation de tubes d'aluminium, réserves que l'équipe Bush n'a jamais cessé d'ignorer[60]...

Une nouvelle polémique naît de la multiplication des alertes terroristes par l'administration, accusée dans les éditions du 3 août 2004 du *New York Times* et du *Washington Post* d'instrumentaliser la menace d'attentats à des fins électoralistes. Le lendemain, *The Christian Science Monitor*[61] leur emboîte le pas, suivi d'autres titres : le matin du 1er août, sur le plateau d'une des émissions dominicales les plus suivies des Etats-Unis, Thomas Ridge, secrétaire à la Sécurité intérieure, faisait état de renseignements « nouveaux » indiquant de possibles attaques contre des symboles de l'activité financière sur le sol américain. Or, dès le lendemain, au cours d'une interview télévisée, une assistante de Ridge assurait que les plus récentes informations relatives à de telles actions dataient au mieux de 2001[62]. Enquêtant à leur tour, le *New York Times* et le *Washington Post* confirment. Replaçons les événements dans leur contexte : trois jours avant l'alerte terroriste, la Convention démocrate consacrait la candidature de John Kerry, et attirait toute l'attention des médias. Selon des soupçons de plus en plus répandus dans l'électorat démocrate, l'exécutif aurait instillé la peur chez ses concitoyens pour tenter de reprendre la main sur ses rivaux et recentrer le débat autour du terrorisme, seul domaine où la Maison-Blanche jouissait encore d'un certain crédit.

Artistes, intellectuels et cinéma antiguerre... dénués d'influence ?

Avec l'accroissement constant de soldats tués en Irak et les scandales multiples qui entachent le pouvoir, les initiatives pour dénoncer la guerre et ses instigateurs se multiplient, donnant naissance à un courant pacifiste et contestataire proche, par ses composantes et son expression, de celui qui déferla sur la société américaine pendant l'enlisement du Vietnam. Son développement n'a, cependant, pas attendu que les morts américains se comptent par milliers. Tout se passe comme si l'omniscient carcan idéologique du patriotisme des lendemains du 11 Septembre volait en éclats pour libérer une parole trop longtemps bâillonnée.

Depuis les attentats de 2001, les événements se sont précipités. La politique internationale s'inscrit, en ce début de siècle, dans un temps « court » et d'une rare densité, fragmenté par de multiples temps forts : guerre en Afghanistan, chute des Talibans, discours sur l'« Axe du Mal », Irak dans le collimateur de la Maison-Blanche, course à la guerre, « guerre éclair », chute de Saddam Hussein, développement rapide des résistances à l'occupation, explosion du terrorisme islamiste, le tout en moins de deux ans. Il paraît donc logique que la croissance du mouvement antiguerre suive le même rythme. Rappelons, cependant, que celui-ci a profité d'une base solide : le 15 février 2002, plusieurs centaines de milliers d'opposants à la guerre défilaient par exemple dans les rues de New York avec, à leur tête, quelques figures des arts et du cinéma.

Des musiciens marqués à gauche sortent du silence médiatique qu'ils s'étaient imposé. Le camp antiguerre peut compter, dès 2003, sur John Mellencamp et AniDiFranco, qui mettent le refus en musique. Aux Grammy Awards 2003, la chanteuse Sheryl Crow, au sommet de sa carrière, joue sur une guitare ornée d'un autocollant « No War »[63]. Les figures de proue de la contestation des années 1960 font leur retour : des stars telles que Lou Reed et Paul Simon mettent leur statut d'icônes de la pop au service de l'American Civil Liberties Union (ACLU), organisatrice le 4 octobre 2004 du « Freedom Concert ». L'ex-leader du Creedence Clearwater Revival, John Fogerty – dont le We Will Stop The Rain devint l'hymne d'une génération de GI's déboussolés par la guerre –, entraîne dans son sillage des vétérans du pacifisme, comme Leslie Cagan, alors âgée de 57 ans, responsable du dynamique collectif United for Peace and Justice, qui retrouve ses automatismes d'ancienne organisatrice de protests antiguerre. Aux côtés de Bruce Springsteen, Pearl Jam, Patti Smith ou Wyclef Jean, Fogerty participe à la tournée « Vote for change », qui sillonne entre le 27 septembre et le 13 octobre 2004 les « swing States », ces Etats aux suffrages incertains. Le succès n'est autre que public, puisque les électeurs y accorderont leur préférence au Président sortant. En 2004, le groupe punk californien Green Day publie « *American Idiot* », un concept-album dont les textes appellent à la contestation et prennent à partie le Président républicain. Cinq fois disque de platine aux Etats-Unis, écoulé à 15 millions d'exemplaires dans le monde cinq ans après sa parution, « *American Idiot* » est parvenu à capter l'air du temps. La star du rap Eminem fait paraître quelques jours avant les élections de 2004 *Mosh*, un *single* politique disponible sur Internet, avec l'objectif, non atteint, de motiver la jeunesse américaine à voter davantage. Réalisé par une équipe du site *Guerilla News Network*, le clip présente un échantillon des injustices actuelles, d'une jeune Latino expulsée de son appartement au citoyen noir victime de violence policière en passant par le soldat réexpédié en Irak. Diffusée hors du circuit de distribution traditionnel, la chanson passe fréquemment sur MTV grâce à sa vidéo ; fin 2005, Neil Young enregistre en soixante-douze heures « *Living with War* », un album tout entier consacré à la guerre d'Irak. Certains titres, comme *Impeach my President*, attestent du virage idéologique pris par le musicien, à l'opposé de son ralliement à la vision républicaine du 11 Septembre.

Vu comme un bastion du libéralisme américain, Hollywood se mobilise, parallèlement aux soutiens accordés à l'administration sous l'égide de Karl Rove aux débuts de la guerre contre la Terreur. Opposants de la première heure inaudibles ou conspués pendant l'union sacrée, des acteurs comme Sean Penn, Kevin Bacon, Matt Damon, Danny Glover, Tim Robbins ou Martin Sheen redoublent d'activisme : ils sont de toutes les manifestations, marches, concerts, et ne manquent pas une occasion, en interview ou pendant la promotion d'un nouveau film, de faire valoir leur point de vue. Réalisateurs de cinéma, acteurs, associations diverses organisent plus d'une centaine de manifestations en tout genre, des *happenings* ou une rétrospective cinématographique particulièrement opportune intitulée « Guerre ! Protestation en Amérique 1966-2004 ». Une fois encore, le Vietnam se rappelle au mauvais souvenir des Américains. « On peut certainement faire référence aux années 1960 », convient le célèbre graphiste new-yorkais Milton Glaser[64]. Les quinquagénaires qui ont vécu l'effervescence du mouvement de protestation, porteur de colère comme d'espérance, étaient avides de voir l'histoire se répéter.

Le genre du documentaire politique revient en force : *The Fog of War : Eleven Lessons from the Life of Robert S. McNamara* d'Errol Morris, sort en mai 2003 : cette remise en perspective, sous la forme de « leçons », des « erreurs » d'un secrétaire à la Défense en exercice pendant la guerre du Vietnam résonne comme une alerte contre les effets d'une intervention irakienne alors qualifiée de « victoire » ; un an plus tard, le journaliste et critique des médias Danny Schechter produit *Weapons of Mass Deception*, qui tire à boulets rouges sur la compromission des professionnels de l'information ; *Fahrenheit 9/11* de Michael Moore apparaît comme un indicateur très précis des transformations de l'opinion. Violemment anti-Bush, réalisé dans le but avoué de peser sur le scrutin de novembre 2004, le pamphlet de Moore est le premier documentaire de toute l'histoire du cinéma à accéder au sommet du box-office américain, et ce, malgré une distribution trois fois moindre que des comédies calibrées pour le grand public et sorties au même moment. A titre de comparaison, *Bowling for Columbine*, le précédent film de Michael Moore – déjà plus grosse réussite commerciale de la catégorie –, avait engrangé lors de sa sortie plus de 22 millions de dollars de recettes, record que *Fahrenheit 9/11* a dépassé dès son premier week-end d'exploitation, avant de flirter avec les 120 millions de dollars pour les seuls Etats-Unis[65]. L'ampleur des chiffres démontre que l'intérêt suscité par le travail de Moore dépasse de très loin son public de fidèles. Les spectateurs n'ignorent rien du parti pris : Michael Moore n'en est pas à son coup d'essai, et son discours antiguerre – « Honte à vous, monsieur Bush ! » – lors de la cérémonie des Oscars du 23 mars 2003, peu après le début des frappes américaines sur l'Irak, a rencontré un certain écho[66]. D'autres initiatives ont, de façon plus ou moins volontaire, assuré sa promotion. En effet, à peine auréolé de la Palme d'or du festival de Cannes 2004, le film du natif de Flint est pris dans un imbroglio où se mêlent distributeurs cinématographiques, frère du Président et campagne électorale : Disney, maison mère de Miramax qui produit Michael Moore, refuse de diffuser le film avant le 2 novembre, date de l'élection. Fin communicant, Moore se pose en victime : les liens des patrons de Disney, propriétaires d'un lucratif parc d'attractions à Orlando, avec le gouverneur de Floride Jeb Bush[67] donnent corps aux accusations de « censure » du réalisateur. En un magistral coup publicitaire, ces péripéties aiguisent la curiosité des Américains pour un film sulfureux qui semble tourmenter les puissants. Ultime assaut avant sa sortie, l'organe de classification de la Motion Picture Association of America (MPAA), réputée pour ses penchants conservateurs[68], interdit *Fahrenheit 9/11* aux mineurs de moins de 17 ans non accompagnés en raison d'« images violentes et choquantes » et du « langage » qui y est employé[69]. Les associations conservatrices ne sont pas en reste : United Citizens, un groupe proche du Parti républicain, fait pression sur les distributeurs et lance une action judiciaire visant à faire condamner l'auteur, les producteurs et les distributeurs du film pour violation de la loi électorale[70]. Si les spectateurs de *Fahrenheit 9/11* ne sont pas tous de fervents anti-Bush, leur démarche révèle un changement très net dans la façon dont les Américains, dans leur ensemble, appréhendent la politique de leur administration : en première semaine, le film affiche complet dans les villes de garnison, et triomphe jusqu'au cœur des Etats où le candidat républicain remportait la majorité en 2000[71]. La curiosité des spectateurs pour un film dénué du moindre scoop – ses « révélations » ayant été publiées depuis longtemps dans la presse – met également en exergue les réticences des grands *networks* à divulguer des faits compromettants pour le pouvoir.

Parfois moins offensifs, d'autres documentaires militants suivent, comme *Voices of Iraq* (2004), qui montre le pays occupé à travers les yeux d'Irakiens lambda maniant la caméra, ou *Iraq in Fragments* (2006), centré sur l'impact de la guerre. Fruit d'une enquête de fond auprès des militants antioccupation, *Meeting Resistance*, en 2007, aurait pu traduire par son seul titre le changement intervenu dans une part importante de l'opinion s'il n'avait pas souffert d'une distribution anémique, en dépit d'articles de presse assez nombreux. Nouveauté de la période, le Net et les sites d'informations alternatives produisent également des documentaires ambitieux : en 2004, *Battleground : 21 Days on the Empire's Edge*, produit par les créateurs du site *Guerilla News Network* (2000-2009), distingué au Festival international du film de Chicago, retranscrit le chaos irakien en suivant le retour au pays d'un émigré persécuté par le régime baasiste. Deux ans plus tard, *American Blackout*, récompensé au festival de Sundance, dénonce l'entourloupe électorale de Floride. Moins médiatisés que *Fahrenheit 9/11*, ces travaux rencontrent aussi moins de succès.

La contre-offensive du show-business et des intellectuels mobilise avec toujours plus de force ; là encore, les critiques peuvent être frontales et militantes ou épouser les univers artistiques de leurs auteurs ; l'année 2004 lance le renouveau d'une tradition hollywoodienne : le film engagé. Une rafale de longs métrages dans lesquels l'opposition à l'administration Bush est sous-jacente, empruntant des voies plus ou moins explicites, précèdent de peu des films strictement politiques : le dernier volet de *La Guerre des étoiles*, *La Revanche des Sith*, de George Lucas (2005) se mue en parabole critique du bellicisme de l'administration Bush : son simplisme rhétorique y est dénoncé par la citation d'une célèbre phrase présidentielle – « Ceux qui ne sont pas avec nous sont contre nous[72] » – ici mise dans la bouche du « méchant » *(« bad guy »)* Darth Vador. La dialectique bushiste infantilisante et empruntée à Hollywood retourne, par ce pied de nez, dans son berceau originel, enrichie d'une satire acerbe. Le réalisateur se fait tout aussi offensif lorsqu'il transpose les restrictions appliquées aux libertés civiques par le pouvoir : « La démocratie meurt sous les applaudissements », explique un personnage du film, dans une claire allusion à l'union sacrée. Autre mastodonte du cinéma américain, Steven Spielberg use d'une même logique satirique et alarmiste dans ses films de science-fiction *Minority Report* puis *La Guerre des Mondes*[73], dénonçant pêle-mêle l'esprit va-t-en-guerre du pouvoir et ses lois sécuritaires. Enfin, Woody Allen, fidèle à ses orientations de « libéral » new-yorkais, écrit en 2003-2004 le scénario de *Match Point*, dont l'un des personnages développe l'idée selon laquelle « il y a aujourd'hui, partout dans le monde, trop de victimes innocentes qui perdent la vie au nom d'un quelconque intérêt supérieur [et dont] les coupables restent impunis[74] ». Sous-jacent, le parallèle avec la guerre d'Irak s'avère limpide lorsqu'une des « victimes innocentes » du film est qualifiée, quelques minutes plus tard, de « dégât collatéral » par un arriviste devenu tueur pour la préservation de ses intérêts[75]. L'acteur et réalisateur George Clooney s'associe à la nouvelle génération de « libéraux » d'Hollywood (Matt Damon, Steven Soderbergh) et apparaît coup sur coup dans deux films politiques, dont la préproduction a démarré en pleine course à la guerre d'Irak : *Good Night and Good Luck* (2006) dépeint l'hystérie maccarthyste, dénonce l'exploitation des peurs par le gouvernement et le mutisme complice des médias. Avec une précision quasi documentaire, Clooney mêle reconstitution cinématographique et images d'archives pour montrer que les aberrantes méthodes du sénateur républicain sont de retour. Sorti peu après, *Syriana* (2006), d'une actualité brûlante, met en lumière les coulisses de la stratégie américaine pour le contrôle du pétrole moyen-oriental. Entre autres itinéraires présents dans le film, celui d'un jeune Pakistanais licencié par une compagnie pétrolière dérivant peu à peu vers l'islam radical illustre l'idée d'un terrorisme qui puise ses racines dans la politique américaine[76]. Echec commercial mais réussite cinématographique, *Rendition*, en 2007, réunit un casting intéressant pour illustrer la menace de l'arbitraire gouvernemental et l'horreur du programme d'externalisation de la torture. La même année, *Shooter (Tireur d'élite)* a pour héros un Marine tireur d'élite, sorte de nouveau Rambo victime des coups les plus tordus de la CIA et des services secrets, eux-mêmes prêts à toutes les atrocités pour satisfaire des intérêts géostratégiques qui supplantent toujours la justice. Entrecoupé de dénonciations répétées et virulentes de toutes les affaires entachant l'ère Bush, *Shooter* reprend l'esprit « conspirationniste » d'un film comme *Les Trois Jours du Condor* de Sydney Pollack (1975) et ne craint pas d'user d'artifices propres aux productions les plus « patriotiquement correctes » pour imposer son propos, étendu à une réflexion un peu confuse sur l'union sacrée : « Appuyez sur le bouton "patriotisme", je me lève et je dis "A vos ordres". J'en suis pas fier. Mais j'en ai pas honte non plus », confesse le héros, révulsé par le fait que « les Etats-Unis soient dirigés par un criminel ». Malgré des critiques assez tièdes, *Shooter* et son casting d'anti-Bush (Danny Glover, Mark Wahlberg) remportent un certain succès qui draine le public friand d'un genre déjà riche (*Complots* en 1997, *Ennemi d'Etat* l'année suivante, etc.). La politique liberticide, expansionniste et pilleuse de richesses stratégiques, se trouve au centre du scénario d'*Avatar* (2009) écrit par James Cameron entre 1997 et 2006[77] et bénéficiaire du plus gros succès commercial jamais enregistré : Pandora, une planète riche en ressources naturelles, est, en 2154, victime d'une invasion colonialiste menée par la surpuissante armée américaine et son avant-garde de Marines. Sous couvert de science-fiction plutôt convenue, le « roi du box-office mondial » revendique une posture politique[78] et cible l'aventure irakienne, survenue pendant la période de maturation de son script[79].

Là où le Vietnam dut attendre trois années pour être transposé sur les écrans, et bien plus avant de l'être sous un angle critique, la guerre contre la Terreur devient un sujet de films beaucoup plus rapidement : *Jarhead* (2005), du multioscarisé Sam Mendes, offre une vision brute et violente du quotidien des jeunes soldats engagés dans l'opération « Tempête du désert », donnant à réfléchir sur celle d'« *Iraqi Freedom* ». *Lions for Lambs (Lions et Agneaux)* exploite ce filon, cette fois sur le théâtre afghan, sans rencontrer son public. En 2007, *Battle for Haditha*, *Redacted* puis, en 2009, *The Hurt Locker*

(*Démineurs*), plutôt apolitique, présentent l'horreur de la guerre
d'Irak, avec ses crimes de guerre et la mort violente de GI's déboussolés, tandis que *Dans la vallée d'Elah (In the Valley of Elah)*, en
2007, et *Brothers*, en 2009, s'attardent sur les traumatismes subis et
le choc lors du retour au pays, pour constituer des documents à
charge contre la politique de l'administration Bush en dénonçant
son impact sur des familles ordinaires ; *Home of the Brave* (2006)
d'Irwin Winkler évoque, avec moins de maîtrise, la fracture qui
s'opère entre les vétérans et leurs familles, rappelant comment la
guerre détruit aussi ses rescapés ; *Stop-Loss* (2008), réalisé par Kim-
berly Peirce, revient sur ces militaires réaffectés en Irak au terme de
leur contrat, enclins à refuser d'y retourner, et compose une charge,
parfois maladroite, contre les hypocrisies du système militaire américain. Aucune de ces œuvres ne provoque un raz-de-marée commercial. Salué par la critique et bombardé de récompenses,
Démineurs fait par exemple un véritable « bide » : dans le cadre de la
« guerre contre la Terreur », la délicate alchimie entre les attentes du
public et le propos cinématographique, ambigu par rapport au
conflit, ne s'est pas encore produite. Hormis l'excellent *Jarhead*,
l'Afghanistan et l'Irak n'ont pas, dix ans après, inspiré d'œuvres
comparables aux meilleurs films sur le Vietnam, arrivés en salles à
la fin des années 1970 (*Voyage au bout de l'enfer, Apocalypse Now*...).

D'autres « piques » antiguerre jaillissent d'une série populaire
comme *Six Feet Under*, par exemple en 2005 lorsque Claire, un des
personnages principaux, s'insurge violemment contre la pose d'un
autocollant « *Support our Troops* » sur un gros 4x4, dont elle apostrophe la propriétaire : « "Soutiens les troupes" ? Quelle ramassis de
conneries ! Pourquoi est-ce que tu conduis un truc qui pompe
autant d'essence ? "Soutiens les troupes ?" Mais tu es salement intéressée ! [...] Est-ce que des Irakiens ne meurent pas tous les jours ?
Le monde entier nous hait ! [...] Et les terroristes pourront encore
faire sauter n'importe quoi dans ce pays au cours des cent prochaines années ! Tout ce qu'elle trouve à faire, c'est coller un autocollant
sur son énorme bus de merde ! Personne ne dit que des soldats américains se font baiser tous les jours, tout ça pour foutre de l'essence
dans cette saloperie de bagnole[80] ! » Cette virulente tirade n'est pas
isolée parmi les nombreuses séries américaines, notamment diffusées par la chaîne d'orientation « libérale » HBO ; programmé
entre 1999 et 2006 sur NBC et créé par le démocrate et militant
Aaron Sorkin, *The West Wing (A la Maison-Blanche)* décrit avec

minutie les rouages de la politique au cœur même de l'exécutif ; plus engagée, la série « judiciaire » *Boston Legal* (*Boston Justice* en France), diffusée par ABC depuis 2004, met en scène un avocat, Alan Shore, capable de délivrer en 2007 le réquisitoire type contre Guantanamo : « Qualifier les prisonniers de "combattants ennemis" [...] afin de pouvoir contourner la convention de Genève et les torturer ? Brillant ! Baser le camp de détention à Cuba pour que la Constitution ne se mette pas en travers de notre chemin ? Brillant [...]. Nous torturons des personnes. Nous les détenons indéfiniment. [...] Sans preuves. [Sans] procès. Aucun avocat. C'est risible. Et, quand ils se donnent la mort, nous appelons ça un "comportement de manipulation et d'automutilation", un acte de "guerre asymétrique". Tout ça est très drôle ! Très drôle ! Peut-être que la seule raison pour laquelle nous ne parvenons pas à en rire vient du fait que les petits vices de "Gitmo" ont commencé à apparaître chez nous. Les révélations récentes des abus du *Patriot Act* par le FBI. Toutes ces fausses accusations et ces preuves fabriquées contre des citoyens américains[81]. » D'autres épisodes épinglent Fox News ou l'administration dans son ensemble ; *Brothers and Sisters*, qui passe sur ABC depuis 2006, montre une mère décidée à faire changer d'avis son fils, prêt à s'engager dans l'armée pour combattre sur les théâtres de la guerre contre la Terreur, tandis qu'*Army Wives*, succès pour son diffuseur Lifetime depuis 2007, plonge dans le quotidien des conjoints de soldats. Ici, les scénaristes jouent un jeu d'équilibrisme entre critique et héroïsation afin de contenter le plus de monde possible.

Le petit écran est, le 27 juillet 2005, investi par la série *Over There*, dont le degré de violence et les séquences de soldats américains tués déclenchent une vive polémique[82]. Suivant la mission d'une unité de la 3ᵉ division d'infanterie (connue, en 2003, pour les vives critiques formulées par quelques-uns de ses éléments), les treize premiers épisodes d'*Over There* présentent l'influence plurielle, violente et néfaste du conflit sur les soldats et leurs proches. Prétextant une « audience insuffisante », la chaîne FX renonce à programmer une deuxième saison[83]. Un angle à peu près similaire guide *Generation Kill*, une mini-série de sept épisodes diffusés entre le 13 juillet et le 24 août 2008 sur HBO. L'aspect documentaire des images et le rendu des innombrables difficultés rencontrées par les soldats américains au cours de leur mission construisent le portrait critique d'une guerre mal préparée que ses protagonistes critiquent violemment. Liée à l'évolution des systèmes de production audiovisuelle, cette abondance de créations télévisées, très réactives par rapport à l'actualité, fait des séries un média de communication à part entière, avec ses opinions parfois tranchées et les risques d'échec commercial que cela implique, notamment pour *Over There* ou *Generation Kill*. D'autres séries, inspirées par des guerres impopulaires, ont connu un destin plus heureux : *M*A*S*H*, sur CBS entre 1972 et 1983, se servit de la guerre de Corée pour parler du Vietnam, présenté de façon plus transparente dans *L'Enfer du devoir (Tour of Duty)*, de 1987 à 1990, ainsi qu'au fil des épisodes de *China Beach*, nettement moins suivis. Pour son dernier épisode, *M*A*S*H* a réuni le nombre record de 106 millions de téléspectateurs américains, dont l'intérêt massif traduit un rapport à la guerre très particulier.

Celui-ci explique le succès passé des « *War Comics* », qu'une nouvelle génération de dessinateurs et de scénaristes se plaît à détourner : avec *Identity Crisis*, DC Comics apporte fin 2004 sa contribution aux œuvres contestataires en soulignant les conséquences mortelles de politiques radicales, à même d'ébranler les bases morales d'un Etat ou de ses soldats/superhéros ; de juillet 2006 à janvier 2007, *Civil War*, chez Marvel Comics, illustre les effets du fichage et de la surveillance instaurés par le *Patriot Act*, donnant à Spiderman l'occasion de préciser combien il juge « stupide d'échanger la sécurité contre la liberté[84] » ; en 2007, *Black Summer*, publié par l'indépendant Avatar Comics, s'ouvre sur l'assassinat par son héros du président des Etats-Unis, responsable, lit-on, d'une « guerre en Irak illégale et fondée sur des mensonges », de la « mort [d'Américains et d'Irakiens] pour le profit de grandes entreprises » et du « vol de deux élections »...

Ces exemples cinématographiques et télévisuels rappellent que la société de consommation englobe le débat politique. La demande populaire est aussi cyclique qu'ancienne : au sortir de la Première Guerre mondiale, et plus encore dans les années 1930, l'opinion fut renforcée dans son souhait de maintenir le pays loin des périls par une abondante production journalistique, littéraire et cinématographique[85] démontant avec force révélations les mécanismes de l'entrée en guerre de 1917. Sur la foi de ces enseignements, la population estimait avoir été abusée par une propagande à la solde des financiers et autres marchands d'armes[86]. Trois décennies plus tard, le Vietnam provoquait un même sursaut. L'offre et la demande de travaux, d'analyses critiques et de réflexions centrées sur les questions politiques comme l'Irak ou la « guerre contre le terrorisme » constituent donc un indicateur très précis de l'état de l'opinion. Or, depuis la mi-2003, les librairies et les rayonnages « culturels » des grandes enseignes américaines sont inondés par un flot éditorial de films, de documentaires, de livres – celui de Richard Clarke, ancien coordinateur de l'antiterrorisme gouvernemental, devient rapidement un best-seller parmi un bon millier d'ouvrages[87] ! – qui attestent de la vivacité d'un nouveau marché : celui de la compréhension du contexte géopolitique post-11 Septembre, de la prise en compte des voix discordantes délaissées par la presse pendant l'union sacrée. Contrecoup logique de cette salve à contre-courant de la pensée officielle, la sortie de productions « antisubversives » de la trempe de *Michael Moore Hates America*[88] transpose, dans le paysage de l'édition et de la culture, la bipolarisation qui caractérise l'opinion.

Une classe politique écartelée

A l'été 2003, quelques semaines après la « cérémonie de la victoire » du 1er mai sur le pont de l'*Abraham Lincoln*, la polémique sur l'existence des armes de destruction massive irakiennes enfle. Les spécialistes américains dépêchés sur place ne parviennent pas à trouver le moindre élément corroborant le discours alarmiste de l'administration. David Kay, à la tête des 1 400 membres de l'Irak Survey Group, pose une retentissante démission après dix mois d'inspections. Jusqu'ici, le nom de Kay était régulièrement brandi par le Président pour justifier la présence d'armes interdites et, donc, l'invasion d'avril 2003. Kay déclare désormais que « celles-ci n'existent pas[89] ». Retrouvant une certaine vigueur, les démocrates commanditent une série de clips télévisés dans lesquels le Président est traité de « menteur[90] ». Les initiatives gouvernementales suscitent à nouveau l'opposition, à l'instar du projet de « bourse aux attentats » développé par le Pentagone et proposant d'investir de l'argent sur des probabilités d'assassinats ou de destructions diverses. Deux sénateurs démocrates, Ron Wyden et Byron Dorgan, s'indignent, en juillet 2003, qu'un tel projet puisse voir le jour[91]. Redoutant une tempête médiatique, le ministère de la Défense recule.

Depuis l'accentuation des troubles en Irak, des personnalités politiques remettent ouvertement en question les choix de l'administration Bush, jusque dans son propre camp : concurrent malheureux

du gouverneur texan aux primaires républicaines de 2000, le sénateur John McCain monte au créneau et déplore que « le Président
ne soit pas plus franc » sur la situation irakienne. Le même McCain,
fort d'une expérience de prisonnier de guerre au Vietnam, se heurte
à l'administration lorqu'il fait voter par le Congrès le *Detainee Treatment Act*, censé empêcher l'Etat de recourir à la torture. A l'été 2004,
Doug Bereuter, représentant de l'Etat du Nebraska et membre du
Parti républicain, exprime dans un courrier adressé à ses électeurs
des remords pour avoir appuyé le déclenchement d'une guerre qu'il
qualifie de « gâchis coûteux [et] injustifié[92] ». En septembre, le sénateur républicain Chuck Hagel s'alarme : « La pire chose [...] serait
de nous maintenir dans l'illusion que nous sommes en train de remporter la victoire [en Irak]. [...] Nous ne sommes pas en train de
gagner. La situation empire[93]. » L'approche des élections de mi-
mandat (soumettant au vote l'ensemble de la Chambre des représentants, un tiers du Sénat et 36 fauteuils de gouverneurs) incite les
élus républicains à se désolidariser de l'administration : quelques
figures du Congrès esquissent les contours d'un retrait progressif
d'Irak[94], sans jamais retranscrire légalement cette perspective.
L'année 2005 est celle d'une rupture consommée : sur ABC News,
l'ancien secrétaire d'Etat Colin Powell confesse un profond désarroi
devant sa « réputation ternie » par le discours qu'il tint aux Nations
unies le 5 février 2003, dont les propos fallacieux sur la « menace
immente représentée par Saddam Hussein » resteront, dit-il, comme
une « tache » sur sa carrière. Amer envers les « personnes de la communauté du Renseignement qui [l']ont trompé lui et le pays », l'ex-
général interarmées déplore enfin l'« insuffisance des troupes » affectées au contrôle de l'Irak[95].

Le Congrès et le Sénat déclenchent, à partir de l'été 2003 et sur
un tempo croissant, une série d'enquêtes ; l'ensemble des thèmes de
la guerre contre le terrorisme sont examinés par des commissions
parlementaires, en butte aux réticences de l'administration à ouvrir
ses archives. Mieux, les travaux du Congrès prennent soin de se
démarquer, dans leur vocabulaire, du lexique idéologique que prône
l'administration : un rapport d'analyse de 2004 évoque les groupes
armés en lutte contre l'occupation non pas sous le vocable de « forces anti-irakiennes » cher à l'administration et au commandement
militaire, mais bien comme l'expression d'une « résistance
irakienne[96] »... Ce foisonnement d'initiatives parlementaires est le
signe évident d'une aspiration au rééquilibrage des pouvoirs, détruit

le 11 septembre. Le 20 juin 2003, alors que la presse alimente la polémique sur l'arsenal irakien, la Commission sénatoriale du renseignement, présidée par le républicain Charles Patrick Roberts et coprésidée par le démocrate Rockefeller, annonce le lancement d'investigations. Ses objectifs sont nombreux : s'assurer de « la quantité et la qualité des renseignements américains relatifs au programme d'armes de destruction massive et aux liens avec des groupes terroristes », examiner « l'objectivité, [...] l'indépendance et la précision des conclusions de la communauté du Renseignement », déterminer « si quelque influence a joué [...] pour fonder une analyse confortant des objectifs politiques[97] ». Son rapport, globalement accablant, est rendu public le 9 juillet 2004[98]. Guantanamo et sa zone de non-droit font également l'objet d'une vive critique, portée en juin 2005 par le sénateur démocrate (et futur vice-Président) Joseph Biden, qui réclame la fermeture pure et simple des installations[99]. Henri Waxman, remuant député démocrate, a pris le contre-pied de son vote en faveur de la guerre : à l'aide de sa Division spéciale d'investigation, il dénonce les mensonges de l'administration avec force rapports[100].

Chaque enquête catalyse la contestation et délégitime le conflit. La multiplication des fuites révélant un par un les scandales de l'administration atteste d'une fragmentation de la cohésion gouvernementale au sein même de ses équipes : outrés par des actes en rupture avec la tradition démocratique et le respect des libertés, certains fonctionnaires ou des soldats s'adressent anonymement à la presse, diffusent des documents confidentiels et font vaciller l'apparente sérénité du pouvoir.

A l'échelon local, la centaine de villes qui avaient, début 2003, voté des résolutions antiguerre sont rejointes par d'autres conseils municipaux qui, à leur tour, s'opposent aux choix politiques de l'administration, condamnent le mensonge gouvernemental des armes de destruction massive et appellent au retour des soldats. A l'échelle nationale, ces villes se rassemblent au sein d'un réseau, « Cities for Peace. Bring the troops home » (« Villes pour la Paix. Ramenez les troupes à la maison »), qui organise des conférences et des débats dont le thème dépasse de très loin la question du bien-fondé de la guerre, pour aborder des problématiques sociales[101].

Ces initiatives diverses sonnent le réveil du pouvoir législatif, soucieux d'affirmer ses prérogatives. Il serait néanmoins excessif d'évoquer un strict retour à la normale : nombre des mesures phares instaurées par la guerre contre le terrorisme ne sont pas remises en question, mais au contraire prolongées : le *Patriot Act* reste en vigueur, approuvé tant par la Chambre des représentants à majorité démocrate issue des élections de 2006 que par la majorité sénatoriale, toujours démocrate, renforcée en 2008.

L'apogée de cette tendance semble imminente avec une procédure de destitution du Président, envisagée dès 2005 par quelques dizaines de députés démocrates. Si les tentatives de mise en accusation en vue de l'*impeachment* présidentiel ont ponctué l'histoire américaine[102], seules les procédures entamées contre Nixon – qui préféra démissionner avant le lancement du processus – et Clinton – sauvé par le Sénat et l'opinion – faillirent aboutir, du moins pendant le XXe siècle. Bien que les griefs portés contre George W. Bush aient été autrement plus graves que le « Monicagate », le « commandant en chef » de la guerre contre le terrorisme n'a guère à s'inquiéter des manœuvres de destitution le concernant, ni même à faire face à l'amorce d'une procédure infamante. On rappellera néanmoins qu'à l'opposé de l'*impeachment* tout à fait partisan des républicains contre Clinton[103], l'opinion paraît plutôt disposée à soutenir une mise en accusation de George W. Bush : fin 2005, une majorité d'Américains sont favorables à la mise en accusation du Président « s'il a menti au sujet des armes de destruction massive[104] ». En dépit des preuves confortant cette hypothèse, les rapports d'enquête officiels ont toujours préservé la personne du Président au détriment de « hauts » responsables, contraints à la démission, comme le directeur de la CIA et fusible Richard Tenet ou Lewis Libby, secrétaire général de la vice-présidence. Autre soutien *a priori* inattendu pour la Maison-Blanche, les leaders démocrates, notamment Nancy Pelosi, leur chef de file à la Chambre, ne montrent aucun entrain à lancer un mécanisme juridique complexe, quand les efforts de leurs confrères ne sont pas purement et simplement désavoués : après beaucoup de tergiversations, la première étape du processus est introduite à la Chambre des représentants le 10 juin 2008, donc en fin de mandat, à l'initiative du démocrate Dennis Kucinich, motivée par les justifications de l'invasion, la conduite de la guerre, les tortures, les écoutes illégales de la NSA, les carences responsables des attentats et les entraves de l'enquête[105]. Snobée par une Chambre des représentants à majorité démocrate, la tentative, répétée, qui avait mathématiquement toutes les chances d'être lancée pour aboutir devant un Sénat tout autant démocrate, s'est heurtée aux séquelles d'une union sacrée dans laquelle beaucoup se sont fourvoyés.

Ce bouillonnement d'opposition annoncerait un changement certain s'il ne s'était déjà vu au sortir de conflits majeurs, qu'il s'agisse de la Première Guerre mondiale, ou, de façon plus accentuée, à la fin de la guerre du Vietnam et pendant les quelques années qui suivirent. Les commissions d'enquête furent à cette époque nombreuses et offensives à l'égard des actions politiques de la Maison-Blanche, ciblées par des lois rééquilibrant les pouvoirs : retenons, sur une longue liste d'initiatives, que les exactions de l'opération « Phœnix » au Vietnam ont provoqué, début 1970, une audition de ses artisans devant le Sénat[106], que le recours à la torture au Vietnam était investigué par la même instance l'année suivante[107] ou que la prépondérance de l'exécutif dans les entrées en guerre fut tempérée par le vote du *War Powers Resolution* de 1973, autorisant les représentants élus de la nation à ordonner le retrait de troupes déployées sans vote du Congrès. L'esprit du pays changeait : en 1964, le Centre de recherche sur l'opinion publique de l'université du Michigan demandait à un panel de citoyens si, d'après eux, « le gouvernement [était] [...] aux mains de grands intérêts économiques travaillant pour leur seul profit » – 26 % des sondés répondaient par l'affirmative, une proportion qui, face à la même question, doublera en 1972[108]. En 1976, Jimmy Carter était élu sur un programme condamnant les errements de ses prédécesseurs, et faisait d'une « politique des droits de l'homme » l'axe majeur de ses décisions, quand bien même celles-ci se trouvèrent régulièrement entachées de contradictions. Cette conscience critique n'a pas résisté à la flambée nationaliste des premières années Reagan. La politique et les mentalités fonctionnent sur un mode cyclique au dynamisme décroissant : entre 2005 et 2008, George W. Bush et son administration ont pu se rendre coupables des pires fautes politiques et morales sans subir d'autre désagrément que la désapprobation populaire.

Institutions : luttes plurielles et regain d'autorité

La Cour suprême, plus haute juridiction américaine, participe au délitement de la culture de guerre. Le 10 novembre 2003, le sommet de la hiérarchie judiciaire rend publique sa procédure d'examen de la légalité des détentions de combattants dits « irréguliers » de

Guantanamo. Statuant sur les tribunaux d'exception, Sandra O'Connor, juge de la Cour suprême, considère le 28 juin 2004 que « l'état de guerre n'est pas un chèque en blanc au Président ». Désormais, les prisonniers du Camp Delta disposent de l'*Habeas corpus*, et donc du droit de porter plainte pour détention abusive devant les tribunaux fédéraux américains : le système judiciaire fédéral est déclaré compétent pour statuer sur le principe des détentions à Guantanamo[109]. Dans l'énoncé de son verdict, la femme de loi entend mettre un terme juridique à la liberté d'action que s'est arrogée l'administration Bush. En considérant que cette dernière a violé le Code de justice militaire et les quatre conventions de Genève, l'esprit du jugement rendu le 29 juin 2006 entérine ce tournant[110]. Il consacre le retour du droit et condamne, sur le fonds, l'arbitraire des lois d'exception.

La Cour suprême n'est pas, loin s'en faut, la seule juridiction à s'opposer aux mesures gouvernementales. D'autres tribunaux ont, au préalable, statué en faveur des détenus de Guantanamo, à l'image du juge Robertson, du tribunal du district de Columbia, saisi par le Yéménite Salim Ahmed Hamdan. Le 31 janvier 2005, Joyce Hens Green, juge fédérale du tribunal civil de Washington, déclare inconstitutionnels les « tribunaux d'examen du statut d'ennemi combattant » mis en place par l'armée suite à l'arrêt de la Cour suprême autorisant les prisonniers à contester leur détention.

Les difficultés de l'armée américaine dans ses rapports avec le système scolaire sont aussi un signe de l'opposition à la guerre qui se manifeste à la fois chez le personnel enseignant, les parents d'élèves et les milieux judiciaires appelés à trancher. D'abord peu perméables au mouvement antiguerre, les milieux éducatifs se mobilisent : l'obstruction à l'entrée des agents recruteurs dans les lycées et sur les campus universitaires pèse sur les plans du Pentagone, qui va jusqu'à confier ses campagnes publicitaires à une nouvelle agence[111]. Une résistance plurielle se met en place : alliés aux contestataires, des groupements actifs dans la préservation des droits civiques déclenchent plusieurs campagnes de dénonciation des lois qui forcent les établissements scolaires à collaborer avec les agents recruteurs[112]. En 2004 naît à Los Angeles The Coalition Against Militarism In Our School (« La Coalition contre le militarisme dans nos écoles ») qui, à l'instar du « Project on Youth and Non-Military Opportunities », de Veterans for Peace, du Central Committee for Conscientious Objectors, de la War Resister League ou de l'American Friends Service Committee, lutte contre le service militaire pour enfants qu'est le Junior Reserve Officer Training Corp (JROTC) et barre l'entrée des écoles aux agents recruteurs, réactivant là un cheval de bataille de la contestation des années 1960[113]. En moins de trois ans, ce militantisme, certes local et limité aux régions les plus progressistes du pays, se trouve couronné de succès, entraînant dans l'ensemble des écoles du district scolaire de Los Angeles une diminution de plus de 24 % de cadets enrôlés par le JROTC[114]. En 2006, le San Francisco Board of Education, instance élue démocratiquement, vote à une courte majorité la suppression du Junior Reserve Officer Training Corp dans toutes les écoles sous sa juridiction[115]. Bien qu'une marche arrière s'amorce dès 2007, l'annonce d'une décision aussi radicale témoigne du degré d'hostilité que suscitent les questions militaires dans ce bastion du libéralisme américain.

En juin 2004, certaines universités liguées à des associations de défense des libertés civiles lancent des actions judiciaires contre l'Etat et assignent six ministres en justice, avec l'objectif de se voir reconnaître le droit d'interdire la présence d'agents recruteurs sur les campus. En vertu de l'amendement Solomon voté en 1996, tout établissement d'enseignement supérieur coupable d'entraves aux activités de recrutement militaire perd du même coup la part du budget fédéral qui lui est allouée. La communauté universitaire n'élève guère la voix, jusqu'à ce qu'un groupe de téméraires (professeurs, universités, associations réunies) se lance dans la bataille. Défis lancés à un gouvernement peinant à attirer la jeunesse sous les drapeaux, les procès aboutissent, fin 2004, à une victoire du camp universitaire dans lequel figurent, aux côtés de Stanford et Georgetown, quelques-uns des campus les plus progressistes des Etats-Unis... ceux-là mêmes qui s'illustrèrent lors des vagues contestataires de 1968, avec Berkeley et les vénérables institutions de l'enseignement supérieur américain[116]. Ultime pied de nez à une administration conservatrice, les avocats des plaignants s'appuient sur une jurisprudence relative au droit d'exclusion dont disposent, en vertu du Premier Amendement, les organisations scoutes à l'encontre des personnes homosexuelles. Le Pentagone excluant lui aussi les homosexuels de ses forces armées (sauf si ceux-ci n'en font pas état), les universités ont pu faire valoir un droit similaire contre la politique discriminatoire des autorités, contraire aux valeurs revendiquées par l'enseignement des facultés[117]. En 2010, la levée du tabou « gay » dans l'armée ne manquera pas, au-delà du progrès que représente cette réforme, de relancer les procédures.

Dans l'intervalle, le choix de la juridiction d'appel de Philadelphie, fin 2004, ne peut être isolé du climat général : jusqu'au déclenchement de la guerre, en mars 2003, les universités font profil bas ou ne parviennent pas à se faire entendre. De plus, un tribunal américain n'aurait sans doute pas prononcé un verdict entravant l'effort de guerre gouvernemental. Tenté de rendre la justice en fonction de l'union sacrée, le juge Aldisert, mis en minorité par ses deux collègues, désapprouve un verdict qu'il estime « déplacé, particulièrement en temps de guerre[118] ». Passé l'été irakien si meurtrier pour les troupes américaines, la rentrée de 2004 laisse la place à la contestation des empiétements de l'exécutif : le 12 octobre, 650 professeurs d'université rassemblés dans une nouvelle association, les Universitaires sur les affaires de sécurité pour une politique étrangère intelligente, condamnent dans une lettre ouverte au Président la guerre d'Irak. L'anonymat affiché par certaines universités regroupées au sein d'un collectif de plaignants dénote autant une peur des représailles fédérales que la crainte de voir des parents inscrire leurs enfants dans des établissements conformes aux canons du patriotisme post-11 Septembre.

De façon plus symbolique, des campus comme celui du Boston College manifestent en mai 2006, professeurs et étudiants confondus, contre la cérémonie prévue en l'honneur de la secrétaire d'Etat Condoleezza Rice, ancienne pensionnaire de cette institution catholique[119]. A l'image des soldats d'« Iraqi Freedom » qui, à la descente d'hélicoptère de Donald Rumsfeld, tournèrent ostensiblement les talons, les contestataires du Boston College offrent la contemplation de leurs dos à la ministre des Affaires étrangères.

La contestation gagne du terrain, jusque dans les rangs de la Motion Picture Association of America (MPAA), sorte de Conseil supérieur de l'audiovisuel privé : interdit en salles aux moins de 17 ans, le documentaire Gunner Palace (2004), consacré à une escouade de jeunes artilleurs affectés à Bagdad, devient accessible, après appel de son producteur, aux mineurs âgés de 13 ans[120]. La plus large diffusion qu'autorise une telle classification traduit, de la part des directeurs de cinéma et autres professionnels du Septième Art qui composent la commission d'appel de la MPAA, un souci d'information à l'attention des jeunes potentiellement tentés de s'engager. Un temps invitée par l'administration à soutenir des films

« patriotiquement orientés », la MPAA finit par prendre en 2006 le contre-pied de ses attentes. Sa censure de l'affiche du film *The Road to Guantanamo*[121], consacré au parcours de quatre innocents déportés à Camp Delta, est, au-delà des apparences, un acte politique fort. Représentant un prisonnier ligoté dont la tête est recouverte d'un sac, le document incriminé présente un cliché connu du monde entier, car largement diffusé lors de la conquête d'Irak. Ambivalente, cette « censure » serait passée pour un signe de soutien à la présidence Bush si les motivations exprimées par ses auteurs n'avaient pas été à l'encontre de la communication gouvernementale : qualifiant l'affiche d'« image de torture incompatible avec ses valeurs[122] », la MPAA, débarrassée de la tutelle politique de son ancien directeur Jack Valenti, se range de manière implicite dans le camp antiguerre.

La guerre et Katrina : un effet papillon

Le coup de grâce au soutien guerrier est porté par deux événements concomittants : l'ouragan Katrina et le franchissement du seuil des 2 000 soldats américains tués en Irak, fin août 2005. Si les milliers de morts du 11 Septembre et le spectacle qui les provoqua avaient cimenté une unité nationale autour du Président, ceux liés à l'ouragan Katrina achèvent l'effondrement du soutien populaire : jusqu'ici, les incantations à la « menace terroriste », dernier rempart de protection de l'administration face à la virulence des critiques, avaient limité la propagation des réticences. Cette arme rhétorique est engloutie sous les flots de l'ouragan. Génératrice d'une crise humanitaire, la catastrophe, dont les sinistres conséquences n'ont, elles, rien de naturel, achève de ramener le terrorisme à ce qu'il n'aurait jamais dû cesser d'être : « un problème secondaire », comme avait cru bon de le souligner John Kerry avant que son analyse ne suscite une tollé avivé par le camp républicain. L'ouragan Katrina prouve aux Américains que le spectre d'Al-Qaida demeure un phénomène mineur au regard de ce que les éléments, et surtout les négligences gouvernementales – tout aussi présentes au chapitre du 11 Septembre –, sont capables d'infliger à leurs concitoyens. Simultanément, la proportion d'Américains favorables à un retrait rapide d'Irak dépasse la barre des 50 %[123].

Les conséquences de la catastrophe ont été amplifiées par les restrictions budgétaires qu'engendre la guerre : les digues de protection qui se sont rompues à La Nouvelle-Orléans auraient dû bénéficier d'un financement de 700 millions de dollars. L'Etat fédéral, ployant sous les frais d'occupation, réduisit l'enveloppe à quelque 124 millions pour n'en verser, au moment du drame, qu'un peu plus du quart. La lenteur des secours, notamment la tardive arrivée de la Garde nationale, a été évidente. Ces effectifs, constitués dans le but précis d'intervenir en cas de sinistre, étaient massivement présents en Irak, à l'image de 38 % des hommes de la Garde nationale de Louisiane : « Face aux victimes du cyclone [...], il aurait fallu l'aide de la Garde nationale. Mais la Garde nationale est en Irak. J'ai l'impression que nous ne sommes plus en sécurité[124] », constate une citoyenne. L'un des arguments essentiels de la campagne présidentielle de George W. Bush, la « sécurité » des Américains, démontre son vide insondable. Dans une sorte d'allers-retours lancinants, les Etats-Unis de Katrina renvoient à l'échec irakien qui, sur place, dirige les pensées des militaires vers leur pays meurtri. Signataires d'un contrat d'assistance à leurs concitoyens, ils sont forcés de risquer leur vie loin de chez eux pour des raisons mensongères[125]. Le Président, qui endossait au soir du 11 Septembre le costume d'un commandant en chef rassembleur, se maintient à distance des événements. Le contraste est flagrant : alors qu'il s'était empressé de monter sur les gravats du World Trade Center pour haranguer l'Amérique, le voici qui évite, lors d'une visite en Floride, le contact avec les rescapés de Katrina massés à proximité de son cortège.

Le contexte favorise la vraie information : si la presse avait pris soin de ne pas s'appesantir sur les images de la matinée du 11 septembre montrant le Président désemparé face à une classe de maternelle, les mêmes journalistes n'hésitent plus à le montrer en train d'arborer, sourire aux lèvres, la guitare offerte peu avant par un chanteur de country à l'issue d'un discours donné à San Diego. Le décalage entre ce Président hilare et l'information toute fraîche de digues rompues creuse un peu plus le gouffre qui sépare ses détracteurs de ses partisans, dont le nombre décroit sans cesse. Impliqué dans le mouvement de critiques, l'acteur George Clooney hume l'air du temps avec justesse : « Katrina a libéré [les journalistes], et l'environnement a changé aux Etats-Unis. Il n'est plus antipatriotique de poser des questions[126]. »

Un effet « courroie de transmission », né de la sempiternelle course à l'audience, cloue au pilori l'incurie du pouvoir : par le même mécanisme d'émulation collective qui avait poussé les médias à rivaliser de superlatifs en faveur du Président, les journalistes s'adonnent à une escalade de « Bush bashing » : résumant la conjoncture, le Washington Post titre « La fin de l'ère Bush[127] ». Les hebdomadaires Time et Newsweek suivent, tandis que la télévision n'est pas en reste. Révoltés par les images de désolation et de misère qu'ils doivent commenter, indignés par l'inaction du gouvernement fédéral, les présentateurs les plus policés interpellent le Président en des termes vigoureux que va jusqu'à reprendre Fox News, la plus conservatrice et pro-Bush des chaînes d'information. Quelques mois plus tard, l'agence Associated Press, déjà à l'origine d'une lutte judiciaire contre l'opacité de Guantanamo, assène un coup fatal en révélant l'existence d'une vidéo prouvant que le Président avait été averti du passage d'un « énorme et mauvais cyclone[128] » par le directeur de l'Agence fédérale de gestion des crises. Dès lors, c'est toute la politique Bush qui est mise à l'index, et son principal promoteur lui-même. Les images de populations affamées se ruant dans les supermarchés et de démunis errant au milieu de cadavres en putréfaction à la recherche d'un abri frappent les consciences en même temps que l'orgueil d'une Amérique à qui George W. Bush avait promis de faire rayonner la puissance et la bonté. Une question agite les esprits : à quoi bon entreprendre une politique – discutable – de « State Building » en Irak pour la sécurité des Américains si cette action nécessite de réduire leur propre niveau de vie, de protection sociale, d'assistance fédérale et donc de sécurité ? A quoi bon si une autre guerre, sociale celle-là, ruine des millions de citoyens ?

L'ouragan révèle surtout une crise sociale que la guerre contre le terrorisme n'aurait pu dissimuler longtemps. La défaillance humanitaire amène le pays à s'interroger sur des valeurs à leur apogée depuis l'ère Reagan : l'antiétatisme, les incitations à l'autoresponsabilité et l'apologie de l'individualisme portés par l'équipe Bush ont montré, avec les carences dans la gestion de Katrina, leurs plus nettes limites : les pauvres, ultra-majoritaires parmi les victimes, sont les laissés-pour-compte d'une politique qui privilégie les budgets militaires et les baisses d'impôts au détriment des mesures sociales. A titre de comparaison, l'ouragan Camille, venu frapper à l'été 1969 les mêmes régions des Etats-Unis – avec une ampleur moindre mais déjà considérable –, causa 256 morts et des milliards de dollars de dégâts, auxquels l'administration Nixon, aidée par un plan conçu en amont, sut répondre avec célérité[129]. Le cyclone Katrina est l'élément réactif du creusement des inégalités que le mouvement patriotique du 11 Septembre a masqué : car, si les victimes du terrorisme furent, de la femme de ménage au cadre supérieur, frappées sans discernement par les kamikazes, ce sont d'abord et surtout les classes défavorisées dénuées des moyens de quitter La Nouvelle-Orléans qui furent happées par les eaux. Les images montrant presque exclusivement des Noirs s'entassant dans le Superdome de la ville sinistrée donnent une idée du fossé qui sépare encore et toujours l'Amérique. Dans un sens, le contexte politique s'enrichit des mêmes ingrédients qu'en 1968 : un climat social dégradé sur fond de guerre impopulaire. Mais, à l'époque, Johnson misait sur les réformes de sa « Grande Société » pour tempérer la colère qui montait. Enfin, une part d'Américains encore peu réceptifs aux enjeux du protocole de Kyoto – auquel leur Président s'oppose *mordicus* – ont vu en Katrina la preuve des dérèglements climatiques induits par la pollution atmosphérique et fort opportunément confirmés par une étude scientifique publiée dans la revue *Science*, commentée par les grands médias[130]. Presque quatre années jour pour jour après des attentats qui ont transformé son premier mandat et lui ont permis de se poser en chef de guerre, le président Bush se retrouve non pas à la case départ, mais bien en arrière.

Au plus bas, le Président joue encore et toujours la carte de l'union sacrée. Pour cela, il récite un « mantra » à présent dépouillé de son pouvoir magique : « Nous sommes engagés dans une guerre contre la Terreur. Nous sommes toujours en guerre[131]. » Ultime coup de massue, un peu plus tard : les retombées sociales de la crise des *subprimes* tassent la cote de popularité du Président à 28 % de satisfaits un mois avant les élections de 2008, des tréfonds jamais mesurés par l'institut Gallup en soixante-dix ans d'existence[132]. Seules de colossales maladresses ou une improbable stratégie électorale focalisée sur le terrorisme auraient pu entraver la marche d'Obama vers la Maison-Blanche.

Les préoccupations économiques et sociales finissent toujours par supplanter celles de la guerre, que la population américaine voit à distance, avec des conséquences certes lourdes mais sans comparaison avec les destructions et les hécatombes de civils endurées par les vieilles nations d'Europe. Un cloisonnement quasi étanche dissocie les retombées des déploiements militaires aux difficultés du quotidien, jusqu'à ce que la rupture des digues de La Nouvelle-Orléans rappelle, par une sorte d'effet papillon, le poids véritable de la guerre. Au début des années 1970, la sortie du guêpier vietnamien fut doublée par de nouvelles difficultés économiques qui contribuèrent à bouleverser l'ordre des priorités et à creuser le fossé entre une part importante de l'opinion et son armée. Cette fois, les fondations idéologiques sont solides.

Le camp de la guerre reste omniscient

Désavouée, critiquée, rejetée, la guerre d'Irak trouve encore des défenseurs influents.

En mars 2004, tandis que l'occupation alimente la controverse, l'opération « Statues of Servicemen » exalte le souvenir de chaque soldat tué, voué à se matérialiser sous la forme d'une statue en bronze. Usant d'une forme « artistique » réservée aux grands hommes ou aux événements, la capture du deuil au cas par cas par SOS Fund, une association proche du Pentagone, prend le contre-pied des « tombes de soldats inconnus », censées incarner le don de soi à l'échelle nationale. Volonté de célébration patriotique, ce programme « immortalise » des soldats au regard impassible, et participe à l'aseptisation des discours sur les « guerres propres ». D'ordinaire intégré au cimetière militaire d'Arlington, le soldat statufié par SOS Fund acquiert une vie éternelle qui le fige dans un uniforme de parade immaculé, à l'opposé des circonstances violentes de son décès : le vêtement militaire donne un sens patriotique à la mort de l'individu représenté, dont la sculpture doit être exposée dans les bâtiments officiels de sa ville, pour la plus grande fierté des siens[133]. Curieusement, ce programme rappelle la geste de l'empereur chinois Qin Shi Huangdi, célèbre pour son mausolée du IIIe siècle avant notre ère et les quelque 8 000 statues de guerriers qu'il recèle. Si les vertus propagandistes de l'opération américaine n'ont pas la même portée – en juin 2009, seules 1 800 statues étaient en cours de fabrication, sur 4 313 « potentielles » –, la volonté de transcrire la grandeur « impériale » d'un pays riche en sacrifices de soldats ne peut être écartée, enrichie d'une dimension mémorielle. Le processus connut son apogée en Europe au sortir de la Première Guerre mondiale, avec le culte des « morts pour la patrie », en même temps qu'une volonté semblable de contrôle officiel sur l'image et la mémoire des soldats tombés pendant la guerre contre la Terreur : si des initiatives similaires à « Statues of Servicemen » jouissent d'un soutien actif du Pentagone, rappelons que les photographies des cercueils militaires en provenance d'Afghanistan ou d'Irak sont encore, à cette date, légalement proscrites. Enfin, le fonctionnement de « Statues of Servicemen » ne doit rien ou pas grand-chose à la générosité des citoyens (comme le prétend pourtant son site Internet), mais dépend de manière quasi exclusive des dons de compagnies pétrolières et énergétiques[134], semble-t-il soucieuses d'édifier des monuments personnalisés aux morts, sans attendre pour cela le terme du conflit. A raison de 10 000 dollars par statue[135], le coût total de l'opération se chiffre d'ores et déjà à 18 millions, et devrait donc dépasser allègrement les 50 millions s'il était mené à bien. L'implication mémorielle des grandes entreprises était déjà visible le 11 octobre 2001, soit quelques heures après le début de l'offensive afghane et un mois après les attentats, par l'intermédiaire du projet « Faces of The Fallen, America's Artists Honor America's Heroes » (« Visages des soldats tombés au champ d'honneur, Les artistes de l'Amérique honorent les héros de l'Amérique »). Cette exposition itinérante a présenté, en 2003, 1 319 portraits de militaires tués en service réalisés par plus de 200 artistes[136]. Or, « Faces of The Fallen » profite d'un financement du ministère de la Défense, conjugué aux contributions des fondations General Motors et Goodyear ou de l'entreprise d'armement Lockeed Martin[137], des multinationales impliquées dans les guerres post-11 Septembre *via* des dizaines de millions de dollars de contrats.

A l'occasion de la promulgation de la loi de finance du budget 2005 relative à la défense, le président américain s'évertue à ressusciter la période d'« union sacrée » pendant laquelle sa cote de popularité atteignait des sommets : « Dans une époque de conflits et de défis, l'Amérique est derrière son armée[138] », exhorte George W. Bush[139], suivi par ses collaborateurs. Dans une critique des atermoiements de son rival démocrate, John Kerry, vis-à-vis de la guerre en Irak, Bush déclare qu'« il n'y a rien de compliqué à soutenir nos troupes au combat[140] », tentant de faire glisser sur le terrain du patriotisme les attaques contre sa gestion de l'occupation. Derrière John Kerry, c'est en fait l'opinion, de plus en plus hostile à la guerre, que le Président s'efforce de culpabiliser. Or, la contestation de la guerre ne se départit pas, en 2004, d'un indéfectible soutien aux troupes, contrairement à la période d'éclosion du mouvement antiguerre de 1967-1968. Dès le début des années 1970, les permissionnaires et les vétérans américains faisaient l'objet d'un rejet pour la violence qu'ils exerçaient sur les civils vietnamiens. Dans le contexte actuel, les plus virulents détracteurs de l'occupation ont intégré le fait qu'un dénigrement des soldats affectés en Irak peut leur aliéner le ralliement de l'opinion. Des figures aussi impliquées que Michael Moore ou Sue Niederer établissent une distinction nette et consensuelle entre leur critique de l'administration et les soldats. Au risque d'entrer en contradiction avec leur propre ligne de conduite, les porte-parole du mouvement antiguerre clament donc haut et fort la « nécessité de soutenir les troupes ». Sue Niederer, la mère du lieutenant Dvorin tombé en Irak, affirme vouloir « voir revenir [les soldats] à la maison, dans un pays qui les considère comme des héros[141] ». Irréversibles séquelles de l'« union sacrée » et de ses dérives maccarthystes, ces précautions didactiques apposent l'indispensable étiquette *« Support our Troops ! »* sur toute critique de l'intervention militaire : l'association « Ramenez-les à la maison maintenant, Soutenez les Troupes » souligne le degré d'imprégnation et le poids du sentiment patriotique, ou à tout le moins la représentation que s'en font une majorité d'Américains. Persistant à classer les soldats déployés parmi les « héros » du pays, la critique du conflit ne se départit donc pas de liens avec la culture de guerre. Pour tous, le soldat est sacré. Ce statut enviable, la Cour suprême décide d'en faciliter l'obtention dès mars 2006, avec son arrêt cassant celui précédemment rendu contre l'accès des officiers recruteurs aux universités[142]. L'amendement Solomon et la clause militariste du *No Child Left Behind* sont donc constitutionnels.

Face au déferlement d'images de guerre toutes plus évocatrices les unes que les autres, les soutiens traditionnels du camp républicain montent au créneau pour donner leur vision de la situation, forcément antinomique. En première ligne, la galaxie d'Eglises évangéliques acquises depuis toujours à la cause de George W. Bush. Lors de réunions capables de rassembler des dizaines de milliers de fidèles sont projetés sur écrans géants des clips politiques. Usant de ficelles dignes de sitcoms mélodramatiques, ces films enchaînent des images stéréotypées de la guerre : au mépris de toute pertinence historique, le débarquement de Normandie se mêle à l'offensive d'avril 2003 en Irak, entrecoupé de séquences montrant des soldats en guerre pour la veuve et l'orphelin. Abreuvé de sermons sur la « parole divine qui guide les Etats-Unis », le public sort de ces assemblées renforcé dans sa conviction du rôle messianique dévolu au pays, avec l'image profondément ancrée d'une armée engagée de par le monde pour défendre la liberté. L'écho rencontré dans ce milieu par les propos d'un George Bush pour qui « l'histoire de l'Amérique est celle de la liberté en marche, [...] engagement fondateur de [la] nation [...] » n'a en soi rien d'étonnant : le Président reprend au mot près une idée depuis fort longtemps enracinée dans l'imaginaire américain, que le courant religieux s'est appropriée en étroite association avec le Parti républicain. Enfin, plutôt que de persister à masquer les morts que fait la guerre d'Irak dans les rangs de l'armée, les plans consacrés aux rapatriements des cercueils sont mis en scène par ces Eglises : avec l'héroïsation des soldats – qualifiés de « braves » –, on assiste au retour du culte des défunts. Ses postures « liturgiques » réglementées – garde-à-vous, chapeaux bas, tête inclinée ou main sur le cœur –, auxquelles chacun doit se plier, ne laissent aucune place au deuil familial, pris en charge par la communauté. Cette collectivisation des malheurs de la guerre nie le deuil individuel et la douleur des familles. Pleurer seul le disparu, c'est ressasser les bouleversements familiaux induits par la guerre, risquer de contester son coût et dénier sa légitimité. La mort est dépersonnalisée par l'avènement d'une dimension sacrificielle, dédiée à la liberté.

Pendant et après de longs conflits armés, l'absence de reconnaissance de la douleur individuelle reste classique. Ce phénomène s'est manifesté après la guerre du Vietnam, dont les anciens, comme le déplore un vétéran, « ne disent pas vraiment ce qui est en [eux][143] », ou en Europe après la Première Guerre mondiale. Les soldats « tombés pour la patrie » forment un corps dont le souvenir est accaparé par une « mémoire nationale » qui exalte la souffrance, utilisée comme ciment de cohésion. La commémoration de leur « sacrifice » se fait presque exclusivement lors de cérémonies formatées et empreintes d'un patriotisme ostentatoire. Encadré par des structures morales et des cérémonies propagandistes, le deuil ne fait l'objet d'aucune réflexion. Aucune leçon politique ne peut être tirée de la mort de milliers de jeunes gens, puisque celle-ci est présentée comme un indispensable don de soi à la communauté nationale.

Largement décontaminée de la fièvre belliciste des années 2001-2003, la sphère télévisuelle laisse subsister d'innombrables scories propagandistes. Plus pernicieuse que la ligne à laquelle Fox News reste fidèle, l'émission de télé-réalité *Extrem Makeover : Home Edition*

(*Les Maçons du cœur*) en offre, le 4 mars 2007, un des plus beaux exemples : diffusé par ABC, ce programme met en scène une équipe d'architectes-décorateurs philanthropes sillonnant les Etats-Unis à la recherche de familles déshéritées dont ils se proposent de rebâtir l'habitat souvent insalubre, remplacé en une semaine de temps par d'immenses maisons tout confort. Les Tate, de Tampa (Floride), possèdent un logement qui a été gravement endommagé par le crash puis l'incendie d'un avion de tourisme. Or, il s'agit là d'une famille dont le fils, Ryan, a combattu en Irak sous l'uniforme des Marines. Les « maçons du cœur » volent à leur secours, non sans omettre de souligner, par la voix de leur leader Ty Pennington, que Ryan « est quelqu'un de bien. Le sacrifice qu'il a fait, ce n'est pas seulement pour vous, c'est pour tous ». De la maison des Tate, aux trois quarts détruite, subsiste une façade sur laquelle flotte une bannière intacte ; dans la chambre brûlée de Ryan apparaît, sur un reste d'étagère, l'autobiographie immaculée du général Franks (chef du CENT-COM pendant l'opération « *Iraqi Freedom* ») ; la venue inopinée de Marines prêts à apporter leur aide au déménagement s'ajoute aux clichés de propagande patriotique : ces guerriers d'élite sont « toujours fidèles ». Enfin, la mère du Marine précise que, « si [son fils] est allé là-bas, c'est pour ses frères et ses sœurs. S'il n'y allait pas, ce qui se passe là-bas viendrait jusqu'à [eux][144] ». Un jugement qui reprend mot pour mot la nouvelle ligne de défense de l'administration Bush. D'autres épisodes d'*Extrem Makeover : Home Edition* suivent cette ligne, et présentent notamment le sacrifice du soldat Gilyeat, amputé des jambes, ainsi que la « dignité » dont fait preuve la famille Goodin, privée d'une fille sur le théâtre afghan. Jessica Lynch, la fausse « Rambo » de Virginie, participe même à une émission spéciale consacrée à la famille de son amie Lori Piestewa, tuée en Irak lors de la fameuse embuscade du 23 mars 2003. Des postures qui, selon les mots de Ty Pennington, font « mériter » le traitement de faveur que ses équipiers dispensent aux quatre coins du pays. Autre exemple de « télé-réalité » contaminée par le militarisme – rappelons que les auteurs des programmes choisissent leurs participants –, *The Bachelor* permet en 2007 à un officier de la Navy de sélectionner la supposée femme de sa vie parmi 25 candidates. Pour le Pentagone, qui soutient l'émission, chaque épisode offre l'occasion de montrer le rôle « humanitaire » de la marine de guerre américaine, dont le représentant starisé par *The Bachelor* n'est autre qu'un médecin. La fiction suit : diffusée sur CBS depuis le 22 avril

2003, en plein « *Iraqi Freedom* », *NCIS : Naval Criminal Investigative Service* décrit les aventures d'un groupe d'agents spéciaux de l'US Navy. Fort d'une audience en hausse constante, le programme évoque la guerre contre la Terreur et rend régulièrement hommage à ses combattants, comme dans le 10ᵉ épisode de la saison 5 : « Je soutiens les hommes qui se battent », affirme un des héros du NCIS. Un esprit similaire habite, avec plus de parcimonie, la série *Greys Anatomy*, qui met en scène les différents protagonistes d'un hôpital imaginaire de Seattle. Le 23ᵉ épisode de la 5ᵉ saison, diffusé le 14 mai 2009 par ABC, fait apparaître un soldat blessé en Irak désireux de subir l'amputation d'une jambe, à l'origine de terribles douleurs, dans le but de retourner au plus vite combattre avec ses frères d'armes. En cette période marquée par le retrait progressif des forces américaines du territoire irakien, une large majorité de soldats aspirent, au contraire, à rentrer au plus vite. Cette réalité est niée par les créateurs du programme au profit des cas plus rares d'individus fidèles à la figure du guerrier idéal ; au terme de cette 5ᵉ saison, un interne s'engage dans l'armée comme chirurgien et reçoit l'approbation d'une collègue : « Ce que fait George est dangereux, terrifiant et courageux. Il va servir son pays, il va risquer sa vie pour [nous] permettre de dormir en sécurité. [...] George est un patriote, c'est un héros », rappelle ce médecin, qui précise, sur un fond sonore émouvant, que son frère est revenu d'Irak « dans un cercueil ». La leçon des scénaristes est claire : la perte d'un proche n'empêche pas le soutien aux troupes. Non avare en tirades proguerre, la très populaire série *Bones*, diffusée par Fox, délivre le couplet patriotique jusqu'à sa 6ᵉ saison, dont un épisode, fin septembre 2010, montre l'action héroïque de soldats américains qui sauvent l'enfant d'un interprète afghan de ses ravisseurs talibans. Entre 2009 et 2010, le seul Air Force Entertainment Liaison Office de Los Angeles s'est impliqué dans trois films à gros budget (*Iron Man 2*, *Transformers 2* et *Terminator Salvation*), un téléfilm (*Taking Chance*), deux séries (*Army Wives*, *Stargate Universe*), un show télévisé dédié aux amateurs de voitures de sport (*Battle of the Super Cars*) et une émission de télé-réalité culinaire (*Top Chef*[145]). Le Pentagone a donc durablement étendu son influence audiovisuelle.

Enfin, les grandes entreprises américaines intensifient la signature de partenariats avec le Pentagone, dans le cadre du « Soutien de l'employeur à la Garde nationale et à la Réserve » destiné à maintenir les droits des salariés mobilisés : leur nombre a été multiplié par plus de quatre entre 2005 et 2009, passant de 10 909 à 54 965[146]. Le monde économique se mobilise de manière croissante pour réduire l'impact financier des déploiements militaires présents et à venir. Autrefois promptes à soutenir le déploiement des « boys » par des opérations caritatives et publicitaires, ces mêmes entreprises investissent le terrain de la « gratitude due aux héros » : les parcs d'attractions Disney offrent des tarifs préférentiels aux militaires tout comme General Motors et ses « Military discount », ou les chaînes hôtelières Best Western et Marriot. Sponsor officiel de la Nascar, la compagnie Checkers Drive-In Restaurants, qui compte le plus d'établissements de ce type sur le sol américain, participe en 2006 à l'édition annuelle de l'opération « Gratitude's Patriotic Drive » : en plus de disposer de livres d'or en hommage aux soldats, chacune des 800 enseignes sert de point de collecte pour les paquets envoyés aux troupes grâce à l'appui de DHL, également partenaire. Après sa fusion avec K-Mart, le groupe Sears, géant de la distribution (et déjà partenaire du précité Extrem Makeover : Home Edition), développe le « Heroes at Home Program », censé soutenir moralement et matériellement les familles de militaires revenus blessés et donc incapables de subvenir aux besoins des leurs. Leader de la grande distribution, Wal-Mart fait financer par sa fondation une série de programmes similaires, « dans un effort permanent pour souligner le service et le sacrifice consentis[147] » : à l'occasion du « Veterans Day » de 2008, 3,6 millions de dollars sont versés à différentes organisations œuvrant à l'accès des ex-militaires aux études. Ajoutons qu'American Airlines offre, lors du Jour des vétérans du 11 novembre 2009, un voyage à Las Vegas à un groupe de soldats blessés pour « les remercier de leur sacrifice et du service rendu au pays[148] ». Son concurrent United Airlines organise l'opération « Hero Miles[149] », qui promet de faire voyager gratuitement les familles de militaires cloîtrés à l'hôpital Walter Reed. Petite nuance, la compagnie aérienne finance ces voyages à l'aide des « Miles » – ces points accordés aux clients fidèles et permettant d'obtenir des réductions ou des vols gratuits – que leurs détenteurs voudront céder pour l'occasion : la générosité est donc le fait des Américains, sous l'égide d'United Airlines. De manière ponctuelle, l'engagement militariste est au centre du propos publicitaire : à l'occasion de la finale 2005 du Super Bowl, suivie par une centaine de millions de téléspectateurs, la très populaire marque de bière Budweiser paye, suivant les tarifs en vigueur[150], plus de 4 millions de dollars l'espace de diffusion pour une publicité montrant, sur fond de violons, un hall d'aéroport dans lequel, peu à peu, tous les voyageurs se lèvent pour applaudir, sourire aux lèvres et regards emplis de gratitude, un groupe de soldats de retour au pays. La compagnie aérienne American Airlines reprend, dans deux clips publicitaires, une même trame narrative : invitée par une hôtesse à embarquer en priorité, une jeune soldat semble gênée de brûler la politesse aux personnes présentes dans la file d'attente. A tort, car tous s'écartent, souriants et compréhensifs, tandis qu'un vieil Américain se met au garde-à-vous. « A ceux qui servent notre pays en premier, nous sommes fiers de faire de même », conclut la compagnie, responsable d'une autre publicité, là encore titrée « *Thank you* », dans laquelle un jeune soldat parcourt un aéroport et remercie poliment le personnel à chaque formalité d'embarquement, jusqu'au commandant de bord qui l'accueille mais l'interrompt pour lui lancer : « Non, merci à vous. » A la même époque, Ford réalise un petit film de cinq minutes diffusant une certaine idée du patriotisme, lourdement véhiculée à travers la reprise de scènes normées : retour au pays d'un soldat en pleine santé, accueil chaleureux et émouvant, remerciements de proches et d'inconnus, reconnaissance sociale, élévation au statut de « héros ». La morale selon laquelle l'action des soldats mérite une gratitude sans limites ne varie pas non plus. On rappellera enfin qu'aux Etats-Unis les vétérans représentent dans cette période 9 % de la population, mais 23 % des sans domicile fixe[151]. Cette réalité est occultée par la fréquence et l'homogénéisation des séquences audiovisuelles à la gloire des soldats.

Irréductibles, les interprètes de country nationaliste persistent, entre 2005 et 2010, à livrer au public une vision contredite par les événements. Plus intense en la matière que les cinq années post-attentats, la période est ponctuée d'une centaine de chansons qui peinent, désormais, à s'imposer au Billboard : en 2005, Trace Adkins chante *Arlington*, référence au cimetière militaire – installé sur les terres confisquées au général Lee – et tente, suivant un artifice fort usité, d'exprimer les pensées d'un « héros » venues d'outre-tombe pour rappeler à l'ordre les contestataires : « Nous sommes reconnaissants vis-à-vis de ceux qui sont reconnaissants pour ce que nous avons accompli/ Nous pouvons reposer en paix, parce que nous sommes les élus/ Nous le faisons à Arlington [...]/ Ne pleurez pas pour nous [...]. » Publié en pleine crise de l'ouragan Katrina, le morceau se contentera de la 16e place des ventes country. Seul *I'm*

Already Home (If You're Reading This) (*Je suis rentré à la maison [si tu lis ceci]*) de Tim McGraw (2007) pointe à la 3ᵉ place des hits country et à la 41ᵉ du Billboard Hot 100, où il subsiste tout de même une vingtaine de semaines. La tristesse d'un soldat tué au combat et écrivant à ses proches ne fait, à l'évidence, plus aussi bien vendre, au contraire de l'exaltation des valeurs américaines, portées par *Small Southern Town* d'Alan Jackson (numéro 1 « country » durant trois semaines en 2008), *It's America* de Rodney Adkins, autre Top de 2009 avec *Free* du Zac Brown Band. Pour le reste, les échecs sont légion : *Red, White and Blue* de Kory Brunson (2006), *Where Freedom Flies (Où vole la liberté)* de Diana Nagy (2007) n'entrent pas dans les *charts*. Pourtant, le noyau dur du public country répond présent à *Unknown Soldier* de Breaking Benjamin (2006) ou *Angels in Fatigue* de Field of Gray, qui évoquent la séparation des soldats et de leurs familles, toujours vécue comme un manque accepté dans une foi religieuse et patriote. *Honor The Fallen (Honorez ceux qui sont tombés)* de Sally Mudd (2007), *Honor the Fallen/ The Soldier Song* joué par Hank Break ou *Fallen Not Forgotten (Tombés mais pas oubliés)* du chanteur chrétien Ray Boltz (2008) enfoncent le clou. Un autre *Thank You*, de Hans Brake (2006), *Letter Home From The Garden Of Stone* du « rappeur folk » Everlast et *We Know You're Out there (A Message To Our Troops) (Nous savons que vous êtes là-bas [Un message à nos troupes])* (2007) de Kory Brunson en sont des déclinaisons bien normées. En 2006, à la demande d'une fan liée à un GI tué en Irak, Mike Parrish écrit *Ain't We Got It Good*, dédicacé à tous les militaires américains morts en service. Père d'un soldat tombé en Irak, le chanteur Joe Monto compose en 2007 *Chris Mason (Here On This Battlefield)* et « remercie » sa progéniture pour son sacrifice. Depuis 2005, cet apogée musical de l'acceptation vogue à contre-courant de l'opinion : bien qu'une large majorité d'Américains jugent cette guerre injustifiée, la caractérisation de ses victimes nationales en « sacrifiés d'une cause juste » se poursuit. Lorsque le nombre de soldats tués suscite une douleur trop expansive, Five For Fighting juge le moment opportun pour lancer *Freedom Never Cries (La liberté ne pleure jamais)*, tout comme *A Soldier's Prayer* de Collin Raye, *Fight For Me* de Citizen Reign, *In The Name of Freedom* de Lisa Jeanette (2007) ou *Home Free* de Mason Douglas (2009)... Autant d'exemples chantants d'un sous-genre particulier qui fait, en 2009, l'objet d'un énième concept-album, « *American Soldier* », du groupe de métal progressif Queensrche, entré à la 25ᵉ place des ventes. Niant l'évidence des dizaines de milliers d'hommes mis hors de combat, le groupe de *heavy metal* Disturbed place, en 2008, son album « *Indestructible* » en *pole position* du Billboard 200, dans lequel il restera classé durant soixante-sept semaines. Disturbed avait vu ses trois précédents disques connaître un même succès. Cette fois, leurs fans les suivent vers un nationalisme exacerbé dont la chanson titre est dédiée aux soldats.

Répété simultanément par un support tel que la musique (*Thanks to the Brave* de JD Danner, *He's Coming Home* de Cowboy Crush, *Home* de Chris Daughtry, la compilation « *Voices of a Grateful Nation* », etc.), le message final et global *(« Thank you »)* de ces productions de divertissement, raccord avec l'idéologie dispensée dans la grande majorité des écoles, revient à considérer que le déploiement des soldats engagés dans la guerre contre la Terreur mérite des remerciements, que les risques consentis en Irak ont été profitables au peuple américain et, donc, que l'invasion de l'Irak était légitime. Loin d'une conclusion typique de l'argumentaire proguerre, la chute d'un tel message publicitaire ou musical aurait, en toute objectivité, trouvé plus de cohérence avec un « *Sorry* » excusant l'aveuglement majoritaire de la population et les « fautes » du pouvoir, comme le laissa en partie supposer le geste solennel et symbolique du président Jimmy Carter en 1977 à l'égard des déserteurs du Vietnam[152].

L'éternel synopsis de ces productions de guerre annonce le retour imminent des soldats alors que le nombre de morts des théâtres irakien et afghan ne cesse d'augmenter. Orientés sur la ligne de l'ancienne union sacrée, les morceaux cités plus hauts ne seraient pas reniés par la communication militaire, tandis que ces publicités pourraient être des clips produits par le Pentagone s'ils ne se concluaient pas invariablement sur le logo d'une marque, commanditaire d'une propagande privée au service de la machine de guerre, voire de la culture de guerre. Conçue comme une « propagande commerciale », la publicité est ici une propagande politique. Saturée de gratitude intéressée et d'idolâtrie nationaliste, cette occupation de l'espace médiatique empêche que se reproduise le même rejet des valeurs militaires que manifestaient les opposants à la guerre du Vietnam. Prescriptrice, la publicité impose la norme patriotique. Si l'on se fie aux sondages, le procédé fonctionne : à l'été 2010, 89 % des Américains se disent « fiers » de leur armée[153], pourtant coupable de crimes de guerre. Héros admirés par leur communauté et la nation, les anciens soldats jouissent d'un statut social et d'un prestige envié. Un nombre indéterminé d'individus, mythomanes en quête de considération ou escrocs à la petite semaine, revêtent des uniformes et des médailles sans jamais avoir combattu. On peut d'ailleurs s'interroger sur la politique du Pentagone, très permissive en matière d'acquisition d'effets militaires et de décorations : en donnant un accès en « libre service » à des costumes aussi connotés, les autorités contribuent à renforcer la visibilité du « kaki » militaire dans le civil. En 2006, les signalements de faux vétérans atteignent une importance telle que la loi sur la « bravoure usurpée » *(Stolen Valor Act)* réprimant sévèrement les coupables est votée par le Congrès avant d'être qualifiée d'anticonstitutionnelle et attentatoire à la liberté d'expression dans les arrêts de plusieurs tribunaux. Les faux soldats peuvent donc librement se mêler aux vrais...

14

L'illusion Obama

Des actions marquantes… et leurs limites

L'élection de Barack Obama a suscité, depuis le 4 novembre 2008, un torrent de réactions monocordes. Au palmarès des expressions redondantes, celle concernant le « changement » attendu occupe aisément la première place[1]. Tout semble opposer ce jeune Président – démocrate progressiste, inconnu du grand public avant 2004, largement majoritaire dans les suffrages et afro-américain de surcroît – à son prédécesseur, devenu l'archétype d'un chef d'État usé par le pouvoir, de multiples scandales et une guerre d'Irak des plus impopulaires.

En plein état de grâce, Barack Obama tire un trait sur les pratiques infamantes de l'administration Bush : la défense de la loi relative à la liberté d'information *(Freedom of Information Act)* (FOIA), tant malmenée depuis le 11 Septembre, figure en tête de ses premières mesures. Publiée le lendemain même de son investiture, une note adressée à l'ensemble des ministres rappelle la « responsabilité » démocratique de « transparence[2] » et rend caduc l'ordre exécutif de 2005 restreignant le FOIA en vigueur depuis 1966[3]. D'apparence symbolique, cette décision va très loin : les photographies de cercueils en provenance des zones de guerre et rapatriés par avions militaires ne sont plus proscrites. Essentielle dans la culture de guerre, la désincarnation du conflit, avec ses morts et ses familles endeuillées, ne fait donc pas partie des pratiques politiques de Barack Obama.

Autre scandale au cœur des polémiques post-11 Septembre, les transferts secrets de prisonniers et le non-respect des conventions internationales, dont George W. Bush hérita de ses précédesseurs Bush senior et Clinton avant d'en intensifier la pratique. Deux jours après son entrée en fonction, Obama signe l'ordre exécutif dit *Ensuring Lawful Interrogations* (« Assurer des interrogatoires légaux »), qui abroge les textes de l'ère Bush autorisant d'outrepasser les conventions de Genève. En théorie, les « interrogatoires renforcés » n'ont plus cours, les prisons « noires » de la CIA sont fermées et la sous-traitance de la torture abolie[4]. Nous verrons que la réalité est plus complexe...

Cette attention portée à l'image ternie des Etats-Unis profite aussi à l'armée, surtout sur le plan intérieur où le recrutement doit minimiser tout aspect répulsif. Plutôt discret sur l'amendement Solomon et la préemption des militaires sur les universités, le Président pourrait avoir porté un sérieux coup au socle constitutionnel de ces lois en nommant à la Cour suprême, courant 2010, l'ancienne doyenne de Harvard Elena Kagan, un de leurs adversaires les plus résolus, et à ce titre critiquée par le camp républicain hostile à cette promotion[5]. Du coup, l'arrêt légal de la politique pratiquée par l'armée en termes de discrimination des homosexuels s'apparente, d'un certain point de vue, à une conciliation préventive : si la Cour suprême venait à juger une autre contestation de l'amendement Solomon ou du *No Child Left Behind Act*, son principal argument ne tiendrait plus. Le Président rejette-t-il l'emprise du militarisme sur la société ? Peut-être, mais l'intérêt du pays prime, et il convient de dépasser certains chiffres pour mieux comprendre la situation : en 2010, l'énorme budget du recrutement est rogné de 11 % (800 millions de dollars[6]). Plus élevés, les quotas d'effectifs des forces armées ont néanmoins été atteints, voire dépassés[7], grâce à l'attrait que continue d'exercer la carrière dans un contexte économique difficile. Vu d'ici, les coupes dans les dépenses sont faites à bon escient et peuvent se poursuivre, jusqu'aux prochaines déconvenues signalées par les officiers recruteurs, ou, plus loin, au futur Président, voire aux prochaines menaces de guerre.

Tous les emblèmes du « bushisme » sont progressivement abattus. En mars 2009, l'appellation de « guerre contre la Terreur » est officiellement abandonnée au profit d'« *Overseas Contingency Operations*[8] » (« Opérations d'urgence »), une formule sectorisée et débarrassée de ses oripeaux messianiques, mais pas de son caractère « urgent ». Au même moment, la nouvelle administration amorce un rapprochement avec la Cour pénale internationale[9], et le Président donne le

4 juin 2009 le discours du Caire, lisible comme une main tendue au
« monde musulman » (fût-il vaste et hétérogène) distincte des
signaux envoyés par l'administration précédente. D'autres ruptures
sont visibles dans la stratégie officielle des Etats-Unis en matière de
doctrine nucléaire (« *Nuclear Posture Review* », réduction des armements) et, plus largement, sur les questions de sécurité nationale : à
l'académie militaire de West Point, où George Bush martelait en
2002 sa doctrine de guerre préventive, Obama se fait huit ans plus
tard le partisan d'un multilatéralisme fondé sur une « légitimité
internationale[10] » privilégiant la voie diplomatique onusienne, le
développement de « nouveaux partenariats » et un « nouveau com-
mencement [...] avec le monde musulman » : « Nous devons modé-
rer l'usage de la force militaire », prône-t-il devant les futurs officiers
de l'armée américaine, avant d'envisager une date de début de
retrait du territoire afghan pour l'été 2011. Selon Obama, « l'Amérique devra montrer [sa] volonté par la façon dont nous mettons un
terme aux guerres et prévenons les conflits », et le pays a pour impératif de « donner vie à ses valeurs sur [son] sol », annonce-t-il face à
ceux qui, dans les prochaines décennies, commanderont une première armée du monde plus puissante que jamais.

Tant de changements avivent la colère des adversaires politiques,
qui s'expriment sur Fox News avec le soutien entier de ses vedettes
et du mouvement réactionnaire « Tea Party ». Archétype du média
propagateur d'idéologie guerrière et ultraconservatrice, la chaîne
subit en septembre 2009 les critiques directes du Président et de son
équipe ainsi qu'un boycott lors des points presse. Depuis son apparition sur la scène nationale, Barack Obama est victime de campagnes calomnieuses, d'insinuations racistes et de mensonges en série
qui finissent par porter. Sa cote de popularité, à plus de 62 % avant
l'été, s'effrite au fil des semaines[11] jusqu'à la perte des élections de
mi-mandat, comme 9 des 12 Présidents qui ont succédé à
Roosevelt[12]. La désinformation signée Fox News est donc systématiquement démentie sur le blog de la Maison-Blanche, dans sa rubrique intitulée « *Reality Check* » (« Contrôle de la réalité ») où des
rédacteurs affûtés prouvent, documents à l'appui, que « Fox ment[13] »
sur la réforme du système de santé et quantité d'autres sujets. Entre
le média conservateur et les « libéraux », la tension atteint des sommets. Radicale, nationaliste, violente et toujours aussi subjective, la
ligne défendue par la chaîne reste fidèle aux codes principaux du

bushisme. Qualifiée à juste titre d'« organe de communication du Parti républicain » par de hauts responsables proches du Président[14], Fox News est la vitrine d'une politique qu'elle a soutenue et contre laquelle une solide majorité de citoyens américains ont voté. Pour l'administration, répliquer et attaquer apparaissent comme un moyen de réaffirmer une différence qui, on le verra, n'est pas systématique.

Sur le dossier du syndrome de la guerre du Golfe, l'approche est sans rapport avec les négations des mandats Bush : en juillet 2010, l'administration décide d'une reconnaissance formelle des conséquences des armes à l'uranium appauvri et des pesticides comme le DEET. Les vétérans malades ont accès à des soins adaptés et des pensions leur sont versées[15]. Il serait néanmoins hâtif d'en déduire que les munitions radioactives seront abandonnées ; le 8 décembre 2010, l'Assemblée générale des Nations unies soumet au vote une résolution appelant à la transparence de leur usage : les détenteurs d'un tel arsenal doivent « fournir les informations les plus précises sur les lieux touchés » ; 148 Etats ont voté pour, 28 se sont abstenus, et 4 s'y sont opposés : aux côtés des principaux belligérants d'Irak que sont les Etats-Unis et le Royaume-Uni figurent Israël, dont l'armée bénéficie des technologies américaines, ainsi que la France[16].

Dans un registre tout aussi délicat pour l'histoire américaine, les commémorations des bombardements atomiques sur Hiroshima et Nagasaki, le 6 août 2010, se sont déroulées pour la première fois en présence d'un officiel américain, ici l'ambassadeur. Couplé à l'appel lancé à Prague pour un « monde sans armes nucléaires[17] », ce choix présidentiel amorce une nouvelle réflexion sur les enjeux liés à l'arme atomique. Relayé par les médias[18], le geste pourrait influer sur l'opinion majoritaire, mieux informée des terribles dégâts qu'occasionne cette stratégie. Mettre en œuvre une subtile évolution des consciences, tel semble être le but caché du nouveau Président. Néanmoins, lors d'une visite au Japon en novembre 2010, Barack Obama décline l'invitation à Hiroshima lancée par cinq de ses homologues... du prix Nobel de la paix[19].

Portant une autre attaque contre les mensonges d'Etat qui font l'histoire, Barack Obama énonce, devant les élèves officiers de West Point, de façon très didactique et presque anodine, une nouvelle version officielle des origines du conflit vietnamien ; au détour d'une réfutation du parallèle Vietnam-Afghanistan, le Président déclare : « Cet argument repose sur une lecture erronée de l'histoire : [...] à la différence du Vietnam, le peuple américain a été violemment atta-qué depuis l'Afghanistan. » Ce qui revient à dire, en termes clairs et inédits dans la bouche d'un président américain, que l'administra-tion Johnson avait arrangé l'incident du *Maddox*. En 2001, la publi-cation d'un document interne de la NSA signé par l'historien Robert Hanyok aboutissait aux mêmes conclusions, sans que celles-ci puis-sent, au grand dam de leur auteur, être connues d'un certain public avant 2005 et l'article du *New York Times*[20] : la reconnaissance offi-cielle d'une telle manipulation aurait pu initier un rapprochement avec l'affaire des armes de destruction massive irakiennes. Mais, pour l'heure, la transgression mémorielle d'Obama sert une politi-que : la guerre d'Afghanistan.

Parfois contredites par leur propre auteur, parfois partielles, ces mesures sont dans l'ensemble symboliques. Pourtant, leur portée en fait, sur le long terme, des graines de réflexion semées dans le subs-trat guerrier. La gestion quotidienne des affaires et les grands dos-siers, comme la guerre, relèvent d'une approche beaucoup plus traditionnelle, sinon traditionaliste.

Continuité et traditions

Portée par un record de participation, l'élection de Barack Obama annonce, de l'avis général, une rupture nette avec les années Bush, notamment au chapitre des affaires étrangères. Après huit années d'unilatéralisme et d'entorses au droit international, le temps de l'apaisement serait donc venu, avec pour symbole le retrait pro-grammé des forces américaines d'Irak.

L'analyse est simpliste. Son propos fait d'une administration et de son chef les pourvoyeurs de changements radicaux, sans tenir compte des contraintes, pressions et engagements tacites – que pré-supposent certains financements politiques – auxquels doit se sou-mettre tout occupant de la Maison-Blanche. Ainsi, loin de changer la face des engagements militaires américains, la fin de l'occupation irakienne est suivie d'un redéploiement durable sur le très straté-gique et riche sol afghan, traversé par la route du gaz, truffé de minerais précieux et bordé par l'Iran et le Pakistan. Le président Bush avait lui-même amorcé le processus faisant passer le dispositif de 5 200 soldats en 2002 à 30 100 en 2008[21]. Obama, lui, fait plus fort.

Plutôt qu'une évacuation de l'Irak, on parlera d'un renforcement de l'« irakisation » de la guerre menée par George W. Bush. En août 2010, la « mission combattante » des troupes d'occupation prend fin, non leur action de formation et d'encadrement des forces irakiennes. Les inévitables séquences de combat auxquelles sont confrontés les soldats américains relèvent officiellement d'aléas et non d'objectifs. Or, avec moins de 50 000 hommes toujours déployés (soit plus que les 40 000 policiers fédéraux irakiens[22]), la force d'intervention demeure certes insuffisante à un contrôle effectif du territoire, mais toujours puissante, et surtout adaptée à la sécurisation d'infrastructures précises. Appui non négligeable, l'appel, en 2010, à plus de 207 000 contractants « privés » sur les théâtres afghan et irakien confirme la privatisation croissante de la guerre entamée en 2003 et complète le processus d'« irakisation » : à l'été 2010, le privé représente 54 % de la force de travail à la disposition du Pentagone dans le cadre des guerres d'Irak et d'Afghanistan[23]. Inclus dans les « contractuels » affectés à des tâches périphériques qui libèrent des soldats pour d'autres actions, ces nouveaux mercenaires attachés aux seules missions de sécurité sont officiellement, en 2010, au nombre de 11 610 rien qu'en Irak, donc le deuxième contingent après celui des forces américaines[24]. Le Pentagone ayant déjà minoré de 75 % une première évaluation, les données sont à considérer avec prudence. L'artifice comptable que constitue le remplacement de soldats par des mercenaires n'entrave pas la décrue du soutien populaire à la guerre d'Afghanistan, décrue qui s'interrompt sous l'effet d'un état de grâce présidentiel : courant 2009, une majorité d'Américains désapprouvent. Fin 2010, le rejet de la plus longue guerre jamais menée par les Etats-Unis est similaire à celui observé dans les pires heures d'« *Iraqi Freedom*[25] ». Le retour concret de la menace terroriste, avec les attentats ratés du vol Amsterdam-Detroit (25 décembre 2010) et de Times Square (1er mai 2010), ne déclenche dans l'opinion que de furtifs frémissements en faveur du soutien au conflit[26]. Passée l'euphorie de mai 2011, la mort de Ben Laden ôte une importante justification à la poursuite de la guerre : les explosions de joie fêtent aussi une victoire militaire au sens strict, donc l'arrêt programmé des opérations et le retour des « *boys* ». On sait pourtant que la recherche d'Oussama Ben Laden n'a jamais été le moteur principal de la présence américaine en Afghanistan. Et Obama de prévenir, au soir du décès du chef terroriste : « La mission de sécuriser [le] pays n'est pas achevée. » En mai 2011, le léger regain d'approbation que connaît l'engagement en

Afghanistan fait écho à la « victoire » remportée sur Ben Laden[27]. Dans l'opinion, la hausse des pertes finit toujours par atténuer la portée d'un succès militaire, surtout lorsque celui-ci est symbolique : fin 2003, la capture de Saddam ne fit qu'enrayer pendant quelques semaines la baisse continue du soutien à la guerre d'Irak. Par la suite, la contestation atteignit même son apogée. Autres temps, autres mœurs ? Sans doute. Des manifestations antiguerre ralliant bien au-delà des quelque 10 000 opposants vus à Washington en mars 2010[28] ramèneraient le spectre de la présidence Johnson sur la Maison-Blanche... Voilà pourquoi les opérations militaires conduites au Yémen entre la fin 2009 et 2010 ont été déclenchées sous le sceau du secret[29], tandis que sont programmées d'autres actions « clandestines » dans des régions aussi diverses que l'Asie centrale, le Moyen-Orient et la Corne de l'Afrique[30]. S'esquisse ainsi un retour aux années 1970-1980, grande époque pour les actions occultes, alternatives idéales aux déploiements impopulaires. En mars 2011, la guerre aérienne contre la Libye, présentée sous le jour d'une « opération militaire limitée » à des fins « humanitaires », est désapprouvée par 60 % des Américains[31]. En cas d'opération terrestre, qu'Obama assure ne pas envisager, le refus monte à 76 %[32]. Malgré l'apparence d'un leadership français – affirmé quelques semaines après un déploiement militaire américain aux abords de la Libye – qui minimise la réalité de l'implication des Etats-Unis, l'opinion s'oppose comme elle le fit pendant les guerres de l'ex-Yougoslavie.

Fidèle à ses prédécesseurs, Barack Obama n'a cessé d'affirmer sa volonté de maintenir la supériorité de la défense nationale. Difficile de l'imaginer soutenant le contraire. Cette garantie donnée au secteur militaro-industriel, extraordinairement généreux avec le candidat démocrate, se traduit en chiffres : les budgets de défense 2010 et 2011[33] augmentent de 4 % et 2 %. La Maison-Blanche aurait pu se montrer plus dispendieuse en 2011 si le Congrès n'avait pas retoqué la proposition initiale de l'exécutif, qui prévoyait une hausse de 5,8 %[34]. Tandis que la levée progressive du dispositif irakien augure de sérieuses économies, une part équivalente des sommes dépensées est réaffectée au théâtre afghan : entre 2009 et 2010, la moyenne mensuelle des dépenses militaires en Irak est passée, selon les chiffres du Congrès, de 7,2 milliards à 5,4 milliards de dollars mensuels, soit une baisse de 33 % ; au même moment, les dépenses d'« *Enduring Freedom* » passaient de 3,5 milliards mensuels à 5,7 milliards : la hausse est de plus de 62 %[35]. Plus largement, les projets présidentiels de modernisation des structures militaires plaident pour le maintien à une hauteur stratosphérique des sommes allouées au Pentagone[36]. Les coupes drastiques ne sont pas au programme, même si des spécialistes proches de la Maison-Blanche évoquent le plan de réduction de 100 milliards de dollars sur cinq ans comme un « sacrifice[37] » ; conséquent en apparence, le « sacrifice » est relatif : dans ses projections budgétaires pour 2012, le ministère de la Défense consent à abaisser son train de vie au niveau (déjà record) fixé en 2009 (mais dépassé en 2010 et 2011), soit plus de 670 milliards de dollars[38], ce qui représente encore le double du budget 2001. Mené à bien, le plan d'économie ferait donc plafonner les dépenses du Pentagone au seuil atteint en 2007 (600 milliards). Après avoir enflé sans interruption sous Bush junior, les crédits militaires ne pourront être rognés que très progressivement, et dans des proportions limitées : à chaque guerre (Corée, Vietnam, guerre froide, Golfe), les chiffres explosent pour ne s'éroder qu'après plusieurs années, voire une décennie. Concernant les années 2010-2020, l'objectif visé au début du millénaire par le Project for a New American Century est atteint : le budget militaire des Etats-Unis a explosé. Les crédits de défense demeureront deux fois plus élevés qu'à l'heure où le *think tank* néoconservateur exprimait ses vues sur la question.

Barack Obama entend-il vraiment rompre avec l'essence de la politique américaine ? On peut en douter : lui-même n'est pas d'une grande constance à ce sujet lorsqu'il élève l'ancien secrétaire d'Etat James Baker au statut de modèle[39]. Comme en attestent les ambivalences de Baker à l'égard de Saddam Hussein, force est de reconnaître que les choix de l'administration Bush senior se situèrent dans le prolongement des années Reagan. La ligne directrice d'Obama ne s'écarte guère, en termes de politique étrangère, des canons définis par ses prédécesseurs, y compris Bush, tant conspué en fin de mandat. La reconduction de Robert Gates, secrétaire à la Défense républicain, s'inscrit dans une même logique. Confirmant le visage de rassembleur affiché durant la campagne, Barack Obama fait fi des soupçons d'implication dans l'affaire Iran-Contras qui pèsent encore sur Gates, conscient de pouvoir mettre à profit l'expérience avérée d'un ancien directeur de la CIA (1991-1993) en poste au Pentagone depuis la démission du très décrié Rumsfeld le 8 novembre 2006. Artisan des plans de renforcement des effectifs sur le théâtre irakien, le secrétaire à la Défense transpose sa tactique à l'Afghanistan.

Enfin, il supervise la mise au point du très controversé bouclier anti-missiles cher au président Bush, que son successeur a promis de mener à bien, avec quelques variantes[40].

Guantanamo figure au chapitre des espoirs déçus : survenue, là encore, dès l'entrée en fonction du nouveau Président, l'annonce de sa fermeture et de l'abandon des tribunaux militaires revêt une dimension particulière, à plus forte raison si l'on considère leur existence comme le fruit d'un processus de déshumanisation des adversaires initié par l'administration Bush. Face à des « parasites terroristes » et « maléfiques », les « pires des pires[41] » qu'il convenait d'« éliminer[42] » jusque dans leurs « nids à rats[43] », il semblait acceptable, voire indispensable, de recourir à des méthodes hors normes : le gouvernement donnait à voir, par médias interposés, la nature ferme et vengeresse de son action. Le nouveau pouvoir a préféré temporiser, transiger, et finalement garder intacte cette vitrine opaque de la guerre contre la Terreur en normalisant son fonctionnement et ses pratiques : le camp « X-Ray », devenu « Delta », peut néanmoins toujours se concevoir comme la transcription concrète d'une parole politique brutalisante destinée à durer, puisque la loi de défense 2011 bloque toute alternative[44].

En rétablissant des « standards d'incarcération humains », l'*Habeas corpus* et en ordonnant la suspension des cours de justice militaire[45], le président Obama a semblé s'opposer à l'arbitraire légal instauré par son prédécesseur. Pourtant, ce retour à la normale pourrait n'être qu'apparent si l'on se fie aux enquêtes journalistiques conduites dans la foulée[46]. Au sein de l'administration, des tendances s'opposent toujours sur le statut à accorder aux présumés « terroristes » d'Al-Qaida qui, eux, restent détenus sans procès et donc dans le même trou noir juridique qu'autrefois[47]. Vu d'ici, les ordres inaugurant le nouveau mandat relèvent de la communication : aucune disposition claire n'a par exemple été prise au sujet de la douteuse prison de Bagram, en Afghanistan. Avec, selon des estimations variables, 750 individus incarcérés en février 2010 et plusieurs centaines d'autres passés par ses geôles, Bagram est un autre Guantanamo : si le Camp Delta voit le nombre de ses prisonniers baisser régulièrement, la courbe des incarcérations de Bagram connaît une évolution inverse. Dénoncé par l'American Civil Liberties Union pour le flou juridique qui l'entoure[48], ce camp secret ouvert en 2002 par l'administration Bush serait le théâtre de pratiques en tous points similaires aux exactions perpétrées dans le Camp Delta. Les mauvais traitements infligés aux prisonniers relèvent plus que jamais d'une sous-traitance renforcée ; l'externalisation minimise la responsabilité visible des Etats-Unis. Car c'est ici que le bât blesse : en contradiction totale avec son rappel au droit à l'information, l'administration Obama s'est félicitée début 2009 du refus d'une cour de justice britannique d'ouvrir le dossier d'un individu faisant état de tortures dans une cellule américaine ; après d'intenses pressions diplomatiques, ses membres ont évité à l'ancien vice-Président Cheney d'éventuelles poursuites intentées en Espagne pour son rôle dans le recours à la torture[49]. Ces manœuvres sont identiques à celles qui visèrent, en 2003, la Belgique et sa loi de « compétence universelle » dont se méfiaient, par peur d'un affront, les responsables de l'équipe Bush alors visés. Cultivant un certain mimétisme, Obama lui-même s'est opposé en mai 2009 à une décision de justice rendue en faveur de l'American Civil Liberties Union, qui a obtenu la publication de nouvelles photographies des sévices et tortures perpétrés par des soldats américains contre des prisonniers afghans et irakiens. En 2004, George W. Bush et Donald Rumsfeld ne faisaient pas autre chose... Sous l'ère Obama, les instruments de révélations sont plus opérants que jamais, Wikileaks en tête, et le contraste déçoit.

L'explication d'une telle ambivalence paraît simple : achevée en Irak, la guerre se poursuit sur le terrain afghan où, *dixit* Obama, « le boulot n'a pas été terminé[50] ». Les mesures d'exception afférentes au contexte de guerre restent primordiales, moins sur un plan tactique que psychologique, l'opinion demeurant d'autant plus mobilisée que le Président jouit encore des premiers mois idylliques du nouvel élu. Couvert par le secret d'Etat, l'arbitraire perdure, notamment à l'encontre des financiers d'Al-Qaida[51], légitimant de fait les arguments autrefois avancés par les juristes de l'administration Bush, à une nuance géographique près : « front principal dans [la] bataille contre le terrorisme[52] », l'Afghanistan monopolise l'attention plus encore après la mort du chef d'Al-Qaida, selon certains, à partir des renseignements arrachés lors d'interrogatoires « renforcés ». Cette précision contestable légitime donc les méthodes de l'ère Bush. Le temps reste à la guerre, et le lexique guerrier propre à l'administration Bush perce dans les mots de Barack Obama, qui qualifie de « progrès » le fait que « des hauts dirigeants d'Al-Qaida et des chefs talibans aient été tués[53] ». Sur NBC, le 30 juillet 2010, le vice-Président Joseph Biden reprend également l'idée, maintes fois entendue entre 2001 et 2008, selon laquelle l'armée américaine s'évertue à « trouver et éliminer » les chefs terroristes[54]. Le général James Mattis est, depuis sa nomination par Barack Obama à la tête du CENTCOM, le symbole d'une stratégie militaire dont la violence d'expression est portée à la connaissance du public. Mattis s'affirme comme un spécialiste : en 2005, s'exprimant sur l'Afghanistan, ce Marine de haut rang expliquait qu'il était « *fun* de tuer des gens[55] ». Auditionné par la Commission des forces armées du Congrès, il prend des accents « rumsfeldiens » en expliquant adhérer à une nouvelle approche en Afghanistan qui passerait « de la stratégie de contre-insurrection à une stratégie [...] d'extermination des terroristes[56] ». Quelques jours après, le général Mattis est confirmé dans ses fonctions, à l'unanimité. La brutalité verbale est entrée dans les mœurs politiques jusqu'aux plus hauts sommets de l'Etat.

Forte d'ambitieux programmes de défense planifiant pour 2010 une hausse des effectifs[57], l'armée a besoin de nouveaux soldats. Dans cette optique, Barack Obama perpétue le culte des forces armées, expliquant par exemple que « les Américains sous l'uniforme ont servi avec courage et détermination ; en tant que commandant en chef, précise-t-il, je suis incroyablement fier de leur engagement. Et, comme tous les Américains, j'éprouve le plus profond respect pour leur sacrifice, et celui de leurs familles[58] ». Fidèle à la doctrine de soldats irréprochables et fidèles à leur patrie, Obama ne désavoue plus la guerre et rate l'occasion de s'écarter des éternels remerciements aux troupes pour donner à comprendre comment cette attitude mécanique de vénération des forces armées permet de mener une guerre sur la foi de mensonges. Bien au contraire, les soldats sont dans sa bouche l'« acier du navire qu'est l'Etat ». Les piliers de la religion militaro-civique sont préservés. Barack Obama et son épouse s'associent personnellement, en 2009 et 2010, aux 12 000 bénévoles d'« Opération Gratitude » mobilisés pour constituer les colis expédiés en Irak et en Afghanistan. De toute évidence, le couple présidentiel n'a ni les moyens ni l'envie de se soustraire à un système bien-pensant qui entretient l'esprit militariste : fussent-elles caritatives, les structures dévolues au soutien des militaires en déploiement ne sont pas apolitiques : « [Cette action] envoie un message très fort aux troupes, explique Carolyn Blashek, la fondatrice d'"Opération Gratitude". Elle exprime la reconnaissance, le soutien, l'amour et le respect de millions de personnes[59] [...]. » Or, ces maigres réconforts donnent à chaque soldat l'impression que le pays est derrière lui, et permettent, dans un sens, d'améliorer son moral et sa capacité à servir. Cette sorte de « Soldathon » entérine et soutient la hausse des effectifs en Afghanistan plus que jamais nimbés, en mai 2011, d'une aura de « héros » grâce au raid victorieux mené contre la « planque » de Ben Laden… au Pakistan. « Les hommes qui ont entrepris cette opération […] sont l'exemple même du professionnalisme, du patriotisme et du courage sans égal de ceux qui servent notre pays », souligne le Président. Cette aura se confond avec celle du pays : grâce à l'absence de procès – sans exclure qu'une telle opération puisse se solder par la mort de la cible –, les liaisons dangereuses nouées par les Etats-Unis en Afghanistan à l'époque de l'occupation soviétique ne seront pas rappelées.

A l'avant-garde du refus en 2002-2003, dénonçant les graves dérives du pouvoir, Barack Obama a accompli un long chemin jusqu'à cet été 2010 et un discours donné dans le décor solennel du bureau Ovale : « Les Américains qui ont servi en Irak ont accompli la mission qui leur avait été confiée. Ils ont infligé la défaite à un régime qui terrorisait son peuple. Avec les Irakiens et nos partenaires de la Coalition, ils ont fait d'immenses sacrifices. Nos troupes ont combattu pâté de maisons par pâté de maisons pour aider les Irakiens à avoir une chance de connaître un avenir meilleur », déclare-t-il dans une intervention que l'on jurerait avoir déjà entendue. « Nous pensons que des cendres de la guerre peut naître un nouvel élan dans ce berceau de la civilisation[60] », précise Obama. Outre une formulation qui l'inclut, avec ce « nous », dans un consensus national préétabli, le double sens de l'énoncé est clair : l'élu démocrate précise qu'il hérite d'une situation née d'une guerre à laquelle il s'est opposé avant de conduire une action pragmatique à même de rendre l'Irak florissant et démocratique. On peut également comprendre que la guerre constitue l'instrument préalable à tout « élan » démocratique, à toute avancée, à toute rédemption. Quoique nuancé par le rappel historique du « berceau », ce propos reprend, au fond, les légitimations de la guerre portées par les puissances européennes des XIXe et XXe siècles, et toujours liées à nombre d'interventions armées des Etats-Unis. Dans ce même discours, il rappelle que la dernière « décennie de guerre » devra « servir à adresser au monde le message que les Etats-Unis sont décidés à maintenir et renforcer [leur] leadership[61] ».

Le bouleversement à la Maison-Blanche relevait davantage du rêve, voire de l'idéologie, que du principe de réalité. Comment un

Président pourrait-il renoncer aux fondements de la politique étrangère américaine ? Comment ne pas jouer au jeu dangereux de l'« équilibre au Moyen-Orient » quand le plus gros contrat d'armement jamais conclu doit être signé par l'Arabie saoudite, acheteuse pour 60 milliards de dollars de matériel américain[62] ? Surtout, comment un Président incarnant le « rêve américain » pourrait-il égratigner les mythes nationaux ?

Les dix ans du 11 Septembre : l'empreinte d'Obama

Le retrait total d'Irak, prévu justement en septembre 2011, tient sans doute compte de la concordance symbolique : la fin officielle de l'aventure irakienne met, dix ans après, un point final au sombre chapitre écrit par l'équipe Bush sur les ruines des attentats, revenus dans les esprits avec la mort de leur commanditaire. Dans le détail, le bilan est plus contrasté : les commémorations de la décennie écoulée depuis le 11 septembre 2001 ne peuvent être qu'un temps fort de la présidence Obama. L'administration précédente s'était empressée de figer un souvenir officiel au service de sa politique. Presque dix ans plus tard, les traces en sont omniprésentes ; partout dans le pays, des initiatives sont mises en chantier : des communes, comme Cherry Hill dans le New Jersey, projettent d'édifier leur propre monument sur souscription[63], un mode identique à celui employé à maintes reprises dans la France de l'après-1918 alors que les villes et les villages érigeaient des monuments aux morts. Soutenu par des stars de la country, des officiers de haut rang, des vétérans célèbres et diverses personnalités, le projet « Hero Portraits » rassemble des fonds pour une exposition itinérante, dans chaque Etat, qui présentera les portraits des 403 premiers secouristes intervenus et décédés le 11 septembre. Pour commencer, la galerie en plein air, baptisée « *Walk with Heroes* » (« Promenade avec les héros »), prend place lors des commémorations dans Central Park à New York[64]. Toujours pour l'anniversaire des dix ans, une course cycliste et caritative baptisée « Tour de force[*] » est organisée du 8 au 11 septembre 2011 entre les monuments historiques et des symboles architecturaux de la puissance militaire nationale ; vêtus d'une chasuble ornée d'un logo fusionnant le Pentagone et les Tours jumelles,

---

[*] En français dans le texte.

les coureurs passent à proximité de la cloche de la Liberté de Philadelphie, de l'Ecole navale, puis traversent la capitale jusqu'au cimetière militaire d'Arlington avant d'effectuer leur retour à New
York[65].

Face à l'ampleur du phénomène que chapeaute l'organisme gouvernemental United We Serve, une étude consacrée à ces nouveaux
lieux de mémoire et aux actions y afférentes serait nécessaire. Environ 100 000 initiatives sont espérées[66]. A la lueur de ces exemples,
on peut néanmoins déduire que la trace laissée dans les mémoires
n'a guère varié : le culte des héros et des morts reste au centre de
l'attention, tandis que la faillite gouvernementale et le recul historique échappent à toute analyse. Du côté des pouvoirs publics, les
enjeux se posent différemment. Comment Barack Obama, l'anti-
thèse supposée de George W. Bush, appréhende-t-il cet épisode ?

Divers propos plaident pour une évolution, à l'image d'un discours de campagne tenu le 1er août 2007 au Woodrow Wilson International Centre for Scholars : qualifiant la commission d'enquête
sur le 11 Septembre de « voix claire dans une période confuse[67] », le
candidat à l'investiture démocrate dénonce alors à demi-mot l'apathie gouvernementale en face d'une menace imminente et l'instrumentalisation du trauma national au profit des plans irakiens. D'un
autre côté, cette prise de position vis-à-vis de la commission
d'enquête valide l'ensemble de son travail, fût-il entaché de multiples irrégularités, de la composition des enquêteurs au manque de
coopération d'agences gouvernementales enclines à dissimuler nombre de documents. Le propos du candidat démocrate est en fait destiné à satisfaire le plus grand nombre de ses électeurs ; Obama paraît
soucieux de ne pas remuer les braises d'un sujet brûlant, tout en
adoptant une attitude en phase avec la mémoire officielle : lors du
« Patriot Day » de 2007 institué à la mémoire des attaques terroristes, Barack Obama décide, d'accord avec son concurrent John
McCain, d'une suspension de leurs campagnes respectives, reproduisant l'union sacrée née six ans auparavant. Une fois élu, le Président entérine la politique mémorielle de son prédécesseur et ne
manque jamais d'exalter le rassemblement national aveugle qui fut
si utile aux menées guerrières du pouvoir : « Le patriotisme et la
détermination du peuple américain ont rayonné de manière éclata-
tante le 11 septembre 2001. [...] Nous avons pleuré ceux qui péri-
rent et nous nous sommes rappelés ce qui faisait de nous des
Américains », déclare-t-il le 11 septembre 2009. Certes, le mouve-

ment de solidarité qui a traversé le pays mérite bien des louanges. Pour autant, sa captation par le pouvoir est avalisée par Barack Obama, qui, une fois encore, prononce des mots dignes de George W. Bush : « Le 11 Septembre nous rappelle que [...] notre démocratie se renforce quand nous défendons les principes sur lesquels notre nation fut construite : l'égalité, la justice, la liberté et la démocratie. » Or, dans les jours suivant les attentats, des législations d'exception ont attenté à l'égalité, entre autres au détriment des Américains musulmans, la justice devint arbitraire, la liberté restreinte et la démocratie longtemps paralysée ; le nouveau résident de la Maison-Blanche n'a aucunement démonté l'édifice juridique autorisant ces entorses aux principes universels (le *Patriot Act* est par exemple reconduit). Mû par le même intérêt politique – les élections de 2012 sont dans les têtes –, avide de « raviver l'esprit d'unité » autour de sa personne, Obama entretient un mythe lisse associé au programme des principales cérémonies du 11 septembre 2011, alourdies par la crainte d'autres attaques « anniversaire » : sur *Ground Zero*, face au Pentagone ou lors de l'inauguration du Mémorial national en l'honneur du vol 93, Barack Obama ne peut que perpétuer l'histoire nationale. Dans les établissements scolaires, auxquels les autorités proposent des « projets de leçons sur le 11 Septembre », la schématisation, l'imagerie et l'anecdotique sont les fils directeurs des thèmes sélectionnés : « L'arbre survivant », retrouvé au cœur de *Ground Zero* et replanté ; « La petite chapelle qui est restée d'aplomb » ; « Jour d'infamie », qui renvoie à Pearl Harbor ; ou « Une histoire de pompier[68] », etc. L'annonce de la mort d'Oussama Ben Laden lors du raid lancé le 1er mai 2011 déclenche un autre mouvement d'union sacrée, porté par les mêmes acteurs politico-médiatiques : ces rassemblements spontanés sont des scènes de liesse patriotique, de jubilation collective et familiale, sous un déluge de drapeaux, devant les monuments, les lieux de mémoire et les édifices gouvernementaux – rassemblements dont se sentent néanmoins exclus les « natifs américains », ces communautés indiennes outrées que l'identité de leur héros, l'Apache Geronimo, ait pu servir de nom de code à l'ennemi n° 1 des Etats-Unis. Pour le reste, on parle de « soulagement », de « justice », parfois de « vengeance ». Ces sentiments l'emportent sur le regret qu'un progrès ne puisse jamais se tenir, et profitent, dans des proportions assez limitées, à la popularité de l'exécutif.

Devenu un épisode au moins aussi marquant que les attaques de Pearl Harbor, le 11 Septembre est une référence que le Président manie avec une certaine pertinence : pris dans la tourmente de la marée noire provoquée le 20 avril 2010 par l'explosion d'une plate-forme de British Petroleum au large de la Louisiane, Barack Obama, critiqué pour sa gestion de la crise, a, dans le cadre solennel du bureau Ovale, dressé un parallèle entre les deux événements : « De la même façon que notre regard sur notre vulnérabilité et notre politique étrangère a été profondément façonné par le 11 Septembre, je pense que ce désastre va influer sur notre façon de penser l'environnement[69] [...]. » Quoique subtile, le fond de la comparaison – établie un mois auparavant dans le *New York Times* par l'éditorialiste Thomas Friedman[70] – déclenche une polémique avivée par une presse autrefois en première ligne dans l'instrumentalisation du « Mardi noir », ainsi que par des personnalités républicaines, justement spécialistes en détournement mémoriel. C'est d'ailleurs l'angle retenu par de nombreux médias, qui titrent avec subjectivité sur un rapprochement incongru[71]. Ce raccourci journalistique, à la fois commode et subjectif, retranche la dimension réflexive des mots présidentiels (un nouveau paradigme écologique doit naître du désastre) sans atténuer leur aspect radical : dans la droite ligne des condamnations répétées du Président contre les dirigeants de BP, le lien « marée noire-11 Septembre » » fait de la compagnie pétrolière un groupe terroriste environnemental.

Le regard d'Obama sur la tragédie du 11 Septembre est lucide. Malgré tout, comme dans bien d'autres domaines, le Président est écartelé entre une volonté de remise en question et le conformisme mémoriel : après son accession à la Maison-Blanche, il embrasse les codes patriotiques imposés par l'équipe Bush.

Conclusion

A partir du 11 Septembre, la guerre, les soldats et l'idéologie favorable à leur valorisation, la détestation des ennemis de l'Amérique, et donc la culture de guerre, sont devenus omniprésents dans la vie des citoyens américains. Souvenons-nous : réveillé par des informations alarmantes sur la menace terroriste, l'individu ordinaire quitte sa maison dans une rue bordée de drapeaux. En voiture, la radio passe quelque morceau à la gloire des soldats et de l'Amérique, tandis que des éditorialistes vantent l'union de la population derrière son Président ou commentent la dernière alerte terroriste. Après avoir déposé ses enfants au collège où des recruteurs en tenue d'apparat cherchent leurs futures recrues, il gagne son lieu de travail, également orné des couleurs nationales. La journée terminée, notre citoyen peut se rendre dans un centre commercial, dont le hall d'entrée est garni de photographies rendant hommage aux militaires, pour acheter des produits dont les marques communiquent sur leur soutien à ces mêmes militaires. Quand, le soir arrivé, notre homme savoure un repos salvateur, il allume la télévision et regarde les informations, qu'auront peut-être phagocytées des séquences propagandistes tournées à l'instigation du gouvernement. Plus tard, une émission de divertissement, une série, un jeu ou un film justifient, de façon claire ou insidieuse, la politique et le militarisme du pays. S'il opte pour un programme sportif, le maillot des athlètes ou des autocollants de l'US Army apposés sur des voitures de course, une démonstration de Marines avant le match ou les publicités pour le recrutement participent à la construction d'une image positive des forces armées. Dans tous les cas, des clips publicitaires reprennent le message, qui hachera à plusieurs reprises n'importe quelle émission. Avec une connaissance plus ou moins proche sous l'uniforme, ce citoyen-téléspectateur pourra abonder dans le même sens. Pendant ce temps, ses enfants, peut-être endoctrinés en milieu scolaire, jouent avec des figurines de soldats engagés d'Afghanistan, ou, à peine plus âgés, à un jeu vidéo délivrant un message identique et des leçons militaires virtuelles. Rouages d'une organisation systémique, les cadres de contrôle de la société sont ceux, considérablement enrichis et modernisés, des Etats européens du premier XXᵉ siècle. Les Etats-Unis, pays du gigantisme et plus grande puissance militaire de tous les temps, ont mis l'ensemble à leur mesure.

Chaque jour, partout, la propagande revient à la charge, frontale ou camouflée, monocorde, tentaculaire et prédatrice, alors que la mémoire officielle et les représentations populaires nées des conflits précédents servent de terreau à sa croissance : la période 2001-2003 compte non pas une, mais deux unions sacrées bien distinctes. Celle née des attentats, spontanée, solidaire et citoyenne, a vite été détournée vers une réaction militaire. Encouragée et entretenue par une alliance politique, économique et médiatique, cette union sacrée s'est fissurée jusqu'à l'aurore du conflit irakien, dont la perspective n'a jamais réuni de consensus. Le déclenchement des hostilités a donné naissance à une seconde union sacrée, plus classique, mais également plus brève, nourrie des effets de l'après-11 Septembre et des réflexes acquis dans un passé guerrier, jusqu'au très récent conflit afghan d'octobre 2001.

Pourtant, un autre discours parvient à percer : des manifestations clairsemées sont visibles à certains carrefours. Puis, des cortèges se forment. Des journalistes, des intellectuels et des artistes critiquent les choix du pouvoir, sur un ton radical ou plus subtil. Certains en font les frais, et subissent un sort qui pourra susciter l'indignation. Leur production distille un contre-argumentaire aux projets de guerre, du moins quand les organes de presse affidés au politique n'ont pas organisé des campagnes de dénigrement. Un nouveau média, Internet, introduit une variable inédite : sur la Toile, les adversaires du conflit se créent de solides places fortes virtuelles prêtes à déborder dans les villes. L'éclosion du phénomène a joué un rôle unique dans l'histoire. Non régulé, difficilement contrôlable, d'ores et déjà menacé par des lois restrictives[1], cet espace propice à la libre expression dispose d'un pouvoir de persuasion associant le

texte, le son, l'image et l'interactivité. Peu à peu, l'opposition minoritaire gagne les esprits, aidée par la voix des soldats, venue directement du terrain, et celle d'individus proches des cercles du pouvoir,
scandalisés par ce qu'ils voient. Perceptible de façon plus ou moins
directe dans la production culturelle, la critique se répand. Le rapport de force s'inverse. Un nouveau paradigme voit le jour.

C'est bien là que se situe le souffle démocratique des Etats-Unis,
capables, grâce à leurs institutions et aux libertés civiles, de rendre
publics en un temps record des documents classifiés, des vérités
cachées devenant, à l'heure d'Internet, plus visibles que jamais.
Reste que ce processus, déjà présent lors de la guerre du Vietnam,
semble cyclique, tributaire du degré de sensibilité de la population,
et surtout limité. Sans un corpus critique personnel, le citoyen ne
peut tirer un parti juste des masses d'informations qui lui parviennent. Sans un système d'instruction efficace, objectif et centré sur
l'acquisition de capacités d'analyse, la machine démocratique
tourne à vide.

Si la démocratie porte en elle les instruments de son fonctionnement, le triomphe final de la raison doit être minoré : les promoteurs
et les profiteurs de guerre ont atteint leurs buts, qu'il s'agisse de
déclencher une opération militaire, de conquérir des espaces ou
d'enrichir des sponsors industriels, le tout hors d'un cadre dictato-
rial : lorsque le besoin (militaire, stratégique ou économique) se fait
sentir, les structures démocratiques sont maltraitées pour s'adapter,
et laissent la place à une sorte de « dictocratie » temporaire et donc
bien plus admissible qu'un régime véritablement autoritaire. La
militarisation carnassière de la société américaine révèle des séquences totalitaires qui subsistent toujours après leur achèvement, plus
encore dans le contexte de la guerre contre la Terreur.

L'effritement de l'union sacrée, fruit d'une lente érosion initiée
dès l'été 2003, fait apparaître la période d'adhésion unanime née du
11 Septembre comme une parenthèse jamais refermée. La contestation de la guerre d'Irak et de l'ensemble des choix emblématiques
de l'administration, ainsi que la défaite du Parti républicain aux
élections de 2006 et 2008, doivent être replacées dans la continuité
des oppositions nées au cours des années 1960, mais aussi des
remous provoqués en 2000 par la victoire contestée de George
W. Bush. Révulsés par les mensonges du pouvoir, la part volatile des
électeurs et les républicains modérés ont rejoint le camp de la critique,
augmentée, en novembre 2008, d'une nouvelle frange électorale

jusque-là abstentionniste. Or, le mandat de Barack Obama déçoit. Au-delà d'attentes sociales difficiles à satisfaire, l'incapacité présidentielle à malmener la tradition guerrière autrement que par quelques banderilles bien placées montre aux idéalistes que la mission du jeune chef d'Etat n'est pas là. Au contraire, Obama débaptise la « guerre contre le terrorisme », déplace son épicentre de l'Irak à l'Afghanistan, et continue de prendre appui sur les fondations de la religion militaro-civique en injectant avec conviction un embryon de social dans sa politique. John McCain aurait-il pu en faire autant ? Voire. La personnalité d'Obama et sa candidature, portées par des intérêts financiers clairvoyants[2], ont fait de lui le candidat idéal à la poursuite d'une politique semblable par ses fondamentaux mais modifiée sur la forme, et donc plus acceptable.

Né d'une réaction humaniste face à l'impact des révélations, le refus de la barbarie guerrière demeure ponctuel : le socle des valeurs, celui d'une nation bienfaitrice, continue à triompher. En 2008, la concrétisation du rêve antiségrégationniste, venu s'agglomérer aux mythes nationaux, paraît le prouver grâce à l'élection à la Maison-Blanche d'un Afro-Américain porteur d'un programme de rupture. Simultanément, le culte d'une armée de héros ne faiblit pas, à l'opposé du « désamour » constaté après que le piège vietnamien eut montré ses ravages.

Sans laisser de traces apparentes, la culture de guerre ressuscitée et développée par l'administration Bush pèse encore sur la société américaine. Désormais, l'idée du remerciement patriotique adressé aux hommes envoyés combattre s'est imposée, y compris quand leur « sacrifice » est consenti à mauvais escient. Vecteur essentiel du soutien belliciste, cette culture joue sur les opérations militaires : la guerre d'Irak est ainsi entachée, au terme du second mandat Bush, de plusieurs centaines de milliers de victimes irakiennes, 4 000 soldats américains tués et au moins 40 000 blessés. La construction et la légitimation de l'action militaire, ses enjeux et la représentation de l'adversaire ne sont pas étrangers à l'ampleur du bilan. Entre 2001 et 2011, le gâchis des guerres, ou l'investissement, selon les points de vue, a englouti 1 291,5 milliards de dollars[3]. Alors que l'argent manque pour les plus démunis, la culture de guerre permet, aussi, de faire accepter au peuple que ses impôts partent en fumée.

Deux tendances s'affrontent dans une lutte qui synthétise le pays : une culture de guerre oublieuse de sa folie qui se fond dans le paysage, et une culture de paix, ou au moins de conscience, édifiée en réaction à la première. La contraction de la culture de guerre a souvent raison du militantisme antiguerre : sans conflit d'importance, la mobilisation perd sa raison d'être alors qu'un maintien de cette conscience immuniserait contre les ravages du bellicisme. Or, la culture de guerre perdure : privée d'un quasi-monopole, elle continue à distiller son message et devient plus pernicieuse. Dans certains secteurs, notamment ceux du divertissement, les traces se sont multipliées : les prochaines guerres se préparent dès maintenant. Leur enjeu, similaire à celui de l'Irak et des guerres impérialistes les plus anciennes, sera encore et toujours le contrôle des ressources naturelles et l'acquisition de bases militaires stratégiques. Alors que le pétrole s'épuise et qu'émergent des puissances avides de croître, d'autres confrontations armées sont inévitables, notamment contre l'Iran, qui excite la convoitise des néoconservateurs[4], ou la Libye, bien référencée dans les mémoires américaines.

Pas à pas, la République islamique s'est trouvée cernée par les troupes américaines, comme l'avait été l'Irak à partir de 1991. Pris en étau par l'Afghanistan et l'Irak à l'est et à l'ouest, le régime des mollahs est barré au nord par les nouvelles bases américaines implantées dans les anciennes Républiques soviétiques au Kazakhstan, en Azerbaïdjan et en Ouzbékistan. Conscient de cet état de fait, l'Iran fait le choix de se doter de l'arme nucléaire et d'imiter l'exemple nord-coréen, plutôt tranquille en dépit de ses provocations. Mais, contrairement à l'Irak et à l'Iran, le sous-sol de la Corée du Nord ne recèle pas d'or noir. Accepté par une majorité d'Américains[5], l'« alibi nucléaire » fera son retour pour motiver l'envoi des « boys », ou au moins d'importantes frappes.

Associé au pouvoir économique par le lobbying et, plus directement, par son soutien « publicitaire » apporté aux déploiements militaires, le pouvoir politique a besoin d'hommes pour la guerre. Ce modèle est autoalimenté : il produit par nature des cohortes de laissés-pour-compte qui n'ont, cycliquement, d'autre choix que de passer sous l'uniforme et donc de se mettre au service d'intérêts distincts des leurs, même si l'art de la propagande consiste à les convaincre du contraire. Quoique limité, le caractère volontaire de l'engagement militaire ne procède plus, depuis 1973, de l'obligation que fut la conscription. La suppression de cette contrainte est compensée par la culture de guerre, toujours plus forte, et surtout vitale face à une opinion qui accepte de moins en moins bien la mort de ses soldats. Logique, donc, que cette culture frappe d'amnésie son public, une population régulièrement victime de scandales dont le passif n'obère pas le consentement à la guerre dans les moments clés.

Renforcée dans des proportions inédites à partir de 2001, la culture de guerre entretient une relation d'interdépendance avec le système économique et politique qui la nourrit pour mieux s'en servir. Sans elle, l'empire se meurt ; avec elle, il se fourvoie. Là se situe l'enjeu du combat entre la culture de guerre et sa contre-culture. En 2011, le vainqueur de cette dernière manche est connu.

Dans un monde où chaque siècle a été plus meurtrier que le précédent, la coexistence d'une telle culture avec des arsenaux auto-destructeurs est plus que jamais une menace collective.

Notes

Avant-propos

1. L'expression a été forgée fin 2001 par Hubert Védrine, alors ministre des Affaires étrangères du gouvernement Jospin.

2. Discours de Dwight Eisenhower, cité *in* Stephen Ambrose, *Eisenhower*, Paris, Flammarion, 1986, p. 597-598.

3. Emmanuel Todd, *Après l'Empire. Essai sur la décomposition du système américain*, Paris, Gallimard, 2002.

4. Sébastien Ricard, *Theodore Roosevelt et la justification de l'impérialisme*, Aix-en-Provence, Publications de l'université de Provence, 1986, et *Theodore Roosevelt. Principes et pratiques d'une politique étrangère*, Aix-en-Provence, Publications de l'université de Provence, 1991.

5. Donald Kagan, Gary Schmitt, Thomas Donnelly, *Rebuilding America's Defenses. Strategies, Forces and Resources For a New Century*, Project For the New American Century, septembre 2000, p. 14, 23, 28-29 ; Neil Mackay, « Bush planned Iraq "regime change" before becoming President », *The Sunday Herald*, 15 septembre 2002 ; voir également les lettres ouvertes au président Clinton (« Statement of principles ») des 3 juin 1997 et 28 janvier 1998 signées par Donald Rumsfeld, Paul Wolfowitz, John Bolton, Richard Armitage, Robert Zoellick, Zalmay Khalizad, Francis Fukuyama, Robert Kagan et William Kristol, http://www.newamericancentury.org/iraqclintonletter.htm, consulté le 18 septembre 2004, http://www.newamericancentury.org/ lettersstatements.htm, consulté le 12 septembre 2004.

6. Site du Project for the New American Century, biographie de Donald Rumsfeld, http://www.bushpresident2004.com/rumsfeld.htm, consulté le 28 octobre 2004. L'étonnante franchise avec laquelle ces informations sont présentées pourra s'expliquer par une volonté de relativiser, voire banaliser, les velléités manipulatrices du gouvernement en annihilant le parfum de scandale qui nimbe leur divulgation, notamment par CBS (reportages de David Martin, « Plans for Iraq Attack Began On 9/11 », CBS News, 4 septembre 2002) et Richard Clarke, ancien conseiller de George Bush à la Lutte antiterroriste.

7. Pour l'influent néoconservateur Robert Kagan, intervenu à plusieurs reprises en tant que conseiller auprès du président Bush Jr, le remplacement du Raïs par un « général irakien sur la ligne de Pervez Musharraf » fit un temps partie des solutions recherchées par l'administration républicaine (voir Todd S. Purdum, « Democracy complicates Planning

for War », *The New York Times*, 16-17 mars 2003).

8. Le concept de « culture de guerre » a été imposé par les historiens Annette Becker et Stéphane Audouin-Rouzeau dans le cadre de leurs travaux sur la Première Guerre mondiale. L'approche adoptée ici se veut plus large.

9. Romain Rolland, *Journal des années de guerre. 1914-1919*, Paris, Albin Michel, 1952, p. 32-33.

10. Discours de George W. Bush, « Address to a Joint Session of Congress and the American », Washington, 20 septembre 2001.

11. Alexis Seydoux, « La débâcle américaine en Somalie », *Cliosoft*, 2002.

12. *The Army Times*, 10 octobre 1994 ; Lieutenant-colonel Joyce, « Lest We Forget, James Casey Joyce », site officiel du cimetière militaire d'Arlington, http://www.arlingtoncemetery.net/jcjoyce.htm, consulté le 20 août 2004.

13. Sondage *Time*/CNN, 6-7 décembre 1995, cité *in* Stuart M. Butler & Kim R. Holmes, *Issues'96, the Candidate Briefing Book*, The Heritage Foundation, 1996.

14. Sondage CBS, 28 mars 1999, cité *in* « Support for NATO Air Strikes with Plenty of Buts », The Pew Research Centre, 29 mars 1999.

15. Sondage *Newsweek/Princeton Survey Research*, 11-12 octobre 2001.

16. Gary Jacobson, *The Bush Presidency and the American Electorate*, actes de la conférence « The George W. Bush Presidency : An Early Assessment », Woodrow Wilson School, université Princeton, 25-26 avril 2003, p. 22-24.

17. Sondage CNN/*USA Today* Gallup, 22 août 2002, transcription du débat sur « une possible guerre en Irak », CNN Late Edition, avec Wolf Blitzer, 25 août 2002.

18. Sondage CBS News/ *The New York Times*, 28 janvier 2003, « Iraq and the U.N. Inspection Report », http://www.cbsnews.com/htdocs/CBSNews_polls/iraq_back0123.pdf, consulté le 30 mai 2003.

19. Jean-Jacques Becker, *1914. Comment les Français sont entrés dans la guerre*, Paris, Presses de la Fondation nationale des sciences politiques, 1977, p. 132 et 159.

20. Patrick Jarreau, « Les Américains qui approuvent Georges Bush sur l'Irak sont minoritaires », *Le Monde*, 4 novembre 2003.

21. Tony Karon, « In Washington, the Battle for Baghdad Heats Up », *Time*, 4 avril 2003.

22. Sondage CNN/*USA Today*/Gallup du 10 avril 2003, cité *in* Jeffrey M. Jones, « Public Sees Much Work for US as War Nears End », *Gallup News Service*, 11 avril 2003.

23. Sondages CBS News/ *New York Times*, octobre 2001-janvier 2002.

24. Joan Didion, « Politics in the "New Normal" America », *The New York Review Of Books*, volume 51, n° 16, 21 octobre 2004.

I. NOUVELLE UNION SACRÉE, NOUVELLES GUERRES

1. Une osmose politico-médiatique

1. Voir l'article de synthèse : « 1993 : Wold Trade Center bomb terrorises New York », BBC News, 26 février 1993.

2. Conférence de presse consacrée à l'« explosion du World Trade Center », à laquelle ont participé Norman Steisel, premier adjoint au maire, Stanley Brezenoff, responsable des Autorités portuaires, Raymond Kelly, préfet de police de New York, ainsi que les gouverneurs des Etats de New York et du New Jersey, Mario Cuomo et James Florio.

3. « 1993 : Wold Trade Center bomb terrorises New York », *art. cit.*

4. AP, « Balloon-bomb Deaths Net Relatives $20,000 », *The Washington Post*, 2 mars 1946 ; Jerry McMullen, « When the Japs Bombed North America », *Liberty*

Magazine, 4 mai 1946 ; David J. Rodgers, « How Geologist Unraveled the Mystery of Japanese Vengeance Balloon Bombs in World War II », université du Missouri-Rolla ; John McPhee, « Balloons of War, in the Gravel Page », *The New Yorker*, n° 46, 29 janvier 1996, p. 52-60.

5. « Executive summary of the Report of the Commission To Assess the Ballistic Missile Threat of the United States », 15 juillet 1998, conformément à la Loi publique 201, 104ᵉ Congrès ; les membres de la Commission ont été nommés par le président de la Chambre des représentants, le chef de la majorité au Sénat et les chefs de l'opposition au Sénat et à la Chambre.

6. Voir par exemple : Jean-Charles Brisard et Guillaume Dasquié, *Ben Laden. La vérité interdite*, Paris, Denoël, 2001.

7. James W. Loewen, *Lies My Teacher Told Me : Everything Your American History Textbook Got Wrong*, The New Press, New York, 1995 (rééd. 2008).

8. Discours de William J. Clinton, « The President's Radio Address », 27 février 1993.

9. William J. Clinton, Discours sur l'état de l'Union, Office of the Press Secretary, 25 janvier 1994.

10. Michel Wiwdorka, « Réflexions sur le 11 septembre 2001 et ses suites », *Confluences méditerranéennes*, n° 40, hiver 2001-2002.

11. Programme du Parti républicain, « Renewing America's Purpose. Together », août 2000.

12. Sam Tannenhaus, interview de Paul Wolfowitz, *Vanity Fair*, 30 mai 2003.

13. Discours de George W. Bush, « President Bush Outlines Iraqi Threat », Cincinnati Museum Centre, Ohio, 7 octobre 2002.

14. « Pour les trois quarts des Américains, rien ne sera plus jamais comme avant : l'Amérique a changé », sondage IPSOS-Reid réalisé dans la nuit du 11 au 12 septembre 2001.

15. William Uricchio ; « Television Conventions », 16 septembre 2001, http://web.mit.edu/cms/reconstructions/inter-pretations/tvconventions.html, consulté le 25 avril 2009.

16. Arlette Kahn, citée *in* « Le merci d'Arlette Kahn aux libérateurs », *Ouest-France*, 11 mars 2009.

17. Mark A. Schuster, Bradley D. Stein, Lisa H. Jaycox, Rebecca L. Collins, Grant N. Marshall, Marc N. Elliot, Annie J. Zhou, David E. Kanouse, Janina L. Morrison, Sandra H. Berry, « A National Survey of stress reactions after the September 11, 2001, terrorist attack », *New England Journal of Medicine*, volume 345, n° 20, p. 1507-1512.

18. Jessica Hamblen, « The Effects of Media Coverage of Terrorist Attacks on Viewers », *National Centre for PTSD*, FactSheet », http://www.ncptsd.va.gov/ncmain/ncdocs/fact_shts/fs_media_disaster.html, consulté le 13 avril 2009.

19. Richard Paterson (dir.), « After September 11 : TV News and Transnational Audiences », Open University/Nottingham Trent University, 2002, p. 13, http://www.bfi.org.uk/education/conferences/after911-report.pdf, consulté le 27 avril 2009.

20. Jim Stewart, de CBS News, fut le premier journaliste à l'évoquer.

21. « Hunting Bin Laden », *Frontline productions*, en association avec le *New York Times* et Rain Media Inc., diffusé le 12 septembre 2001 sur PBS, http://www.pbs.org/americaresponds/, consulté le 11 juin 2009. Les quotidiens qui en font favorablement état sont le *Los Angeles Times*, *The Boston Globe*, *The New York Daily News*, *The New York Times*, *Rocky Mountains News* et *The Sun Sentinel*.

22. « Bin Laden hide-out resembles hotel : witness », *ABC News Online*, 28 novembre 2001, http://www.abc.net.au/news/newsitems/200111/s427167.htm ; « Breaking Bin Laden's Ant Farm », CBS News, 28 novembre 2001, http://www.cbsnews.com/stories/2001/11/28/terror/main319419.shtml, consulté le 18 avril 2009 ; interview de Donald Rumsfeld par Tim Russert, « Meet The Press », NBC, 2 décembre 2001.

23. Arthur H. Mitchell, *Hitler's Mountain : the Führer, Obersalzberg and the American Occupation of Berchtesgaden*,

McFarland & Company, Jefferson, 2007, p. 74-77.

24. Stephen Ambrose, *op. cit.*, p. 230.

25. Kelli Arena, Susan Candiotti, Eileen O'Connor, « FBI chief : "No warning signs" of terrorist attacks », CNN, 17 septembre 2001.

26. Carter Burwell, « Orchestrating war », *Harper's Magazine*, février 2004.

27. Joel Roberts, « Plans For Iraq Attack Began On 9/11 », CBS News, 4 septembre 2002.

28. Alain Salles, « La presse américaine sous la pression de ses actionnaires », *Le Monde*, 1ᵉʳ décembre 2005.

29. Voir Richard Clarke, *Against All Ennemies : Inside America's War on Terror*, Free Press, New York, 2004 et Ari Fleischer, *Taking Heat : The President, The Press and My Years in The White House*, William Morrow, New York, 2005.

30. Bill Sammon, *Fighting Back : The War on Terrorism from Inside the Bush White House*, Washington, Regnery Publishing Inc., 2002, p. 94.

31. Ari Fleischer, *op. cit.*, p. 141.

32. Jill Geisler, « Minute by Minute with the Broadcast News », *art. cit.*

33. David D. Kirkpatrick, « Response to 9/11 Offers Outline of McCain Doctrine », *The New York Times*, 16 août 2008.

34. Howard Stern, K-ROCK, 11 septembre 2001.

35. Lance Morrow, « The Case for Rage and Retribution », *Time*, 12 septembre 2001.

36. Bill O'Relly, « The O'Reilly Factor », Fox News, 17 septembre 2001.

37. Andrew Rosenthal, « How the US can win the war », *The New York Daily News*, 14 septembre 2001.

38. Cités *in* Norman Solomon, « Terrorism, Television and the Rage for Vengeance », *The Free Press*, 13 septembre 2001, http://www.freepress.org/columns/display/5/2001/407, consulté le 1ᵉʳ mai 2009.

39. « Terror Coverage Boost News Media's Images », The Pew Research Centre for the People and the Press, 28 novembre 2001, http://people-press.org/report/143/terror-coverage-boost-news-medias-images, consulté le 20 mai 2009.

40. Walt Whitman, *The Eagle*, cité *in* Howard Zinn, *Une histoire populaire des Etats-Unis de 1492 à nos jours*, Marseille, Agone, p. 184-185.

41. *Boston Herald*, 11 septembre.

42. *Dallas Morning News*, 11 septembre.

43. *Los Angeles Daily News, New York Daily News*, 12, 14 et 16 septembre.

44. *Tacoma News Tribune, Reading Record Searchlight, Richmond Times-Dispatch, Post Tribune, Lowell Sun, The Day, Las Vegas Review Journal, Lewiston Sun Journal, Hartford Courant, Courier Post, The Buffalo News, San Jose Mercury News, Augusta Chronicles, Milwaukee Journal Sentinel, Tulsa World, Anchorage Daily News*, 12 et 13 septembre.

45. *Chronicle Tribune*, 14 septembre.

46. Antoine Maurice, « 11 septembre 2001 : cadrage d'un événement médiatique », université de Neuchâtel, 2002, http://www2.unine.ch/webdav/site/journalisme/shared/documents/Questions_journalisme/maurice11septembre.pdf, consulté le 5 mars 2005.

2. George W. Bush, « *Born Again President* », ou l'état de grâce par l'état de guerre

1. Bruce Springsteen, « Tous en scène pour John Kerry », in *Le Monde*, 8-9 août 2004.

2. Analyse établie à partir de sondages Gallup, CBS News/*The New York Times, Los Angeles Times*, NBC News/*Wall Street Journal*, Ipsos-Reid/*Cock Political Report* et Fox News/*Opinion Dynamic polls*, citée *in* Jacobson Gary, *The Bush Presidency and the American Electorate, op. cit..*, p. 5-6 et 36.

3. « Bush and the democratic agenda », sondage CBS News/*New York Times*, 14-18 juin 2001.

4. *Ibid.*

5. Interview de Dan Rather, *The David Letterman's Show*, 17 septembre 2001.

6. Donald Kagan, Gary Schmitt, Donnelly Thomas, *Rebuilding America's Defenses. Strategies, Forces and Resources for a New American Century*, op. cit., p. 50-51.

7. Bénédicte Ruiu, « Horreur et émotion sur les forums américains », *L'Intern@ute*, 12 septembre 2001, http://www.linternaute.com/0redac_actu/0109_septembre/010912forumsusa.shtml, consulté le 20 mars 2004.

8. Gary Jacobson, *The Bush Presidency and the American Electorate*, op. cit., p. 6.

9. Sondage Ipsos, « Pour les trois quarts des Américains, rien ne sera plus jamais comme avant », 11 septembre 2001, http://www.ipsos.fr/CanalIpsos/articles/262.asp?rubId=19&print=1, consulté le 15 mars 2003.

10. Bénédicte Ruiu, *art. cit.*

11. *Ibid.*

12. Discours de George W. Bush, « Statement by the President in His Address to the Nation », Office of the Press Secretary, Washington, 11 septembre 2001.

13. *Ibid.*

14. *Ibid.*

15. Bénédicte Ruiu, *art. cit.*

16. Sondage Ipsos, « Pour les trois quarts des Américains, rien ne sera plus jamais comme avant », *art. cit.*

17. Bénédicte Ruiu, *art. cit.*

18. Sondage CBS News/*New York Times*, 20-23 septembre 2001, cité in « 11/09/01-11/09/02 : l'onde de choc s'amortit », http://ipsos.fr/CanalIpsos/articles/1005.asp, consulté le 14 mars 2004.

19. Voir Sandra Silberstein, *War of Words : Language, Politics and 9/11*, Londres, Routledge, 2004, p. 15-20.

20. Discours de George W. Bush, « Address to a Joint Session of Congress and the American People », Office of the Press Secretary, Washington, 20 septembre 2001.

21. Cité in Yves-Henri Nouailhat, *Les Etats-Unis et le monde, de 1898 à nos jours*, Paris, Armand Colin, 1997, p. 271.

22. Mark A. Schuster, Bradley D. Stein, Lisa H. Jaycox, Rebecca L. Collins, Grant N. Marshall, Marc N. Elliot, Annie J. Zhou, David E. Kanouse, Janina L. Morrison, Sandra H. Berry, *art. cit.*.

23. Barry A. Kosmin, Egon Mayer et Ariela Keysar, *American Religious Identification Survey*, The Graduate Centre of the City University of New York, 2001, p. 10 et 13, http://www.gc.cuny.edu/faculty/research_briefs/aris.pdf, consulté le 6 mai 2009.

24. 107ᵉ Congrès, 1ʳᵉ session, H.Con. Res. 223 : « Permitting the use of the rotunda of the Capitol for a prayer vigil in memory of those who lost their lives in the events of September 11, 2001. »

25. Proclamation présidentielle, « National Day of Prayer and Remembrance for the Victims Of the Terrorist Attacks on September 11, 2001 », Office of the Press Secretary, Washington, 11 septembre 2001.

26. Discours de George W. Bush, « Message to Saddam », 17 mars 2003. Les mots *peace* et *peaceful* apparaissent à 12 reprises.

27. Nicolas Offenstadt, « Paix de Dieu et paix des hommes : l'action politique à la fin du Moyen Age », *Politix*, vol. 15, n° 58, 2002, p. 61-81. N'oublions pas non plus que, dans *1984* de George Orwell, « la guerre, c'est la paix ».

28. Voir Christian Salmon, *Storytelling. La machine à fabriquer des histoires et à formater les esprits*, Paris, La Découverte, 2007.

29. Cité *in* Christian Salmon, « Un machine à raconter des histoires », *Le Monde diplomatique*, novembre 2006.

30. Manuel Perez-Rivas, « Bush vows to rid the world of "evil-doers" », CNN, 16 septembre 2001.

31. Shanto Iyengar et Donald R. Kinder, *News that Matters. Television and American Opinion*, Chicago, University of Chicago Press, 1989, p. 27.

32. Laurie Mylroie, « Clinton's 1993 Iraq Attack Tied to First WTC Bombing », 18 octobre 2002, *Newsmax.com* ; Laurie Mylroie a été une proche conseillère de Bill Clinton sur les questions irakiennes.

33. « Global War on Terrorism Expeditionary and Service Medals », *Executive Order* n° 13289, 12 mars 2003.

34. Interview d'Olivier Mongin par Charles Philipona, « L'après-11 Septembre vu par le rédacteur en chef de la revue *Esprit* », *Le Courrier*, 16 novembre 2001.

35. Discours de George W. Bush, « Statement by the President in his Address to the Nation », Office of the Press Secretary, Washington, 11 septembre 2001.

36. Sean Hannity sur Fox News, cité *in* « Media Advisory : Media March to War », *Fairness & Accuracy in Reporting*, 17 septembre 2001.

37. Pour un aperçu de cette question dans le contexte de la guerre froide, voir Michelle M. Easter, « Freedom in speech : Freedom and liberty in U.S. presidential campaign discourse, 1952-2004 », *Poetics*, août 2008, vol. 36, n° 4, p. 265-286.

38. Frederick Merck, *Manifest Destiny and Mission in American History*, Harvard University Press, Cambridge, 1963 (rééd. 1995).

39. *Ibid.*, p. 24-60.

40. Discours de George W. Bush, « Statement by the President in His Address to the Nation », Office of the Press Secretary, Washington, 11 septembre 2001.

41. Discours de Winston Churchill, « A Difficult Time », diffusé par la BBC le 27 avril 1941.

42. Sondage du *Washington Post*, cité *in* « 11/09/01 – 11/09/02 : l'onde de choc s'amoindrit », http://www.ipsos.fr/CanalIpsos/articles/1005.asp, consulté le 10 mars 2004.

43. Discours de George W. Bush, « Address to a Joint Session of Congress and the American People », Office of the Press Secretary, Washington, 20 septembre 2001.

44. « Congress vows unity, reprisals for attacks », CNN, 12 septembre 2001.

45. « Calls for war, binding wounds in attacks' wake », CNN, 11 septembre 2001.

46. Discours de George W. Bush, « Address to a Joint Session of Congress and the American People », Office of the Press Secretary, Washington, 20 septembre 2001.

47. Commentaire livré en direct sur CNN.

48. Pete Brush, « Cheney Warns Democrats », CBS News, 17 mai 2002, http://www.cbsnews.com/stories/2002/05/17/politics/main509395.shtml, consulté le 23 mai 2009.

49. Voir l'exemple de Lockheed Martin et son entrée « Lockheed Martin », *Holding Corporations Accountable*, http://www.corpwatch.org/article.php?list=type&type=9, consulté le 16 août 2010.

50. Citons, par exemple, le « Manifeste du Parti socialiste » (28 août 1914), dont les rédacteurs signifient l'entrée de Jules Guesde et Marcel Sembat dans le gouvernement en tant que délégués à la Défense nationale.

51. Créé et réglementé par le *National Security Act* de 1947.

52. Lawrence B. Wilkerson, « The White House Cabal », *The Los Angeles Times*, 25 octobre 2005.

53. Lawrence B. Wilkerson, propos tenus lors d'un débat politique tenu à l'instigation du « New American Foundation, American Strategy Program » : « Weighing the Uniqueness of The Bush Administration's National Security Decision-Making Process : Boon or Danger to American Democracy ? », *www.thewashingtonnote.com*, Washington, 19 octobre 2005 (http://www.thewashingtonnote.com/archives/Wilkerson%20Speech%20 – -%20WEB.htm).

54. Lawrence B. Wilkerson, « The White House Cabal », *art. cit.*

55. Seymour Hersh, « The Debate Within », *The New Yorker*, 11 mars 2002.

56. Synthèse d'enquêtes Gallup CBS News/*The New York Times*, *Los Angeles Times*, NBC News/*Wall Street Journal* et *Public Opinion Strategy polls* in http://www.pollingreport.com, 27 janvier 2003.

57. Bénédicte Ruiu, *art. cit.*

58. Craig Unger, *The Fall of the House of Bush : The Untold Story of How a Band of True Believers Seized the Executive Branch, Started the Iraq War, And Still Imperils America's Future*, New York, Scribner, p. 220-221.

59. Richard F. Grimmet, « Authorization for Use of Military Force in Response

to the 9/11 Attacks (P.L. 107-40) », Legislative History, CRS Report for Congress, 16 décembre 2007.

60. Frederick Douglass, *The North Star*, 21 janvier 1848, cité in Howard Zinn, *op. cit.*, p. 184-185.

61. Interview de Jim Inhofe par Wolf Blitzer, « A Possible War in Iraq », CNN Late Edition, 25 août 2002, http://transcripts.cnn.com/TRANSCRIPTS/0208/25/le.00.html, consulté le 23 mai 2009.

62. « Authorization for Use of Military Force Against Iraq Resolution of 2002 », Pub. L. 107-243, 116 Stat. 1498, 16 octobre 2002.

63. Patrick Jarreau, « Les Etats-Unis tentent de briser leur isolement en mettant en avant une coalition de trente pays », *Le Monde*, 20 mars 2003.

3. Juguler l'autre Amérique

1. « Our Flag », Joint Committee on Printing United States Congress, 108th Congress, 1st Session, 2003.

2. Premier film tourné dans le New York post-11 Septembre, *La 25ᵉ heure*, de Spike Lee, illustre cet exemple.

3. Joe D'Angelo, « NSYNC, Michael Jackson, P. Diddy, Mariah Stand United At D.C. Concert », *mtv.com*, 22 octobre 2001, http://www.mtv.com/news/articles/1450229/20011022/n_sync.jhtml, consulté le 11 juillet 2010.

4. Amanda Barnett, « Shuttle mission to honor terror victims », CNN, 11 octobre 2001.

5. Interview d'Art Spiegelman par Jacques Buob et Alain Frachon, *in* « Art Spiegelman, le voisin des tours mortes », *Le Monde 2* n° 29, 4-10 septembre 2004, p. 60.

6. Leila Walker et Li Yan, « When even Old Glory is made in China », *The Christian Science Monitor*, 1ᵉʳ juillet 2003.

7. Chiffres de l'US Census Bureau, cités par l'Association des fabricants de drapeaux d'Amérique (Flag Manufacturers Association of America), site de la FMAA, http://www.fmaa-usa.com/resources_links/usflags_statistics.php, consulté le 18 août 2010.

8. 107ᵉ Congrès, 1ʳᵉ session, H. CON. Res. 225 : « *Expressing the sens of the Congress that, as a symbol of solidarity following the terrorist attacks on the United States on September 11, 2001 every United States citizen is encouraged to display the flag of the United States.* »

9. *Ibid.*

10. *Ibid.*

11. H. Res. 239 : « Terrorist Victims Flag Memorial Resolution of 2001. »

12. « Terror Coverage Boost News Media's Images », The Pew Research Centre for the People and the Press, 28 novembre 2001, http://people-press.org/report/143/terror-coverage-boost-news-medias-images, consulté le 20 mai 2009.

13. Cités *in* Alexandre Lévy et François Bugingo, « Between the pull of patriotism and self-censorship The US media in torment after 11 September », site de Reporters sans frontières, 11 octobre 2001, http://en.rsf.org/united-states-between-the-pull-of-patriotism-and-11-10-2001,02533.html, consulté le 18 août 2010.

14. Synthèse de sondages Gallup, « Despite Falloujah, Americans Skeptical About Ultimate Success in Iraq », The Gallup Organization, 23 novembre 2004, http://www.gallup.com/poll/content/print.aspx?ci=14113, consulté le 2 décembre 2005.

15. John Hutcheson, David Domke, André Billeaudeaux et Philip Garland, *US National Identity, Political Elites, and a Patriotic Press Following September 11*, New York, Taylor & Francis, 2004, p. 46.

16. « Terror Coverage Boost News Media's Images », *art. cit.*

17. *Ibid.*

18. Cité *in* John Hutcheson, David Domke, André Billeaudeaux et Philip Garland, *op. cit.*

19. Peter Hart et Seth Ackerman, « Patriotism & Censorship. Some Journalists are silenced, while others seem happy to silence themselves », *Fairness and Accuracy in Reporting*, septembre-octobre 2001,

http://www.fair.org/index.php?page=1089, consulté le 18 août 2010.

20. James Dao et Eric Schmitt, « A Nation Challenged : Hearts and Minds ; Pentagon Efforts to Sway Sentiment Abroad », *The New York Times*, 19 février 2002.

21. Roger Harris, « A Tyrant 40 Years in the Making », *The New York Times*, 14 mars 2003.

22. Peter Hart et Seth Ackerman, *art. cit.*

23. Alexandre Lévy et François Bugingo, *art. cit.*

24. Voir par exemple le documentaire de Robert Greenwald, *Outfoxed. Rupert Murdoch's War on Journalism*, 2004.

25. *United States of America*, vs *Microsoft Corporation*, United States District Court for the district of Columbia, Civil Action No. 98-1232 (CKK), 1er novembre 2002.

26. David Barstow et Robin Stein, « Under Bush, a New Age of Prepackaged TV News », *The New York Times*, 13 mars 2005.

27. *Ibid.*

28. David Barstow, « Behind TV Analysts, Pentagon's Hidden Hand », *The New York Times*, 20 avril 2008.

29. *US Information and Educational Act* (Public Law 402), ou *Smith-Mundt Act*, voté en 1948.

30. Jim Wooten, *World News Tonight*, ABC, le 12 septembre 2001, *in* « Media Advisory : Media March to War », *art. cit.*

31. Cité *in* Celestine Bohlen, « THINK TANK ; In New War on Terrorism, Words Are Weapons, Too », *The New York Times*, 29 septembre 2009.

32. Susan Sontag, « The Talk of The Town », *The New Yorker*, 24 septembre 2001.

33. *Ibid.*

34. Noam Chomsky, « A gift to the hard jingoist right », *tanbou.com*, 22 septembre 2001, http://www.tanbou.com/2001/fall/JingoistRightChomsky.htm, consulté le 11 juin 2009 ; Ted Rall, *To Afghanistan and Back*, ComicsLit, 2002 et *Gas War. The Truth Behind American Occupation of Afghanistan*, New York, Universe, 2002.

35. Gary Jacobson, *The Bush Presidency and the American Electorate, art. cit.*, p. 6.

36. Bénédicte Ruiu, *art. cit.*

37. *Ibid.*

38. *Ibid.*

39. Seungahn Nah, Aaron S. Veenstra et Dhavan V. Shah, « The Internet and anti-war activism : A case study of information, expression, and action », *Journal of Computer-Mediated Communication*, 12(1), 2006, article 12, http://jcmc.indiana.edu/vol12/issue1/nah.html, consulté le 18 janvier 2011.

40. John Vidal, « Another coalitions stands up to be counted », *The Guardian*, 19 novembre 2001.

41. Patrick O'Neill, « Thousands rally to break silence on war ; Catholic participants reject bishops' "scandalous" support of U.S. bombing », *National Catholic Reporter*, 3 mai 2002.

42. Eric Leser, « Les familles de soldats américains qui expriment leurs doutes subissent pressions et insultes », *Le Monde*, 14 mars 2003.

43. David Glenn, « The (Josh) Marshall Plan. Break news, connect the dots, stay small », *Columbia Journalism Review*, septembre-octobre 2007.

44. Frédéric Robert, *L'Amérique contestataire des années 60*, Paris, Ellipses, 1999, p. 72.

45. Chuck Squatriglia, Nanette Asimov, Michael Cabanatuan, Bob Egelko, Kevin Fagan, Joe Garofoli, Rachel Gordon, Julian Guthrie, Anastasia Hendrix, Henry K. Lee, Ilene Lelchuk, Steve Rubenstein, Katherine Kathleen Seligman, Katherine Kathleen Sullivan, Jaxon Vanderbeken, Jim Herron Zamora, « Protest creates gridlock on SF Streets », *The San Francisco Chronicle*, 20 mars 2003 ; Sean D. Hamill et David Heinzmann, « Chicago Anti-War Demonstration Shuts Down City », *Chicago Tribune*, 21 mars 2003 ; Michael Powell, « Around Globe, Protest Marches ; In New York, 200 000 Take to Streets », *The Washington Post*, 22 mars 2003 ;

46. AP, « Le conseil municipal de New York se prononce contre une guerre en Irak », 14 mars 2003.

47. Sue Fox, « Los Angeles City Council Adopts Resolution Opposing US Invasion of Iraq », *The Los Angeles Times*, 22 février 2001.

48. *Ibid.*

49. Giles Fraser, « The Spirit of Martin Luther King. US Churches Are Preparing for Civil Disobedience Against War », *The Guardian*, 24 janvier 2003.

50. Frédéric Robert, *op. cit.*, p. 78-81.

51. Jeanette Der Bedrosian, « Public universities predict hefty tuition hikes », *USA Today*, 22 avril 2009 ; Robert Gary-Bobo et Alain Trannoy, « Faut-il augmenter les droits d'inscription à l'université ? », *Revue française d'économie*, 2005, vol. 19, n° 19-3, p. 189-237.

52. « A 33-year Trend in Tuition and Fees : The Cost of Attending the University of Texas at Austin », UT Watch, 2002. Les chiffres obtenus sont en dollars constants.

53. Pour plus de détails : Kenneth J. Heineman, *Campus Wars : The Peace Movement at American State Universities in the Vietnam Era*, New York University Press, New York, 1992.

54. Denise Lavoie, « Kagan's role against military recruitment studied », AP, 12 mai 2010.

55. En 2002, la chanteuse publie « Let It Rain », un album truffé de titres peu amènes pour la nouvelle orientation politique des Etats-Unis.

56. S.C. Joel, « Susan Sontag is a coward », *The New Yorker*, 25 septembre 2001.

57. Charles Krauthammer, « Voices of Moral Obtuseness », *The Washington Post*, 21 septembre 2001.

58. Peter Hart et Seth Ackerman, « Patriotism & Censorship. Some Journalists are silenced, while others seem happy to silence themselves », *Fairness and Accuracy in Reporting*, septembre-octobre 2001, http://www.fair.org/index.php?page=1089, consulté le 18 août 2010.

59. Alexandre Lévy et François Bugingo, « Between the pull of patriotism and self-censorship. The US media in torment after 11 September », site de Reporters sans frontières, 11 octobre 2001, http:/ /en.rsf.org/united-states-between-the-pull-of-patriotism-and-11-10-2001,02533.html, consulté le 18 août 2010.

60. David Barsamian, *Stenographers to Power : Media and Propaganda*, Monroe, Common Courage Press, 1992, p. 105.

61. Patricia Aufderheide, « Therapeutic Patriotism and Beyond », *Television Archive.org*, 28 janvier 2002.

62. Révérend James Forbes, cité *in* « American Still Feel Impact of 9/11 on Life, Politics », retranscription de l'interview, *The Online NewsHour*, http://www.pbs.org/newshour/bb/terrorism/july-dec06/impacts_09-11.html, consulté le 11 juin 2009.

63. Maureen Farrel, « The Clear Channel Controversy, One Year On (Why Howard Stern's Woes Are Your Woes, Too) », *art. cit.*

64. « Celiberal Blacklist, Welcome to Celiberal ! », manifeste de *Celiberal.com*, http://www.celiberal.com, consulté le 8 septembre 2004.

65. Chuck Klosterman, « Fitter Happier : Radiohead Return », *Spin*, 29 juin 2003, http://www.spin.com/articles/fitter-happier-radiohead-return, consulté le 2 mars 2010.

66. Interview de Thom Yorke par Philippe Manœuvre, *Rock & Folk* n° 431, juillet 2003.

67. « Public Opinion on the War with Iraq », *American Enterprise Public Opinion Studies*, 24 juillet 2008, p. 175 (sondages CBS News, CBS News/*NYT*).

68. Sondage PSRA/Research Centre, 1er-3 octobre 2001.

69. Transcription d'une interview de Richard Perle, « CNN Late Edition with Wolf Blitzer, Showdown : Iraq », 9 mars 2003.

70. Seymour Hersh, *My Lai 4 : A Report on the Massacre and Its Aftermath*, Random House, 1970.

71. Quelques plumes encore acérées trouvent un espace de liberté au cœur de références journalistiques gangrenées par l'uniformisation. Citons par exemple Bob Herbert, « Dancing with the Devil (Who's less patriotic, the Dixie Chicks or Halliburton-barf) », *The New York Times*, 22 mai 2003.

72. Par exemple : Seymour Hersh, « Lunch with the Chairman, Why was Richard Perle meeting with Adnan Khashoggi ? », *The New Yorker*, 27 octobre 2003.

73. Glenn Beck, cité *in* « The Glenn Beck Program », 15 août et 17 mai 2005.

74. Cité *in* Michelle Goldberg, « Maumauning the Middle East », *Salon.com*, 30 septembre 2002, http://www.salon.com/news/feature/2002/09/30/campus/print.html, consulté le 15 mars 2010.

75. Bénédicte Ruiu, *art. cit.*

76. Melanie Eversley, « Chambliss apologizes for remark on Muslims », *Atlanta Journal-Constitution*, 21 november 2001.

77. Créateur du logo *« I love New York »*. Interview réalisée par Corine Lesnes, *Le Monde*, 26 août 2004.

78. Voir Anatol Lieven, *Le Nouveau Nationalisme américain*, Paris, Gallimard, coll. « Folio documents », 2006.

79. Une du *Parisien*, 15 février 1991.

80. Support our Troops, « An index », http://troopssupport.com/, consulté le 5 août 2010.

81. Nathan Williams, « How was the Onset of War Coincided with Limitations on Press Freedom Throughout Our Nation's History ? », 12 octobre 2001, *History News Network*, George Mason University, http://www.hnn.us/articles/392.html, consulté le 8 janvier 2010.

82. Art Spiegelman, *A l'ombre des tours mortes*, Paris, Casterman, 2004, p. 4.

83. Eric Leser, « La priorité accordée aux "valeurs morales" a profité à George Bush », *Le Monde*, 5 novembre 2004.

84. Household Data, Annual Averages, « Employment status of the civilian non-institutional population, 1940 to date », Bureau of Labor Statistics, 2009, ftp://ftp.bls.gov/pub/special.requests/lf/aat1.txt, consulté le 18 juillet 2010.

85. On peut lire Olivier Frayssé, « Le coût de la "guerre contre la Terreur" : Afghanistan, Irak, Etats-Unis », *Outre-Terre* 4/2005 (n° 13), p. 93-111.

86. « Number in Poverty and Poverty Rate : 1959 to 2008 », US Census Bureau, *Current Population Survey, 1969 to 2009 Annual Social and Economic Supplements*.

87. Neil Strauss, « After the Horror, Radio Stations Pulls Some Songs », *The New York Times*, 19 septembre 2001.

88. Réalisé par Jonas Arkelund, 2003.

89. Originellement intitulé *« Family First »* jusqu'à ce qu'il s'avère que l'appellation avait fait l'objet d'un dépôt, la sitcom prend pour titre un jeu de mots, traduisible par « C'est ma touffe ! » en même temps que « Voilà mon Bush ! », qui annonce le ton de la série.

90. Larry Fink, « The Forbidden Pictures », 2001. La photographie décrite ici s'intitule « Hommage à George Grosz ».

91. Larry Fink, « The Forbidden Pictures, A Political Tableau, Larry Fink », présentation par l'artiste, exposition de l'université Lehigh, 4 décembre 2003.

92. J. Robert Lilly, *La Face cachée des GI's. Les viols commis par les soldats américains en France, en Angleterre et en Allemagne pendant la Seconde Guerre mondiale*, Paris, Payot, 2004.

93. George et Anthony Weller, *First Into Nagasaki. The Censored Eyewitness Dispatches on Post-Atomic Japan and Its Prisoners of War*, New York, Random House, 2006.

94. Placé sous l'autorité du Research Council's Division of Medical Sciences et financée par le Département de l'Energie, l'Atomic Bomb Casualty Commission a ouvert en 1986 une partie de ses archives couvrant la période 1947-1982 (http://www7.nationalacademies.org/archives/ABCC_1945-1982.html).

95. Steve Rothman, « The publication of "Hiroshima" in the New Yorker », Everett Mendelsohn (dir.), Harvard University, 1997, http://www.herseyhiroshima.com/hiro.pdf, consulté le 27 mars 2011.

96. « French Fries back on House menu », BBC, 2 août 2006.

97. La profanation d'un monument aux morts britannique a sans doute motivé cette idée.

98. Patrick Jarreau, « L'armée américaine refuse d'annuler un contrat signé en octobre 2002 avec le Français Sodexho », *Le Monde*, 1er avril 2003 ; Eric Leser, « Aux Etats-Unis, "le ressentiment a pris une autre dimension depuis le début de la guerre" », *Le Monde*, 4 avril 2003.

99. « Report : Oscar-Winner Marion Cotillard Thinks 9/11 Was a Conspiracy », Fox News, 2 mars 2008 ; AFP, « Oscar-Winner Cotillard questions 9/11 attacks », ABC News, 3 mars 2008 ; « Another French 9/11 Conspiracy Theorist », The Weekly Standard, 3 mars 2008 ; « Marion Cotillard – Why We Hate the French », TMZ, 3 mars 2008, http://www.tmz.com/2008/03/03/marion-cotillard-why-we-hate-the-french/, consulté le 4 février 2011.

100. « Marion Cotillard : September 11 remarks taken out of context », The New York Daily News, 3 mars 2008.

101. Rick Lyman, « Hollywood Discusses Role in War Effort », The New York Times, 12 novembre 2001.

102. Anatol Lieven, op. cit., p. 339-345.

103. Voir Jean-Michel Valentin, Hollywood, le Pentagone et Washington. Les trois acteurs d'une stratégie globale, Paris, Autrement, 2003.

104. United States Department of Defense, US Military Assistance in Producing Motion Pictures, Televisions Shows, Music Videos, http://www.defense.gov/faq/pis/pc12film.html, consulté le 15 octobre 2010.

105. Site officiel : Public Affairs US Army, US Army Community Relations Division West, http://www.army.mil/info/institution/publicAffairs/ocpa-west/faq.html, consulté le 15 octobre 2010.

106. AP, « Pentagon provides for Hollywood », USA Today, 28 mai 2001, http://www.usatoday.com/life/movies/2001-05-17-pentagon-helps-hollywood.htm#more, consulté le 15 octobre 2010. Voir également : Maria Pia Mascaro, Hollywood and the Pentagon : A Dangerous Liaison, documentaire, 2003.

107. Department of Defense, « DoD Assitance to Non-Governement, Entertainment-Oriented Motion Picture, Television, and Video Productions », Instruction N° 5410.16, 26 janvier 1988.

108. Noam Chomsky et Edward Harman, La Fabrication du consentement. De la propagande médiatique en démocratie, Marseille, Agone, 1988 (rééd. 2008).

109. Renaud Revel et Denis Rossano, « Hollywood, combien de divisions ? », L'Express, 4 octobre 2005.

110. Site francophone consacré au film, rubrique « autour du film », http://topgun-lefilm.com/index_2.htm et bonus DVD, « Tom Cruise Interviews », consulté le 5 septembre 2005.

111. Voir David L. Robb, Operation Hollywood : how the Pentagon shapes and censors the movies, New York, Prometheus Books, 2004 et Lawrence H. Suid, Guts & Glory. The making of the American military image in film, University Press of Kentucky, 2002.

112. Syriana, de Stephen Gaghan (2006) ; entretien avec George Clooney par Thomas Sotinel, Le Monde, 22 février 2006.

113. « On m'accuse d'avoir truqué les élections, s'exclame le président du Liberia et ersatz de Charles Taylor ; avec ce qui s'est passé en Floride et [cette] parodie de Cour suprême, les Américains n'ont plus qu'à la boucler », dialogue extrait de Lord of War, Andrew Niccol, 2005.

114. Robert Bianco, « "Profiles" finds ABC AWOL from reality », USA Today, 26 février 2003.

115. Sondage ABC News/Washington Post, 5-7 septembre 2008, www.pollingreport.com/terror.htm, consulté le 12 février 2009.

116. Proclamation présidentielle, « National Day of Prayer and Remembrance for the Victims Of the Terrorist Attacks on September 11, 2001 », 13 septembre 2001 ; « President Launches Online American Relief and Response Effort », 18 septembre 2001 ; « President Pays Tribute at Pentagon Memorial », 11 octobre 2001 ; à l'occasion des six mois écoulés depuis le 11 Septembre, George W. Bush presente dans le bureau Ovale un timbre commémoratif : « President Unveils September 11 Postage Stamp », Office of the Press Secretary, 11 mars 2002.

117. Discours de Donald Rumsfeld, Washington Memorial, 11 octobre 2001.

118. HR 3054 : True American Heroes Act, 5 octobre 2001.

119. H.Con.Res. 243 : « *Expressing the sense of the Congress that the Public Safety Officer Medal of Valor should be presented to the public safety officers who have perished and select other public safety officers who deserve special recognition for outstanding valor above and beyond the call of duty in the aftermath of the terrorist attacks in the United States on September 11, 2001* » ; d'autres textes insistent sur la nécessité d'« honorer » les différents corps de métiers intervenus dans le cadre des attaques, des membres du Secret Service aux hommes de la Garde nationale du district de Columbia en passant par les contrôleurs aériens (H.Con. Res. 378, H. Res. 309, H. Res. 384, H. Res. 385, H. Res. 424, H. Res. 492, S.Con.Res. 110).

120. Discours de George W. Bush, « Address to a Joint Session of Congress and the American People », Office of the Press Secretary, Washington, 20 septembre 2001, http://www.whitehouse.gov/news/releases/2001/09/20010920-8.html, consulté le 4 mars 2004.

121. Natalie Lévisalles, « A Pittsburgh, les mystères du vol 93 », *Libération*, 14 septembre 2001 ; sur les manques des bandes extraites des boîtes noires de l'appareil et écoutées par les seules familles des victimes : William Bunch, « Three Minutes Discrepancy in Tape », *The Philadelphia Daily News*, 16 septembre 2002 ; à propos de la présence d'un chasseur F-16 aux côtés du Boeing : « 60 Minutes II : Air War at Home », CBS News, 14 novembre 2001.

122. Reuters, « Passengers on Flight 93 May Have Struggled with Hijackers », 12 septembre 2001.

123. Public Law 107-226, 107th Congress, « Flight 93 National Memorial Act. To authorize a national memorial to commemorate the passengers and crew of Flight 93 who, on September 11, 2001, courageously gave their lives thereby thwarting a planned attack on our Nation's Capital, and for other purposes », 24 septembre 2002.

124. Flight 93 National Memorial Fund, c/o National Park Foundation, P.O Box 17394, Baltimore, MD 21298-9450.

125. Public Law 107-226, 107th Congress, *art. cit.*

126. Paul Murdoch Architects, « Flight 93 National Memorial », http://www.nps.gov/flni/upload/Design%20presentatio N2.pdf, consulté le 15 janvier 2010.

127. « Route 219 named in honor of flight 93 heroes », site de l'Etat de Pennsylvanie, 8 septembre 2007, http://www.dot.state.pa.us/Internet/pdNews.nsf/772afb60d785515285256bf1004a1be6/a0fe48f91d27f6ea85257333004978f9?OpenDocument, consulté le 10 juillet 2010.

128. Discours de George W. Bush aux membres de la police, aux pompiers et personnels de secours, « President Bush Salutes Heroes in New York », New York, Office of the Press Secretary, 14 septembre 2001.

129. Discours de Josef Goebbels à Wuppertal, 18 juin 1943, *in* « In vorderster Reihe. Rede auf der Trauerkundgebung in der Elberfelder Stadthalle », *Der steile Aufstieg*, Munich, Zentralverlag der NSDAP, 1944, p. 323-330.

130. « President Unveils September 11 postage Stamp », Washington, 11 mars 2002, http://www.whitehouse.gov/news.releases/2002/03/20020311-4.html.

131. « Homeland Security Presidential Directive-3 », 11 mars 2002.

132. « Bush to Offer Smallpox Vaccine to All », AP, 12 décembre 2001.

133. « President Bush Proclaims September 11 as Patriot Day », 4 septembre 2002, Washington DC ; le Congrès a voté le 18 décembre 2001 une résolution (115 STAT.876, Public Law 107-89, 107th Congress) établissant une journée de commémoration officielle.

134. S.J. Res. 25 : *National Day of Remembrance Act of 2001*, 11 octobre 2001.

135. « President Bush Proclaims September 11 as Patriot Day », *art. cit.*

136. « Navy Secretary Assigns New Ship Name New York », US Departement of Defense, Office of the Assistant Secretary of Defense, 6 septembre 2002, http://www.defenselink.mil/releases/release.aspx?releaseid=3469, consulté le 9 juin 2009.

137. Site officiel du *USS New York*, http://www.ussny.org/, consulté le 9 juin 2009.

138. Discours de George W. Bush, conférence de presse à la Maison-Blanche, 11 octobre 2001.

139. Le texte n'excède pas 1 500 signes. Voir Adeline Wrona, « Vies minuscules, vies exemplaires : récit d'individu et actualité. Le cas des *portraits of grief* parus dans le *New York Times* après le 11 septembre 2001 », *Réseaux* n° 132, p. 93-110.

140. Communiqué de presse de la Maison-Blanche, « Bush Visits with Wounded Soldiers at Walter Reed Army Hospital », 11 septembre 2003.

141. Joe D'Angelo, « NSYNC, Michael Jackson, P. Diddy, Mariah Stand United at D.C. Concert », *art. cit.*

142. Neil Young affiche à l'occasion un soutien ferme aux présidences républicaines – Reagan sut, selon lui, « redonner sa fierté à l'Amérique » – avant d'adopter, à l'époque de la première guerre du Golfe, une posture plus ambiguë qui lui fit jouer le *Blowin' in the Wind* de Bob Dylan dans une reprise saturée sur fond de bruits d'explosions. Ses prises de position, finalement très critiques à l'égard de l'administration Bush, lui vaudront de rejoindre le contingent des personnalités dites « libérales » mises à l'index par le courant des ultras républicains.

143. Ann Coulter, « It's "let's roll", not "let's roll over" », *anncoulter.com*, 10 août 2005, http://www.anncoulter.com/cgi-local/article.cgi?article=69, consulté le 12 juillet 2010.

144. Susan Decker, « Seeking to Cash in on "Shock and Awe" », *The Los Angeles Times*, 12 mai 2003.

145. Peter Pearl, « Hallowed Ground », *The Washington Post*, 5 décembre 2002.

146. « Iraq – Let's Roll ? », *The New York Times*, 1ᵉʳ août 2002, http://www.nytimes.com/2002/08/01readersopinions/01DEBA.html?pagewanted=1&pagewanted=print, consulté le 12 avril 2010.

147. James Taranto, « Let's Roll Over », *The Wall Street Journal*, 11 septembre 2009.

148. *Flight 93*, diffusé par la chaîne câblée A&E ; *The Flight that Fought Back*, documentaire de Discovery.

149. Box Office Mojo, « United 93 », http://boxofficemojo.com/movies/?id=united93.htm, consulté le 10 juillet 2010.

150. Box Office Mojo, « World Trade Center », http://boxofficemojo.com/movies/?id=wtc.htm, consulté le 10 juillet 2010.

4. Le facteur peur

1. Discours de George W. Bush, 17 mars 2003.

2. Interview télévisée de Donald Rumsfeld, citée *in* « Laying on the Old Munich Smear », *Toronto Star*, 2 septembre 2002.

3. Anthony C. Sutton, *Wall Street and the Rise of Hitler. The astonishing true story of the American financiers who bankrolled the nazis*, Clairview Books, Forest Row, 2010.

4. Jeffrey Record, « Retiring Hitler and "Appeasement" from the National Security Debate », US Army War College, 22 juin 2008, p. 91.

5. Harry S. Truman, *Memoirs*, vol. 2, *Years of Trials and Hope. 1946-1952*, New York, Doubleday, 1956, p. 335.

6. Lettre d'Eisenhower à Winston Churchill (1954) citée *in* Jeffrey Record, *art. cit.*, p. 92.

7. Theodore C. Sorensen, *Kennedy*, New York, Harper and Row, 1965, p. 703.

8. Doris Kearns, *Lyndon Johnson and the American Dream*, New York, Harper and Row, 1976, p. 252.

9. Discours de Ronald Reagan, « Radio Address to the Nation on Defense Spending », 19 février 1983.

10. Discours de George Bush, « Address to the Nation Announcing the Deployment of United States Armed Forces to Saudi Arabia », 8 août 1990.

11. Jill Lawless, « George Winston Bush ? », AP, 2002.

12. Brendan Bigelow, « Limbaugh compares Obama's new healthcare logo to Nazi Swastika », *Los Angeles Times*, 6 août 2009, http://latimesblogs.latimes.com/washington/2009/08/rush-limbaugh-compares-new-health-care-logo-to-nazi-swastika.html ;

Arthur Caplan, « Health care debate turns vile with Nazi analogy », MSNBC, 11 août 2009, http://www.msnbc.msn.com/id/32372258/, consultés le 20 avril 2010.

13. Voir Alexandre Mucchielli, *L'Art d'influencer. Analyse des techniques de manipulation*, Paris, Armand Colin, 2000 (rééd. 2004).

14. « Military, Iraq Facilities », *Global Security.org, art. cit.*.

15. Sondage CBS News/*New York Times*, 13-14 septembre 2001, cité *in* « 11/09/01-11/09/02 : l'onde de choc s'amortit », http://ipsos.fr/CanalIpsos/articles/1005.asp, consulté le 14 mars 2004.

16. William M. Arkin, « Secret Plan Outlines the Unthinkable », *The Los Angeles Times*, 10 mars 2002.

17. Voir le site de « 20th Century Castles, LLC », une agence immobilière spécialisée dans la vente de « maisons silos » (http://www.missilebases.com, consulté le 3 avril 2011).

18. Yves-Henri Nouailhat, *op. cit.*, p. 166.

19. Michael Wines, « Confrontation in the Gulf : US explores new strategies to limit weapons of mass destruction », *The New York Times*, 30 septembre 1990.

20. Rapport final au Congrès, « Conduct of the Persian Gulf War », avril 1992, p. 19 ; http://www.ndu.edu/library/epubs/cpgw.pdf, consulté le 3 août 2010.

21. Cité *in* « A Message for Moscow », *Time*, 9 février 1981.

22. Gary Jacobson, *The Bush Presidency and the American Electorate*, actes du colloque « The Bush Presidency : An Early Assessment », université Princeton, 25-26 avril 2003, p. 6, 36 et 50.

23. Sondages Gallup/CNN/*USA Today*, 14-15 mars 2003 et 22-23 mars 2003.

24. On peut lire : Corey Robin, *Fear, The History of a Political Idea*, Oxford University Press, 2004.

25. Media & Society Research Group, « Restrictions on Civil Liberties, Views of Islam, & Muslim Americans », Cornell University, New York, décembre 2004.

26. « Amerithrax investigation », site Federal Bureau of Investigation, http://www.fbi.gov/anthrax/amerithraxlinks.htm, consulté le 15 juillet 2010.

27. Exemple de ces rappels quotidiens : conférence de presse du gouverneur Ridge, directeur du Bureau de la Sécurité nationale, du major général Parker, commandant le Centre de recherche médicale de l'armée, « Gov. Ridge, Medical Authorities Discuss Anthrax », Office of the Press Secretary, Maison-Blanche, 25 octobre 2001.

28. *Ibid.*

29. « Anthrax Scare Hits Justice Dept. », AP, 29 octobre 2001 ; « Denver Mail-In Election Workers Take Precautions », Fox News, 23 octobre 2001 ; AP, « Spores Found in Indianapolis », 31 décembre 2001 ; Teri Schultz & AP, « Anthrax Hits Second U.S. Ambassy », Fox News, 31 octobre 2001.

30. « Anthrax Hits State Department, Postal Service Checking Nationwide », *ibid.*, 26 octobre 2001.

31. Stephan Lewandowsky, Werner G.K. Stritzke, Klaus Oberauer et Michael Morales, « Memory for Fact, Fiction, and Misinformation », *Psychological Science*, vol. 16, n° 3, 2005, p. 190-195.

32. AP, « Bush to Offer Smallpox Vaccine to All », 12 décembre 2001.

33. *Ibid.*, « Frist : Government Should Protect Food Supply », 25 octobre 2001.

34. Intervention radiodiffusée de George W. Bush, « Radio Address by the President to the Nation », Office of the Press Secretary, Washington, le 3 novembre 2001 ; Conférence de presse présidentielle, « President Says Terrorists Won't Change American Way of Life », Office of the Press Secretary, 23 octobre 2001.

35. Patrick Jarreau, « Le vice-Président Dick Cheney lie les agressions chimiques aux attentats du 11 septembre », *Le Monde*, 14 octobre 2001.

36. HR 2884 : « Victims of Terrorism Act for Fiscal Year 2002 », 23 janvier 2002.

37. H.Con.Res.378 : « Commending the District of Columbia National Guard, the National Guard Bureau, and the entire Department of Defense for the assistance provided to the United States Capitol Police and the entire Congressio-

nal community in response to the terrorist attacks of September and October 2001 », 12 avril 2002.

38. HR 3348 : « To improve the ability of the United States to prevent, prepare for, and respond to bioterrorism and other public health emergencies » ; voir aussi la loi « 107-188, du 12 juin 2002 : Public Health Security and Bioterrorism Preparedness and Response Act of 2002 ».

39. *The Warren Commission Report*, New York, Barnes & Noble, 1964 (rééd. 2003), p. 265.

40. James Gordon Meek, « FBI was told to blame Anthrax scare on Al Qaeda by White House officials », *The New York Daily News*, 2 août 2008.

41. « The Anthrax Source : Is Iraq unleashing biological weapons on America ? », *The Wall Street Journal*, 15 octobre 2001.

42. Corine Lesnes, « Soupçonné par le FBI des attaques à l'anthrax de 2001, un scientifique américain se suicide », *Le Monde*, 2 août 2008.

43. « Justice Department and FBI Announce Formal Conclusion of Investigation into 2001 Anthrax Attacks », US Department of Justice, Office of Public Affairs, 19 février 2010, http://www.justice.gov/opa/pr/2010/February/10-nsd-166.html, consulté le 15 juillet 2010.

44. Barbara Starr, « Rumsfeld OKs military assist in sniper hunt », CNN, 15 octobre 2002, http://edition.cnn.com/2002/US/South/10/15/sniper.pentagon/, consulté le 1ᵉʳ septembre 2010.

45. Parmi une foule d'exemples : David Johnston, « A Nation Challenged : The Investigation : In Shift, Officials Look Into Possibility Anthrax Cases Have bin Laden Ties », *The New York Times*, 16 octobre 2001. La chaîne Fox News n'a pas été avare de citations de ces sources floues, comme le montre le documentaire *Outfoxed*.

46. Joseph Goebbels, *Le Journal du Dr Goebbels*, Paris, Société française des Editons du Cheval ailé, 1948, p. 104.

47. Kelly R. Buck, Andrée E. Rose, Martin F. Wiskoff, Kahlia M. Liverpool, *Screening for Potential Terrorists in the Enlisted Military Accessions Process*, DoD Accession

Policy Directorate, Defense Personnel Security Research Centre, avril 2005.

48. Intervention de Richard Cheney à DesMoines, Iowa, le 2 septembre 2004.

49. Franklin Delano Roosevelt, « First inaugural address », 4 mars 1933.

50. Eric Leser, « Le terrorisme, l'Irak et la peur », *Le Monde*, 25-25 octobre 2004.

51. David P. Eisenman, Deborah Glik, Michael Ong, Qiong Zhou, Chi-Hong Tseng, Anna Long, Jonathan Fielding, et Steven Asch, MD, « Terrorism-Related Fear and Avoidance Behavior in a Multiethnic Urban Population », *American Journal of Public Health*, janvier 2009, vol. 99, n° 1, p. 168-174.

52. Brigitte L. Nacos, Yaeli Bloch-Elkon, Robert Y. Shapiro, « Post-9/11 Terrorism Threats, News Coverage, and Public Perceptions in the United States », *International Journal of Conflict and Violence*, vol. 1, 2007, p. 105-126 ; Matthew Stannard, « Bush's Tactics Aid the Terrorists », *San Francisco Chronicle*, 7 septembre 2006.

53. Sondages Gallup/CNN/*USA Today*, 5-8 septembre 2002 et 13-16 septembre 2002.

54. *Ibid.*, 29-30 juin 2005, 7-10 juillet 2005, 22-24 juillet 2005.

55. Olivier Knox, « Politics colored US "terror alert": Former Bush aide », AFP, 20 août 2009.

56. Joan Didion, « Politics in the "New Normal" America », *The New York Review of Books*, volume 51, n° 16, 21 octobre 2004.

57. Google, centre d'aide Tendance des recherches : « Homeland Security Advisory System », de 2004 à 2010.

58. Citons pêle-mêle « *Be Aware and Prepare* », (http://www.health.state.nd.us/EPR/reources/BioterrorPreparedness-guide.pdf), « *A Federal Employee's Family Preparedness Guide* », (http://www.opm.gov/emergency/TEXT/DCAreaFamily Guide.txt), « *Are You Ready ?* », (http://www.whitehouse.gov/news/releases/2003/02/20030207-10html), consultés le 24 mars 2004.

59. http://www.ready.gov/index2.html, consulté le 11 septembre 2004.

60. Cité *in* Philippe Labro, « New York avant guerre », *Le Monde*, 4 mars 2003.

61. Cresson H. Kearny, *Nuclear War Survival Skills*, Oak Ridge National Laboratory, US Department of Energy, 1979.

62. Jane Mayer, « Whatever It Takes. The politics of the man behind "24" », *The New Yorker*, 19 février 2007.

63. « "24" and America's Image in Fighting Terrorism : Fact, Fiction, or Does it Matter », 23 juin 2006, http://www.heritage. org/Press/Events/ev062306.cfm, consulté le 26 janvier 2010.

64. Tiré du titre d'un séminaire d'histoire contemporaine, Jean-Marie Guillon (prés.), « La banalisation de l'arbitraire : l'internement en temps de guerre – France 1838-1946 / Algérie 1955-1962 », 16 mars 2004, MMSH, Aix-en-Provence.

65. Fabrizio Calvi, David Carr-Brown, *FBI. L'histoire du Bureau par ses agents*, Paris, Fayard, 2009, p. 151.

66. Kelly R. Buck, Andrée E. Rose, Martin F. Wiskoff, Kahlia M. Liverpool, *op. cit.*, p. VII-VIII.

67. Eric Lichtblau, « FBI Goes Knocking for Political Troublemakers », *The New York Times*, 16 août 2004.

68. James Risen, Eric Lichtblau et Barclay Walsh, « Bush Lets U.S. Spy on Callers Without Cours », *The New York Times*, 16 décembre 2005.

69. Alexandre Lévy et François Bugingo, « Between the pull of patriotism and self-censorship. The US media in torment after 11 September », site de Reporters sans frontières, 11 octobre 2001, http:/ /en.rsf.org/united-states-between-the-pull-of-patriotism-and-11-10-2001, 02533.html, consulté le 18 août 2010.

70. Leslie Cauley, « NSA has massive database of Americans' phone calls », *USA Today*, 11 mai 2006.

71. *The Privacy Act of 1974*, 5 U.S.C. § 552a.

72. Site officiel de ChoicePoint, http:// www.choicepoint.com/about/overview. html, consulté le 17 mai 2006.

73. Governement Accountability Office, « Personnal Information : Agency and Reseller Adherence to Key Privacy Principles : GAO-06-421, a report to Congressional Committees », avril 2006 ;

voir également l'intervention du sénateur Leahy, « Reaction Of Sen. Patrick Leahy (D-Vt), Ranking Member, Senate Judiciary Committee, To SEC And FTC Investigations Of ChoicePoint And ChoicePoint's Change In Product Offerings », 4 mars 2005, http://www.leahy.senate.gov/press/200503/ 030305b.html, consulté le 17 mai 2006.

74. Governement Accountability Office, « Personnal Information », *op. cit.*

75. Sondage Gallup, janvier 2002.

76. Hussein Ibish et Anne Stewart, « Report on Hate Crimes and Discrimination Against Arab Americans : The Post-September 11 Backlash. September 11, 2001-October 11, 2002 », American-Arab Anti-Discrimination Committee (ADC), 2003, http://www.adc.org/PDF/ hcr02.pdf, p. 4 ; « Violence Against Muslims », 2008 Hate Crime Survey, Human Rights First, http://www.humanrights-first.org/pdf/fd/08/fd-080924-muslims-web.pdf, consultés le 4 octobre 2010.

77. H.Con.Res. 227 : « *Condemning bigotry and violence against Arab-Americans, American Muslims, and Americans from South Asia in the wake of terrorist attacks in New York City, New York, and Washington, D.C., on September 11, 2001.* »

78. Alexandre Lévy et François Bugingo, *art. cit.*

79. Rapport de l'ACLU, « ACLU Warns of Resurrecting "Voluntary" Interview Program ; Arab and Muslim Communities Should Not be Targets of Racial Profiling », 22 juin 2004, site de l'ACLU, http://www.aclu.org/SafeandFree/Safeand-dFree. cfm?ID=15994&c=206, consulté le 28 septembre 2004.

80. Fabrizio Calvi, David Carr-Brown, *op. cit.*, p. 758.

81. Rapport de l'ACLU, « Sanctioned Bias : Racial Profiling Since 9/11 », février 2004, http://www.aclu.org/Files-PDFs/racial%20profiling%20report.pdf, consulté le 5 octobre 2010, p. 5.

82. *Ibid.*

83. *Ibid.*, « ACLU Warns of Resurrecting "Voluntary" Interview Program », *op. cit.*, p. 1-2 et 21.

84. *Ibid.*, « Sanctioned Bias : Racial Profiling Since 9/11 », *op. cit.*

85. Sondage ABC News/*Washington Post* Poll : « Views on Islam », 8 septembre 2010.

86. Fabrizio Calvi, David Carr-Brown, *op. cit.*, p. 39.

87. Kevin Scott Wong, *American Firsts : Chinese Americans and the Second World War*, Harvard University Press, Cambridge, 2005, p. 6, 33-34 ; voir également Nicole Bacharan, *Les Noirs américains. Des champs de coton à la Maison-Blanche*, Paris, Perrin, coll. « Tempus », 2010.

88. Cité *in* Howard Zinn, *op. cit.*, p. 493-494.

89. *Ibid.*, p. 486-487.

90. Sondage ABC News/*Washington Post*, « Views of Islam », *art. cit.* 30 % des personnes interrogées sont opposées à la construction du centre communautaire.

91. *Kubark Counterintelligence Interrogation*, juillet 1963, 128 pages dactylographiées.

92. *Ibid.*, p. 82-104.

93. *Ibid.*, p. 87.

94. *Ibid.*, p. 90.

95. *Ibid.*, p. 98.

96. *Ibid.*, p. 93.

97. *Ibid.*, p. 103.

98. *Human Ressource Exploitation Training Manual*, 1983, 114 pages dactylographiées.

99. *Ibid.*, p. 5.

100. Robert Parry, « Ronald Reagan's Torture », *History News Network*, université George Mason, 8 septembre 2009, http://hnn.us/roundup/entries/116650.html, consulté le 28 janvier 2009.

101. Lothar Gruchmann, *Justiz im Dritten Reich. 1933-1940*, Oldenburg, Münich, 2001, p. 703-718.

102. Department of Defense, *Dictionnary of Mlitary and Associated Terms*, Joint Publication 1-02, 12 avril 2001, réactualisé le 9 novembre 2006. Les révisions précédentes ne comprennent aucune définition de la torture.

103. Alan Dershowitz, « Want to torture ? Get a warrant », *The San Francisco Chronicle*, 22 janvier 2002.

104. Marie-Monique Robin, *Escadrons de la mort, l'école française*, Paris, La Découverte, 2003 (rééd. 2008), p. 250.

105. Thomas E. Ricks, « Aggressive New Tactics Proposed for Terror War », *The Washington Post*, 3 août 2002.

106. Interview de Donald Rumsfeld par Bill O'Reilly, Fox News, 2 décembre 2004.

107. Jane Mayer, « Whatever It Takes. The politics of the man behind "24" », *art. cit.*

108. Christian Salmon, « La jurisprudence "Jack Bauer" », *Le Monde*, 15 mars 2008.

109. Jane Mayer, « Whatever It Takes. The politics of the man behind "24" », *The New Yorker*, 19 février 2007.

110. *Ibid.*

111. Voir le documentaire de Human Rights First, « Prime Time Torture », et « Torture on TV Rising and Copied in the field », http://www.humanrightsfirst.org/us_law/etn/primetime/index.asp, consulté le 28 novembre 2009.

112. Christian Salmon, « La jurisprudence "Jack Bauer" », *art. cit.*.

113. David Thomson, *The Moment of Psycho : How Alfred Hitchcock Taught America to Love Murder*, Basic Books, New York, 2009.

114. « Text of order signed by President Bush on February 7, 2002, outlining treatment of Al-Qaida and Taliban detainees », texte en six points : « *The war against terrorism ushers in a new paradigm* [...] *Our nation recognizes that this new paradigm – ushered in not by us but by terrorists – requires new thinking in the law of war.* »

115. Discours hebdomadaire radiodiffusé de George W. Bush, 8 mars 2008, feed://georgewbush-whitehouse.archives.gov/rss/radioaddress.xml, consulté le 25 janvier 2010 ; Dan Eggen, « Bush Announces Veto of Waterboarding Ban », *The Washington Post*, 8 mars 2008.

116. *Ibid.*

117. Cité in *Le Monde*, 30 mai 1956.

118. Colin Freeze, « What would Jack Bauer do ? Canadian jurist prompts international justice panel to debate TV drama 24's use of torture », *The Globe and Mail*, 16 juin 2007.

5. Du « Mardi noir » à l'Irak

1. Alexandre Adler, *J'ai vu finir le monde ancien*, Paris, Grasset, 2002.

2. « President Bush Outlines Iraqi Threat », Cincinnati, Ohio, 7 octobre 2002, http://www.whitehouse.gov/news/releases/2002/10/20021007-8.html

3. 105ᵉ Congrès, seconde session, H.R. 4664, *Iraq Liberation Act*, 31 octobre 1998.

4. Discours de Bill Clinton, le 7 janvier 1993.

5. Donald Kagan, Gary Schmitt, Thomas Donnelly, *Rebuilding America's Defenses, Strategies, Forces and Resources For a New Century*, op. cit., p. 14.

6. Kenneth Katzman, « Iraq : U.S. Regime Change Efforts and Post-Saddam Governance », Congressional Research Service, 7 janvier 2004.

7. H.R. 4664, *Iraq Liberation Act*, 105ᵉ Congrès, seconde session, 31 octobre 1998.

8. *Ibid.*

9. Donald Kagan, Gary Schmitt, Thomas Donnelly, *op. cit.*, p. 26.

10. Institué le 9 décembre 1996 par la résolution 986 du Conseil de sécurité des Nations unies.

11. Pierre-Jean Luizard, *La Question irakienne*, Paris, Fayard, 2002 (rééd. 2004), p. 151-152.

12. Jean-Charles Chébat, « La bataille du pétrole : entre TotalFinaElf, Texaco et Loukoil, qui va gagner en Irak ? », *La Libre Belgique*, 25-26 janvier 2003.

13. Afsane Bassir Pour, « Les avocats de l'Irak marquent des points au Conseil de sécurité », *Le Monde*, 26 mars 2000 ; Marc Bossuyt, « Conséquences néfastes des sanctions économiques pour la jouissance des droits de l'homme », Conseil économique et social des Nations unies, Commission des Droits de l'homme, 21 juin 2000.

14. Ramsey Clark, Michael Ratner, Francis Kelly, Brian Becker, Paul Walker, Joyce Chediac, « A Report on United States War Crimes Against Iraq to the Commission of Inquiry for the International War Crimes Tribunal », The Commission of Inquiry for the International War Crimes Tribunal, 1992.

15. Ramsey Clark, « Report to UN Security Council », International Action Centre, 26 janvier 2000.

16. Pierre-Jean Luizard, *op. cit.*, p. 328-332.

17. La compagnie française, entre-temps devenue « Total », a obtenu une concession « clé » sur les champs de Nahr Uman et Majun, dotés des plus fortes potentialités d'exploitation du pays (« Annual General Meeting of Petrofina », 17 mai 1999, communiqué de presse du groupe Total ; HUSAIN Fahd, « Geopolitics of oil, a changing equation », *Gulf News*, 28 août 2000). La NPC a obtenu une préconcession sur les nappes de Rumailah-Nord et Lukoil s'est vu promettre par un contrat de 3,5 milliards de dollars les gisements de Qurna-Ouest (J.-Ch. Chébat, « La bataille du pétrole », *art. cit.*.).

18. Les sociétés pétrolières britanniques, hollandaises et américaines rassemblent pratiquement les trois quarts du capital de l'IPC, tandis que la Compagnie française des pétroles a obtenu, lors de sa formation, une participation de 23,75 %.

19. Roger Morris, « A Tyrant 40 Years in the Making », *The New York Times*, 14 mars 2003.

20. Audrey Brohy et Gerard Ungermann, *Les Dessous de la guerre du Golfe (Hidden Wars of Desert Storm)*, documentaire-enquête de 60 minutes Etats-Unis, 2001 ; voir également Pierre-Jean Luizard, *op. cit.*, p. 74. De retour d'exil, Al-Bayati occupe le poste de porte-parole du Conseil suprême de la révolution islamique en Irak.

21. « Deputy Secretary Wolfowitz Q&A following IISS Asia Security Conference », 31 mai 2003, US Department of Defense, Office of the Assistant Secretary of Defense (Public Affairs), News Transcript, http://www.defense.gov/Transcripts/Transcript.aspx?TranscriptID=2704, consulté le 14 janvier 2010. Voir aussi : George Wright, « Wolfowitz : Iraq war was about oil »,

The Guardian, 4 juin 2003. Wolfowitz a depuis contesté le sens de ses mots.

22. Restranscription de la conférence de presse d'Ari Fleischer, porte-parole de la Maison-Blanche, « Press briefing by Ari Fleischer », http://georgewbush-white-house.archives.gov/news/releases/2003/03/20030324-4.html, consulté le 2 août 2010.

23. Beatriz Lecumberri, « The Oil ministry is the most secure building in ravaged Baghdad », AFP, 16 avril 2003.

24. Allocution télévisée du président Bush, « President Bush Addresses the Nation », 19 mars 2003, Washington.

25. Michel Wéry, « Irak : la guerre de 1991 ne s'est jamais terminée », document publié par le Groupe de recherche et d'information sur la paix et la sécurité (GRIP), Bruxelles, 14 février 2003.

26. « Third day of no-fly zone strikes », CNN, 9 mars 2003.

27. « B-1B bombs Iraqi radar sites », *The Herald Sun*, 15 mars 2003. Seul l'Air Force dispose d'une flotte de B-1B, bombardier supersonique d'un coût exceptionnel de 200 millions de dollars.

28. « Bush : Iraq strikes part of "strategy" », CNN World, 17 février 2001.

29. Comme ce fut le cas, entre autres, le 10 août 2001 (« US Warplanes Strike Iraq », AFP), qui a vu une vague de cinquante appareils partis du porte-avions *USS Enterprise* s'abattre sur le Sud du pays.

30. Allocution du président Clinton, « Clinton Announces Operation Desert Fox », 16 décembre 1998, Maison-Blanche.

31. *AFP*, « Southern Iraq, 1 civilian killed and 2 injured », 22 décembre 2000.

32. Synthèse des dépêches AFP, AP et Reuters.

33. Paul Stone, « Desert Fox Target Toll Climbs Past 75 iraqi Sites », American Forces Information Service, 20 décembre 1998 ; Jacques Isnard, « L'Irak soumis à des bombardements intensifs », *Le Monde*, 21 décembre 1998.

34. Michel Wéry, « Irak : la guerre de 1991 ne s'est jamais terminée », *art. cit.*.

35. Avec ce choix, les stratèges américains démontrent la vivacité du mythe Rommel, forgé par les Alliés autant que les représentants du Reich. Car, loin d'être l'officier d'une grande rectitude que la légende dépeint, Erwin Rommel fut un fervent nazi, instructeur des Jeunesses hitlériennes et commandant d'une compagnie responsable de crimes de guerre à l'encontre de prisonniers sénégalais (voir par exemple : Dominique Lormier, *Rommel, la fin du mythe*, Paris, Le Cherche-Midi, 2003).

36. « Eight Killed in Iraqi Raids », BBC, 10 septembre 2001.

37. « Iraqi air defences attacked again », BBC, 20 septembre 2001.

38. Marc Bossuyt, « Conséquences néfastes des sanctions économiques pour la jouissance des droits de l'homme », *art. cité*.

39. Une synthèse de la période est consultable sur le site de la Bibliothèque du Congrès : Alfred B. Prados, « Iraq : Former and Recent Military Confrontations With the United States », *Issue Brief for Congress*, Affaires étrangères, Défense et Commerce, Order Code IB94049, 6 septembre 2002, p. 5, 8, 9 et 17.

40. Pour ne citer que des exemples récents, ce fut le cas en octobre et décembre 2000 (« Le baril de pétrole sous influence irakienne », *Le Monde*, 28 octobre 2000 ; Dominique Gallois, « La peur d'un choc pétrolier a resurgi dans les pays industrialisés », *Le Monde*, 31 décembre 2000) suivis par les raids des 23 et 30 octobre, puis 7 et 22 décembre ; en février et avril 2002 (Mouna Naim, « Les autorités irakiennes raidissent leur attitude face aux avertissements américains », *Le Monde*, 16 février 2002 ; « Pétrole, stabilité des prix du baril », *Le Monde*, 24 avril 2002), puis septembre de la même année (Yves Mamou, « L'éventuel départ de Saddam Hussein ferait-il baisser les prix pétroliers ? », *Le Monde*, 17 septembre 2002), auxquels répondent respectivement les frappes des 6 et 28 février, des 16 et 20 avril, et enfin des 5, 9, 14, 23, 25 et 29 septembre (source : *US Bombing Watch*, site d'archivage, à partir de dépêches d'agence, des campagnes de bombardements sur l'Irak ; http://www.ccmep.org/usbombingwatch/2002.html, consulté le 13 mai 2005).

41. Alfred B. Prados, « Iraq : Former and Recent Military Confrontations With the United States », *Issue Brief for Congress*, division des Affaires étrangères, de la Défense et du Commerce, 6 septembre 2002, Librairie du Congrès, p. 13.

42. *Ibid.*, p. 3.

43. Sam Tannenhaus, interview de Paul Wolfowitz, *Vanity Fair*, 30 mai 2003.

44. *Ibid.*

45. Allocution télévisée du président Bush Sr, « Address to the Nation Announcing Allied Military Action in the Persian Gulf », 16 janvier 1991, Washington ; allocution télévisée du président Clinton, « Clinton Announces Operation Desert Fox », 16 décembre 1998, Washington (« [la] mission [...] est de détruire les programmes nucléaires, chimiques et bactériologiques irakiens »).

46. Lettre ouverte du Project for a New American Century au président Clinton, 26 janvier 1998.

47. William Kristol et Robert Kagan, « Bombing Iraq is not Enough », *The New York Times*, 30 janvier 1998.

48. *Ibid.*, « A "Great Victory" for Iraq », *The Washington Post*, 26 février 1998.

49. Discours de Madeleine Albright, Ohio State University, 18 février 1998.

50. Intervention à la Chambre des représentants de Nancy Pelosi, « Statement on U.S. Led Military Strike Against Iraq », 16 décembre 1998, http://www.house.gov/pelosi/priraq1.htm, consulté le 28 juin 2009.

51. AP, « Clinton Team Jeered During Town Hall », *USA Today*, 18 février 1998, http://www.usatoday.com/news/index/iraq/iraq172.htm, consulté le 28 juin 2009.

52. Carl Levin, Tom Daschle, John Kerry, lettre ouverte au président Clinton, 9 octobre 1998.

53. Rapport Waxman, « Iraq on the Record, The Bush Administration's Public Statements on Iraq », Chambre des représentants, Commission de la Réforme gouvernementale, Division spéciale d'investigation, 16 mars 2004. La période étudiée s'étend du 17 mars 2002 au 22 janvier 2004, bien que la diffusion de ce type d'allégations soit plus ancienne.

54. Transcription d'une allocution présidentielle, « President Says Saddam Hussein Must Leave Iraq Within 48 hours », Office of the Press Secretary, la Maison-Blanche, Washington, 17 mars 2003.

55. Rapport Waxman, « Iraq on the Record, The Bush Administration's Public Statements on Iraq », *op. cit.*, p. 6, 7-20, 21.

56. CIA et DIA, « Iraqi Mobile Biological Warfare Agent Production Plants », 28 May 2003.

57. *CNN Wolf Blitzer Reports*, « Threat Level Dropped to Yellow; Peterson Family Feud », CNN, 30 mai 2003.

58. US House of Representatives, Permanent Select Committee on Intelligence, 21 juin 2006.

59. Jim Angle et Sharon Kehnemui Liss, « Report : Hundreds of WMDs Found in Iraq », Fox News, 22 juin 2006.

60. Joseph Goebbels, « Wille und Weg » (repris plus tard sous le titre « Unser Wille und Weg »), *Wille und Weg, Reichpropagandaleitung*, n° 1, 1931, p. 2-5.

61. Ron Suskind, *The Way of the World. A Story of Truth and Hope in an Age of Extremism*, New York, Harper, 2008.

62. Mark Potter, « Ex-U.N. weapons inspector : Possible Iraq-Anthrax link », CNN, 15 octobre 2001.

63. « The Anthrax Source : Is Iraq unleashing biological weapons on America? », *The Wall Street Journal*, 15 octobre 2001.

64. Cité *in* Michael Massing, « Press Watch », *The Nation*, 12 novembre 2001.

65. John Tagiablue, « A Nation Challenged : Terrorism Trail ; No evidence Suspect Met Iraqi in Prague », *The New York Times*, 20 octobre 2001.

66. Jarrett Murphy, « US Can't Force Vaccines », CBS News, 22 décembre 2003, http://www.cbsnews.com/stories/2003/12/22/national/main589812.shtml, consulté le 25 juillet 2010. Il s'avère alors que la moitié des militaires refusent de s'y soumettre : David Ruppe, « Half of US Military Personnel Refuse Anthrax Shot », *Global Security Newswire*, 6 mai 2005, http://www.nti.org/d_newswire/issues/

2005_7_7.html#9B34DCC5, consulté le 25 juillet 2010.

67. Conférence de presse de George W. Bush à la Maison-Blanche, jeudi 6 mars 2003.

68. Sondage ABC/*Washington Post*, 9 avril 2003.

II. PERSPECTIVES DE CHAOS

6. Déshumaniser l'ennemi

1. Interview de Colin Powell, *Defense News*, 8 avril 1991.

2. *Ibid.*

3. Anthony Lake, « Confronting Backlash States », *Foreign Affairs*, mars-avril 1994.

4. Discours de George W. Bush, « State of the Union Address », Washington, 29 janvier 2002.

5. Interview de Curtis LeMay, *in* Michael Sherry, *The Rise of American Air Power : The Creation of Armageddon*, Yale University Press, 1989, p. 287.

6. David Montgomery, « The Best Defense ; Donald Rumsfeld Overwhelming Show of Force on the Public Relations Front », *The Washington Post*, 12 décembre 2001.

7. Césaire de Heisterbach, *Dialogus Miracolum* (rédigé entre 1219 et 1223), éditions Strange, Cologne-Bonn-Bruxelles, 1851, 2 vol., I, p. 307 *sq.*, traduit par Jacques Berlioz, « Tuez les tous, Dieu reconnaîtra les siens », *La croisade contre les Albigeois vue par Césaire de Heisterbach*, Porter-sur-Garonne, Loubatières, 1994.

8. Interview de Donald Rumsfeld, *The Boston Herald*, 4 janvier 2002.

9. Interview du général Keane, *The Boston Globe*, 26 mai 2002.

10. Discours de Donald Rumsfeld, « Ceremony for Remembrance », Washington, 11 décembre 2001.

11. Discours de Donald Rumsfeld, « DoD news briefing – Donald Rumsfeld and Gen. Myers », US Department of Defense, Office of the Assistant Secretary of Defense (Public Affairs), 20 mars 2003, http://www.defense.gov/Transcripts/Transcript.aspx?TranscriptID=2072, consulté le 21 mai 2010.

12. AP, « Bush "Bring on" attackers of US troops », *USA Today*, 2 juillet 2003.

13. Conférence de presse du général Myers, 15 avril 2004.

14. AFP, « Déposition du général Myers devant la Commission des forces armées du Sénat américain », 24 avril 2004.

15. « TOP US Marine General, it is "fun to shoot some people" », NBC, 2 février 2005.

16. *Ibid.*

17. Candy Crowley, « CNN Presents : Fit To Kill », transcription d'un reportage diffusé le 26 octobre 2003.

18. Lieutenant-colonel Tim Ryan, « Aiding and Abetting the enemy : the Media in Iraq », *Blackfive*, 14 janvier 2005.

19. AFP, « Rumsfeld mélangeait documents secrets et citations bibliques », *Libération*, 18 mai 2009.

20. William M. Arkin, « The Pentagon Unleashes a Holy Warrior », *The Los Angeles Times*, 16 octobre 2003. Voir également Jean Ziegler, *L'Empire de la honte*, Paris, Fayard, 2005 (rééd. Le Livre de Poche, 2008), p. 67-68.

21. Le psaume 23 a également été cité dans le discours présidentiel du 11 septembre.

22. FBI Counterterrorism Division, « White Supremacist Recruitment of Military Personnel since 9/11 », Federal Bureau of Investigation, Intelligence Assessment, 7 juillet 2008. L'enquête du FBI est motivée par le risque que représentent des militaires et des vétérans entraînés, à l'image de Timothy McVeigh, qui a combattu dans le Golfe en 1991 avant de perpétrer le sanglant attentat d'Oklahoma City quatre ans plus tard.

23. *Ibid.* Le FBI avance le chiffre de 203 personnes.

24. Major Walter M. Hudson, « Racial extremism in the Army », *Military Law Review*, vol. 159, mars 1999, p. 1-86.

25. Kelly R. Buck, Andrée E. Rose, Martin F. Wiskoff, Kahlia M. Liverpool, *op. cit.* Ce document récapitule l'ensemble des règlements en vigueur. Pour les tatouages, se reporter aux pages 34-35.

26. Matt Kennard, « Neo-Nazis are in the Army Now ; Why the US military is ignoring its own régulations and permitting white supremacists to join its ranks », *Salon.com*, 15 juin 2009, http://www.salon.com/news/feature/2009/06/15/neo_nazis_army, consulté le 10 janvier 2011.

27. Rassemblées dans le décret présidentiel du 13 novembre 2001 « Detention, Treatment and Trial in the War Against Terrorism » et d'autres circulaires gouvernementales.

28. *American Service-Member's Protection Act*, Title II, Sec. 2008, a.

29. Cités *in* Noam Chomsky, « L'Amérique, "Etat voyou" », *Le Monde diplomatique*, août 2000.

30. Voir Anatol Lieven, *op. cit.*, et Alain Frachon et Daniel Vernet, *L'Amérique des néo-conservateurs. L'illusion messianique*, Paris, Perrin, coll. « Tempus », 2010.

31. Alfred B. Prados, « Iraq : Former and Recent Military Confrontations With the United States », *art. cit.*, p. 8.

32. AFP, « Le président irakien Saddam Hussein continue de défier les Etats-Unis... », 13 septembre 2001.

33. Reuters, « Saddam Hussein demande à l'Occident d'éviter la force », 15 septembre 2001.

34. Discours de George W. Bush, « Statement by the President in his Address to the Nation », Office of the Press Secretary, Washington, 11 septembre 2001.

35. Voir notamment Eric Laurent et Pierre Salinger, *Guerre du Golfe*, Paris, Orban, 1990.

36. Un sondage *Newsweek* d'août 1990 met en évidence 80 % d'opposants à une opération militaire. Le 7 janvier 1991, une autre enquête CBS/*The New York Times* montre que 47 % des personnes interrogées y sont favorables. Moins de dix jours après, un sondage des mêmes commanditaires traduit une nette évolution, avec 78 % d'individus en faveur de la guerre.

37. « Selling the War », documentaire diffusé dans le cadre de l'émission *Fifth Estate*, CBC, décembre 1992.

38. Le 7 septembre 1990, à partir d'une dépêche Reuters.

39. Discours du président Clinton, « Address to the Nation », Washington, 26 juin 1993 ; « Message au Congrès sur l'Irak », 3 mars 1994 ; David von Drehle, Jeffrey R. Smith, « U.S. Strikes Iraq for Plot to Kill Bush », *The Washington Post*, 27 juin 1993.

40. « Saddam's Bombers », *The Boston Globe*, 18 janvier 1995.

41. Interview de James Woolsey, « Frontline. Gunning for Saddam », PBS, octobre 2001.

42. Seymour Hersch, « A case not closed », *The New Yorker*, 1er novembre 1993.

43. Discours du président Clinton, « Address to the Nation », Washington, 26 juin 1993.

44. Voir, par exemple, Laurie Mulroie, *The War Against America : Saddam Hussein and the World Trade Center Attacks. A Study of Revenge*, *op. cit.*

45. Micah Morrisson, « The Iraq Connection. Was Saddam Involved in Oklahoma City and the first World Trade Center Bombing ? », *The Wall Street Journal*, 5 septembre 2002.

46. Henry A. Waxman, « Iraq on the record », *op. cit.*, p. 21-22.

47. Audition devant le Sénat américain de Colin Powell pour la présentation du budget annuel du Département d'Etat (11 février 2003), qui reprend dans ses grandes lignes l'intervention devant le Conseil de sécurité.

48. Bob Bicknell, « Court Rules : Al-Qaida, Iraq Linked », CBS News, 7 mai 2003, http://www.cbsnews.com/stories/2003/05/08/uttm/main552868.shtml, Richard Willing, « Lawsuit ruling finds Iraq partly responsible for 9/11 », *USA*

Today, 7 mai 2003, http://www.usato-day.com/news/nation/2003-05-07-911-judge-awards_x.htm, consultés le 27 février 2010.

49. Monica Davey, « GI Families United in Gried, but Split by the War », *The New York Times*, 2 janvier 2005.

50. Jim Garamone, « Insurgents Not Heroes to Iraqis », American Forces Information Service, 14 janvier 2005.

51. Eric Leser, « Le scandale d'Abou Ghraib devant la justice militaire américaine », *Le Monde*, 6 août 2004.

52. Interview de Tony Lagouranis, « Tactics of Interrogation ». Former Army Specialist discusses his experience as an interrogator in Iraq », *Hardball with Chris Matthews*, MSNBC, 17 janvier 2006, http://www.msnbc.msn.com/id/10895199/ns/msnbc_tv-hardball_with_chris_matthews/, consulté le 25 octobre 2010.

53. Discours présidentiel, « President Bush Announces Major Combat Operations in Iraq Have Ended », Office of the Press Secretary, *USS Abraham Lincoln*, au large de San Diego, 1ᵉʳ mai 2003.

54. Colonel Donald Schutt, « Miami's Mad Max Marines ; Marine Reserves Charge to Baghdad, Fighting All the Way », *Soldier of Fortune*, 1ᵉʳ mars 2005.

55. Sondage ABC News/*Washington Post*, 10-13 mars 2005, http://www.pollingreport.com/iraq.htm, consulté le 8 février 2005.

56. Sondage *Washington Post*, 7-11 août 2003.

57. Sondage *Time*/CNN, 13 septembre 2001, cité *in* Dana Milbank et Claudia Deane, « Hussein Link to 9/11 Lingers in Many Minds », *The Washington Post*, 6 septembre 2003.

58. « US Troops in Iraq : 72 % Say End War in 2006 », Zogby International, 28 février 2006 ; sondage mené du 18 janvier au 14 février 2006 sur 944 soldats, interrogés dans différentes régions d'Irak ; http://www.zogby.com/templates/printnews.cfm?id=1075, consulté le 27 février 2010.

59. Andrew Dys, « Fort Mill Marine Dispatches 9/11 Tribute from Iraq », *The [Rock Hill] Herald*, 13 septembre 2003.

60. Lynette Clemetson, « Realizing Dreams of Flight, Inspired by History », *The New York Times*, 17 mars 2003.

61. « Military, Iraq Facilities », *Global Security.org*, art. cit. http://www.globalsecurity.org/military/facility/iraq.htm, consulté le 9 juin 2006.

62. Jean-Paul Mari, « Deux meurtres pour un mensonge », rapport d'enquête, Reporters sans frontières, janvier 2004, p. 15.

63. « Military, Iraq Facilities », art. cit.

64. Extrait du blog de Clifton Hicks, mis en ligne sur *Operation Truth's Blog*, le 21 octobre 2005 http://www.musicforamerica.org.blog/9411?from=0, consulté le 27 octobre 2005.

65. « Military, Iraq Facilities », *Global Security.org*, art. cit.

66. Paul Malmassari, « Marquage des chars », in *Dictionnaire de la Grande Guerre*, François Cochet et Rémy Porte (dir.), Paris, Robert Laffont, coll. « Bouquins », 2008, p. 686.

67. Sergent J. Mapham, « One for Coventry », 27 octobre 1942, « The British Army in North Africa 1942, War Office Second World War Collection », Imperial War Museum, photographie n° 18557.

68. Devin Friedman, *This is Our War : A Soldiers Portfolio*, Artisan Publishers, 2006.

69. Extrait du blog de Daniel Goetz, retranscrit sur *Operation Truth's Blog*, 14 octobre 2005, http://www.musicforamerica.org/blog/9411?from=0, consulté le 27 octobre 2005.

70. Colonel Donald Schutt, art. cit.

71. « When deadly force bumps into hearts and minds », *The Economist*, 29 décembre 2004.

72. Candy Crowley, « CNN Presents : Fit To Kill », transcription d'une émission diffusée le 26 octobre 2003.

73. Major David S. Pierson, « Natural Killers – Turning the Tide of Battle », *Military Review*, mai-juin 1999.

74. Interview de Jimmy Massey par Patricia Lombroso, *Il Manifesto*, 3 mars 2005.

75. Colonel Donald M. Sando et colonel Tom Dempsey, « Band of Brothers –

Warrior Ethos, Unit Effectiveness and the Role of Initial Entry Training », USAWC Strategy Research Project, US Army War College, 3 mai 2004, p. 6.

76. *Ibid.*, p. 5.

77. *Marine Corps Values : A User's guide for Discussion Leaders*, Department of Navy, Headquarters United States Marine Corps, Washington, 28 octobre 1998, p. 358.

78. Lt. Col. Dave Grossman, « Teaching Kids to Kill », *National Forum : Journal of the Kappa Phi National Honor Society*, 2000.

79. Colonel Donald M. Sando et colonel Tom Dempsey, *art. cit.*, p. 10.

80. *Ibid.*, p. III.

81. *Ibid.*, p. 5.

82. Department of Defense, « Active duty military personnel strengths by regional area and by country », (309A), Washington Headquarters Services Directorate for Information Operations and Reports, 31 mars 2003.

83. *Marine Corps Values : A User's guide for Discussion Leaders*, op. cit., p. 250.

84. Marine Corps Order 1510.32D, Department of the Navy, Headquarters United States Marine Corps, 2 Navy Annex, Washington, 25 août 2003, p. 1.

85. *Marine Corps Common Skills Handbook, Book 1A, All Marines, Individual Training Standards*, mai 2001.

86. Marine Corps Institute Order P1550.14, « To publish the Handbook, The United States Marines – Essential Subjects », United States Marine Corps, Marine Corps Institute, Arlington, 1er août 1983, p. 1-3.

87. *Marine Corps Values : A User's guide for Discussion Leaders*, op. cit., p. 11.

88. *Marine Corps Common Skills Handbook*, op. cit., p. 23-28.

89. *Marine Corps Values : A User's guide for Discussion Leaders*, op. cit.

90. *Marine Corps Common Skills Handbook*, op. cit., p. 213.

91. Cette production s'appuie sur : Joint Chief of Staff, *Service Member's Personal Protection Guide : A self-Help Handbook to Combating Terrorism*, juillet 1996.

92. US Marine Corps, *The Individual's Guide for Understanding and Surviving Terrorism*, Department of the Navy, Headquarters United States Marine Corps, Washington, 18 septembre 2001, p. 11.

93. Jean-Marie Guillon, « Terrorisme, terroristes », *in* François Marcot, Bruno Leroux et Christine Levisse-Touzé (dir.), *Dictionnaire historique de la Résistance*, Paris, Robert Laffont, coll. « Bouquins », 2006, p. 984-985.

94. US Marine Corps, *The Individual's Guide for Understanding and Surviving Terrorism*, op. cit.. Dans un même ordre d'idées, les attentats de Madrid du 11 mars 2004 et l'arrivée au pouvoir de José Luis Zapatero, décidé à retirer le contingent espagnol d'Irak, ont été présentés aux Etats-Unis comme un acte de soumission à Al-Qaida : « Le peuple espagnol a subi une attaque terroriste, déclarait le leader des républicains à la Chambre des représentants. Il a choisi de changer de gouvernement pour apaiser les terroristes. »

95. On n'en trouve nulle trace dans le manuel *Drill and Ceremonies* (FM 22-5).

96. Marine Corps Order 1510.32D, *op. cit.*, p. 4.

97. Citation extraite de *Full Metal Jacket*, Stanley Kubrick, 1987.

98. On peut se reporter au *Dictionnaire des Marines*, sur devildogcorps.com, US Marine Dictionary, http://www.devildogcorps.com/, consulté le 20 décembre 2010.

99. Marine Corps Order 1500.58, « Marine Corps Mentoring Program (MCMP) », Department of the Navy, Headquarters United States Marine Corps, 2 Navy Annex, Washington, 13 février 2006.

100. Alisa Solomon, « War Resisters Go North », *The Nation*, 16 décembre 2004.

101. Le forum militaire « militaryquotes » comprend une rubrique consacrée aux « Jody Calls ».

102. Jane Mayer, « Whatever It Takes. The politics of the man behind "24" », *art. cit.*

103. *Ibid.* ; Tom Regan, « Does "24" encourage US interrogators to "torture" detainees ? », *The Christian Science Monitor*, 12 février 2007.

104. Intervention du reporter *embedded* Yves Eudes sur le forum du journal *Le Monde*, novembre-décembre 2003.

105. DoD, National Defense Budget Estimates FY 2011, Office of the Under Secretary of Defense (Comptroller), mars 2010, p. 33.

106. Marine Corps Order 1510.32D, *op. cit.*, p. 1.

7. Deuxième guerre du Golfe, deuxième syndrome

1. A cette date, 183 629 vétérans avaient déposé un dossier pour « incapacité médicale » (Audrey Brohy, Gerard Hungerman, *Les Dessous de la guerre du Golfe*, cité) ; Mike Barber, « First Gulf War still claims lives », *Seattle Post Intelligencer*, 16 janvier 2006.

2. Mike Barber, *art. cit.*

3. Environ 18 autres pays possèdent, en 2003, ce type d'armement dans leurs arsenaux : en plus des Etats précédemment évoqués, citons la France et la Russie qui en fabriquent et en vendent à tous les pays intéressés.

4. « La production des armes à l'uranium appauvri », *Observatoire des armes nucléaires françaises, Cahier n° 5*, octobre 2000, p. 8 et 21.

5. *Downtown Bagdad, First twenty hours of the war*, carte, 37 objectifs de bombardement de Bagdad, document de la CIA, déclassifié, 1991 ; The Office of the Special Assistant to the Deputy Secretary of Defense for Gulf War Illnesses, « Depleted Uranium *in* the Gulf (II) », Washington DC, 2000, cité *in* Dan Fahey, « The Emergence and Decline of the Debate over Depleted Uranium Munitions 1991-2004 », 20 juin 2004, p. 8.

6. Les estimations varient en fonction des origines de l'information : entre autres sources, le *Christian Science Monitor* (Scott Peterson, « Remains of Toxic Bullets Litter Iraq », 15 mai 2003) publie que 320 à plus d'un millier de tonnes de ces munitions ont été employées au cours de la première guerre du Golfe ; le *Seattle Post Intelligencer* (Larry Johnson, « Use of Depleted Uranium Weapons Lingers as Health Concern », 4 août 2003) parle de 375 tonnes.

7. Interventions du reporter Yves Eudes sur le forum des abonnés du journal *Le Monde*, novembre-décembre 2003.

8. Eric Leser, « Les vétérans du Golfe s'inquiètent du sort réservé aux soldats américains », *Le Monde*, 11 mars 2003.

9. Han Kang, Carol Magee, Clare Mahan, Kyung Lee, Frances Murphy, Leila Jackson, Genevieve Matanoski, « Pregnancy Outcomes Among US Gulf War Veterans : A Population-Based Survey of 30,000 Veterans », *Annals of Epidemiology*, octobre 2001, vol. 11, Issue 7, p. 504-511.

10. John Fialka, « Weighing Claims About Depleted Uranium », *The Wall Street Journal*, 2 janvier 2003.

11. The Office of Global Communication, *Apparatus of Lies. Saddam's Disinformation and Propaganda, 1990-2003*, janvier 2003, p. 18.

12. Lettre au Parlement de Jaap de Hoop Scheffer, ministre des Affaires étrangères, « Volgens Amerikaanse opgave is gedurende het laatste conflict in al-Muthanna niet geschoten met DU-houdende munitie », 18 juin 2003.

13. Citons, entre autres, The National Gulf War Resource Centre et « The Military Toxics Project ».

14. Robert James-Parsons, « Le grand mensonge des "guerres propres". De la réalité des armes à l'uranium appauvri », *Le Monde diplomatique*, avril 2002.

15. Aqel W. Abu-Qare, Mohammed Abou-Donia, « Depleted Uranium – the growing concern », Department of Pharmacology and Cancer Biology, Duke University Medical Centre, in *Journal of Applied Toxixology*, mai-juin 2002, http://www3.interscience.wiley.com/cgi-bin/abstract/93519516/ABSTRACT. Le présent article rappelle en outre que « les conséquences environnementales des rési-

dus d'uranium appauvri se ressentiront pendant des milliards d'années ». Voir également Duncan Graham-Rowe, Rob Edwards, « Depleted uranium casts shadow over peace in Iraq », *The New Scientist*, 15 avril 2003. Ce document expose les conclusions des recherches menées par Alexandra Miller, radiobiologiste de l'Institut de recherche des Forces armées de Bethesda (Etats-Unis), sur les mutations chromosomiques induites par l'effet combiné de la toxicité biologique et des radiations de l'uranium appauvri ; Programme des Nations unies pour l'environnement, « UNEP Recommends Studies of Depleted Uranium in Iraq », Amman/Nairobi, 6 avril 2003.

16. Scott Peterson, « Remains of Toxic Bullets Litter Iraq », *art. cit.*

17. Avec des slogans tels que : « Les armes à l'uranium appauvri nous tuent tous/tuent nos soldats. »

18. J.D Edmands, D.J. Brabander, D.S. Coleman, « Uptake and mobility of uranium in Black Oaks : Implication for biomonitoring depleted uranium-contaminated groundwater », *Chemosphere* n° 44, août 2001, p. 790-791.

19. Joint Technical Coordinating Group for Munitions Effectiveness (JTCG/ME), « Special Report : Medical and Environmental Evaluation of Depleted Uranium », Working Group for Depleted Uranium, 1974, volume I, p. 96.

20. Leonard A. Dietz, CHEM-434-LAD, « Investigation of Excess Alpha Activity Observed in Recent Air Filter Collections and Other Environmental Samples », 24 janvier 1980 ; rapport technique déclassifié, Knolls Atomic Power Laboratory, Schenectady, NY 12301 ; obtenu en vertu du *Freedom of Information Act*, Oak Ridge National Laboratory, Report DOE/OR/21950-1022, « Responsiveness Summary : Engineering Evaluation/Cost Analysis (EE/CA) for the Colonie Site », p. 70-89, janvier 1997, cité *in* Leonard A. Dietz, « Contamination of Persian Gulf War veterans and others by depleted uranium », *Bulletin of the Atomic Scientist*, New York, 19 juillet 1996.

21. Juan Gonzales, « US Troops Poisoned by DU ? », *The New York Daily News*, 3 avril 2004. *NB* : quinze ans plus tard, Leonard Dietz se remet au travail et pousse un peu plus loin ses recherches, dont les résultats paraissent dans « Contamination of Persian Gulf War Veterans and Others by Depleted Uranium », 16 juillet 1996.

22. David Rose, « Weapons of Self-Destruction », *Vanity Fair*, n° 532, 2004.

23. J.C. Elder et M.C. Tinkle, « Oxidation of Depleted Uranium Penetrators and Aerosol Dispersal at High Temperatures », Los Alamos National Laboratories, LA-8610-MS, décembre 1980, J.A. Glissmeyer et J. Mishima, « Characterization of Airborne Uranium from Test Firings of XM774 Ammunition », Pacific Northwest Laboratory, PNL-2944, Richland (Washington), 1979.

24. Agency for Toxic Substances and Disease Registry, Public Health Assessment and Health Consultation, Colonie Site, http://www.atsdr.cdc.gov/hac/pha/pha.asp?docid=178&pg=1, consulté le 21 novembre 2010.

25. M.E Danesi, « Kinetic Energy Penetrator Long Term Strategy Study », US Army Armament, Munitions, and Chemical Command, 1990, Picatinny Arsenal, New Jersey, 1990, Appendice D, vol. 2., p. 3-4.

26. « La production des armes à l'uranium appauvri », *Observatoire des armes nucléaires françaises*, *Cahier n° 5*, octobre 2000, p. 8.

27. *Agent Orange Act*, 1991, Public Law 102-4, 102ᵉ Congrès, 1ʳᵉ session.

28. Sarah Boseley, « Renowned cancer scientist was paid by chemical firm for 20 years », *The Guardian*, 8 décembre 2006.

29. Scott Peterson, « Remains of Toxic Bullets Litter Iraq, *The Monitor* finds high levels of radiation left by US amor-piercing shells », *The Christian Science Monitor*, 15 mai 2003.

30. Scott Peterson, *art. cit.*, Department of the Army, Pamphlet 700-48, « Logistics : Handling Procedures for Equipment Contaminated with Depleted Uranium or Radioactive Commodities », Headquarter of the Army, Washington DC, 27 septembre 2002, p. 33.

31. Robert James Parsons, « Des mensonges couverts par les Nations unies. Loi du silence sur l'uranium appauvri », *Le Monde diplomatique*, février 2001.

32. Résultats préliminaires de la mission de l'Uranium Medical Research Centre, cités *in* Nao Shimoyachi, « Ex-military doctor decries use of depleted uranium weapons », *The Japan Times*, 22 novembre 2003.

33. Audrey Brohy et Gérard Hungerman, *Les Dessous de la guerre du Golfe*, cité.

34. Chris Hawke (AP), « Lung Cancer Linked to Gulf War Fires », CBS News, 20 décembre 2004, http://www.cbsnews.com/stories/2004/12/20/health/main662010.shtml, consulté le 10 décembre 2010.

35. US General Accounting Office, « Army Not Adequately Prepared to Deal with Depleted Uranium », GAO/NSIAD-93-90, janvier 1993, p. 15-16.

36. Dan Fahey, « The Emergence and Decline of the Debate over Depleted Uranium Munitions 1991-2004 », 20 juin 2004, p. 11.

37. Peter Phillips, *Censored 1997 : The News That Didn't Make the News-The Year's Top 25 Censored News Stories*, Consortium Book Sales & Dist., 1997.

38. The Office of the Special Assistant to the Deputy Secretary of Defense for Gulf War Illnesses, *Annual Report*, ministère de la Défense américain, Washington, 8 janvier 1998, p. 30.

39. *Annual Report*, Research Advisory Committee on Gulf War Veterans' Illnesses, 2002-2008.

40. Linda D. Kozaryn, « DoD Launches Depleted Uranium Training », Armed Forces Press Service, août 1999 ; *Ibid.*, « Depleted Uranium : The Rest of the Story », *art. cit.*

41. Han K. Kang et Tim A. Bullman, « Mortality among US Veterans of the Persian Gulf War : 7-Year Follow-up », *American Journal of Epidemiology*, vol. 154, n° 5, 2001, p. 399-405. L'étude a été soutenue, peut-être financièrement, par le secrétariat aux Anciens Combattants (*cf.* p. 404).

42. *Lead Report*, « DU Med Follow-up », lead CMAT # : 1998244-0000006, 1er mars 1999. Document dactylographié et manuscrit de 3 pages, déclassifié et caviardé.

43. Memorandum for Record, « Subject : Meeting with Dr Melissa McDiarmid and her staff on October 15, 1999 to discuss the Baltimore DU Follow-Up Program and the Extended-Up program », CMAT Control # 2000089-0000OO5 03, 15 octobre 1999, document dactylographié, deux pages, 8 points.

44. Troisième rapport annuel de Bernard Rostker, sous-secrétaire à la Défense et assistant spécial pour les questions liées au syndrome de la guerre du Golfe, 2000. Egalement, Bernard Rostker, « Written Statement of », texte de l'exposé prononcé devant la Commission budgétaire du Sénat, 12 octobre 2000.

45. Claude Serfati, « La régénération du système militaro-industriel américain au tournant du siècle », Groupe de recherche et d'information sur la paix et la sécurité, Bruxelles, 2002.

46. Office of Under Secretary of Defense, National Defense Budget, Washington.

47. RDT&E Budget Item Justification Sheet (R-2 Exhibit), 0604327F, « Hardened Target Munitions, project 644641, Mission Description », février 2000, p. 593.

48. Dr Rostker, cité *in* Linda D. Kozaryn, « Depleted Uranium : The Rest of the Story », *art. cit.*

49. Defense Conversion Commission, « Adjusting to the Drawdown », Washington, décembre 1992.

50. Centre For American Progress, « The $47 Million Retiree Sellout », 14 mai 2004, http://www.americanprogress.org/site/pp.asp?c=biJRJ8OVF&b=70999, consulté le 12 juin 2005.

51. Raytheon, 2002 Annual Review, Government and Defense, p. 5.

52. Open secrets.org, « General dynamics », Top All Time Donor profiles, http://www.opensecrets.org/orgs/list.asp. Lobbying : http://www.opensecrets.org/lobbyists/indus.asp?Ind=D, consulté le 12 juin 2005.

53. Les éléments de contrepoids en uranium appauvri sont utilisés, par exemple, pour équilibrer les gouvernes de pro-

fondeur externe (« De l'uranium appauvri dans les avions de ligne », *Sciences et Avenir*, février 2001) ; McDonnel Douglas est désormais intégré au Boeing Defense, Space & Security.

54. Nous nous sommes contentés de réunir les contributions des acteurs majeurs du secteur, comme General Dynamics, Lockeed Martin, Raytheon ou Boeing ; http://www.opensecrets.org/lobbyists/indus.asp?Ind=D, consulté le 12 juin 2005.

55. Jamie Lincoln Kitman, *L'Histoire du plomb*, Paris, Allia, 2005.

56. Scott Peterson, « Remains of Toxic Bullets Litter Iraq », *art. cit.*

57. Department of the Army, Pamphlet 700-48, « Logistics : Handling Procedures for Equipment Contaminated with Depleted Uranium or Radioactive Commodities », Headquarter of the Army, Washington DC, 27 septembre 2002. Signé par Joel B. Hudson, assistant administratif du secrétaire à l'US Army, ce document de 48 pages actualise le contenu du règlement 385-10 (« The Army Safety Program ») du 29 février 2000 qui ne faisait aucune mention des risques liés aux munitions à l'uranium appauvri.

58. Scott Peterson, « Remains of Toxic Bullets Litter Iraq », *art. cit.*

59. *Ibid.*

60. « Request that approving authority for the gratuitous issue on DA form 3078 BE unit commander », 08 15 102000Z, mars 1991, p. 2.

61. Il serait vain d'inventorier l'ensemble des documents qui recensent les informations précises détenues par la hiérarchie militaire concernant les dangers de l'uranium appauvri. Citons cependant un explicite mémorandum rédigé par l'état-major de la Navy le 8 septembre 1990 (ref : CG MCRDAC 062140z Sep. 90), suite à des essais de tirs dans le désert saoudien. Son auteur y fait part d'« inquiétudes supplémentaires concernant les risques provoqués par les radiations résiduelles d'un obus usagé ».

62. GTA 3-4-1 du 2 juin 1997, et GTA 3-4-1A, 1er juillet 1999, « Depleted Uranium Awareness », US Army Maneuver Support Centre, Headquarters, Department of the Army.

63. Department of the Army, Pamphlet 700-48, *art. cit.*, p. 8, 12 et 16.

64. Ron Chepesiuk, « Depleted uranium's deadly poison, Making of a health disaster in Iraq », *The Daily Star*, 8 septembre 2004.

65. Scott Peterson, « Remains of Toxic Bullets Litter Iraq », *art. cit.*

66. Entretien réalisé sur *Yahoo chat*, « military room » (l'authenticité des témoignages recueillis de la sorte est systématiquement vérifiée par la localisation des adresses IP liées aux adresses e-mail de mes interlocuteurs).

67. Jim Garamone, « Study Finds Little Risks From Depleted-Uranium Particles », American Forces Information Service, 29 octobre 2004.

68. *Ibid.*

69. Notamment les conclusions d'Alexandra Miller, radiobiologiste de l'Institut de radiobiologie des Forces armées, semblables à celles du Centre des sciences des radiations et de l'environnement (Dublin) concernant l'altération chromosomique due aux effets toxiques et contaminants de l'uranium appauvri (*in* « Depleted uranium casts shadow over peace in Iraq », *The New Scientist*, 15 avril 2003.

70. Chris Cassidy, « Soil Sampling Beginning at Starmet », *The Concord Journal*, 30 septembre 2004.

71. « La production des armes à l'uranium appauvri », *Observatoire des armes nucléaires françaises, Cahier n° 5, art. cit.*, p. 9. Au total, les Etats-Unis comptent une soixantaine de sites dévolus à la fabrication, au stockage et aux essais de ce type de munitions (Military Toxics Project, « "Depleted" Uranium Munitions, Nuclear Waste as a Weapon », *Information sheet*, juin 2003, p. 9).

72. Jane McHugh, « Sick Guard members blame depleted uranium », *The Army Times*, 9 avril 2004 ; Juan Gonzales, « US Troops Poisoned by DU ? », *art. cit.*

73. Ron Chepesiuk, « Depleted uranium's deadly poison, Making of a health disaster in Iraq », *art. cit.*

74. Dès la fin mai 2003, quatre soldats britanniques semblaient souffrir des mêmes symptômes et se préparaient, selon un avocat spécialiste de la question, à porter plainte contre leur ministère de la Défense (AFP, « Quatre premiers cas rapportés de "syndrome de la guerre du Golfe 2" », 27 mai 2003).

75. David Rose, *art. cit.*

76. Department of the Army, Pamphlet 700-48, *art. cit.*, appendice F.

77. Ron Chepesiuk, « Depleted uranium's deadly poison, Making of a health disaster in Iraq », *art. cit.*

78. HR 1483 : *Depleted Uranium Munitions Study Act*, 27 mars 2003.

79. Huda Ammash, « Toxic Pollution, The Gulf War, and Sanctions », *in* Anthony Arnove, Ali Abunimah (dir.), *Iraq Under Siege, the Deadly Impact of Sanctions and War*, Cambridge, South End Press, 2000, p. 169. Cet éditeur publie également Noam Chomsky ainsi que des auteurs dans la même veine.

80. Iraq Survey Group, « Comprehensive Report of the Special Advisor to the DCI on Iraq's WMD », rendu public le 7 octobre 2004, 918 pages.

81. « Pentagon : Iraqi woman dubbed "Mrs. Anthrax" in custody », CNN, 5 mai 2003.

82. Selon les termes de l'ultimatum adressé par le gouvernement britannique le 12 mars 2003.

83. Le sondage CBS News/*New York Times*, 14-18 janvier 2005, recense pour l'heure la plus faible proportion de personnes adhérant à l'idée (56 % tout de même).

84. AP, « Dr. Germ and Mrs Anthrax Freed », 19 décembre 2005.

85. « News you Can Use », *National Guard Familiy Program*, rubrique santé, 6 avril 2004, p. 18.

86. Department of the Army, Pamphlet 700-48, *art. cit.*, appendice G.

87. Au 1ᵉʳ novembre 2004, le site du CENTCOM présente 735 pages de rapports d'enquête déclassifiés et caviardés consacrés à des incidents de ce type impliquant des A-10 Warthog, http://www.centcom.mil/CENTCOMNews/Investigation%20Reports/Default.asp, consulté le 3 janvier 2005.

88. Davis Bushnell, « Uranium cleanup moves ahead », *The Boston Globe*, 1ᵉʳ janvier 2006.

89. *Draft Guidelines for the export of scrap metal*, 28 février 2004. Les « War Logs » de Wikileaks font notamment état d'un camion transportant des métaux radioactifs vers la Turquie.

90. War Logs de Wikileaks : IDF Attk ON –_AR IVO :INJ/DAMAGE, 2005-11-04.

91. Joel Roberts, « U.S. Drops "E-Bomb" On Iraqi TV. First Known Use Of Experimental Weapon », CBS News, 25 mars 2003.

92. Dr André Figuredo, « Paludisme à Vivax en Irak », *The Lancet*, 1ᵉʳ août 2003.

93. Karen Fleming-Michael, « Walter Reed treating 500 cases of leishmaniasis from Iraq », Army News Service, 4 mars 2004.

94. *Armed Forces Pest Management Board Technical Guide*, n° 36, « Personnal Protective Measures Against Insects and Other Arthropods of Military Significance », AFPMB, Information Service Division, octobre 2009, p. 3.

95. Notice 2004 des fournitures des Marines affectés en Irak.

96. Mark Elis, « Controversy Continues Over Use of Deet as Bug Repellent », *The Columbus Dispatch*, 8 août 2003.

97. David Olinger, « Researcher says work's tie to war illness got him fired », *St. Petersburg Times*, 11 janvier 1997.

98. Abou-Donia, *Journal of Toxicology and Experimental Health*, mai 1996, volume 48, p. 35-36. Les universités de l'Iowa et du Texas ont publié des résultats similaires, http://www.dukenews.duke.edu/news/newsrelease652d.html?p=all&id=872&catid=2, consulté le 20 mars 2004.

99. « Duke Pharmocologists Says Animal Studies On Deet's Brain Effects Warrant Further Testing », Duke University, http://www.dukenews.duke.edu/news/newsrelease652d.html?p=all&id=872&catid=2, consulté le 20 mars 2004.

100. Vincent Corbel, Maria Stankiewitz, Cédric Pennetier, Didier Fournier, Jure Stojan, Emmanuelle Girard,

Mitko Dimitrov, Jordi Molgo, Jean-Marc Hougard et Bruno Lapied, « Evidence for inhibition of cholinesterases in insect and mammalian nervous systems by the insect repellent deet », *BMC Biology*, vol. 7, 5 août 2009.

101. T.G. Osimitz et J.V. Murphy, *Neurological Effects Associated with Use of the Insect Repellent N, N-diethyl-m-toluamide* (DEET), 35(5), 1997, p. 435-441. http://chemistry.about.com/cs/how-thingswork/a/aa042703a.htm.

102. C Schaefer et P. W. Peters, *Intrauterine Diethyl-toluamide Exposure and Fetal Outcome*, 6, 1992, p. 175-176, http://dmd.aspetjournals.org/cgi/content/full/30/3/289, consulté le 21 mars 2004.

103. GP Schoenig, TG Osimitz, KL Gabriel, R. Hartnagel, MW Gill and EI Goldenthal, « Evaluation of the chronic toxicity and oncogenicity of N, N-diethyl-m- toluamide (DEET) » *Toxicological Sciences*, vol. 47, p. 99-109, Society of Toxicology, 1999, Toxicology/Regulatory Services, Inc., Charlottesville ; Pr Abou-Donia, *Experimental Neurology*, volume 172, p. 153-171, 2001, et *Journal of Toxicology and Environmental Health*, volume 64, p. 373-384 ; MB Abou-Donia, AM Dechkovskaia, LB Goldstein, A. Abdel-Rahman, SL Bullman, WA. Khan, *Co-Exposure to Pyridostigmine Bromide, DEET, and/or Permethrin Causes Sensorimotor Deficit and Alterations in Brain Acetylcholinesterase Activity*, Department of Pharmacology and Cancer Biology, Duke University Medical Centre, Durham, février 2004.

104. Céline Gariépy, Louise Lambert, Panagiota Macrisopoulos, Josée Massicote, Julie Picard, « Infections causées par le virus du Nil occidental », *Bulletin d'information en santé environnementale*, vol. 12, n° 4-5, juillet-octobre 2001, http://www.inspq.qc.ca/bulletin/bise/2001/bise_12_4-5.asp?Annee=2001, consulté le 8 juillet 2009.

105. US Environmental Protection Agency, « Reregistration Eligibility Decision DEET », septembre 1998, p. 21-22.

106. United States Environmental Protection Agency, « EPA promotes safer use of insect repellent DEET », 24 avril 1998, http://yosemite.epa.gov/opa, consulté le 21 mars 2004.

107. Brian Cabell, « Gulf War veterans suffered brain damage after chemical exposure, study says », CNN, 30 novembre 1999, http://www.cnn.com/HEALTH/9911/30/gulf.war.syndrome/index.html, consulté le 21 mars 2004.

108. Armed Forces Merchandise Outlet, « GI type insect repellent », http://www.afmo.com/product_page.asp?pid=1387, consulté le 20 mars 2004. Les spécifications du site assurent que le produit contient 30 % de DEET. Doit-on voir dans ce mensonge la preuve d'une sensibilisation des consommateurs ?

109. Office of the Deputy Under Secretary of Defense, Armed Forces Pest Management, Walter Reed Armed Medical Centre, Forest Glen Section, Washington DC, « Minutes of the 174th Meeting of the AFPMB », 21 novembre 2003.

110. « Chemicals and Chemical Products », FBO # 0031, 2 janvier 2002, http://www.fbodaily.com/archive/2002/01-January/02-Jan-2002/68-awd.htm, FBO Daily est une base de données où sont archivés l'ensemble des contrats passés par le gouvernement fédéral.

111. Centre for American Progress, « The $47 Million Retiree Sellout », 14 mai 2004, http://www.americanprogress.org/site/pp.asp?c=biJRJ8OVF&b=70999, consulté le 8 septembre 2004.

112. Brendan Watson, « CEOs who outsource Missouri jobs back Bush », http://digmo.org/news/story.php?ID=9176, consulté le 8 septembre 2004.

113. « 3M Business Conduct Policies », 2004, p. 14.

114. Office of the Deputy Under Secretary of Defense, AFPMB, « Report of the West Nile Virus subcommitte of the medical entomology committee », 17 novembre 2003, p. 27.

115. Lorie Grant, Michael McCarthy, « Retailers see surge in insect repellent sales », *USA Today*, http://www.usatoday.com/news/health/2002-08-08-repellent_x.htm, consulté le 20 avril 2011.

116. Entretien sur *Yahoo US* avec un Marine, le 8 octobre 2004.

117. General Services Administration, Federal Supply Service, « 3M Ultrathon Insect Repellents, FSC Group : 73, Contract Number : GS-07F-0394J, Contract Period : 1er septembre 2009 – 31 août 2014 ».

118. Site officiel de 3M, « Ultrathon™ Insect Repellent Products for Personal Application », http://solutions.3m.com/wps/portal/3M/en_US/Ultrathon/Products/Products/Personal-Insect-Repellant/, consulté le 19 novembre 2010.

8. Militarisme politique et social

1. La visite aux troupes d'Irak, le 7 décembre 2004, à l'occasion de Thanksgiving, en donne un exemple éclatant.

2. Discours de George W. Bush, « Remarks to the Armed Forces at Eglin Air Force Base in Fort Walton Beach, Florida », 4 février 2002.

3. Hormis George W. Bush, le seul exemple de président américain vêtu d'un uniforme militaire est à mettre à l'actif de George Washington pendant la « Whiskey Rebellion » de 1794.

4. Mark Knoller, « A Peace Prize for a War President », CBS, 7 décembre 2009, http://www.cbsnews.com/8301-503544_162-5928954-503544.html, consulté le 30 mars 2010.

5. « Bush Fell Short On Duty At Guard. Record show pledges unmet », *The Boston Globe*, 8 septembre 2004, http://www.boston.com/news/politics/president/bush/articles/2004/09/08/bush_fell_short_on_duty_at_guard/, consulté le 13 septembre 2004.

6. Fleurissant en période électorale, ce type d'associations satellites des démocrates ou des républicains contournent la législation sur le financement des partis en exploitant le flou de l'article 527 du Code des impôts ; celui-ci autorise une perception illimitée de fonds pour leurs campagnes de communication à la seule condition qu'elles n'appellent pas formellement à voter pour l'un ou l'autre candidat. Il en résulte des opérations de dénigrement le plus souvent ordurières.

7. *SwiftVets.com*, *La véritable histoire du service militaire de John Kerry*, clip « They Served », 1 mn, http://www.swiftvets.com/, consulté le 5 juillet 2005.

8. John Kerry, témoignage devant la Commission des Affaires étrangères du Sénat, 22 avril 1971, Washington. Le futur sénateur du Massachusetts apparte-

nait au « Winter Soldier Investigation », un projet soutenu par l'association des Vétérans du Vietnam contre la guerre (« Vietnam Veterans Against the War ») et destiné à recenser les témoignages de soldats pour porter à la connaissance du public les crimes de guerre commis dans la péninsule indochinoise.

9. « Why don't we forget Vietnam, below », *The American Legion Magazine*, juillet 2003.

10. Interview du général Michael Delong, *The Command Post*, 24 septembre 2004.

11. « Bush Fell Short On Duty At Guard. Record show pledges unmet », *art. cit.*

12. Peter D. Feaver et Richard H. Kohn, *Soldiers and Civilians : The Civil-Military Gap and American National Security*, Cambridge, MIT Press, 2001.

13. Mildred Amer, « Membership of the 109th Congress : A Profile », *CRS Report for Congress*, 29 novembre 2006.

14. Leo Shane III, « Nine Afghan, Iraq Vets Head to Congress », *Stars & Stripes*, 3 novembre 2010.

15. Christopher Gelpi et Peter D. Feaver, « Speak Softly and Carry a Big Stick ? Veterans in the Political Elite and the American Use of Force », *American Political Science Review*, vol. 96, n° 4, décembre 2002, p. 779-793, p. 783.

16. Karen Kucher, « Serving on two fronts. Hunter one of few in Capitol with a child in U.S. military », *The San Diego Union Tribune*, September 13, 2004.

17. Christopher Gelpi et Peter D. Feaver, *art. cit.*, p. 782.

18. En gras dans le texte.

19. « *Ready, Willing and Enabled, get your CA solutions* », publicité Computer Associates, 2003. En gras dans le texte.

20. Voir par exemple les publicités parues dans *Le Rire* avant et après la déclaration de guerre à l'Allemagne.

21. « *Be Strong, Be Kind, Be Smart, Be Brave* », introduction et logo du site officiel de « Brave Soldier », http://www.bravesoldier.com/1/main.php, consulté le 25 mars 2006.

22. Les Christie, « Business in the making », *CNNMoney.com*, 29 avril 2005.

23. Catherine Donaldson-Evans, « Pitchman Actor's Politics Draw Fire for MCI », *Foxnews.com*, 13 mai 2003, http://www.foxnews.com/story/0,2933,86667,00.html, consulté le 25 novembre 2010.

24. OASD-RA (ESGR), Office of the Secretary of Defense Reserve Affairs, Employer Support of the Guard and Reserve Congressional Response, *House Report 108-187*, 31 mars 2004, p. 3.

25. *Ibid.*, p. 1 ; Employer Support of the Guard and Reserve, « We All Serve... About ESGR », http://esgr.org/site/AboutUs/tabid/72/Default.aspx, consulté le 13 août 2010.

26. 2009 Army Posture Statement, « Army Spouse Employment Partnership (ASEP) Program », http://www.army.mil/aps/09/information_papers/army_spouse_employment_partnership.html, consulté le 13 août 2010.

27. Gerry J. Gilmore, « VFW, YMCA, AT&T Support Enduring Freedom Troops, Families », American Forces Information Service, 13 mars 2003.

28. Communiqué de presse, « Intercontinental Hotels Group Donates a Percentage of Government Rate Revenue to Support American Troops, Contributions to Assist Military and Their Families », 29 avril 2003, service de presse du groupe.

29. Margareth McKenzie, « Spouse Employment Partnership program welcomes new partners », Army News Services, 3 octobre 2005.

30. Victoria Palmer, « Boys & Girls Clubs Open To Support Military Children », Americans Working Together, Defend America, US Department of Defense News About the War on Terrorism ; « USA Freedom Corps Launches "On the Homefront" », The White House, mars 2003.

31. Sears Holding Corporation, « Military Support, Community Outreach, Operation Purple », http://www.searsholdings.com/communityrelations/hero/military.htm, consulté le 13 août 2010.

32. « Veterans, Service Men and Women Recognized and Remembered With Veterans Day Activities. VFW, Wal-Mart Stores, Inc., Team to Honor Those Serving and Those Who Have Served in Our Country's Military », PR Newswire, 31 oct. 2002, http://www.veteransadvantage.com/cms/content/walmart, consulté le 15 octobre 2010.

33. « Google champion de la recherche fiscale », *Le Canard enchaîné*, 27 octobre 2010 ; Jesse Drucker, « Google 2.4 % Rate Shows How $60 Billion Lost to Tax Loopholes », *Bloomberg.com*, 21 octobre 2010, http://www.bloomberg.com/news/2010-10-21/google-2-4-rate-shows-how-60-billion-u-s-revenue-lost-to-tax-loopholes.html, consulté le 25 octobre 2010.

34. Gerry J. Gilmore, « VFW, YMCA, AT&T Support Enduring Freedom Troops, Families », *art. cit.* ; « AT&T Joins the "America Supports You" Team », American Forces Press Services, 8 juin 2005, http://www.americasupportsyou.mil/americasupportsyou/Content.aspx?ID=20357720&SectionID=1, consulté le 15 octobre 2009.

35. Une fois encore, un pays aussi anciennement belliciste que la France permit, pendant la première guerre du Golfe, de relever semblables actions des grandes entreprises nationales : L'Oréal offrait par exemple aux soldats de l'opération Daguet 44 m^3 de shampoings et produits de toilette, Perrier expédiait dans les bases militaires 5 millions de bouteilles, tandis que Société faisait don de 12 000 roqueforts aux engagés de l'opération Daguet.

36. Communiqué de presse, « Jeep and Operation Gratitude Dive into Partnership at 1,200 feet », *Jeep News*, DaimlerChrysler MediaServices, 21 septembre 2005, http://www.jeep.com/jeep_life/news/jeep/operation_gratitude.html.

37. Cynthia Nellis, « Military chic, Style scoop », *Women's Fashion*, janvier 2001.

38. Alexandra Bardet, *La Communication dans la Mode : Une relation placée sous le signe de la médiatisation*, mémoire de fin d'études sous la direction de François Ohl, juin 2002, Institut d'études politiques de Lyon.

39. United States Patent and Trademark Office.

40. Susan Decker, « Seeking to Cash In on "Shock and Awe" », *The Los Angeles Times*, 12 mai 2003 ; Robert Longley, « Patent Office Suffers "Shock and Awe" Attack », *About.com*, 27 octobre 2003, http://usgovinfo.about.com/cs/censusstatistic/a/shockandawe.htm ; Agnes Cusack, « US companies battle over "Shock and Awe" copyright », retranscription de l'émission radiophonique australienne *The World Today*, diffusée par ABC Local Radio le 16 mai 2003, http://www.abc.net.au/worldtoday/content/2003/s856964.htm, consultés le 17 mars 2010.

41. Nicole Bacharan, *op. cit.*, p. 224.

42. Thomas Rabino, « Variété, musique et chansons en guerre », *Histoire(s) de la Dernière Guerre* n° 11.

43. « Resurgence of Patriotic Songs on the Radio », *Billboard*, 29 septembre 2001.

44. Margo Whitmire, « "Shock'n Y'All" May Shock Some », *Billboard*, 29 octobre 2003.

45. « Country Acts Feeds Fans' Hunger For Patriotic Tunes », *Billboard*, 3 mai 2003.

46. Oscar Hammerstein II, « Music's War Activities », *Billboard*, 1944 (édition annuelle).

47. Homer E. Capehart, « Disk Firms Make Haste Slowly On Recording New War Songs », *Billboard*, 3 janvier 1942.

48. Geoff Mayfield, « Over The Counter », *Billboard*, 3 novembre 2001.

49. Harold Humphrey, « Wartime Music », *Billboard*, 31 janvier 1942.

50. *An American Salute : Spirit of the Nation* (2002), « God Bless America : Star Spangled Spectacular » (2002), « America's Favorite Patriotic Songs » (2002), « God Bless America » (2002), « God Bless America : The Ultimate Patriotic Album » (2002), « *From Sea to Shining Sea : A Musical Celebration of the United States Army* » (2003), « *America the Beautiful* » (2003), « *Patriotic Country* » (2004), etc.

51. « Military Families Survey », *The Washington Post*/Kaizer Family Foundation/Harvard University, mars 2004.

52. DoD, Office of the Under Secretary of Defense for Personnel and Readiness, Synthèse des rapports annuels, octobre 2002-septembre 2005.

53. Site de l'United Service Organisation, « Our Supporters, Parners & Sponsors », http://www.uso.org/whoweare/oursupporters/partnerssponsors/, consulté le 8 septembre 2010.

54. Chet R. DelSignor, « Singer Encourages New Recruits To Stay Focused », *Air Force Recruiting Service Public Affairs*, 20 juillet 2007, http://www.af.mil/news/story.asp?id=123061431, consulté le 16 août 2010.

55. Oscar Hammerstein II, *art. cit.*. Voir également : Kathleen E. R. Smith, *God Bless America : Tin Pan Alley goes to war*, The University Press of Kentucky, 2003.

56. Parmi une longue liste d'exemples, citons celui donné par la superstar du basket Michael Jordan, qui verse son salaire annuel aux familles des victimes.

57. Mark Newman, « Baseball commemorates Sept. 11. Pregame ceremonies mark occasion at nine ballparks », *MLB.com*, 12 septembre 2006.

58. William Selby, « MLB All-Stars Show Respect, Support to Troops », *DoD Live*, 13 juillet 2010.

59. Mark Newman, « Welcome Back Veterans supports troops », *MLB.com*, 28 mai 2010.

60. Steven Donald Smith, « NASCAR Honors Wounded Troops at Dinner Event », *American Forces Press Service*, 22 septembre 2006.

61. « NASCAR Fans in California Support Troops », *American Forces Press Service*, 5 septembre 2006.

62. « "Support Our Troops" effort launched by Goodyear », *NASCAR.com*, 13 juillet 2010.

63. Mark D. Faram, « Navy puts brakes on NASCAR sponsorship », *Navy*

Times, 11 juillet 2008 ; l'annonce du retrait intervient en 2008.

64. Jeff Schogol, « Marines ending sponsorship of NASCAR Busch Series car », *Stars & Stripes*, 29 octobre 2006.

65. « US Army Racing. Driver, Drive with Pride, Drive with Honor », http://www.goarmy.com/army-racing/nascar-cup-series/driver.html, consulté le 16 février 2011.

66. Graeme Thompson, « Ryders on the storm », *The Observer*, 5 septembre 2004.

67. Samantha L. Quigley, « Troops Find Gratitude, Entertainment at Indianapolis 500 », American Forces Press Service, 27 mai 2006.

68. Finalement pas très éloigné du « Devenez vous-même » adopté en 2010 par l'armée française.

69. James C. Roberts, « Baseball Goes To War : The National Pastime in World War II », *American Veterans Centre Magazine*, été 2007.

70. AP, « Ex-NFL Player Jeremy Staat Deployed to Iraq », 22 mars 2007.

71. Site officiel de la NFL, « A list of NFL players with ties to the military », saison 2007, https://www.nfl.info/nflmedia/kickoff%20weekend/2007/FINAL%20PDFs/Page%2033.pdf, consulté le 13 février 2011.

72. John Ryan, « Military Ties to the NFL », *The Army Times*, 22 décembre 2010.

73. Sur ce sujet, voir Wanda Ellen Wakefield, *Playing to Win : Sportsand the America Military, 1898-1945*, State University of New York Press, Albany, 1997.

74. Mark Newman, « Welcome Back Veterans supports troops », *art. cit.*

75. Jack F. Williams, « The coming revenue revolution in sports », *in* Amithaba Ghose, *Dynamics of Sports Marketing*, ICFAI University Press, Panjagutta, Hyderabad, 2008, p. 672.

76. Cité *in* Les Carpenter, « NFL Orders Retreat From War Metaphors », *The Washington Post*, 1er février 2009.

77. En 2009, la NFL annonce officiellement ne plus utiliser la terminologie militaire pour sa communication. On attendra quelques années pour juger des effets d'une décision qui n'a pas de prise sur les représentations populaires de ce sport.

78. Richard H. P. Sia, « General H. Norman Schwarzkopf : A Man Wise in the Ways of War », *The Baltimore Sun*, 10 mars 1991.

79. Joe Lapointe, « Stones roll onto NFL stage », *The New York Times*, 3 février 2006.

80. Michael J. Carden, « NFL, Military Continue Super Bowl Traditions », American Forces Press Service, 29 janvier 2009.

81. « Hudson, Johnson, Madsen, Marion and Parks Receive NBA Community Assist Award », *NBA.com*, 31 juillet 2003.

82. Douglas A. Noverr et Lawrence E. Ziewacz, *The Games They Played : Sports in American History, 1865-1980*, Nelson-Hall, Chicago, 1983.

83. Tyler Mcleod, « Ravens Provide Support for Blood Donors, Troops », *Baltimore Ravens News*, 30 septembre 2010.

84. Christina Rivers, « Steelers and the NFL celebrate Veterans Day and support the troops », *The Examiner*, 9 novembre 2010.

85. « Pro vs. GI Joe. Doin' a little for those who do a lot », United Service Organizations, 2011.

86. « Former NFL Cheerleaders From "Sweethearts for Soldiers" Calendar », 4 janvier 2008.

87. Intrepid Fallen Heroes Fund, « Paying tribute to and supporting those whe have sacrified to our nation », Fund history, http://www.fallenheroesfund.org/About-IFHF/Fund-History.aspx, consulté le 16 février 2011.

88. John Hollinger, « Steve speaks out. Mavericks' star voices opposition to war in Iraq », *Sports Illustrated.com*, 7 février 2003 ; Eric Smith, « Trouble Overseas Hitting Home for Raptors », *raptors.com*, 21 mars 2003. Sous contrat avec la franchise d'Atlanta, Maverick est canadien ; Alston joue alors pour les Raptors de Toronto et échappe quelque peu au mur de propagande.

9. La jeunesse : conflits présents, conflits futurs

1. Ernest Lavisse, *Histoire de France. Cours élémentaire*, Paris, Armand Colin, 1913, p. 159-161.

2. Voir Stéphane Audoin-Rouzeau, *La Guerre des enfants. 1914-1918*, Paris, Armand Colin, 1993 ; Olivier Loubes, *L'Ecole de la patrie, histoire d'un désenchantement*, 1914-1940, Paris, Belin, 2001.

3. Ernest Lavisse, *op. cit.*, p. 168.

4. Walter Lippman, « Education without culture », *Commonweal*, n° XXXIII, 1940-1941, p. 323, et Ann L. Crockett, « Lollypops vs. Learning », *Saturday Evening Post*, n° 29, 16 mars 1940, p. 105-106, cités *in* Malie Montagutelli, *Histoire de l'enseignement aux Etats-Unis*, Paris, Belin, 2000, p. 203.

5. *Ibid.*

6. Roald Campbell, Luvern Cunningham, Roderick McPhee, *The Organization and Control of American Schools*, Charles E. Merril Publishing Co., Colombus, 1965, p. 347, cité *in* Malie Montagutelli, *op. cit.*

7. James W. Loewen, *op. cit.* ; Joan DelFattore, *What Johnny Shouldn't Read. Textbook Censorship in America*, Yale University Press, 1994.

8. James W. Loewen, *op. cit.* ; Claire Bruyère, « Manuels scolaires américains : les éditeurs sur tous les fronts », *Source(s)*, automne 2008, p. 83-100.

9. Parmi un grand nombre d'auteurs reprenant la formule : Lewis H. Lapham, *Gag Rule*, The Penguin Press, New York, 2004, p. 103, cité *in* Claire Bruyère, *art. cit.*, p. 84.

10. David Pierpont Gardner (dir.), *A Nation at Risk : The Imperative for Educational Reform*, Rapport à la nation et au secrétaire à l'Education de la Commission nationale de l'excellence dans l'éducation, avril 1983 ; Lorie Montagutelli, *op. cit.*, p. 265-290.

11. Yves-Henri Nouailhat, *op. cit.*, p. 204.

12. James Ramsay Butler, « The All-Volunteer Armed Force », *Teacher's College Record*, 73, 1, septembre 1971, p. 27-39.

13. Lettre type à un proviseur adressée par James R. Nicholson, secrétaire aux Anciens Combattants, Veterans Day National Committee, 11 novembre 2005.

14. « How School Can Participate in "Lessons of Liberty" », *in* « Spotlight On Veterans Day, Lessons of Liberty », *art. cit.*

15. « Message du président des Etats-Unis », 24 août 2005, Washington, in *Veterans Day 2005, Teachers Resource Guide*, p. III.

16. « VA Kids, K-5th, Kids Learning about Veteran Affairs », http://www.va.gov/kids/k-5/index.asp?intSiteID=2, consulté le 22 janvier 2004.

17. *Ibid.*, « About the Flag, the history of the American flag – Proper display of Flag », *art. cit.*

18. Ministère de l'Education, des Anciens Combattants et Comité national du Jour des vétérans, « Honoring All Who Served, Teachers Resource Guide, Veterans Day », 11 novembre 2005, p. 2, 4 et 5.

19. « VA Kids, K-5th, VA Kids Games & Activities », http://www.va.gov/kids/k-5/games_activities.asp, consulté le 22 janvier 2004.

20. « VA Kids, 6-12th Grades, Games and Activities – Word Jumble », http://www.va.gov/kids/6-12/jumble.asp, consulté le 22 janvier 2004.

21. « Spotlight On Veterans Day, Lessons of Liberty », programmes pour écoles primaires, ministère de l'Education, http://www.thegateway.org/news/spotlightarchives, consulté le 22 mars 2004.

22. « How do I know if I've got a soldier for ancestor ? », in *Military Records, Teachers Guide, op. cit.*

23. *Military Records, Teachers Guide*, consignes prodiguées au personnel enseignant, http://www.pbs.org/kbyu/ancestors/teachersguide/episode9.html, consulté le 22 mars 2004.

24. « Spotlight On Veterans Day, Lessons of Liberty », *art. cit.*, « Life of a Veteran, interview a veteran and see history through his eyes », *Life Lessons, Middle School Social*

Studies Lesson Idea, site de l'entreprise informatique Apple, http://ali.apple.com/ali_sites/ali/exhibits/1000925/ ; cette page web montre également l'entente qui s'est établie entre la fonction publique éducative et le secteur privé, associés dans les méthodes d'enseignement.

25. « Family Records, Teacher's Guide, Sample oral history interview questions », http://www.pbs.org/kbyu/ancestors/teachersguide/episode2.html, « Suggested list of questions », consulté le 23 mars 2004.

26. « Veterans History Project, explore letters, diaries and photos of veterans and those who supported them », étude parrainée par la Bibliothèque du Congrès, http://www.loc.gov/vets///, consulté le 22 mars 2004.

27. Tom Wiener, *Voices of War : Stories of Service from the Homefront and the Frontlines*, National Geographic, The Library of Congress, Veterans History Project, 2004 ; *Forever a Soldier, Unforgettable Stories of Wartime Service*, National Geographic, 2005.

28. Présentation du livre de Tom Wiener, *Voices of War*, *op. cit.*, « Veterans History Project », http://www.loc.gov/folklife/vets//, consulté le 22 mars 2004.

29. Tom Wiener, *Voices of War*, *op. cit.*, témoignage de Chuck Hagel, p. 18-19, 39, 52-53.

30. *Ibid.*, témoignage de John Enman, p. 172, 178-179 ; témoignage de Ronald Winter, p. 312-313.

31. *Ibid.*, présentation du chapitre VII, « Reflexions ».

32. *Ibid.*, *Voices of War*, *op. cit.*, chapitre IV.

33. *Ibid.*, présentation du livre.

34. Stéphane Audouin-Rouzeau, *La Guerre des enfants, 1914-1918*, *op. cit.* ; Olivier Loubes, *L'Ecole de la patrie, histoire d'un désenchantement, 1914-1940*, *op. cit.*

35. National Veterans Awareness Week, *cf.* « Veterans Day, 2004, By the President of the United States of America, A proclamation », Office of the Press Secretary, Washington, 9 novembre 2004.

36. « Veterans Day, 2004, By the President of the United States of America, A proclamation », *art. cit.*

37. Site officiel du « *USS Lexington*, Museum of the Bay », Educational Tours, http://www.usslexington.com/index.php?option=com_content&task=view&id=20&Itemid=37, consulté le 1er novembre 2010.

38. *Ibid.*, « Overnight Camping ».

39. « Arlington Cemetery in Washington DC – a kid friendly walk through history », http://www.kid-friendly-family-vacations.com/arlington_cemetery.html, consulté le 5 avril 2010.

40. Games, « Words Find – Basic 1 », https://www.cia.gov/kids-page/games/word-find/basic-1.html, consulté le 4 août 2010.

41. « Kid's page », https://www.cia.gov/kids-page/index.html, consulté le 4 août 2010.

42. Dana Priest et William M. Arkin, « A hidden world, growing beyond control », *The Washington Post*, 27 juillet 2010.

43. « America's Kryptokids Future Codemakers & Codebreakers », marque déposée le 19 décembre 2005 et enregistrée sous le n° 3365689, http://www.trademarkia.com/americas-cryptokids-future-codemakers − -codebreakers-78776192.html, consulté le 4 août 2010.

44. Ron Sotdghill, « Class Warfare », *Time*, 4 mars 2002.

45. *Electronic Code of Federal Regulations* : Title 32, National Defense, vol. 3, Chap. V, Subtitle A, Department of Defense : Department of the Army ; Subchapter C – Military Education ; Part. 542, Schools and Colleges (objectives), http://ecfr.gpoaccess.gov/cgi/t/text/text-idx?c=ecfr&tpl=/ecfrbrowse/Title32/32tab_02.tpl, consulté le 19 juillet 2010.

46. Colin Powell, cité en qualité d'ex-général interarmées, site officiel du JROTC, « United States Army Cadet Command Headquarters, To commission the future officer leadership of the US Army and motivate young people to be better citizens », http://www.rotc.usaac.army.mil/faqs/, consulté le 23 mars 2004.

47. Major général Stewart W. Wallace, Department of the Army, Headquarters, United States Army Cadets Command, ATCC-ZA (145-1), 30 mars 1999, Mémorandum ; audition du général Jones

(Committee on Armed Services, House of Representative, *National Defense Authorzation Act*, Fiscal Year 2001 – H.R. 4205, http://commdocs.house.gov/committees/security/has041000.000/has041000_0f.htm ; Avis Thomas-Lester, « Recruitment Pressures Draw Scrutiny on JROTC », *The Washington Post*, 19 septembre 2005 ; United States Army Junior ROTC, « History », https://www.usarmyjrotc.com/jrotc/dt/2_History/history.html, consultés le 19 juillet 2010).

48. Linda D. Kozaryn, « Help Wanted : DoD seeks JROTC Instructors », Armed Forces Press Service, United States Department of Defense, 26 avril 2001, Ron Sotdghill, *art. cit.* ; Office of the Secretary of Defense, « Operations and Maintenance Overview », FY 2007 Budget Estimates, février 2006.

49. Barbara A. Bicksler, Lisa G. Nolan, « Recruiting an All-Volunteer Force : The Need for Sustained Investment in Recruiting Resources – An Update », Strategic Analysis, décembre 2009, p. 13.

50. Sonia Nazario, « Activists in California School District Crusading Against Junior ROTC », *The Los Angeles Times*, 25 février 2005.

51. Armed Services Vocational Aptitude Battery (ASVAB), Career Exploration Program, http://www.asvabprogram.com/index.cfm?fusaction=home.main, consulté le 31 mars 2006.

52. Headquarters United States Army Recruiting Command, *Training, School Recruiting Program Handbook*, *op. cit.*

53. *US Code*, Titre 18, part. III, chap. 303, § 4046, Shock incarceration program (b) (1).

54. Headquarters United States Army Recruiting Command, *Training, School Recruiting Program Handbook*, USAREC Pamphlet 350-13, 1er septembre 2004 ; voir également « USAREC Pamphlet 446 » et « USAREC Pamphlet 1256 ».

55. Headquarters United States Army Recruiting Command, *Training, School Recruiting Program Handbook*, *op. cit.*

56. Selon un rapport du Pentagone cité par David Goodman, « No Child Unrecruited », *MotherJones.com*, novembre-décembre 2002, http://www.motherjones.com/news/outfront/2002/11/ma_153_01.html, consulté le 20 janvier 2003.

57. Solomon Amendment (1996), 10 USC, sous-titre A, part. II, chapitre 49, section 983 ; Amendement Hutchinson, (2002), section 503c, titre 10 USC, « Access to Secondary Schools ».

58. Hyon B. Shinn, « School Enrollment – Social and Economic Characteristics of Students : October 2003 », Population Characteristics, Current population report, US Census Bureau, mai 2005.

59. Solomon Amendment, (f), (a), (b), (d).

60. Courrier type, Willam D. Hansen (ministre délégué à l'Education), David S. Chu (sous-secrétaire à la Défense), « Key Policy Letter Signe by the Educational Secretary or Deputy Secretary », United States Department of Education, United States Department of Defense, 2 juillet 2003, (http://www.ed.gov/policy/gen/guid/secletter/030702.html), consulté le 25 janvier 2004.

61. *No Child Left Behind Act*, « Armed Forces Recruiters Access To Students and Student Reucruiting Information », Titre IX, partie E, section 9528 p. 559.

62. Carmen De Navas-Walt, Bernadette D. Proctor, Lee Cheryl Hill, « Income, Poverty and Health Insurance Coverage in the United States », US Census Bureau, Ministère américain du Commerce, de l'Economie et des Statistiques, 30 août 2005, p. 9 ; le seuil de pauvreté est fixé à 9 645 dollars par an pour une personne seule et à 19 307 dollars pour une famille de quatre personnes.

63. Appy G. Christian, *Working Class War : American Combat Soldiers and Vietnam*, 1993, université de Caroline du Nord, Chapell Hill.

64. Citons par exemple un rapport commandé par le Pentagone à la très conservatrice RAND Corporation : Beth J. Asch, Rebecca Kilburn, Jacob Klerman, *Attracting-College Bound Youth Into the Military : Towards the Development of New Recruiting Policy Options*, 1999, rapport RAND, MR-984-OSD. Plus près de nous et des mêmes auteurs : *Policy Options for*

*Military Recruiting in the College Market :
Results from a National Survey*, 2004.

65. Jean Cluzel et Françoise Thibaut
(dir.), *Métier militaire et enrôlement citoyen :
les enjeux de la loi du 28 octobre 1997*, Presses universitaires de France, Cahiers des
sciences morales et politiques, 2004,
p. 52.

66. Elaboré à partir d'enquêtes téléphoniques, le YATS est administré par le Centre des ressources sur la main-d'œuvre
militaire (Defense Manpower Data Centre), intégré au Pentagone (Shelley Perry,
Jerry Lehmus, « The Youth Attitude Tracking Study (YATS), In Depth Interviews
With Young Children : a methodological
overview », WESTAT & Defense Manpower Data Centre, janvier 1998-
avril 1998).

67. ED Government Information
Locator Service Record – National Student Loan Data System (NSLDS), US
Department of Education, ED0008,
3 mars 2004 ; cette initiative s'appuie sur
le titre IV du *Higher Education Act*.

68. Site du Joint Advertising Market
Research & Studies, « Welcome to Joint
Advertising Market Research & Studies »,
http://www.jamrs.org/, consulté le 5 novembre 2010.

69. Une cour d'appel statue alors sur
l'affaire (United States Court of Appeals
for the Third Circuit, D.C. Civil Action
No. 03-4433), portée devant les tribunaux par le Forum pour les droits académiques et constitutionnels (Forum for
Academic and Institutionnal Rights),
regroupant plusieurs établissements scolaires, la Société des professeurs américains en droit (Society of American Law
Teachers), la Coalition pour l'égalité
(Coalition for Equality), Rutgers Gay and
Lesbian Caucus, ainsi que Pam Nickisher,
Leslie Fischer, Michael Blaushild, Erwin
Chemerinsky et Sylvia Law, simples particuliers.

70. Communiqué de presse Burnett,
« U.S Army Reaches Influences with Four
New Commercials, Latest Efforts Encourages Parents of Future Soldiers to "Help
Them Find Their Strength" as "An Army
of One" », Chicago, 18 avril 2005.

71. « L'armée américaine choisit
l'agence McCann Erickson », *Le Monde*,
9 décembre 2005.

72. « JAMRS Hosts 2004 Marketing
Symposium and the Joint Marketing and
Advertising Committee (JMAC) Meeting »,
Joint Advertising Market Research & Studies, JAMRS, avril 2004.

73. *The Family Educational Rights and
Privacy Act* (FERPA), 20 U.S.C.
§ 1232g ; 34 CFR part 99, 1974.

74. Bureau du sous-secrétaire à la
Défense aux personnels, « Military Personnel Human Resources, Strategic Plan
Change 1 », Departement of Defense,
août 2002, p. 2 (*NB* : le rapport a été
achevé le 28 septembre 2001, mais sa
publication n'est intervenue qu'une
dizaine de mois plus tard).

75. Bureau du sous-secrétaire à la
Défense aux personnels, « Military Personnel Human Resources, Strategic Plan
Change 1 », *op. cit.*

76. Solomon Amendment, (d), (B).

77. *Ibid.*, (2) (e) (1).

78. Department of Education, *Budget
Document*, 2003 (59,5 milliards de dollars
dépensés) ; Department of Defense, *Budget Document*, 2003 (358,2 milliards de
dollars dépensés, hors rallonges budgétaires).

79. François Theimer, *Les Jouets*,
Paris, Presses universitaires de France,
1996, p. 6.

80. « NPD Funworld Reports Retail
Sales of Traditional Toys reach 25 billion
in 2001, Strongest Growth in Action
Figures », enquête marketing réalisée par
NPD Group, 12 février 2002, http://
www.npd.com/dynamic.releases/press_
020212.htm, consulté le 20 juin 2005.

81. Dragon Models Inc.

82. Citons Select Industries et son jeu
« *Operation Iraqi Freedom US Military
Heroes Playing Cards* ».

83. « *September 11, 2001* », « *To The
Rescue* », « *The World Supports America* »,
« *The Investigation* », « *America Unites* »,
« *The Nation's Leaders* », « *Defending Freedom* », séries de 90 cartes à collectionner
produites par la firme Topps. Son concurrent U.S. Trading Cards LLC lui emboîtera le pas en commercialisant

notamment une collection de 80 cartes à la thématique identique comprenant, entre autres, des « cartes des héros de la liberté » où figure George W. Bush.

84. Présentation de la série sur le site officiel de U.S. Trading Cards, LLC (2001).

85. « Napoléon, images de légende », 4 mai 2003-14 septembre 2003, exposition du musée de l'Image, Epinal ; produites à partir de 1796 par la fabrique Pellerin, véritable initiatrice du genre.

86. Sélection de matériel propagandiste nazie de Randall Bytwerk, professeur au collège Calvin, Grand Rapids, Michigan ; « War Library of the German Youth » (« *Kriegbücherer der deutschen Jugend* »), http://www.calvin.edu/academic/cas/gpa/kbuch.htm, consulté le 22 juin 2005 ; pour le Royaume-Uni, voir Edward John Kuykendall, *The « Unknown War » : Popular War Fiction for Juveniles and the Anglo-German Conflict, 1939-1945*, université de Caroline du Sud, 2002.

87. Pierre Purseigle, « Les enfants dans la Grande Guerre », *International Society for the First World War Studies*, article de présentation de l'exposition du même nom, Historial de la Grande Guerre, Péronne, 7 juillet 2003.

88. Produit par Hassenfeld Brothers, qui deviendra plus tard Hasbro.

89. Tom Engelhardt, « President G.I. Joe (The Meaning of War Toys) », *History News Network*, université George Mason, 21 décembre 2004.

90. « *Talking Osama* » (réf. HB 0016), « *Talking Dual Headed Uday* » (réf. HB0033, modèle parlant : « Aidez-moi, je… je suis encore vivant, mais je suis très salement amoché ! Quelqu'un pour appeler mon père ? » supplie, dans un semblant d'accent arabe, le fils aîné avant que la bande-son ne laisse entendre une série de détonations mortelles), « Saddam le boucher de Bagdad » (réf. HB0004), « Saddam capturé » (réf. HB0035), produits notamment par Toypresidents, Herobuilders, Vicale Corporation (une entreprise née en février 2002 et dirigée par un sympathisant républicain).

91. « *George W. Bush Talkin' Action Figure* », « *TOP GUN George W. Bush*

Action Figure » et « *Donald Rumsfeld Talking Action Figure* », produits par Talking Presidents Inc., 18 Technology, Irvine ; maligne, cette petite société proposait un article qui contente autant les plus fervents patriotes que les « anti-Bush », sensibles au potentiel comique d'un pantin représentant un Président qu'ils accusent de n'être qu'une marionnette aux mains du complexe militaro-industriel.

92. AP, « President Bush Doll Sells Out », 13 décembre 2002.

93. Kevin Anderson, « Dubya doll flies off shelves », BBC News, division Etats-Unis, 10 décembre 2002. Devant la ruée, d'autres sociétés copient Talking President Inc. et mettent à leur tour sur le marché des produits similaires : Herobuilder, filiale de Vicale Corporation, propose des « *Political Action Figures* ».

94. « *Top Gun George W. Bush* » et « *Turkey Dinner George W. Bush* », Talking Presidents Inc., 18 Technologies ; la firme Blue-Box, évoquée plus haut, a aussi son Bush aviateur (« *Elite Force Aviator : George W. Bush – U.S. President and Naval Aviator – 12" Action Figure* »).

95. AP, « President Bush Doll Sells Out », *art. cité*.

96. Variety International, « *Ann Coulter, America's Real Action Heroes* », 2004.

97. Site officiel de Mattel, http://www.barbiemedia.com/?img=626, consulté le 8 mars 2010.

98. Nancy Tan, « War with Iraq Inspires New Toys », *Toy Directory Monthly*, août 2003.

99. « Kuma War, Real War News. Real War Games », mission list, http://www.kumawar.com/Mission.php, consulté le 3 avril 2006.

100. Michel Manson, *Jouets de toujours, de l'Antiquité aux Lumières*, Paris, Fayard, 2001.

101. Ever Sparkle Industrial Co., « Dirige tes soldats depuis cette zone de combat archicomplète. Une boîte de 75 pièces incluant […] sa figurine en tenue de combat, ses armes, un drapeau américain, des chaises et plus encore. Dimensions : 81,28 x 40,64 x 81,28 cm. […], à partir de cinq ans », catalogue des jouets, JC Penney, Noël 2002, p. 486 ; d'autres

fabricants commercialisent des articles identiques, comme le « *Battle Command Post Two Story Headquarters* » de M&C Toy Centre.

102. *Ibid.*

103. « *Stukas grelfen an* », jeu allemand (1940) dérivé d'une version chinoise des échecs. La boîte de ce jeu présente le bombardement d'un ville aux bâtiments embrasés par les bombes des appareils allemands (collecté par Randall L. Bytwerk, *German Propaganda Archive*, « *Stukas Attack* », http://www.calvin.edu/academic/cas/gpa/stuka.htm, consulté le 20 décembre 2005).

104. François Theimer, *Les Jouets, op. cit.*, p. 101.

105. Tim Shorrock, « Paul Wolfowitz : A man to keep a close eye on », *Asia Times online*, 21 mars 2001. L'adjoint de Donald Rumsfled a quitté ses fonctions en entrant dans l'administration Bush.

106. Dean Takahashi, « Games Get Serious », *Red Herring*, 18 décembre 2000.

107. Institute for Creative Technologies, Centre for virtual reality and computer simulation research, http://www.ict.usc.edu/, consulté le 21 décembre 2005 ; Jose Antonio Vargas, « Virtual Reality Prepares Soldiers for Real War, Young Warriors Say Video Shooter Games Helped Hone Their Skills », *The Washington Post*, 14 février 2006.

108. *Meet the America's Army Team*, *The MOVES Institute*, Naval Postgraduate School, https://www.moveinstitute.org/team.html, consulté le 31 mars 2006.

109. Interview du major Chambers, directeur adjoint du développement d'« *America's Army* », cité *in* Wayne Woolley, « Army's Latest Recruiting Tool – a video game – Is Big Success », Newshouse News Service, 8 septembre 2003.

110. Tom Loftus, « War games in a time of war », MSNBC, 18 juillet 2004.

111. « Letter From Leadership », http://www.americasarmy.com/intel/anni05_letter.php, consulté le 17 octobre 2005.

112. Entertainment Software Rating Board, ESRB Game Ratings, Search Results, http://www.esrb.org/search_result.asp?key=america%27s+Army&type=game&validateSearch=1, consulté le 28 mars 2006. Après quatre années de « vie » sur Internet, « *AA* » est disponible sur consoles de salon. Le jeu est désormais payant et sa maniabilité a été améliorée.

113. Les capacités de collecte de données personnelles dont dispose le Pentagone sont mises à profit dans le cadre de ce jeu : suite à des opérations de piratage menées par des joueurs un rien tricheurs (les « *cheaters* ») et désireux de modifier les paramètres du jeu à leur profit, Phil De Luca, producteur exécutif d'*America's Army*, annonçait avec force menaces aux contrevenants que leur geste s'apparente à des « actes de cybercrime perpétrés contre un programme militaire [...] propriété de l'armée » qui s'emploie à « collecter de nombreuses données [...] pour suivre la trace et identifier les fautifs [...] afin de transmettre le tout au ministère de la Justice [...] et au FBI » (John De Luca, forum du site officiel, 11 janvier 2005). De là à imaginer la constitution de fichiers des joueurs inscrits ne demandant qu'à être recoupés avec les listes de noms recueillis grâce aux dispositions du *No Child Left Behind*, il n'y a qu'un pas...

114. Kelly Ann Tyler, « Adventure Van helps recruit civilians », *TRADOC News Service*, San Antonio, 21 janvier 2005.

115. Courrier électronique d'inscription à *America's Army* que reçoit toute personne enregistrée sur le site officiel.

116. Actes des journées d'étude « Internet, jeu et socialisation », 5-6 décembre 2002, Groupes des Ecoles des télécommunications, Paris.

117. « U.S Army, About the Army », site du jeu officiel de l'armée américaine, http://www.americasarmy.com/army/, consulté le 31 octobre 2003.

118. « *Join a winning team !* », infantry promo, www.infantry.army.mil, consulté le 27 décembre 2005.

119. Michel Marcoccia, « Les communautés en ligne comme communautés de paroles », Actes des journées d'étude « Internet, jeu et socialisation », *op. cit.*

120. « Account Management », site du jeu officiel de l'armée américaine, http://login.americasarmy.com/views/login.php, consulté le 27 décembre 2005.

121. Scott Beal, « Using Games for Training Army Leaders : Summary of Questions and Lessons Learned », *Army Research Institute Newsletter*, vol. 16, Issue 1, mars 2006, p. 8-11 ; *Full Spectrum Command* et *The Rapid Decision Trainer* ciblent respectivement les commandants de compagnie et les chefs de section.

122. Nick Turse, « The Pentagon Invades Your Xbox », *The Los Angeles Times*, 16 décembre 2003.

123. « Kuma War. Real War News, Real War Games. », « Mission 58, Overview, Assault on Iran », http://www.kumagames.com/assaultoniran/overview.php, consulté le 3 avril 2006.

124. Stefanie Diekmann, « Hero and superhero », *The Guardian*, 24 avril 2004.

125. Préface de Rudolf Giuliani, in *Moment of Silence*, New York, Marvel Comics, 2002.

126. *Code of the Comics Magazine Association of America Inc.*, 26 octobre 1954.

127. Thomas Rabino, « Les super-héros s'en vont en guerre », *Histoire(s) de la Dernière Guerre*, art. cit., p. 28-31.

128. Voir Robert C. Harvey, *The Art of the Comic Book : An Asthetic History*, University Press of Washington, 1996 ; Richard Reynold, *Super Heroes : A Modern Mythology*, University Press of Mississippi, 1992 ; Bradford W. Wright, *Comic Book Nation : The Transformation of Youth Culture in America*, The Johns Hopkins University Press, 2001.

129. Voir Charles C. Tansill, *op. cit.*, Walter Millis, *op. cit.*, Helmuth C. Englebrecht et Frank C. Hannigen, *op. cit.*

130. Cité *in* Howard Zinn, *op. cit.*, p. 495.

III. D'UNE GUERRE ESTHÉTISÉE À LA RÉALITÉ DES COMBATS

10. La guerre « hollywoodienne » : une superproduction « Pentagone »

1. David E. Bonior, Steven M. Champlin, Timothy S. Kolly, *The Vietnam Veteran : a History of Neglect*, Praeger, New York, 1984, p. 4.

2. Maria Pia Mascaro, *Hollywood and the Pentagon : A Dangerous Liaison*, documentaire, 2003.

3. Discours de George W. Bush.

4. Laurent Veray et Agnès de Sacy, *Filmer la guerre. "L'héroïque cinématographe"*, documentaire, 2002.

5. Circulaire du secrétaire à la Défense, « Public Affairs Guidance (PAG) on embedding media during possible future operations / Deployments in the US Central Commands (CENTCOM) Area of Responsability (AOR) », Washington, février 2003, p. 1.

6. *Ibid.*

7. *Ibid.*, p. 8.

8. Interventions du reporter Yves Eudes sur le forum des abonnés du journal *Le Monde*, novembre-décembre 2003.

9. Eric Leser, « Du côté des médias américains, "La campagne pour libérer l'Irak" », *Le Monde*, 21 mars 2003.

10. Cité par Corine Lesnes, « Josh Rushing, le Marine d'Al-Jazira », *Le Monde*, 21 octobre 2005. Démissionnaire, l'ex-lieutenant Rushing sera embauché par la chaîne d'information qatarie.

11. Sondage CNN/*USA Today*/Gallup du 10 avril 2003, cité *in* Jeffrey M. Jones, « Public Sees Much Work for US as War Nears End », *Gallup News Service*, 11 avril 2003.

12. Tarik Kafala, « Al-Jazeera : News channel in the news », BBC News, 29 mars 2003.

13. Jehane Noujaim, *Control Room*, documentaire, 2004.

14. « Missing Soldier Rescued », US Department of Defense, Office of the Assistant of Defense (Public Affairs), 1er avril 2003, http://www.defense.gov/Releases/Release.aspx?ReleaseID=3713, consulté le 1er février 2011.

15. « DoD News Briefing – ASD PA Clarke and Maj. Gen. McChrystal », 2 avril 2003, US Department of Defense, Office of the Assistant Secretary of Defense (Public Affairs), http://www.defense.gov/transcripts/transcript.aspx?transcriptid=2236, consulté le 1er février 2011.

16. Susan Schmidt et Vernon Loeb, « She Was Fighting to the Death », *The Washington Post*, 3 avril 2003.

17. AP, « Jessica Calls Home : She's Exhausted, Groggy, Hungry, and Safe », Fox News, 3 avril 2003.

18. Juan O. Tamayo, « Iraqi informer angered by treatment of POW », *Knight Ridder Newspapers*, 3 avril 2003.

19. Douglas Jehl et Jayson Blair, « Rescue in Iraq and a "Big Stir" in West Virginia », *The New York Times*, 3 avril 2003.

20. « They Raped Jessica », *New York Daily News*, 6 novembre 2003 ; Rick Bragg, *I Am a Soldier, Too : The Story of Jessica Lynch*, Thorndike Press, Waterville, 2003.

21. « Secretary Rumsfeld Media Stakeout following Fox News Sunday », 4 mai 2003, US Department of Defense, Office of the Assistant Secretary of Defense (Public Affairs), http://www.defense.gov/transcripts/ transcript.aspx?transcriptid=2571, consulté le 1er février 2003.

22. April Vitello, « Former POW Jessica Lynch has an abundance of gifts », AP, 8 avril 2003.

23. AP, « Jessica Calls Home : She's Exhausted, Groggy, Hungry, and Safe », *art. cit.*

24. « Pentagon Town Hall Meeting ; Remarks as Delivered by Secretary of Defense Donald H. Rumsfeld », 17 avril 2003, US Department of Defense, Office of the Assistant Secretary of Defense (Public Affairs), http://www.defense.gov/speeches/speech.aspx?speechid=370, consulté le 1er février 2011.

25. John Kampfner, « Saving Private Lynch Story "flawed" », BBC News, 19 mai 2003.

26. Bryan Whitman, « Deputy Assistant Secretary Whitman Interview with CNN International », 23 mai 2003, US Department of Defense, Office of the Assistant Secretary of Defense (Public Affairs), http://www.defense.gov/transcripts/transcript.aspx?transcriptid=2668, consulté le 1er février 2011.

27. « Jessica Lynch : "I'm No Hero" », ABC News, 6 novembre 2003.

28. Hearing before Committee on Oversight and Government Reform, « Misleading Information from the battlefied », House of Representatives, 110e Congrès, Serial No. 110-54, 24 avril 2007, p. 21.

29. En février 2011, le forum de www.jessica-lynch.com/ comptait plus de 12 000 messages.

30. « Jessica Lynch », *Music Corner*, 13 novembre 2010, http://fortminorfansite.com/jessica-lynch.html, consulté le 1er février 2011.

31. Barry Levinson, 1997.

32. Gil Kaufman, « The Ballad of Jessica Lynch : Former POW's Hometown Friends Talk. Nineteen-year-old Lynch was a former Miss Congeniality and high school softball player prior to enlisting in the service », *MTV*, 23 avril 2003, http://www.mtv.com/news/articles/1471481/former-pows-hometown-friends-talk.jhtml, consulté le 1er février 2011.

33. L'archétype étant *Rambo II : La mission (First Blood Part II)*, de George Pan Cosmatos (1985). On peut voir également *Good Guys Wear Black (Le Commando des tigres noirs)* (1978), *Uncommon Valor (Retour vers l'enfer)* (1983), ou *Missing in Action (Portés disparus)* (1984).

34. United States Senate, « Report of the Select Committee on Pow/MIA Affairs », 103e Congrès, 13 janvier 1993.

35. Susan Schmidt et Vernon Loeb, « She Was Fighting to the Death », *art. cit.*

36. Rudy Martzke, « ESPN's Rome : Tillman eulogy "greatest honor of my life" », *USA Today*, 4 mai 2004.

37. Monica Davey et Eric Schmitt, « 2 Years After Soldier's Death, Family's

Battle Is With Army », *The New York Times*, 21 mars 2006.

38. Amir Bar-Lev, *The Tillman Story*, documentaire, 2010.

39. Hearing before Committee on Oversight and Government Reform, « Misleading Information from the battlefied », *art. cit.*, p. 2-3, 12-69.

40. Audie Murphy, *To Hell and Back*, Holt Paperback, New York, 2002 (rééd. 1949).

41. CBS News, commentaires de Lara Logan, 9 avril 2003.

42. Laura Miller et Sheldon Rampton, « The Pentagon's Information Warrior : Rendon to the Rescue », *PRWatch*, 2001, vol. 8, n° 4.

43. CBS News, commentaires de Lara Logan, 9 avril 2003.

44. David Zucchino, « Army-Stage-Managed Fall of Hussein Statue », *The Los Angeles Times*, 3 juillet 2004.

45. Col. Gregory Fontenot, LTC E.J. Degen, LTC David Thon (préface du général Tommy Franks), *On Point. The United States Army in Operation Iraqi Freedom. Through 01 May 2003*, juin 2004, chapitre 6, « Regime Collapse » – « Toppling the Statue – Army PYSOP Supports I MEF » et Staff Sergeant Brian Plesich, team leader, Tactical Psychological Operations Team 1153, 305th Psychological Operations Company, interviewé par le lieutenant-colonel Dennis Cahill, 31 mai 2003.

46. Une bonne synthèse : Pierre-Jean Luizard, *op. cit.*, p. 286-305.

47. S. 2763, *Prevention of Genocide Act*, 100e Congrès, 8 septembre 1988.

48. Linda D. Kozaryn, « Deck of Cards Helps Troops Indentify Regime's Most Wanted », American Forces Press Service, 12 avril 2003.

49. Sgt. 1st Class Doug Sample, « The Faces Behind the Faces on the "Most Wanted" Deck », American Forces Press Service, 6 mai 2003.

50. Entre autres : United States Playing Card Company ou Gemaco Playing Card Compagny.

51. Sgt. 1st Class Doug Sample, *art. cit.*

52. Lisa Burgess, « Buyers beware : The real Iraq "most wanted" cards are still awaiting distribution », *Stars and Stripes*, 17 avril 2003.

11. La vérité du terrain

1. Harlan K. Ullman et James P. Wade, « Shock and Awe. Achieving Rapid Dominance », National Defense University, Institute for National Strategic Studies, The Centre for Advanced Concepts and Technology, Washington, 1996.

2. Harlan K. Ullman et James P. Wade, *art. cit.*, p. 19.

3. *Ibid.*, p. v.

4. Giolio Douhet, *La Maîtrise de l'air* (trad. Benoît Smith et Jean Romeyer), Paris, Economica, 1921 (rééd. 2007).

5. AFP, « Fallouja : les troupes US avancent avec difficulté », *Le Monde.fr*, 9 novembre 2004.

6. Harlan K. Ullman et James P. Wade, *art. cit.*, p. XXVII.

7. *Ibid.*, p. 51.

8. *Ibid.*, p. 20, XXVI et 45.

9. *Ibid.*, p. 51.

10. Sue Chan, « Iraq Faces Massive U.S. Missile Barrage », CBS News, 24 janvier 2003, http://www.cbsnews.com/stories/2003/01/24/eveningnews/main537928.shtml, consulté le 4 avril 2010.

11. « "Shock and Awe" campaign underway in Iraq », CNN, 22 mars 2003, http://www.cnn.com/2003/fyi/news/03/22/iraq.war/, consulté le 6 avril 2010.

12. Sue Chan, *art. cit.*

13. « "Shock and Awe" campaign underway in Iraq », *art. cit.*

14. Discours de George W. Bush, « Address to a Joint Session of Congress and the American People », Office of the Press Secretary, Washington, 20 septembre 2001.

15. Discours de George W. Bush, Washington, 16 janvier 1991.

16. Ann Coulter, « Muslim Bites Dog », *anncoulter.com*, 15 février 2006, http://www.anncoulter.com/cgi-local/printer_friendly.cgi?article=100, consulté le 5 août 2010.

17. Col. Gregory Fontenot, LTC E.J. Degen, LTC David Thon (préface du général Tommy Franks), *On Point. The United States Army in Operation Iraqi Freedom. Through 01 May 2003, op. cit.*

18. David Zucchino, *Thunder Run : The Armored Strike to Capture Baghdad*, New York, Atlantic Monthly Press, 2004, p. 15-16.

19. Jim Garamone, « Remembering the 3rd Infantry Division's Thunder Runs », American Forces Press Service, 18 mars 2004, http://www.defense.gov/news/newsarticle.aspx?id=27039, consulté le 24 mai 2010.

20. Rémy Ourdan, « Pour pénétrer dans la ville, les blindés appliquent la méthode de la "colonne infernale" », *Le Monde*, 8 avril 2003.

21. *Ibid.* ; David Zucchino, *op. cit.* ; Christophe Ayad, « Des bavures américaines en série et jamais sanctionnées », *Libération*, 7 mars 2005.

22. US Army, *Rapport Calipari*, mars 2005, p. 18 ; *Counterinsugency Operations*, Headquarters, Department of the Army, octobre 2004, p. 35-36.

23. Adam Lusher, « The 10-hour battle for Curly, Larry and Moe », *The Sunday Telegraph*, 13 avril 2003.

24. Jonathan Marcus, « Analysis : US thrust into Baghdad », BBC News, 5 avril 2003, http://news.bbc.co.uk/go/pr/fr/ – /2/hi/middle_east/2921035.stm, consulté le 24 mai 2010.

25. Voir Gabriel Kolko, *Anatomy of a War. Vietnam, the United States and the Modern Historical Experience*, New York, HarperCollins Publishers Ltd., 1986 ; pour les critiques internes : Major Curtis L. Williamson III, USMC, « The US Marine Corps Combined Action Program (CAP) : A Proposed Alternative Strategy for the Vietnam War », 2002.

26. AFP, « A Fallouja, de jeunes Marines unis par la peur et la soif de vengeance », 15 avril 2004.

27. Discours de Franklin D. Roosevelt, « Christmas Greeting to the Nation », 24 décembre 1934.

28. Lt Bertrand Valeyre (dir.), « Gagner les cœurs et les esprits. Origine historique du concept, application actuelle en Afghanistan », *Cahiers de la recherche doctrinale*, Centre de doctrine d'emploi des forces, Division recherche et retour d'expérience, Ministère de la Défense de la République française, Armée de terre, 2010, p. 64 ; http://www.cdef.terre.defense.gouv.fr/publications/cahiers_drex/cahier_recherche/Gagner_coeurs.pdf, consulté le 18 octobre 2010.

29. Seymour Hersh, « The gray zone, how a secret Pentagon program came to Abu Ghraib », *The New Yorker*, 15 mai 2004 ; Patrick Jarreau, « Le Pentagone est mis en cause dans le scandale des prisonniers », *Le Monde*, 26 août 2004 ; Jeffrey R. Smith, « Documents Helped Sow Abuse, Army Report Finds », *The Washington Post*, 30 août 2004 ; William J. Haynes II, General Counsel, « Action Memo », General Counsel of the Department of Defense, Office of the Secretary of Defense, Washington, 27 novembre 2002, signé par Donald Rumsfeld.

30. Marquis Pierre de Castellane, « Souvenir de la vie militaire en Afrique », *Revue des Deux Mondes*, t. 4 (« Les Arabes ne comprennent que la force brutale, c'est devant elles qu'ils cèdent »).

31. Seymour Hersh, « The Grey Zone », *The New Yorker*, 24 mai 2004.

32. *Ibid.* ; Raphael Patai, *The Arab Mind*, New York, Scribner, 1973.

33. Norvell B. De Atkine, « The Arab Mind Revisited », *Middle East Quarterly*, printemps 2004, p. 47-55.

34. LTC Diane E. Reaver, Staff Judge Advocate, « Legal Brief on Proposed Counter-Resistance Strategies », Department of Defense, Joint Task Force 170, Guantanamo Bay, Cuba, 11 octobre 2002, p. 5.

35. Patrick Jarreau, « La Direction des opérations spéciales du Pentagone organise une projection de *La Bataille d'Alger* », *Le Monde*, 9 septembre 2003.

36. Michael T. Kaufman, « What Does the Pentagon See in "Battle of Algiers" ? », *The New York Times*, 7 septembre 2003.

37. Sophia Raday, « David Petraeus Wants This French Novel Back in Print ! », *Slate*, 27 janvier 2011 ; Robert Kaplan, « Man Versus Afghanistan », *The Atlantic*, 20 avril 2010.

38. Hearings Before the Committee on Foreign Relations, « On Civil Operaitons and Rural Development Support Program », United States Senate, 91ᵉ Congrès, 2ᵉ session, 17-20 février et 3-4, 17, 19 mars 1970.

39. Cité *in* Rémy Ourdan, « Le chaos irakien et le virus de la guerre », *Le Monde*, 4 décembre 2004.

40. AFP, « Les forces spéciales américaines appliquent une stratégie héritée du Vietnam », 24 juin 2004.

41. Cité *in* Lt Bertrand Valeyre (dir.), *op. cit.*, p. 75.

42. Le nom de David Galula (1919-1967) apparaît à plusieurs reprises dans la documentation militaire dédiée aux opérations de contre-insurrection. Par exemple : Department of the Army, Headquarters, *Counterinsurgency*, décembre 2006, p. 10, 43, 51, 243-244, 255.

43. Department of the Army, Headquarters, *Counterinsurgency Operations*, octobre 2004, p. 14.

44. Interview de Stanley McChrystal par Renaud Giraud, *Le Figaro*, 29 septembre 2009.

45. Eric Schmitt et Carolyn Marshall, « Task Force 6-26. In Secret Unit's "Black Room", a Grim Portrait of U.S. Abuse », *The New York Times*, 19 mars 2006.

46. « L'adaptation au son du canon », *Doctrine tactique*, numéro spécial, mars 2005.

47. Department of Defense, *National Defense Strategy*, juin 2008, p. 19, et Chairman of the Joint Chiefs of Staff, *Operational Contract Support*, *Joint Publication* 4-10, 17 octobre 2008, cités *in* Moshe Schwartz, « Department of Defense Contractors in Iraq and Afghanistan : Background and Analysis », Congressional Research Service, 2 juillet 2010, p. 18.

48. Moshe Schwartz, « Department of Defense Contractors in Iraq and Afghanistan : Background and Analysis », *op. cit.*, p. 2.

49. *Ibid.* ; Jennifer K. Elsea, Moshe Schwartz et Kennon H. Nakamura, « Private Security Contractors in Iraq : Background, Legal Status, and Other Issues », *CRS Report for Congress*, 25 août 2008.

50. Voir « Coalition Provisional Authority Order Number 17, Status of the Coalition, Foreign Liaison Missions, Their Personnel and Contractors », 26 juin 2003.

51. Mark Mazzetti, « CIA Sought Blackwater's Help to Kill Jihadists », *The New York Times*, 19 août 2009. Sur le sujet, voir Peter W. Singer, *Corporate Warriors : The Rise of the Privatized Military Industry*, Ithaca, Cornell University Press, mars 2004.

52. Mark Townsend, « Fury at "shoot for fun" memo », *The Observer*, 3 avril 2005.

53. Voir *National Defense Authorization Act* for FY2007, Uniform Code of Military Justice, Titre 10, Section 802a(10), Sous-titre E, Military Justice Matters, Sec. 551. « Applicability of Uniforme Code of Military Justice to Members of the Armed Forces ordered to duty overseas in inactive duty for training status » ; Sec. 552. « Clarification of application of Uniform Code of Military Justice. »

54. Interview de Daniel Cordier par l'auteur, in *Histoire(s) de la Dernière Guerre*, *op. cit.*

55. *Ibid.*

56. Lane DeGregory, « Iraq'n'roll », *tampabay.com*, 21 novembre 2004, http://www.sptimes.com/2004/11/21/Floridian/Iraq_n_roll.shtml, consulté le 19 juillet 2010.

57. *Ibid.*

58. United States Department of Defense, Defense Modeling and Simulation Office, DMSO, https://www.dmso.mil/public/ ; « DoD Modeling and Simulation Glossary », DoD 5000.59-M, janvier 1998, document de 177 pages, p. 83, 115.

59. Christophe Ayad, « Des bavures américaines en série et jamais sanctionnées », *Libération*, 7 mars 2003 ; Michel Guerrin, « J'ai vu cette troupe aguerrie tirer sur des civils irakiens », *Le Monde*, 13 avril 2003.

60. Jose Antonio Vargas, « Virtual Reality Prepares Soldiers for Real War », *The New York Times*, 14 février 2006.

61. DoD, « Active duty military personnel strengths by regional area and by country » (309A), 31 mars 2003, Washington Headquarters Services, Directorate for Information Operations and Reports, p. 5.

62. « 2003 demographic report », Section II, 2.27, « Age of active duty », p. 20.

63. Evan Wright, *Generation Kill : Devil Dogs, Iceman, Captain America and The New Face of American War*, New York, Putman Adult, 2004.

64. Charlotte Observer, « Video game used to lure new recruits », *military.com*, 7 mars 2005.

65. Voir le documentaire *Soundtrack to War* de George Gitoes, 2005.

66. Candy Crowley, « CNN Presents : Fit To Kill », transcription d'une émission diffusée le 26 octobre 2003. On peut également se reporter aux archives des forums militaires comme ceux de *military.com*, où les échanges sur la « première mise à mort » sont nombreux.

67. Jose Antonio Vargas, « Virtual Reality Prepares Soldiers for Real War », *art. cit.*

68. General S.L.A. Marshall, *Men Against Fire : The Problem of Battle Command in Future War*, Infantry Journal Press, Washington, 1947 (rééd., Peter Smith, Gloucester, 1978), p. 56-57, cité *in* Major David S. Pierson, *art. cit.*

69. *Ibid.*, p. 9.

70. Dave Grossman, *On Killing : The Psychological Cost of Learning to Kill in War and Society*, Boston, Little, Brown and Co., 1996, p. 177-185, cité *in* Major David S. Pierson, *art. cit.*

71. Jonathan Sherwood, « Action Video Games Sharpen Vision 20 Percent », université de Rochester, 2 juin 2006, http://www.rochester.edu/news/show.php?id=2764, consulté le 18 février 2011.

72. Cité *in* Scott Beal, « Using Games for Training Army Leaders », *art. cit.*

73. *Ibid.*

74. Etude d'Aletha C. Huston (dir.) pour deux heures de télévision par jour, citée *in* Craig A. Anderson, Leonard Berkowitz, Edward Donnerstein, L. Rowell Huesmann, James D. Johnson, Daniel Linz, Neil M. Malamuth et Ellen Wartella, « The Influence of Media Violence on Youth », *American Psychological Society*, vol. 4, n° 3, décembre 2003, p. 81-110, p. 101.

75. Craig A. Anderson…, *art. cit.* Les résutats de l'expérience de Milgram sont tout aussi éclairants.

76. « R-400 CROWS, Remotely Controlled Stabilized Weapon Station from Recon Optical », Defense Update, 2007, http://defense-update.com/products/c/CROWS.htm, consulté le 18 février 2011.

77. Pfc. Adrian Muehe, « Combat Video Game Huge Hit With Deployed Soldiers », *War on Terror News*, 1er mai 2010, http://waronterrornews.typepad.com/home/2010/05/combat-video-game-huge-hit-with-deployed-soldiers.html, consulté le 3 décembre 2010.

78. Jose Antonio Vargas, *art. cit.*

79. N.L. Carnagey & C.A. Anderson (2005), « The effects of reward and punishment in violent video games on aggressive affect, cognition, and behaviour », *Psychological Science*, 16 (11), p. 882-889.

80. Helen Phillips, « Violent video games alter brain's response to violence », *NewScientist.com*, 12 décembre 2005.

81. Laurent Henniger, « Industrialisation et mécanisation de la guerre, sources majeures du totalitarisme (XIXe-XXe siècles), *Asterion*, n° 2, 15 juillet 2004.

82. Mary Lou Dickerson, 36th Legislative District, Washington State Legislature, http://hdc.leg.wa.gov/members/dickerson/, consulté le 30 mars 2006 ; 1366 S HB, « Requiring video game retailers to inform consumers about video game rating systems », *Local Government Fiscal Note*, 2005-2006.

83. Andrew Buncombe, « Last week the US lost its 1,000 th soldier killed in combat. Why did no one notice ? », *The Independent*, 12 décembre 2004.

84. Department of Defense, « Operation Iraqi Freedom (OIF) US Casualties Status, Fatalities as of : November 3, 2008, 10 a.m. EDT ».

85. Hannah Fischer, « U.S. Military Casualty Statistics : Operation New Dawn, Operation Iraqi Freedom, and Operation Enduring Freedom », Congressional Research Service, 28 septembre 2010, p. 2.

86. Eli Clifton, « Suicide Rate Surged Among Veterans », *Inter Press Service*, 13 janvier 2010, http://ipsnews.net/news.asp?idnews=49971, consulté le 1er novembre 2010.

87. Christian Davenport, « Traumatic brain injury leaves an often-invisible, life-altering wound », *The Washington Post*, 3 octobre 2010.

88. Anne Leland et Mari-Jana Oboroceanu, « American War and Military Operations Casualties : Lists and Statistics », Congressional Research Service, 26 février 2010, p. 13-15 ; Defense Manpower Data Centre, Statistical Information Analysis Division, http://siadapp.dmdc.osd.mil/personnel/CASUALTY/oefwia.pdf et Defense Manpower Data Centre, Statistical Information Analysis Division, http://siadapp.dmdc.osd.mil/personnel/CASUALTY/oif-total.pdf.

89. Extrait du blog de Colby Buzzell, *My War*, cbftw.blogspot.com.

90. Julian Borger, « The unreported cost of war : at least 827 American wounded », *The Guardian*, 4 août 2003.

91. Bill Berkowitz, « Wounded in Iraq, deserted at home », *art. cit.*

92. Jon Ward, « War casualties overflow Walter Reed hospital », *The Washington Times*, 4 août 2003, soit dans une période où la guérilla demeurait très localisée et les accrochages sporadiques.

93. Vernon Loeb, « Number of Wounded in Action on Rise », *The Washington Post*, 2 septembre 2003.

94. *Ibid.*

95. America's Heroes of Freedom, « Honoring those who patriocally, inselfishly, and heroically risk their life for our freedom ». Susan Brewer, la dirigeante de l'AHOF, figure d'ailleurs parmi les soutiens du Président républicain (Peter Roff, « UPI's Convention notebook », *The Washington Times*, 30 août 2004).

96. Dan Zwerdling, « Wounded Soldiers in Iraq Lied to Thousands of Evacuations », *All Things Considered*, National Public Radio, 30 septembre 2004.

97. Andrew Buncombe, « Last week the US lost its 1,000 th soldier killed in combat », *art. cit.*

98. Norman Solomon, Reeze Erlich, Howard Zinn, *Target Irak, What The News Medias Didn't Tell You*, Context Books, 2003.

99. Jeff Seidel et Richard Johnson, « At an army hospital, learning to live again », *Detroit Free Press*, 22 septembre 2004, http://www.freep.com/news/portraitsathome/reed.htm, consulté le 30 octobre 2004.

100. Mark Thompson, « The Wounded Come Home », *Time*, 3 novembre 2003.

101. Jeff Seidel et Richard Johnson, *art. cit.*

102. Dana Priest et Anne Hull, « Soldiers Face Neglect, Frustration At Army's Top Medical Facility », *The Washington Post*, 18 février 2007.

103. Jeff Seidel et Richard Johnson, *art. cit.*

104. Renae Merle, « Census Counts 100 000 Contractors in Iraq », *The Washington Post*, 5 décembre 2006.

105. Walter Pincus, « Up to 56 000 more contractors likely for Afghanistan, congressional agency says », *The Washington Post*, 16 décembre 2009.

106. United States Department of Labor, Defense Base Act Case Summury by Nations, « Office of Workers' Compensation Programs (OWCP) » (1er septembre 2001-31 décembre 2010).

107. Moshe Schwartz, « Department of Defense Contractors in Iraq and Afghanistan : Background and Analysis », Congressional Research Service, 2 juillet 2010, p. 12.

108. Chris Tomlinson, « US Troops Swelter Under the Iraqi Sun, Endure guerilla Attacks », *The Boston Globe*, 17 juin 2003.

109. *New England Journal of Medicine*, 1er juillet 2004, cité par Jean-Yves Nau, « Un militaire sur six ayant combattu en Irak souffre de troubles psychiatriques », *Le Monde*, 3 juillet 2004.

110. Ce chiffre est le plus bas de toutes les données relevées. Mark Benjamin, « 4 000 U.S. non-combat evacuations in Iraq », *United Press International*, 3 octobre 2003. Voir également Vernon Loeb, « Number of Wounded in Action on

Rise », *art. cit.* : l'auteur écrit que, sur les 6 000 exfiltrations comptabilisées, 1 124 relevaient de blessures, 301 d'accidents et 4 285 de soldats tombés malades « physiquement ou mentalement ». La sensibilité de l'information ne lui permettait pas d'affiner ses statistiques.

111. Hanna Fischer, « United States Military Casualty Statistics : Operation Iraqi Freedom and Operation Enduring Freedom », Congressional Research Service, 25 mars 2009, p. 2.

112. *Ibid.*, « U.S. Military Casualty Statistics : Operation New Dawn, Operation Iraqi Freedom, and Operation Enduring Freedom », Congressional Research Service, 28 septembre 2010, p. 2.

113. Peter Beaumont, « Stress epidemic strikes American forces in Iraq », *The Observer*, 25 janvier 2004.

114. Extraits du blog de Colby Buzzell, repris par un autre blogueur (« *Dude, Where's The Beach ? My Hitchhickers Guide to the World* », http://tmmkkt22.blogspot.com/2004_09_01tmmkkt22_archive.html, consulté le 29 octobre 2005).

115. Jean-Yves Nau, « Un militaire sur six ayant combattu en Irak souffre de troubles psychiatriques », *art. cit.*

116. Peter Beaumont, « Stress epidemic strikes American forces in Iraq », *The Observer*, 25 janvier 2004.

117. Denise Camire, « Desability review could aggravate vets with stress disorder », *The Army Times*, 9 novembre 2005 ; Scott Larry, « Veterans with PTSD Face Campaign of Misinformation, Disinformation and Outright Lies », *OpEDNews*, 3 janvier 2006.

118. Sandra Ellis, porte-parole de la base de Fort Lee, citée par Eric Leser, « De retour, la 372ᵉ compagnie est accueillie par des hourras », *Le Monde*, 5 août 2004.

119. Extrait du blog de Clifton Hicks, mis en ligne sur *Operation Truth's Blog*, le 21 octobre 2005 (http://www.musicforamerica.org.blog/9411?from=0), consulté le 27 octobre 2005 ; Jeff Seidel et Richard Johnson, « In an Army Hospital, Learning to Live Again », *art. cit.* http://www.freep.com/news/portraitsathome/reed.htm, consulté le 30 octobre 2005.

120. Michèle Gibault, *Consciences révoltées et pratique de résistance des soldats américains pendant la guerre du Vietnam*, thèse de doctorat, Marianne Debouzy (dir.), Paris-VIII, 1994.

121. Extrait du blog de Daniel Goetz (*goetzit.blogspot.com*), fermé depuis le 22 octobre 2005.

122. Michael Herr, *Putain de mort*, Paris, Editions de l'Olivier, 1996 (rééd.).

123. Pierre-Arnaud Chouvy et Laurent Laniel, « De la géopolitique des drogues illicites », *Hérodote*, n° 112, 1ᵉʳ semestre 2004, p. 7-26.

124. Patrick Laure, Denis Richard, Jean-Louis Senon, Sylvain Pirot, « Psychostimulants et amphétamines », Revue documentaire *Toxibase*, 1999 (1), p. 1-16.

125. AFP, « L'ONU s'alarme de l'explosion de la production d'opium en Afghanistan », 18 novembre 2004.

126. Alfred McCoy, *The Politics of Heroin in Southeast Asia, CIA Complicity in the Global Drug Trade*, Lawrence Hill Books, 1972 (rééd. 1991) ; Pierre-Arnaud Chouvy et Laurent Laniel, « De la géopolitique des drogues illicites », *art. cit.* ; P. Scott et J. Marshall, *Cocaine Politics, Drugs, Armies and the CIA in Central America*, University of California Press, Berkeley, 1991.

127. Peter Beaumont, « Stress Epidemic Strikes American Forces in Iraq », *The Observer*, 25 janvier 2004.

128. Hannah Fischer, « United States Military Casualty Statistics : Operation Iraqi Freedom and Operation Enduring Freedom », Congressional Research Service, 25 mars 2009, p. 3 ; Ann Scott-Tyson, « Military Investigates West Point Suicides. Deaths Come as Overall Army Rate Jumps », *The Washington Post*, 30 janvier 2009.

129. Michael Martinez, « Number of military suicides in Gulf unusually high », *The Chicago Tribune*, 25 décembre 2003.

130. Theola Labbe, « Suicides in Iraq, Questions at Home », *The Washington Post*, 19 février 2004.

131. Tom Baldwin, « America suffers an epidemic of suicides among traumatised army veterans », *The Times*, 15 novembre 2007.

132. Sandra Jontz, « Suicide Report Makes Army Improve », *art. cit.*

133. Bernard C. Trainor, « Regional Security : A Reassessment », in *US Naval Institute Proceedings*, vol. 118, mai 1992, p. 44.

134. Voir William T. Thompson et Anthony P. Tvaryanas, « A Survey of Fatigue in Selected United Air Force Shift Worker Populations », United Air Force, 311th Human Systems Wing, mars 2006 ; Anthony P. Tvaryanas, William Plate, Caleb Swigart, Jayson Colebank, Nita L. Miller, « A Survey of Shift Work-Related Fatigue in MQ-1 Predator Unmanned Aircraft System Crewmembers », Naval Postgraduate School Monterey CA, Department of Operations Research, mars 2008.

135. General Paul J. Kern, Commanding General US Army Materiel Command, Before the Committee on Armed Services Subcommittee on Emerging Threats and Capabilities United States Senate, « On the Defense Laboratories and S&T Overview United States Army », 108ᵉ Congrès, 31 mars 2003.

136. Department of Defense, FY 2001 « Budget Estimates, Research, Development, Test and Evaluation, Defense-Wide », volume 1 – Defense Advanced Research Projects Agency, février 2000.

137. Entretien réalisé sur *yahoo.us*, le 10 octobre 2004.

138. Peter Beaumont, « Stress epidemic strikes American forces in Iraq », *art. cit.*

139. Bob Graham, « I just Pulled the Trigger », *The Evening Standard*, 19 juin 2003.

140. Richard A. Oppel, « Rebels Attacks Kill 18 Iraqi ; G.I.'s Injured », *The New York Times*, 24 octobre 2004

141. Peter Beaumont, « Stress epidemic strikes American forces in Iraq », *art. cit.*

142. Extrait du blog de Daniel Goetz, retranscrit sur *Operation Truth's Blog*, 14 octobre 2005.

143. Témoignage d'un responsable de la guérilla salafiste, cité par Rémy Ourdan, « De Fallouja à Beyrouth, la secrète odyssée du caporal Hassoun », *Le Monde*, 17 juillet 2004.

144. Reuters, « L'attentat de Mossoul attribué à un kamikaze », 23 décembre 2004.

145. Daniel Williams et Ravij Chandrasekaran, « U.S. Troops Frustrated With Role in Iraq », *The Washington Post*, 20 juin 2003.

146. Témoignage d'un Marine, extrait du reportage « Dans la fournaise irakienne » de Grégoire Deniau, *Lundi investigation*, diffusé le 7 mai 2004.

147. Jed Babbin, « Purge of the Princelings ? », *The National Review Online*, 14 août 2003.

148. « Rumsfeld disputes readiness study », CNN, 25 janvier 2006.

149. Patrick Jarreau, « M. Bush pressé par les républicains d'envoyer des troupes en renfort », *Le Monde*, 13 avril 2004.

150. James R. Schlesinger, Harold Brown, Tillie K. Fowler, Charles A. Horner, James A. Blackwell, « Final Report of the Independent Panel to Review DoD Detention Operations », p. 11, rendu public le 24 août 2004.

151. Patrick Jarreau, « Le Pentagone est mis en cause dans le scandale des prisonniers », *Le Monde*, 26 août 2004, p. 2.

152. Andrew F. Krepinevich, « The Thin Green Line », *Centre for Strategic and Budgetray Assessments*, 14 août 2004.

153. *Ibid.*

154. Général Taguba, « AR 14-6 Investigation of the 800th Military Police Brigade », Deputy Commanding General Support, Coalition Forces Land Component Command, 27 mai 2004.

155. David S. Cloud et Eric Schmitt, « More Retired Generals Call for Rumsfeld's Resignation », *The New York Times*, 14 avril 2006.

156. Interview de Sue Niederer par Elizabeth Weill-Greenberg, mai 2004, http://www.counterpunch.org/weill05222004.html, consulté le 20 septembre 2004.

157. Fallen Heroes on The Operation Iraqi Freedom, « Army 2nd Lt. Seth Dvorin », http://www.fallenheroesmemorial.com/oif/profiles/dvorinsethj.html, consulté le 23 septembre 2004.

158. Bradley Graham et Dana Milbank, « Many Troops Dissatisfied, Iraq Poll Finds », *The Washington Post*, 16 octobre 2003.

159. Daniel Williams et Ravij Chandrasekaran, « U.S. Troops Frustrated With Role In Iraq », *The Washington Post*, 20 juin 2003.

160. Chris Tomlinson, « US Troops Swelter Under The Iraqi Sun, Endure Guerilla Attacks », *The Boston Globe*, 17 juin 2003.

161. Bob Graham, « I Just Pulled the Trigger », *The Evening Standard*, 19 juin 2003.

162. Andrew F. Krepinevich, « The Thin Green Line », *Centre for Strategic and Budgetray Assessments*, 14 août 2004, p. 2-3 ; « Iraq & Vietnam : Déjà Vu All Over Again ? », *CSBA*, 8 juillet 2004.

163. Andrew F. Krepinevitch, « The Thin Green Line », *art. cit.*, p. 3.

164. US Army, « The Soldier's Creed ».

165. Nigel Aylwin-Foster, « Changing the Army for Counterinsurgency Operations », *Military Review*, novembre-décembre 2005, p. 5.

166. Bob Graham, « I Just Pulled the Trigger », *The Evening Standard*, 19 juin 2003.

167. Ted Strickland, « Iraq Watch », Congressionnal Record, 108th Congress, Second Session, House of Representatives, 8 septembre 2004, www.house.gov/delahunt/iraqwatch_9-16-03.htm, consulté le 25 septembre 2004. Egalement : AP, « Soldiers in Iraq still buying their own body armor », *USA Today*, 26 mars 2004.

168. AP, « Iraq troops now have body armor », *military.com*, 8 juin 2004.

169. Témoignage recueilli par David Hackworth, « Still Not Enough Ammo », www.hackwort.com, consulté le 8 mars 2004.

170. Andrew Buncombe, « US forced to import bullets from Israel as troops use 250,000 for every rebel killed », *The Independent*, 25 septembre 2005.

171. Donald H. Rumsfeld, *Annual Report to the President and Congress*, « Operationnal Risk, Do we have the right forces available ? », p. 41, Washington, 2003.

172. Roz Abrams, Ernie Anastos, John Bolaris, « GI's Lack Armor, Radios, Bullets », *News at 5 PM*, CBS 2 – New York News, 31 octobre 2004, http://cbsnewyork.com/topstories/topstories_story_305195404.html, consulté le 2 décembre 2004.

173. Manifeste de l'association Military Families Speak Out en soutien « aux soldats de la 343e compagnie d'intendance qui ont refusé d'obéir à des ordres risqués », 18 octobre 2004.

174. Eric Schmitt, « Troops' Queries Leave Rumsfeld on the Defensive », *The New York Times*, 9 décembre 2004.

175. Craig Gordon, « Lighter vehicles lack protection against militants », *Newsday*, 18 décembre 2003.

176. Jay Price, « Armored Humvees are in short supply, U.S. military wants more in Iraq », *The News Observer*, 27 octobre 2003.

177. Eric Miller, « The Army's Stryker : A Troublesome Mix of Revolving Door and Rush to Deploy », *Project On Government Oversight*, 7 janvier 2004, http://www.pogo.org/p/defense/da-040101-stryker.html, consulté le 2 février 2004.

178. Joe Galloway, « Iraq Stockpiles Wear Thin », *military.com*, 17 septembre 2003.

179. Neela Banerjee et Ariel Hart, « Soldiers Saw Refusing as Their Last Stand », *The New York Times*, 18 octobre 2004.

180. AP, « Soldiers in Iraq still buying their own body armors », *USA Today*, 26 mars 2004.

181. PL 108-375, section 351, « Reimbursment for certain protective, safety, or health equipment purchased by or for members of the armed forces deployed in contingency operations », déposée par le sénateur démocrate Christopher Dodd, du Connecticut, 29 octobre 2004.

182. DoD Position, « Proposed Dodd Amendment – SA 3312, Allows reimbursment for force protection, safety, and health items for servicemen in OIF, OEF and ONE », 13 juin 2004.

183. Eric Schmitt, « Troops' Queries Leave Rumsfeld on the Defensive », *art. cit.*

184. *Ibid.*

185. « Point Black Body Armor », http://www.pointblankarmor.com/interceptor.asp, consulté le 15 juin 2004.

186. Roz Abrams, Ernie Anastos, John Bolaris, « GI's Lack Armor, Radios, Bullets », *art. cit.*

187. The soldiers of 2nd Brigade, 3rd ID, « To Whom It May Concern », http://www.join-snafu.org/enlisted/letters/brig2inf3.htm, consulté le 4 mars 2005.

12. Des soldats au bord de la rupture

1. Daniel Williams et Rajiv Chandrasekaran, « US Troops Frustrated With Role In Iraq », *The Washington Post*, 20 juin 2003.

2. The soldiers of 2nd Brigade, 3rd ID, « To Whom It May Concern », *art. cit.*

3. *Ibid.*

4. Ann Tyson Scott, « Troop Morale in Iraq Hits "Rock Bottom" », *The Christian Science Monitor*, 7 juillet 2003. Le désengagement de la 3e division d'infanterie s'est achevé à la fin de l'année 2003. En novembre 2004, ses hommes ont entamé un redéploiement.

5. Thomas Caywood, « Third Infantry Division always on the Thick of Battle », *The Boston Herald*, 1er avril 2003.

6. Leonard Greene, « AWOL State of Mind : Calls from Soldiers Deseserpate to Leave Iraq Flood Hotline », *The New York Post*, 6 octobre 2003.

7. Bradley Graham et Dana Milbank, « Many Troops Dissatisfied, Iraq Poll Finds », *The Washington Post*, 16 octobre 2003, http://www.washingtonpost.com/ac2/wp-dyn/A32521-2003Oct15?language=printer, 2 décembre 2009.

8. Robert Worth, « Extension of Stay in Iraq Takes Toll on Morale of G.I.'s », *The New York Times*, 19 juillet 2003.

9. Subventionné par le Pentagone, ce quotidien des forces armées américaines dispose d'une réelle indépendance éditoriale. L'enquête a porté sur 19 16 individus répartis dans une cinquantaine de camps.

10. Cité par Bradley Graham et Dana Milbank, *art. cit.*

11. Paul Harris et Jonathan Franklin, « Bring us home : GIs flood US with war-weary emails », *The Observer*, 10 août 2003.

12. Sandra Jontz, « Suicide Report Makes Army Improve », *Stars and Stripes*, édition européenne, http://www.military.com/NewsContent/0,13319, FL_improve_032904,00.html, 29 mars 2004. Cette enquête a porté sur 756 soldats interrogés entre le 27 août et le 7 octobre 2004. 82 % d'entre eux avaient déjà combattu.

13. Ann Tyson Scott, « Troop Morale in Iraq Hits "Rock Bottom" », *art. cit.*

14. Paul Harris et Jonathan Franklin, « Bring us home », *art. cit.*

15. James Lewes, *Protest and Survive : Underground GI Newspapers during the Vietnam War*, Westport, Praeger, 2003, p. 3.

16. Rachel Martin, « Troop Morale Drops in Afghanistan, Army Study Says », ABC News, 15 novembre 2009.

17. Roy K. Flint, « Task Force Smith and the 24th Division : Delay and Withdrawal 5-19 July 1950 », *in* Charles E. Heller et William A. Stoft (dir.), *America's First Battles 1776-1965*, Lawrence, University Press of Kansas, 1986, p. 266-99 ; Edwain P. Hoyt, *America's Wars and Military Encounters from Colonial Times to the Present*, New York, Da Capo, 1987, p. 424-47 ; Phillip Knightley, *The First Casualty. The War Correspondent as Hero and Myth-Maker from the Crimea to Kosovo*, Baltimore, The Johns Hopkins University Press, 2002, p. 366-367.

18. Stephen Ambrose, *op. cit.*, p. 306.

19. David W. Moore, « Despite Falloujah, Americans Skeptical About Ultimate Success in Iraq », *Gallup News Service*, The Gallup Organization, 23 novembre 2004 (sondages de la guerre de Corée et du Vietnam).

20. Tom Vanden Brook, « DoD data : More forced to stay in Army », *USA Today*, 23 avril 2008.

21. Extrait du blog de Daniel Goetz, 14 octobre 2005.

22. « US troops Sue over Tours in Iraq », BBC News, 7 décembre 2004.

23. Joe Burlas, « Army to call up 5,600 IRR soldiers », *Army News Service*, in *military.com*, 1er juillet 2004.

24. Derek B. Stewart, « Military Personnel, Actions Needed to Improve the Efficiency of Mobilizations for Reserve Forces », *Report to the Subcommittee on Personnel, Committee on Armed Services*, US Senate, United States General Accounting Office, août 2003, p. 36 et 42.

25. Suzanne Goldenberg, « Broken US troops face bigger enemy at home », *The Guardian*, 3 avril 2004.

26. Armed Forces of the United States, Enlistment/Reenlistment document, C.9.(5) b, et C.10(1), janvier 2001.

27. Cité par Bradley Graham et Dana Milbank, « Many Troops Dissatisfied, Iraq Poll Finds », *art. cit.*

28. AP, « Iraq Deaths Don't Faze Recruits », 20 mai 2004 ; John Hendren, « National Guard Recruitment Drops », 17 décembre 2004.

29. Elaine Monaghan, « US Army plagued by desertion and plunging morale », *art. cit.*

30. USAREC Regulation 601-56, « Personnel Procurement, Waiver, Delayed-Entry Program, and Void Enlistment Processing Procedures », Headquarters United States Army Recruiting Command, 1er octobre 1997.

31. US Department of Labor, « Employment Situation of Veterans Summary », 27 juillet 2004.

32. Tom Suitieri, « Army expanding "stop loss" order to keep soldiers from leaving », *USA Today*, 5 janvier 2004.

33. Témoignage d'un agent recruteur, « Army Recruiters in Trouble ? », octobre 2004, relevé sur le site du colonel Hackworth, http://www.hackworth.com, consulté le 4 juin 2004.

34. Elaine Monaghan, « US Army plagued by desertion and plunging morale », *art. cit.*

35. Jim Garamone, « Army Reserve Components Boost Enlistment Age Limit », *American Forces Information Service*, 22 mars 2005.

36. Robert Burns, « Recruitment falls short », AP, 1er octobre 2005.

37. Reuters, « Pentagon wants to raise age limit for recruits », CNN, 22 juillet 2004.

38. Steve Vogel, « Military Recruiting Faces a Budget Cut », *The Washington Post*, 11 mai 2009.

39. Public Law 108-136, « National Defense Authorization Act for Fiscal Year 2004 », Title XVII – « Naturalization and other immigration benefits for military personnel and families », 24 novembre 2003.

40. David S.C. Chu, « Prepared Statement of The Honorable David S.C. Chu, Under Secretary of Defense (Personnel and Readiness), Before the Senate Armed Services Comittee », 10 juillet 2006.

41. David S.C. Chu, *art. cit.* ; James Gooder, « Nearly 40 000 of America's frontline soldiers are not US citizens », *Al-Jazeera*, 1er septembre 2003 ; Cordula Meyer, « US Army Lures Foreigners with Promise of Citizenship », *Der Spiegel*, 19 octobre 2007.

42. Projet de loi : *The Development, Relief, and Education for Alien Minors Act.*

43. Tite-Live, XLII, 27,3.

44. Office of the Under Secretary of Defense for Personnel and Readiness, « Stratetic Plan for Fiscal Years 2010-2012 », 30 décembre 2009.

45. AP, « Most American not Fit to Join », *Military.com*, 13 mars 2006.

46. Christina Theokas, « Shut Out of the Military : Today's High School Education Doesn't Mean You're Ready for Today's Army », The Education Trust, décembre 2010, p. 3.

47. William Christeson, Amy Dawson Taggart, Ted Eismeier et Soren Messner-Zidell, « Ready, Willing, And Unable To Serve : 75 Percent of Young Adults Cannot Join the Military ; Early Ed in Pennsylvania is Needed to Ensure National Security », Mission : Readiness – Military Leaders for Kids, 2009.

48. Sue Pleming, « US soldiers Complain of Low Morale in Iraq », Reuters, 16 juillet 2003.

49. Annick Cojean, « Susan s'en va-t-en guerre », *Le Monde 2*, 23-24 mai 2004, p. 28.

50. Bradley Graham et Dana Milbank, « Many Troops Dissatisfied, Iraq Poll Finds », *art. cit.*

51. Gerry Gilmore, « Rumsfeld Handles Tough Questions at Town Hall Meeting », American Forces Press Service, 8 décembre 2004.

52. Holbrook Mohr, « Camp Shelby ceremony honors Iraq-bound troops », *The Navy Times*, 12 novembre 2004.

53. Warren Vieth et Mark Mazzetti, « Bush's Chat With Troops Draws Flak », *The LA Times*, 14 octobre 2005.

54. Article 138 du Code de justice militaire (*Uniform Code of Military Justice*).

55. AP, « U.S. Army Reservists Escape Court-Martial », 6 décembre 2004.

56. Vanessa Blum, « Military Justice Put On Trial In Iraqi Abuse Scandal », *Legal Times*, 19 mai 2004.

57. « Annual Report of the Code Committee on Military Justice, Including Separate of the US Court of Appeals for the Armed Forces, The Judge Advocates General of the US Armed Forces », 1ᵉʳ octobre 2008 – 30 septembre 2009.

58. David Hackworth, « Mussling Soldiers Is Nothing New », *military.com*, 12 octobre 2004. Voir aussi Bradley Graham et Dana Milbank, « Many Troops Dissatisfied, Iraq Poll Finds », *art. cit.*

59. Tim Predmore, « We are facing death in Iraq for no reason », *The Guardian*, 19 septembre 2003.

60. *Uniform Code of Military Justice*, Titre 18, section 2388. A noter que le sergent Lorentz a également accepté qu'un de ses courriels soit publié dans la compilation de lettres de soldats réalisée par Michael Moore, *Will They Ever Trust Us Again ?*, p. 12., parue après sa mise en accusation.

61. Bradley Graham, « Dangers on the Ground in Iraq Lead to Increased Use of Airlifts », *The Washington Post*, 12 décembre 2004.

62. Al Lorentz, « Why We Cannot Win », *LewRockwell.com*, 20 septembre 2004, http://www.lewrockwell.com/orig5/lorentz1.html, consulté le 20 novembre 2004.

63. Neela Banerjee et Ariel Hart, *art. cit.*

64. AP, « Too early to discuss discipline for errant unit, military says », 18 octobre 2004.

65. *Ibid.*, « U.S. Army Reservists Escape Court-Martial », 6 décembre 2004.

66. Bradley Graham, « Dangers on the Ground in Irak Lead to Increased Use of Airlifts », *art. cit.*

67. Hal Bernton, « Officer at Fort Lewis calls Iraq war illegal, refuses order to go », *The Seattle Times*, 7 juin 2006.

68. Site officiel *Courage to Resist*, « Profiles in Resistance », http://www.couragetoresist.org/x/content/blogcategory/39/86/, consulté le 5 novembre 2010.

69. Vince Beiser, « Just Deserters ? », *LA Weekly*, 25 août-2 septembre 2004. Notons que le caporal Henderson a « récidivé » en signant un texte dans un livre de Michael Moore, *Will They Ever Trust Us Again*, New York, Simon & Schuster, 2004, p. 207-209.

70. Dahr Jamail, *The Will to Resist : Soldiers Who Refuse to Fight in Iraq and Afghanistan*, Chicago, Haymarket Books, 2009, p. 35-36, 45-48.

71. Paul McCloskey, « Esprit de Corps of the Armed Forces Demands Disengagement from Vietnam, » 28 octobre 1971, *Congressional Record* 92d Cong., 1ʳᵉ session, 117, pt. 29 : 38,082-84.

72. Paul von Zielbauer, « After Guilty Plea Offer, GI Cleared of Iraq Deaths », *The New York Times*, 20 février 2009 ; Manuel Roig-Franzia, « Army Soldier Is Convicted In Attack on Fellow Troops », *The Washington Post*, 22 avril 2005 ; AP, « Army "broke" soldier held in killing, dad says », MSNBC, 13 mai 2005.

73. Chris Hedges, *What Every Person Should Know About War*, New York, Free Press, 2003.

74. AP, « "Fragging" Rare in Iraq, Afghanistan », 18 octobre 2007.

75. Suzanne Sataline, « AWOL soldier pledges to wage no more war », *The Boston Globe*, 16 mars 2004.

76. Vince Beiser, « Just Deserter ? », *LA Weekly*, 25 août-2 septembre 2004.

77. De septembre 2002 à septembre 2003, Michael Martinez, *art. cit.*

78. Les soldats « AWOL » sont portés déserteurs au-delà de trente jours d'absence injustifiée, et lorsque leur volonté de ne pas revenir est établie (*United States Military Code of Justice*, articles 85 et 86).

79. Anne Leland et Mari-Jana Oboroceanu, « American War and Military Operations Casualties : Lists and Statistics », Congressional Research Service, 26 février 2010.

80. Adrian Saintz, « G.I. Seeks Conscientious Status », AP, 16 mars 2004.

81. Voir par exemple : Peter F. Ramsberger, D. Bruce Bell, Michael G. Rumsey, « Results and Recommandations form a Survey of Army Deserters and Leaders », *Study Note* 2005-02, décembre 2004, US Army Research Institute for the Behaviorial and Social Sciences.

82. Peter F. Ramsberger, Bruce D. Bell, « What We Know About AWOL and Desertion : A Review of the Professionnal Literature for Policy Makers and Commanders », US Army Research Institute, US Army Research Institute for the Behaviorial and Social Sciences, *Special Report* 51, août 2002, p. IV.

83. *Ibid.*, p. 7.

84. Scott Pelley, « Deserters : We Won't Go To Irak », CBS, *60 Minutes Wenesday*, 8 décembre 2004 ; Bill Nichols, « 8 000 desert during Iraq War », *USA Today*, 7 mars 2006.

85. AP, « Army Statistics Show More Soldiers Are Deserting Their Duty », Fox News, 10 avril 2007.

86. Michael Martinez, « GI to test morality of war », *The Chicago Tribune*, 15 mars 2004.

87. Paul von Zielbauer, « US Army prosecutions of desertion rise sharply », *The New York Times*, 8 avril 2007.

88. *Ibid.*, « Army Revises Upward by 853 the Number of Soldiers Who Deserted Last Year », *The New York Times*, 23 mars 2007.

89. Exhibit M-1, FY 2006-2007 President's Budget, p. 2.

90. United States General Accounting Office, « Major management challenges and program risks », Department of Defense, GAO-010244, Washington, 2001 ; Peter F. Ramsberger, Bruce D. Bell, *art. cit.*, p. 8.

91. Interview de Camilo Mejia par Dan Rather, « AWOL from Irak », *60 Minutes II*, CBS, 31 avril 2004.

92. Adriana Carrera, « Hispanic Conscientious Objectors », *The Washington Times*, 1er avril 2004, http://www.washtimes.com/upi-breaking/20040401-051856-4812r.htm, consulté le 22 juillet 2004.

93. Archives de Radio Canada, « Draftdodgers : insoumis, déserteurs, réfractaires », http://archives.radio-canada.ca/IDD-0-9-332/guerres_conflits/draft-dodgers/, consulté le 10 décembre 2009.

94. Déclaration de Stephen Fink, 26 juin 2003, *not in our name*, « Stephen Fink is free », 15 mars 2004, http://www.notinourname.net/funk/, consulté le 12 juin 2004.

95. Joe Garofoli, « Between anti-war hero and military villain Marine reservist jailed for refusing duty is back home », *The San Francisco Chronicle*, 14 mars 2004, http://www.sfgate.com/cgibin/article.cgi?file=/chronicle/archive/2004/03/14/BAG855KDB71.DTL, consulté le 12 juin 2004.

96. Adrian Sainz, « G.I. Seeks Conscientious Objector Status », AP, 26 mars 2004.

97. Reuters, « Deux déserteurs américains cherchent refuge au Canada », *Le Devoir*, 8 juillet 2004.

98. Leonard Greene, « AWOL State of Mind : Calls From Soldiers Desperate to Leave Iraq Flood Hotline », *Objector.org*, 5 octobre 2003, http://www.objector.org/ccco/inthenews/awolstate.htm, consulté le 12 juin 2004.

99. Guy Taillefer, « Des consciences s'objectent au sein de l'armée américaine », *Le Devoir*, 15 janvier 2004. Leonard Greene, « AWOL State of Mind :

Calls From Soldiers Desperate to Leave Flood Holtline », *art. cit.*

100. Conférence de presse de Camilo Mejia, le 15 mars 2004, Boston, retranscrite par l'organisation Citizen Soldier, http://www.citizen-soldier.org/CS07-Camilo Amnesty.html, consulté le 10 décembre 2009.

101. Scott Pelley, « Deserters : We Don't Go To Iraq », CBS, *60 Minutes Wednesday*, 8 décembre 2004.

102. A titre d'exemple, citons les *homepages* de Camilo Mejia (http://www.freecamilo.org/index.htm), Jeremy Hinzman (http://www.freecamilo.org/index.htm), Brandon Hughey (http://www.brandonhughey.org/) ou Carl Webb (http://www.carlwebb.net/), consultés le 6 mars 2006.

103. « AWOL from Iraq », *60 minutes II*, CBS, 31 mars 2004.

104. Michael Martinez, « GI to test morality of war », *art. cit.*

105. Scott Pelley, « Deserters : We Don't Go To Iraq », CBS, *60 Minutes Wednesday*, 8 décembre 2004.

106. Victor Levant, *Quiet Complicity, Canadian Involvement in the Vietnam War*, Toronto, Between The Lines, 1986.

107. Sheila Copps, *Worth Fighting For*, Toronto, McClelland & Stewart, 2004.

108. Les Etats-Unis absorbent plus de 85 % des exportations canadiennes.

109. Bill O'Reilly, « Canada is Harboring American Military Deserters... », Fox News, *Talking Points*, 28 avril 2004.

110. France Houle et François Crépeau, « Commission de l'Immigration et du Statut de réfugié – La proposition Sgro ne mettra pas fin au patronage », *Le Devoir*, mercredi 7 avril 2004. Brian P. Goodman a intégré la CISR le 18 juin 2001 sur nomination d'Elinor Caplan, alors ministre de la Citoyenneté et de l'Immigration (Communiqué des nominations à la CISR, décembre 2001, http://www.cic.gc.ca/français/nouvelles/01/0112-f.html), consulté le 4 juin 2004 ; Elinor Caplan est membre du Parti libéral depuis 1985 (site de l'Assemblée législative de l'Ontario, « Elinor Caplan, antécédents parlementaires », http:/ /olaap.ontla.on.ca/mpp/daMbr.do?

whr=Id%3D321&locale=fr, consulté le 4 juin 2004).

111. Commission de l'Immigration et du Statut de réfugié, Section de la protection des réfugiés, TA4-01429/TA4-01430/TA4-01431, « Demandeurs : Jeremy Hinzman, Nga Thi Nguyen, Liam Liem Nguyen Hinzman », 16 mars 2005, publié le 24 mars 2005.

112. Commission de l'Immigration et du Statut de réfugié, Section de la protection des réfugiés, *op. cit.*, p. 6.

113. Communiqué de presse de la Commission internationale des juristes (CIJ), « La CIJ déplore l'annonce d'une guerre d'agression contre l'Irak », 18 mars 2003 ; « Irak – Cette guerre illicite doit être conduite de manière licite », 20 mars 2003 ; http://www.icj.org/news_multi.php3id_groupe=10&id_mot=361&lang=fr, consulté le 9 décembre 2009.

114. Commission de l'Immigration et du Statut de réfugié, Section de la protection des réfugiés, *op. cit.*, p. 55, 57.

115. Bell Irvin Wiley, *The Life of Billy Yank. The Common Soldier of the Union*, Bâton-Rouge, Louisiana University Press, 1952 (réed. 2008), cité in John Keegan, *La Guerre de Sécession*, Perrin, Paris, 2011.

116. Voir notamment Stéphane Audouin-Rouzeau, *1914-1918, Les combattants des tranchées à travers leurs journaux*, Paris, Armand Colin, 1986.

117. Déclaration du major général Christianson, chef logistique de l'armée américaine *in* Joe Galloway, « Iraq Stockpiles Wear Thin », *military.com*, 17 septembre 2003.

118. Par exemple : Bootie Cosgrove-Mather, « Low-Morale Letters From Iraq. Wives Say Delayed Homecoming A Morale Blow For 3rd Infantry Division », CBS, 17 juillet 2003, http://www.cbsnews.com/stories/2003/07/17/eveningnews/main563-822.shtml ; Gregg Zoroya, « Heartfelt words from lost soldiers reveals hopes, fears », 25 octobre 2005, *USA Today*, http:/ /www.usatoday.com/news/world/iraq/2005-10-25-letters-iraq-cover_x.htm, consultés le 24 octobre 2010 ; Bill Couturié, *Last Letters Home, Voices of American Troops From The Battlefields of Iraq*, documentaire, 2005.

119. Signalons par exemple l'initiative du sergent Grimes et du caporal Allen, coauteurs d'une lettre au *New York Times* dans laquelle ces deux militaires affectés en Irak critiquent les plaintes de leurs collègues (Clay Grimes, Jesse Allen, « Soldier's Complaint », *The New York Times*, 18 juillet 2003).

120. David Hackworth, « Muzzling Soldiers Is Nothing New », *military.com*, 12 octobre 2004.

121. En 1971, « Hack » avait prédit, sur la chaîne ABC, que Saigon tomberait quatre ans plus tard (« Col. David H. Hackworth, 1930-2005 », *PR Newswire* in *military.com*, 9 mai 2005). Ironie du sort, cet officier prêt à dénoncer les choix et les mensonges de la hiérarchie militaire comme ses compromissions avec le complexe militaro-industriel fut la victime d'un cancer caractéristique des soldats exposés à l'agent orange.

122. Paul Harris and Jonathan Franklin, « "Bring us home" : GIs flood US with war-weary emails », *The Observer*, 10 août 2003 ; difficile de prévoir, depuis la mort de Hackworth, quelle sera la postérité de son site (http://www.hackworth.com/index2.html, consulté le 13 mai 2005). Signe de son audience, le serveur qui accueille les condoléances des internautes – presque tous militaires – est saturé. Plus de 5 000 messages ont été postés en moins de vingt-quatre heures.

123. Michael Moore, « Letters From the Troops », *art. cit.*

124. Timothy Predmore, « We are facing death in Iraq for no reason », 19 septembre 2003. D'abord parue dans le *Peoria Journal Star*, la lettre de Predmore n'est plus disponible sur les archives Internet du quotidien. Elle est toutefois lisible sur une multitude de sites antiguerre comme http://www.notinourname.net/gi-special/1-99/86.pdf, consulté le 4 mars 2004.

125. Michael Moore, « Letters From the Troops », *art. cit.*

126. Romain Rolland, *op. cit.*, p. 1124.

127. *Nielsen/NetRatings*, cité par *Le journal du Net*, « Les chiffres clés : nombre d'internautes aux Etats-Unis », http:// www.journaldunet.com/cc/01_internautes/ inter_nbr_us.shtml, consulté le 2 décembre 2009.

128. Wolfgang Diewerge, *Deutsche Soldaten sehen die Sowjet-Union. Feldpostbriefe aus dem Osten*, Berlin, Wilhem Limpert-Verlag, 1941.

129. Martha Raddatz, « Letters Home, Soldier's Glowing Accounts of Success in Iraq Were Written by Commander », ABC News, 13 octobre 2003.

130. Michael Moore, « Letters From the Troops », *art. cit.* ; à cette date, le réalisateur américain avait déjà reçu des centaines de lettres et d'e-mails de soldats ayant servi en Irak, d'où il a tiré un livre, *Will They Ever Trust Us Again ? Letters from the War Zone*, *op. cit.*

131. Interview de Sue Niederer par Elizabeth Weill-Greenberg, « Her Son Was Told by the Recruiter He Wouldn't See Combat ; Now He's Dead », *Counterpunch*, 22-23 mai 2004, http://www.counterpunch.org/weill05222004.html, consulté le 2 décembre 2009.

132. « Ground Down Good Morale Erodes Among Troops Stuck In Iraq », *The Army Times*, 14 juillet 2003.

133. Contrat d'enrôlement dans l'armée des Etats-Unis ; Chris White, « Deceptions in Military Recruiting, An Ex-Insider Speaks Out », http://www.veteransforpeace.org/deceptioninrecruiting.htm, 6 janvier 2002, consulté le 6 mars 2005.

134. David E. Bonior, Steven M. Champlin, Timothy S. Kolly, *op. cit.*, p. 4-6.

135. Thom Shanker, « U.S. Commander in Irak Says Yearlong Tours Are Option to Combat "Guerrilla" War », *The New York Times*, 17 juillet 2003.

136. Department of Defense, Directive n° 1325.6, « Guidelines for Handling Dissident and Protest Activities Among Members of the Armed Forces », 1er décembre 2003.

137. Interventions du reporter Yves Eudes sur le forum des abonnés du journal *Le Monde*, novembre-décembre 2003.

138. *Ibid.*

139. *GI Special, Occupation News Bulletin.*

140. Scott Pelley, « Deserters : We Won't Go To Iraq », CBS, *60 Minutes Wednesday*, 8 décembre 2004.

141. David Zeiger, *Les Déserteurs du Vietnam*, Displaced Films, documentaire, 2005.

142. Entre 2003 et 2005, les compétences techniques de l'armée s'avèrent limitées. Tout juste me risquerai-je à livrer ici quelques constatations : à plusieurs reprises, des discussions avec des soldats affectés en Irak sur les « *military rooms* » de *yahoo.us* se sont brusquement interrompues lorsque furent abordés certains sujets sensibles, comme le moral des troupes ou l'uranium appauvri. Coïncidence due à la lassitude de mon interlocuteur ou intervention d'une censure militaire à partir d'un filtrage par « mots clés » ? Impossible de trancher... toujours est-il que la surveillance du courrier électronique reste techniquement possible grâce au repérage de mots clés par des scanners informatiques.

143. Exemple parmi d'autres, les « Central Committee for Conscientious Objectors », « Committee Opposed to Militarism and the Draft ».

144. Department of Defense, Directive n° 1344.10, « Political Activities by Members of the Armed Forces in Active Duty », 2 août 2004, signée par Paul Wolfowitz.

145. Department of Defense, Directive n° 1344.10, 15 juin 1990, signée par Donald Atwood, E 3.2.6

146. Joe Galloway, « Iraq Stockpiles Wear Thin », *Military.com*, 17 septembre 2003.

147. Voir Louis Maufrais, *J'étais médecin dans les tranchées*, Paris, Robert Laffont, 2008.

148. Ellen Silmon, « U.S. soldiers' blogs detail life in Iraq », AP, 27 septembre 2004 ; Mark Memmot, « "Milbloggeurs" are typing their place in history », *USA Today*, 12 mai 2005.

149. Voici la liste non exhaustive des grands titres de la presse américaine qui ont fait part à leurs lecteurs du succès rencontré par le blog « *My War* » : *The San Francisco Chronicle*, *USA Today*, *Newsweek*, *Entertainment Weekly*, *LA Times Magazine*, *Esquire Magazine*, *Rolling Stone Magazine*, *Chicago Sun-Times*, *People*...

150. « Duty in Iraq », http://www.washingtonpost.com/wp-srv/world/dutyiniraq/dutyiniraq2004.html, consulté le 15 mars 2006.

151. Le site *Under Mars, An Online Archive of Soldier's Photos* fournit une illustration particulièrement parlante de ce phénomène ; anonyme, le créateur de ces pages compilatoires revendique le « partage de photographies relatant l'expérience de la guerre », un « apolitisme » tout relatif et l'« absence de censure » (http://www.undermars.com/).

152. C'est par exemple le cas de *Just Another Soldier*, du garde national Jason Christopher Hartley, riche en documents de toutes sortes (http://blog.justanothersoldier.com/, aujourd'hui fermé).

153. La une du journal *The Army Times* daté du 4 mars 2005 était consacrée au boom des blogs touchant également les membres des forces armées ; citons, parmi les plus lus de l'année 2005, *Mudville Gazette*, *Blackfive*, *American Soldier*, *The Question Cat*, *My War*, *Just Another Soldier*, *Like in this Girl's Army*, *Armor Geddon*, *Major K.*

154. Mark Memmot, « "Milbloggeurs" are typing their place in history », *USA Today*, 11 mai 2005.

155. « *My War* » renvoie à une trentaine de blogs pour les seules forces stationnées en Irak (*Ma Deuce Gunner*, *Paint it Black*, *Who's Your Baghdaddy*, *My Vacation in Iraq*, *Blog Machine City*, *A Day in Iraq*, *Hello From Hell*, *Opinion Inc*, *Middle of Nowhere and Two Feet From Hell*, *SoldierGirl*...).

156. Daniel Goetz, « Double Plus Ungood », 22 octobre 2005, dernière mise à jour.

157. James Lewes, *op. cit.*, p. 5.

158. Animateurs respectifs des blogs *My War* et *Just Another Soldiers* ; Jason Hartley, *Just Another Soldier : A Year on the Ground in Iraq*, Harper Collins, 2005 ; Colby Buzell, *My War, killing time in Iraq*, Putnam Publishing Group, 2005.

159. J.K. Doran, *I Am My Brother Keeper, Journal of a Gunny in Iraq*, Caisson

Press, Sneads Ferry 2005 ; Jones Crawford, *The Last True Story I'll Ever Tell*, New York, Riverhead Books, 2005 ; Nathaniel C. Fick, *One Bullet Away : the Making of a Marine Officer*, Boston, Houghton Mifflin, 2005 ; West Bing, *No True Glory : A Frontline Account of the Battle for Fallujah*, New York, Bantam, 2005 ; Tim Pritchard, *Ambush Alley ; The Most Extraordinary Battle of the Iraq War*, Novato, Presedro Press, 2005 ; Kayla Williams & Michael E. Staub, *Love My Rifle More Than You : Young and Female in the U.S. Army*, W.W. Norton, 2005 ; John Koopman, *McCoy's Marines : Darkside to Baghdad*, Minneapolis, Zenith Press, 2005 ; Mike Tucker, *Among Warrior in Iraq : True Grit, Special Ops, and Rainding in Mosul and Falloujah*, Novato, Presidio Press, 2005 ; Sean Naylor, *Not a Good Day To Die : The Untold Story of Operation Anaconda*, New York, Berkeley Book, 2005 ; Jason Conroy & Ron Matz, *Heavy Metal : A Tank Company's Battle To Baghdad*, Dulles York, Potomac Books, 2005 ; Nicholas E. Reynolds, *Basrah, Baghdad and Beyond : U.S. Marine Corps in the Second Iraq War*, Naval Institute Press, 2005... et la liste est encore longue !

160. Stéphane Audoin-Rouzeau, « Henri Barbusse, un Goncourt en colère », *Le Monde*, 9 août 1994.

161. Nathan Hodge, « Soldier Blog Shotdown ? Stryker Diarist Stops Posting », *Defense Today Magazine*, 11 septembre 2004.

162. Contraction de « *military* » et « *blogueurs* », ce terme est entré dans le vocabulaire des médias américains.

163. Gina Cavallarowas, « Death of a military bloggeur », *The Army Times*, 21 mars 2005.

164. Muti-National Corps Command in Iraq (MNC-I), « Unit and Soldier Owned and Maintained Websites », 4 p., signé par le lieutenant général Vines, daté du 6 avril 2005.

165. Il s'agissait alors du réseau Arpanet (Advanced Research Project Agency), né en 1969 d'une initiative du Département de la Défense afin de mettre en relation ses différents centres de recherche.

166. Général Schoomaker, *Chief of Staff of the Army OPSEC Guidance*, P 231903Z, Washington, août 2005.

167. Army Web Risk Assessment Cell, voir Army Regulation 25-1, *Army Knowledge Management and Information Technology Management*, 15 juillet 2005, p. 27.

168. Anne Broache, « Army punishes soldier for blog posts », *CNET News.com*, 2 août 2005.

169. Le 22 octobre, son site n'est plus consultable normalement ; Daniel Goetz, « Double Plus Ungood », 22 octobre 2005, *All The King's Horses*, (*goetzit.blogspot.com*) http://66.102.9.104/search?q=cache:MjE8PrVMYswJ:goetzit.blogspot.com/+&hl=fr&lr=lang_en|lang_fr, consulté le 11 décembre 2009.

170. Daniel Goetz, « Double Plus Ungood », 22 octobre 2005, *art. cit.*

171. Operations Security and Internet Safety, OPSEC, The Pentagon OPSEC Working Group, septembre 2005 ; Leo Shane, « Military issues content warning to combat-zone bloggeurs », *Stars & Stripes, Mideast edition*, 1er octobre 2005.

172. Army Regulation 530-1, Operations Security (OPSEC), Headquarters Department of the Army, Washington DC, 19 avril 2007, p. 4, 12 et 36.

173. William J. Buzinski, « Web Patrol : Beware of What You Post », Army News Service, 9 février 2007, http://www.army.mil/ – news/2007/02/09/1795-cyber-patrol-beware-of-what-you-post/, consulté le 22 octobre 2010.

174. David Axe, « Clarifying the Blog Rule Clarification », *Wired*, 4 mai 2007, http://blog.wired.com/defense/2007/05/clarifying_the_.html, consulté le 22 octobre 2010.

175. « Fact Sheet, Army Operations Security : Soldier Blogging Unchanged », US Army Public Affairs, 2 mai 2007.

176. Army Regulation 530-1, *op. cit.*, p. 5.

177. Leo Shane III et T.D. Flack, « DOD blocking YouTube, others », *Stars and Stripes*, 13 mai 2007.

178. Noah Shachtman, « Military Defends MySpace Ban », *Wired*, 18 mai 2007, http://www.wired.com/dangerroom/

2007/05/military_defend/, consulté le 23 octobre 2010.

179. Discours de Donald Rumsfeld, Council of Foreign Relations, US Department of Defense, Office of the Assistant Secretary of Defense Public Affairs, New York, 17 février 2006, http://www.defense.gov/Speeches/Speech.aspx?SpeechID =27, consulté le 22 octobre 2010.

180. Deputy Secretary of Defense, « 2006 Quadrennial Defense Review (QDR) Strategic Communication (SC) Execution Roadmap », 25 septembre 2006.

181. *Ibid.*, p. 19.

182. *Ibid.*

183. Deputy Secretary of Defense, « Policy for Department of Defense (DoD) Interactive Internet Activities », 8 juin 2007.

184. Colonel Thomas Nickerson, « The making of Army Strong », *Army Mil.News*, 9 novembre 2006, http://www.army.mil/ – news/2006/11/09/568-the-making-of-army-strong/, consulté le 13 février 2011.

185. Discours de Donald Rumsfeld, Council of Foreign Relations, *art. cit.*

186. Voir par exemple le compte Facebook du général Odierno : http://www.facebook.com/RayOdierno, consulté le 23 octobre 2010.

187. United States Marine Corps, *OurMarines Channel*, http://www.youtube. com/OurMarines#p/u/4/ciLST5zeMWE, consulté le 23 octobre 2010.

188. Nathan Hodge, « New Twitter Feature : Body Counts », *Wired*, 2 juin 2009.

189. Department of the Navy, Chief Information Officer, « Utilizing New Web Tools », 20 octobre 2008.

190. Air Force Public Affairs Agency, Emerging Technology Division, « Air Force Web Posting Response Assessment », 2008.

191. Interview du colonel Caldwell par David Meerman Scott, « The U.S. Air Force and social media : A discussion with Colonel Michael Caldwell », *Webinknow*, 20 mars 2009, http://www.webinknow.com/2009/03/the-us-air-force-and-social-media-a-discussion-with-colonel-michael-caldwell.html, consulté le 23 octobre 2010.

192. Interview de Michael Yon par Kathryn Jean Lopez, « Afghanistan Today », *National Review Online*, 15 décembre 2008, http://www.nationalreview.com/articles/226536/afghanistan-today/interview, consulté le 23 octobre 2010.

193. Elaine Wilson, « "Cheetahs" Offer Swift Connection Home for Deployed Troops », American Forces Press Service, 4 février 2011.

IV. LA CULTURE DE GUERRE EN REFLUX

13. Des opposants revigorés, une nouvelle contestation

1. Cité *in* Howard Zinn, *op. cit.*, p. 563.

2. Interview de Richard Perle par Eric Le Boucher et Serge Marti, *Le Monde*, 13 juillet 2005.

3. Sondage ABC/*Wall Street Journal*, 13 juillet 2005.

4. Sondage CNN/*USA Today*/Gallup, « Poll, Fewer than half think US will win in Iraq, More than half say country should speed up withdrawal », 22 septembre 2005.

5. « Toll of Wars Hits Home », *Zogby International*, 2 mars 2007, http://www.zogby.com/news/ReadNews.cfm?ID=1257, consulté le 23 octobre 2010.

6. Parmi une longue série de sondages : Susan Page, « Poll : American attitudes on Iraq similar to Vietnam era », *USA Today*, 15 novembre 2005 ; Paul Steinhauser, « CNN Poll : Will Afghanistan turn into another Vietnam ? », CNN, *Political Ticker*, 19 octobre 2009.

7. Andrew Krepinevitch, « Iraq & Vietnam : Déjà Vu All Over Again ? », Centre for Strategic and Budgetary Assessments, *csbdaonline.org*, p. 8.

8. Max Cleland, vétéran et ex-sénateur de Georgie, cité par J.-M. Dumay *in* « La revanche des anciens du Viêt-nam », *Le Monde*, 14 septembre 2004.

9. Cité *in* André Kaspi, *Etats-Unis, l'année des contestations*, Bruxelles, Complexe, 1998, p. 23-24.

10. Interview de Henry Kissinger par Wolf Blitzer, cité *in* « Kissinger finds parallels to Vietnam in Iraq », CNN, 15 août 2005, http://edition.cnn.com/2005/POLITICS/08/15/us.iraq/, consulté le 25 septembre 2006.

11. « Sen. John McCain Compares the Situation in Iraq To Vietnam for The First Time », *Newsweek*, 26 octobre 2003.

12. Voir David E. Sanger, *L'Héritage*, Paris, Belin, 2009.

13. Rassemblant des dizaines de milliers de soldats, une avalanche d'opérations militaires succède à la fin officielle des combats. « Péninsule », « Scorpion du désert », « Cyclone de lierre », « Cyclone de lierre 2 », « Crotale du désert », « Serpent à sonnettes » révèlent, par leur multiplicité, l'escalade sanglante qui caractérise l'occupation, et surtout l'absence de victoire.

14. Scott Shane, « New US tactic : Make public see victory as likely / War support strategy based on Duke professor's poll analyses », *The New York Times*, 4 décembre 2005.

15. Yves-Henri Nouailhat, *op. cit.*, p. 196.

16. « Washington Post-ABC News Poll », *The Washington Post*, 16 mai 2006.

17. Claudine Mulard, « Une chronique californienne des soldats tués », *Le Monde*, 5 février 2005.

18. Steve Vogel, « War Stories Echo an Earlier Winter », *The Washington Post*, 15 mars 2008.

19. Dahr Jamail, *op. cit.*, p. 27.

20. Martin Savidge, « Protecting Iraq's oil supply », CNN, 22 mars 2003 ; The ABC News Investigative Unit, « Iraqi TV Confessions ; The Insider : Daily Investigative Report », ABC News, 24 février 2005 ; Arthur S. Brisbane, « Was There Napalm in Fallujah ? », *The New York Times*, 18 juillet 2007. Sur le napalm ou son « ersatz » : Sigfrido Ranucci et Maurizio Torrealta, *Falloujah, the Hidden Massacre*, documentaire diffusé par la RAI, 8 novembre 2005.

21. Michael A. Anderegg, *Inventing Vietnam. The War in Film and Television*, Philadelphie, Temple University Press, 1991.

22. « Plamegate explained », *The Abrams Report*, MSNBC, 26 octobre 2005, http://www.msnbc.msn.com/id/9828152/, consulté le 7 mai 2010.

23. Max Cleland, vétéran et ex-sénateur de Georgie, cité par J.-M. Dumay *in* « La revanche des anciens du Viêt-nam », *Le Monde*, 14 septembre 2004.

24. United States Department of Defense, « DoD New Briefing – Secretary Rumsfeld and Gen. Myers », 6 janvier 2004.

25. Voir le documentaire *Sir ! No Sir !*, de David Zeigler, 2005.

26. Selective Service System, « About the agency », http://www.sss.gov/ABOUT.HTM, consulté le 5 novembre 2010.

27. Sondage NBC/*Wall Street Journal*, cité *in* David Brooks, « The Age of Skepticism », *The New York Times*, 1er décembre 2005.

28. David Glenn, *art. cit.* ; Noam Cohen, « Blogger, Sans Pajamas, Rakes Muck and a Prize », *The New York Times*, 25 février 2008.

29. Discours de Barack Obama, sénateur de l'Etat de l'Illinois, 2 octobre 2002.

30. Win Without War, site officiel : http://www.winwithoutwar.org/pages/about, consulté le 25 janvier 2011.

31. Graham Rayman, Lindsay Faber, Daryl Khan et Karen Freifeld, « Massive Protest mostly peaceful », *Chicago Tribune*, 30 août 2004.

32. Site de l'American Friends Service Committee, « Eyes Wide Open », http://afsc.org/campaign/eyes-wide-open, consulté le 19 juillet 2010.

33. « Projectbillboard.rog, home news billboards mission about contribute contact pictures ticker stuff », http://www.project-billboard.org/

34. Stephen Dagget, « Costs of Major US Wars », Congressional Research Service, 29 juin 2010.

35. Amnesty International, *The State of the World's Human Rights*, rapport 2005.

36. Corine Lesnes, « Les Américains débattent du "goulag" de Guantanamo », *Le Monde*, 7 juin 2005.

37. Parmi de nombreuses occurrences : Howard Shultz, « Allegation of Abuse », PBS, transcription du débat télévisé, 3 juin 2005.

38. Conférence de presse du secrétaire à la Défense Rumsfeld, 1er juin 2005.

39. Voir notamment « Cheney Offended by Amnesty Int'l Report », AP, 30 mai 2005.

40. Michael Schirber, « Slime-mold Beetles Named for Bush, Cheney and Rumsfeld », *Live Science*, 13 avril 2005.

41. CNN, « Bush has slime-mold beetle named after him », *Science & Space*, 14 avril 2005.

42. « Bush, Cheney and Rumsfeld are now species of slime-mold beetles – but strictly in hommage », Cornell University News Service, 13 avril 2005.

43. Eric Leser, « Les sondages favorables à George Bush », *Le Monde*, 25 mars 2003.

44. Military Families Speak Out, « About Us », http://www.mfso.org/article.php?list=type&type=61, consulté le 1er novembre 2010.

45. Le Secret Service est théoriquement chargé de la sécurité du couple présidentiel.

46. « Laura Bush heckled during campaign speech », CNN, 17 septembre 2004.

47. En haut de sa page Web, le *webmaster* Tim Rivera demande à ses lecteurs de l'avertir des messages « déplacés ».

48. Fallen Heroes Memorial, « Profiles », http://www.fallenheroesmemorial.com/oif/profiles/dvorinsethj.html, consulté le 23 septembre 2004.

49. H.R. 5037, *Respect for America's Fallen Heroes Act*, 109th Congress, 2nd Session, 29 mai 2006.

50. La Westboro Baptist Church, sise à Topeka.

51. Daniel C. Hallin, *The Uncensored War : The Media and Vietnam*, Los Angeles, California University of California Press, 1986, p. 170.

52. Seymour Hersh, *Dommages collatéraux. La face obscure de la « guerre contre le terrorisme »*, Paris, Denoël, 2005, p. 25.

53. Daniel Okrent, « Weapons of Mass Destruction ? Or Mass Distraction ? », *The New York Times*, 30 mai 2004. Le 12 août, le *Washington Post* fait de même, sous la plume de Howard Kurtz.

54. « Donald Rumsfeld Should Go », *The New York Times*, 7 mai 2004 ; « Rumsfeld must go », *The Boston Globe*, 7 mai 2004.

55. Adam Zagorin et Michael Duffy, « Inside the Interrogation of Detainee 063 », *Time*, 12 juin 2005.

56. Dana Priest et Anne Hull, « Soldiers Face Neglect, Frustration At Army's Top Medical Facility », *The Washington Post*, 18 février 2007.

57. Voir notamment : Lynn Harris, « Forgotten Casualties », *salon.com*, 22 septembre 2004, http://www.salon.com/mwt/feature/2004/09/22/ptsd/index.html; Mark Benjamin, « Insult to injury », *salon.com*, 27 janvier 2005, http://www.salon.com/news/feature/2005/01/27/walter_reed/index.html, consultés le 15 décembre 2009.

58. Seth Stern, « Members Were Aware of Lapses at Walter Reed », *CQ.com*, 7 mars 2007, http://public.cq.com/docs/cqt/news110-000002465100.html, consulté le 15 décembre 2009.

59. United States Reports, vol. 547, Cases Adjudged in The Supreme Court (28 février 2005-20 juin 2006), « Garcetti et al. v. Leballos », certiorari to the United States Control Appeals for the Ninth Circuit, No.04-473, 30 mai 2006, p. 410.

60. Patrick Jarreau, « Un autre argument américain censé justifier l'attaque contre Saddam Hussein est mis en question », *Le Monde*, 12 août 2003.

61. Sarah B. Miller, « Terror-alert system : how it's working », *The Christian Science Monitor*, 4 août 2004.

62. Sylvie Kauffmann, « M. Bush userait de la menace terroriste comme "carte" électorale », *Le Monde*, 5 août 2004, p. 2.

63. Corine Lesnes, « A l'ONU, les stars antiguerre déposent une pétition », *Le Monde*, 12 mars 2003.

64. Interview de Milton Glaser par Corine Lesnes, in *Le Monde*, 26 août 2004, p. 13.

65. Chiffres du box-office américain, disponibles sur http://boxofficemojo.com/movies/?id=fahrenheit911.htm

66. James Poniewozik, « Shame on You, Mr. Moore ! Shame on You ! », *Time*, 24 mars 2003.

67. Disney détient dans l'Etat de Floride un parc d'attractions pour lequel la compagnie espérait obtenir des réductions d'impôt de la part du gouverneur Jeb Bush.

68. Voir notamment l'article de Renaud Revel et Denis Rossano, « Hollywood, combien de divisions ? », *L'Express*, 5 juillet 2004.

69. Site de la MPAA, base de données des notations cinématographiques, entrée « *Fahrenheit 9/11* », classé « R. » http://www.mpaa.org/movieratings/search/index.htm. Prompt à retourner cette limitation en critique acerbe du système, Moore s'empresse de dénoncer l'absurdité de lois censées épargner à des jeunes le visionnage de séquences violentes présentes dans son documentaire, tout en les jugeant aptes, au même âge, à participer aux combats de la guerre d'Irak (Département de la Défense, Directive n° 1304, « Qualification Standards for Enlistment, Appointment, and Induction », du 21 décembre 1993, modifiée le 4 mars 1994, E1.2.1 ; voir *United States Code*, titre 10, Forces armées, 510 [a]).

70. Lettre à l'attention des « propriétaires et opérateurs de salles de cinéma » signée par David N. Bossie, président de Citizens United et ancien représentant républicain ; plainte contre Michael Moore, Lions Gates Entertainment Corp., Cablevision Systems Corporation, Rainbow Media Holdings LLC, The Independent Film Channel LLC, Fellowship Adventure Group, Bob et Harvey Weinstein, Showtime Network Inc. et Viacom International Corporate, déposée le 24 juin 2004 auprès de la Commission électorale fédérale pour « violation des dispositions de la loi fédérale relative aux campagnes électorales » et transmise à John Ashcroft, secrétaire à la Justice (http://www.citizensunited.org/moore.html).

71. « Michael Moore met Bush KO... au cinéma », *Challenges*, n° 228, 8 juillet 2004.

72. *La Revanche des Sith*, George Lucas (2005). La célèbre phrase fut prononcée par George W. Bush le 6 novembre 2001 (intervention du président Bush, « President Bush : "No Nation Can Be Neutral in This Conflict " », conférence sur la lutte contre le terrorisme, Varsovie).

73. *Minority Report* (2002), *War of the Worlds* (2005), Steven Spielberg.

74. Interview du réalisateur par Corinne Venet, *cinereporter.com*, le 12 mai 2005, Cannes (http://cinereporter.com/pages/interview.asp?Id=8).

75. *Match Point*, Woody Allen (2005).

76. *Good Night and Good Luck*, George Clooney (2006) ; *Syriana*, Steven Gaghan (2006).

77. Jeff Jensen, « Great Expectations. The director reveals how he got Fox to greenlight hit $195 million technology-driven motion picture », *Entertainment Weekly*, 15 janvier 2007, http://www.ew.com/ew/article/0,,20007998,00.html, consulté le 8 mars 2010.

78. *Ibid.*

79. Ben Hoyle, « War on Terror backdrop to James Cameron's Avatar », *The Times*, 11 décembre 2009.

80. *Six Feet Under*, saison 5, épisode 11.

81. *Boston Legal*, saison 3, épisode 22.

82. John Koopman, « There is "Over There" – and there is the real thing. Soldiers who served in Iraq share their views on the show », *The San Francisco Chronicle*, 30 août 2005 ; Robert Bianco, « "Over There" brings the Iraq war home », *USA Today*, 26 juillet 2005 ; Gloria Goodale, « TV series "Over There" dramatizes Iraq war », *The Christian Science Monitor*, 22 juillet 2005 ; Mark Peyser, « Fighting the good fight. Or maybe not so good. A new FX drama series about the Iraq war deliberately refuses to make up its mind », *Newsweek*, 25 juillet 2005.

83. Andrew Wallenstein, « War Drama "Over There" receives FX discharge », Reuters, 1er novembre 2005.

84. Julian Sanchez, « The Revolt of the Comics Books », *The American Prospect*, 9 novembre 2007.

85. Voir Charles C. Tansill, *America Goes to War*, Gloucester, Peter Smith Publisher, 1935 (rééd. 1963) ; Walter Millis, *Road to War-America. 1914-1917*, New York, Howard Fertig, 1935 (rééd. 1970) ; Helmuth C. Englebrecht et Frank C. Hannigen, *Merchants of Death : A Study of the International Armament Industry*, New York, Dodd, Mead & Co., 1934 ; et le fameux *A l'Ouest rien de nouveau*, d'Erich Maria Remarque, adapté au cinéma en 1930.

86. Yves-Henri Nouailhat, *op. cit.*, p. 128-129, Smedley Butler, *War is a racker*, New York, Round Table, 1935.

87. Il serait par trop fastidieux de tenter un recensement exhausif de cette production. Citons, à titre d'exemples, parmi les dizaines de documentaires disponibles : *Uncovered – The Whole Truth About the Iraq War* (2003) et *Outfoxed – Rupert Murdoch's War on Journalism* (2004) de Robert Greenwald ; *Bush Family Fortunes – The Best Democracy Money Can Buy*, de Greg Palast et Steven Grandison (2004) ; les livres ne sont pas en reste, avec Danny Schechter, *Embedded : Weapons of Mass Deception : How the Media Failed to Cover the War on Iraq*, Washington, Prometheus Books, 2003 ; Michael Massing, *Now They Tell Us : The American Press and Iraq*, New York, Review Books, 2004 ; ouvrage collectif, *The Media and The War on Terrorism*, Brookings Institution Press, 2003 ; Anonyme, *Imperial Hubris : Why the West is Losing the War on Terror*, rédigé par un agent de la CIA, faisant montre d'un autre volet de la contestation interne.

88. *Michael Moore Hates America*, de Michael Wilson, sorti en DVD à la veille de l'élection présidentielle.

89. Interview de David Kay par Reuters, 22 janvier 2004, in *Le Monde*, 25-26 janvier 2004.

90. Eric Leser, « Armes irakiennes : George Bush tente de désamorcer la crise », *Le Monde*, 15 juillet 2003.

91. Paul Courson et Steve Turnham, « Amid furor, Pentagon kills terrorism futures market. Boxer calls program "very sick" », CNN, 30 juillet 2003.

92. AFP, 19 août 2004, in *Le Monde*, 20 août 2004, p. 3.

93. Chuck Hagel, cité *in* « NBC News' Meet the Press », NBC, 26 septembre 2004, http://www.msnbc.msn.com/id/6106292/, consulté le 18 décembre 2009.

94. Vicky Allen et Charles Aldinger, « Le Sénat américain favorable à une transition accélérée en Irak », Reuters, 16 novembre 2005.

95. Interview de Colin Powell par Barbara Walters, « Colin Powell on Iraq, Race, and Hurricane Relief », ABC News Internet Ventures, 9 septembre 2005.

96. Kenneth Katzman, « Iraq : US Regime Change Efforts and Post-Saddam Governance », *CRS Report for Congress*, 7 janvier 2004, p. 29-31.

97. US Senate Select Committee on Intelligence, communiqué de presse, 20 juin 2003, http://intelligence.senate.gov/030620.htm, consulté le 19 octobre 2009.

98. Select Committee on Intelligence United States Senate, « Report on the U.S. Intelligence community's prewar intelligence assessments on Iraq », 7 juillet 2004, US Senate Intelligence Committee, Washington, 521 pages.

99. AP, « Biden Urges US to Take Steps to Close Prison at Guantanamo », *The New York Times*, 6 juin 2005.

100. Rapport Waxman, « Iraq on the Record, The Bush Administration's Public Statements on Iraq », *art. cit.* ; United States House of Representatives, « Secrecy in the Bush Administration », Committee on Government Reform, Minority Staff Special Investigation Division, 14 septembre 2004.

101. Voir le site *Cities for Progress. An urban network for social change*, qui chaperonne *Cities for Peace*. http://citiesforprogress.org/index.php?option=com_content&task=view&id=96&Itemid=62, consulté le 6 janvier 2010.

102. François Vergniolle de Chantal, « L'analyse constitutionnelle de l'*impeachment* aux Etats-Unis », *Revue française de*

science politique, vol. 50, n° 1, 2000, p. 147-154.

103. François Vergniolle de Chantal, *art. cit.*, p. 151.

104. Sondage Ipsos Public Affairs, réalisé sur 1 001 adultes américains du 6 au 9 octobre 2005.

105. H. Res.1258 : « Impeaching George W. Bush, President of the United States, of high crimes and mismeanors », 110ᵉ Congrès, 10 juin 2008.

106. Hearings Before the Committee on Foreign Relations, « On Civil Operations and Rural Development Support Program », United States Senate, 91ᵉ Congrès, 2ᵉ session, 17-20 février et 3-4, 17, 19 mars 1970.

107. Hearings Before the Subcommitte on National Security Policy and Scientific Developments of the Committee on Foreign Affairs, House of Representatives, 92ᵉ Congrès, 2ᵉ session, 23-25, 30-31 mars, 1ᵉʳ, 6 et 20 avril 1971.

108. Howard Zinn, *op. cit.*, p. 608.

109. Supreme Court of the United States, « *Rasul et al.* v. *Bush, President of the United States, et al.* », 28 juin 2004.

110. *Ibid.*, « *Hamdan* v. *Rumsfeld, secretary of Defense et al.* », 29 juin 2006.

111. « L'armée américaine choisit l'agence McCann Erickson », *Le Monde*, 9 décembre 2005.

112. United for Peace, Veterans for Peace, Resource Centre for Nonviolence, l'American Civil Liberties Union, Working for Change et la campagne « Leave my Child Alone », etc.

113. Frédéric Robert, *op. cit.*, p. 33.

114. Sonia Nazario, « Activists in California School District Crusading Against Junior ROTC », *The Los Angeles Times*, 25 février 2005.

115. Jill Tucker, « San Francisco School Board Votes to Dump JROTC Program », *The San Francisco Chronicle*, 15 novembre 2006.

116. On les retrouve derrière le collectif du Forum pour les droits académiques et constitutionnels (Forum for Academic and Institutional Rights), partie prenante du camp des plaignants.

117. United States Court of Appeals for the Third Circuit, No. 03-4433, « Forum for Academic and Institutional Rights, a New Jersey membership corporation ; Society of American Law Teachers, Inc., a New York Corporation ; Coalition for Equality, a Massachussetts association ; Rutgers Gay and Lesbian Caucus, a New Jersey Association ; Pam Nickisher, a New Jersey resident ; Leslie Fischer, a Pennsylvania resident ; Michael Blaushild, a New Jersey resident, Erwin Chemerinsky, a California resident ; Sylvia Law, a New York Resident, *versus* Donald Rumsfeld, in his capacity as U.S. Secretary of Defense ; Rod Paige, in his capacity as Secretary of Education : Elaine Chao, in her capacity as U.S. Secretary of Labor ; Tommy Thompson, in his capacity as U.S. Secretary of Health and Human Services ; Norman Y. Mineta, in his capacity as U.S. Secretary of Transportation ; Tom Ridge, in his capacity as U.S. Secretary of Homeland Security », Appeal from the United States District Court for the District of New Jersey (D.C. Civil Action No. 03-cv-04433), District Judge ; Honorable John C. Lifland, 29 novembre 2004.

118. Adam Liptak, « Colleges Can Ban Army Recruiters », *The New York Times*, 30 novembre 2004.

119. « Rice's Honorary Degree Sparks Protests », *WCBC-TV, The Boston Channel.com*, 8 mai 2006.

120. William Booth, « Raw Language of War Will Fall On PG-13 Ears », *The Washington Post*, 25 février 2005.

121. Michael Winterbottom, 2006.

122. Philip Kennicott, « MPAA Rates Poster an F », *The Washington Post*, 17 mai 2006.

123. Sondage CNN/*USA Today*/Gallup, « Poll, Fewer than half think US will win in Iraq, More than half say country should speed up withdrawal », 22 septembre 2005.

124. Jean-Paul Mari & Eyal Sivan, *Irak, quand les soldats meurent*, documentaire, France, 2006, diffusé par Arte le 30 mai 2006.

125. Ellen Knickmeyer, « Troops Head Home To Another Crisis », *The Washington Post*, 2 septembre 2005.

126. Interview de George Clooney par Thomas Sotinel, *Le Monde*, 22 février 2006.

127. E.J. Dionne Jr., « End Of Bush Era », *The Washington Post*, 13 septembre 2005.

128. Margaret Ebrahim et John Solomon, « AP Exclusive : Despite Warnings Before Katrina Struck, Bush Said "We Are Fully Prepared" », AP, 2 mars 2006.

129. Roger A. Pielke Jr, Chantal Simonpietri et Jennifer Oxelson, *Hurricane Camille, Project Report. Thirty Years After Hurricane Camille : Lessons Learned, Lessons Lost*, University of Colorado, 12 juillet 1999, http://sciencepolicy.colorado.edu/about_us/meet_us/roger_pielke/camille/report.html, consulté le 31 janvier 2011.

130. Peter J. Webster (dir.), Greg Holland, Judy Curry, Hai-Ru Chanh, Georgia Tech's School of Earth and Atmospheric Sciences, « Changes in Tropical Cyclone Number, Duration and Intensity in a Warming Environment », *Science*, vol. 309, Issue 5742, 1844-1846, 16 septembre 2005.

131. Office of the Press Secretary, « President Honors Ambassador Karen Hughes at Swearing-In Ceremony », United States Department of State, Washington D.C., 9 septembre 2005, retranscription des discours tenus lors de la prestation de serment de Karen Hughes.

132. Sondage *USA Today*/Gallup, 18-20 octobre 2008.

133. Voir le site de SOS Fund, « http://www.sosfund.us/index.html, et Steven Donald Smith, « "Statues of Servicemen" Immortalizes Fallen Troops », American Forces Press Service, 6 juin 2005, http://www.defenselink.mil/news/newsarticle.aspx?id=16479, consultés le 9 juin 2009.

134. Courrier électronique à l'auteur de Chris J. Landry, fondateur et directeur national de SOS Fund, le 11 juin 2009 : « *Our program is active because of donations from oilfield/energy co.'s who have funds available* » (« Notre programme est actif grâce aux donations des compagnies pétrolières/énergétiques qui ont des fonds disponibles »).

135. Lettre d'information d'Eric Guillory, directeur de projet SOS Fund, reçue le 11 juin 2009.

136. Site officiel de « Faces of The Fallen », http://www.faceoffallen.org/index.htm, consulté le 9 juin 2009. 1 319 portraits étaient ainsi exposés en 2003.

137. Site officiel de « Faces of The Fallen », « Donors », http://www.facesofthefallen.org/donors.htm, consulté le 11 juin 2009.

138. AFP, 6 août 2004.

139. *Ibid.*

140. Corine Lesnes, « Les Etats-Unis abandonnent le déploiement de la guerre froide », *Le Monde*, 18 août 2004, p. 2.

141. Interview de Sue Niederer par Elizabeth Weill-Greenberg, *art. cit.*

142. Supreme Court of The United States, « *Rumsfeld, Secretary of Defense, Et Al. v. Forum for Academic and Instutional Rights., et Al.* », Certiorari to the United States Court of Appeals for the Third Circuit, 6 mars 2006.

143. Max Cleland, vétéran et ex-sénateur de Georgie, cité par J.-M. Dumay, *art. cit.*

144. « Extrem Makeover : Home Edition », saison 4, diffusé par ABC le 4 mars 2007.

145. Air Force Entertainment Liaison Office, *Recently Supported Projects*, http://www.airforcehollywood.af.mil/index.asp, consulté le 17 octobre 2010.

146. Employer Support of the Guard and Reserve, *Annual Report 2008*, p. 13, et *Annual Report 2009*, p. 17.

147. The Wallmart Foundation, « Military Support », http://walmartstores.com/CommunityGiving/216.aspx, consulté le 13 août 2010.

148. Communiqué de presse American Airlines, « AA Flies Wounded Warriors to Las Vegas », 11 novembre 2009, http://joinus.aa.com/wounded-warriors-las-vegas, consulté le 13 août 2010.

149. Site de United Airlines, « Operation Hero Miles », http://www.google.fr/search?client=safari&rls=en&q=united+airlines+military+aid&ie=UTF-8&oe=UTF-8&redir_esc=&ei=AnBlTJCKC4yA4Abhi6DeCg, consulté le 13 août 2010.

150. 2 millions de dollars les 30 secondes : Julien Bordier, « Le 41ᵉ Super Bowl », *L'Express.fr*, 2 février 2007, http://www.lexpress.fr/culture/tele/le-41e-super-bowl_478496.html, consulté le 18 janvier 2011.

151. National Coalition For Homeless Veterans, « Facts and Medias, Background and Statistics », http://www.nchv.org/background.cfm, consulté le 1ᵉʳ novembre 2010.

152. Office of the White House Secretary, « Grantin Pardon for violations of the

Selective Service Act, August 4, 1964 to March 28, 1973 by the President of the United States of America. A proclamation », 21 janvier 1977.

153. Americans Proud of Army, Freedom and Flag Before Independence Day, Angus Reid Public Opinion, 1ᵉʳ juillet 2010, http://www.angus-reid.com/polls/39214/army_freedom_and_flag_make_americans_proud/, consulté le 20 octobre 2010.

14. L'illusion Obama

1. On ne dénombre pas moins d'un milliard 500 000 entrées sur le moteur de recherches Google.

2. « Memorandum for the heads of executive departments and agencies. Subject : *Freedom of Information Act* », 21 janvier 2009.

3. « Executive Order 13392 – Improving Agency Disclosure of Information », 19 décembre 2005.

4. « Executive Order 13491 – Ensuring Lawful Interrogations », 22 janvier 2009.

5. Denise Lavoie, *art. cit.*

6. Steve Vogel, « Military Recruiting Faces a Budget Cut », *art. cit.*

7. Dan Blottenberger, « All branches meet military recruiting goals », *Stars and Stripes*, 14 janvier 2011.

8. Scott Wilson et Al Kamen, « "Global War on Terror" Is Given New Name », *The Washington Post*, 25 mars 2009.

9. Harold Hongju Koh, « The Obama Administration and International Law », US Department of State, Annual Meeting of the American Society of International Law, Washington, 25 mars 2010.

10. Discours de Barack Obama, « Obama's address on Afghan war strategy », *art. cit.*

11. Jeffrey M. Jones, « Obama's Approval Rating at New Low in Most Recent Quarter », Gallup, 21 octobre 2010.

12. Sur 13 présidents depuis Roosevelt, Johnson, Carter, Reagan et Bush junior ont remporté les élections de mi-mandat après deux années passées au

sommet de l'exécutif. Notons que les deux premiers n'ont effectué qu'un mandat.

13. Jessie Lee, « Reality Check : Turning a Point of Pride into a Moment of Shame », Blog de la Maison-Blanche, *Reality Check*, 30 septembre 2009, http://www.whitehouse.gov/blog/2009/09/30/reality-check-turning-a-point-pride-a-moment-shame, consulté le 18 février 2011.

14. Jim Rutenberg, « Behind the War Between White House and Fox », *The New York Times*, 22 octobre 2009.

15. *Gulf War Review*, vol. 17, nº 1, juillet 2010.

16. A/RES/65/55, A/65/PV.60, 8 Dec. 2010, GA/11033, 148-4-30, A/65/410, draft res. XI, « Effects of the use of armaments and ammunitions containing depleted uranium ».

17. Discours de Barack Obama, Prague, 5 avril 2009, The White House, Office of the Press Secretary.

18. « US ambassador to attend Hiroshima event », CNN, 5 août 2010 ; « US Participates in Hiroshima Memorial for First Time », Fox News, 6 août 2010, etc.

19. AP, « Report : Obama Declined Invite to Hiroshima », CBS News, 8 novembre 2010.

20. Scott Shane, « Vietnam Study, Casting Doubts, Remains Secret », *The New York Times*, 31 octobre 2005.

21. JoAnne O'Bryant et Michael Waterhouse, « U.S. Forces in Afghanistan », Congressional Research Service, 15 juillet 2008 ; Amy Belasco, « Troops Levels in the Afghan and Iraq Wars,

FY2001-FY2012 : Cost and Other Potential Issues », 2 juillet 2009, p. 9.

22. Ian Graham, « Government Transition Proves Iraqi Stability », American Forces Press Service, 11 juin 2010, http://www.defense.gov/News/NewsArticle.aspx?ID=59588, consulté le 3 août 2010.

23. Moshe Schwartz, « Department of Defense Contractors in Iraq and Afghanistan : Background and Analysis », Congressional Research Service, 2 juillet 2010.

24. *Ibid.*, p. 8.

25. Thomas Vanden Brook, « Poll : More view Afghan war as "mistake" », *USA Today*, 16 mars 2009. Jennifer Agiesta et Jon Cohen, « Public Opinion in U.S. Turns Against Afghan War », *The Washington Post*, 20 août 2009 ; sondages CNN/Opinion Research Corporation, 22-24 septembre 2006 au 21-23 janvier 2011.

26. Sondages CNN/Opinion Research Corporation, 2-3 décembre 2009 au 6-10 août 2010.

27. Jon Terbush, « Poll : After Bin Laden's Death, Americans More Positive On Afghan War », *Talkingpointsmemo*, 3 mai 2011, http://tpmdc.talkingpointsmemo.com/ 2011/05/poll-after-bin-ladens-death-americans-more-positive-on-afghan-war.php, consulté le 5 mai 2011 ; Sam Stein, « Administration Grows Frustrated As Conversation Shifts From Bin Laden To Waterboarding », *Huffington Post*, 4 mai 2011, http://www.huffingtonpost.com/2011/05/04/administration-bin-laden-waterboarding_n_857529.html, consulté le 5 mai 2011.

28. Katherine Shaver, « D.C. antiwar march draws thousands on seventh-anniversary of Iraq invasion », *The Washington Post*, 21 mars 2010.

29. Dana Priest, « US military teams, intelligence deeply involved in aiding Yemen on strikes », *The Washington Post*, 27 janvier 2010.

30. Mark Mazzetti, « U.S. Is Said to Expand Secret Actions in Mideast », *The New York Times*, 24 mai 2010.

31. Sondage Anderson Robbins Research et Shaw Company Research, 14-16 mars 2011 ; CNN/Opinion Research

Corporation, 3-13 mars 2011 ; « Fox News Poll : Most Voters Don't Want Military Sent to Libya », *FoxNews.com*, 17 mars 2011, http://www.foxnews.com/politics/2011/03/17/fox-news-poll-voters-dont-want-military-sent-libya/, consulté le 20 mars 2011.

32. CNN/Opinion Research Corporation, 3-13 mars 2011.

33. Budget de Défense 2010, *art. cit.* ; Budget de Défense FY2011.

34. Pat Towell, « Defense : FY 2011 Authorization and Appropriations », Congressional Research Service, 23 novembre 2010.

35. Amy Belasco, « The Cost of Iraq, Afghanistan, and Other Global War on Terror Operations Since 9/11 », Congressional Research Service, 2 septembre 2010.

36. « A 21st Century Military for American », Site officiel de campagne de Barack Obama, http://www.barackobama.com/issues/defense/#invest-century-military, consulté le 23 février 2009.

37. Travis Sharp, « The Sacrifice Ahead. The 2012 Defense Budget », Centre for a New American Century, février 2011 ; James Pethokoulis, « Pour réduire le déficit, Washington doit tailler dans son budget militaire », *Le Monde*, 13 août 2010.

38. Office of the Under Secretary of Defense, DoD Fiscal Year 2012 Budget Request, Overview, février 2011. Pour atteindre des niveaux équivalents, il faut remonter à la guerre de Corée (1950-1953).

39. Philippe Grangereau, « L'Amérique de Barack Obama », *Libération*, 21 mai 2008.

40. « Obama scraps Bush-era missile defense for new plan », CNN, 17 septembre 2009.

41. Joby Warrick, « A Blind Eye to Guantanamo ? », *The Washington Post*, 12 juillet 2008.

42. George W. Bush, Discours sur l'état de l'Union, 29 septembre 2002.

43. Général Myers, cité *in* AFP, « Irak : 68 morts dans des attaques contre la police », 21 avril 2004.

44. Pat Towell, « Defense : FY 2011 Authorization and Appropriations », *op. cit.*, p. 47-48.

45. « Executive order – Review and disposition of individuals detained at the Guantanamo bay naval base and closure of detention facilities », 22 janvier 2009, www.whitehouse.gov/the_press_office/ClosureOfGuantanamoDetentionFacilities/, consulté le 14 mars 2009.

46. Charlie Savage, « Obama's War on Terror May Resemble Bush's in Some Areas », *The New York Times*, 17 février 2009.

47. *Ibid.*, « Obama Upholds Detainee Policy in Afghanistan », 21 février 2009 ; *The New York Times* ; *ibid.*, « Obama Team Is Divided on Anti-Terror Tactics », *The New York Times*, 28 mars 2010.

48. « Jalatzai v. Gates and Wahid v. Gates : Bagram Habeas Cases », *aclu.org*, 26 février 2010, http://www.aclu.org/national-security/jalatzai-v-gates-and-wahid-v-gates, consulté le 29 mars 2010.

49. David Corn, « Obama and GOPers Worked Together to Kill Bush Torture Probe », *Mother Jones*, 1er décembre 2010.

50. « Remarks of Senator Barack Obama, The War We Need to Win », *art. cit.*

51. « Jalatzai v. Gates and Wahid v. Gates : Bagram Habeas Cases », *art. cit.*

52. Interview de Barack Obama par Lara Logan, « Face the Nation. Obama : Now Is The Time For Iraq Withdrawal », CBS News, 20 juillet 2008.

53. Discours de Barack Obama, « Obama's address on Afghan war strategy », United States Military Academy, West Point, New York, 1er décembre 2009.

54. Bruce McQuain, « Has our strategy really changed in Afghanistan ? », *The Washington Examiner*, 2 août 2010.

55. « TOP US Marine General, it is "fun to shoot some people" », *art. cit.*

56. Bruce McQuain, *art. cit.* ; Jérôme Canard, « Feu sur la stratégie US en Afghanistan », *Le Canard enchaîné*, 4 août 2010.

57. Rod Power, « Military Recruiting Statistics for FY 2008 », usmilitary.about.com/od/joiningthemilitary/a/08recruit.htm ; « A 21st Century Military for American », www.barackobama.com/issues/defenses/#invest-century-military ;

Budget de Défense 2010, « Department of Defense. Funding Highlights », www.whitehouse.gov/omb/assets/fy2010_new_era/Department_of_Defense.pdf, consulté le 20 avril 2009.

58. Discours de Barack Obama, « Remarks by the President in Address to the Nation on the End of Combat Operations in Iraq », Maison-Blanche, 31 août 2010.

59. Marc Yabonka, « Operation Gratitude », *Soldiers Magazine*, 30 mai 2006.

60. Discours de Barack Obama, « Remarks by the President in Address to the Nation on the End of Combat Operations in Iraq », Maison-Blanche, 31 août 2010.

61. *Ibid.*

62. Barbara Starr, « US preparing massive arms deal for Saudi Arabia, Defense official says », CNN, 14 septembre 2010.

63. Appel à souscription des résidents de Cherry Hill, « We are proposing that a Cherry Hill "Official" 9-11 Memorial, site be erected in Cherry Hill, NJ to mark the 10th Anniversary of September 11, 2001 ».

64. September 11, 2011 – 10th Anniversary – The Power of 50, « Help us honor the first responder heroes on the 10th Anniversary of 9/11 », *Heroportraits.org*, « Honoring Life Through Art ».

65. Fiche événementielle, « 10th Anniversary, Tour de Force, 9/8/11 to 9/11/11 – In Honor of Those Lost on 9/11/01 ».

66. United Service Team, « Not Just Another Day », United We Serve, Corporation for National and Community Service, National Service Blog, 8 septembre 2010, http://www.serve.gov/stories_detail.asp?tbl_servestories_id=425, consulté le 6 mars 2011.

67. « Remarks of Senator Barack Obama, The War We Need to Win », 1er août 2007 www.wilsoncentre.org/events/docs/obamasp0807.pdf, consulté le 20 mars 2009.

68. 9/11 National Day of Service, « 9/11 Lesson Plans », http://911dayofservice.org/911-lesson-plans, consulté le 23 février 2011.

69. Interview de Barack Obama par Roger Simon, « Gulf spill "echoes 9/11" »,

The Politico, 13 juin 2010, http://www.politico.com/news/stories/0610/38468.html, consulté le 16 juin 2010.

70. Thomas Friedman, « Obama and the Oil Spill », *The New York Times*, 19 mai 2010.

71. Voir par exemple : Kennet R. Bazinet et Larry McShane, « Obama says BP oil spill impact "echoes" 9/11 ; relative of WTC victim calls President "off-base" », *The New York Daily News*, 14 juin 2010 ; « Obama : Gulf oil spill "echoes 9/11" », *USA Today*, 14 juin 2010 ; David S. Morgan, « Obama Compares Gulf of Mexico Oil Spill to 9/11 », CBS News, 14 juin 2010. Les journaux *USA Today* ou *The New York Daily News* citent, comme s'il s'agissait de la parole présidentielle, le titre retenu par *The Politico*, organe de presse auquel Obama accorda l'interview connectant les deux séquences historiques. Pour ces quotidiens, le Président estime que « la marée noire fait écho au 11 Septembre » : au vu du développement argumentatif livré par le Président, la prise en compte de ce seul titre revient à dénaturer un propos somme toute pertinent.

Conclusion

1. Charlie Savage, « US Wants to Make It Easier to Wiretap the Internet », *The New York Times*, 27 septembre 2010.

2. Matthew Mosk et Sarah Cohen, « Big Donors Drive Obama's Money Edge », *The Washington Post*, 22 octobre 2008 ; « Barack Obama Top Contributors », OpenSecrets.org – Centre for Responsive Politics, http://www.opensecrets.org/pres08/contrib.php?cycle=2008&cid=n00009638, consulté le 23 février 2011.

3. Amy Belasco, « The Cost of Iraq, Afghanistan, and Other Global War on Terror Operations Since 9/11 », *op. cit.*, p. 3.

4. Gary Schmitt, « Regime Change for Iran – To opinion leaders », Mémorandum du Project for a New American Century, 24 février 2004, http://www.newamericancentury.org/iran-20040224.htm, consulté le 23 février 2011.

5. Sondages *Los Angeles Times*/Bloomberg, janvier 2006 : 57 % soutiennent une intervention militaire dans le cas où l'Iran poursuivrait un programme pouvant le mettre en mesure de se doter de l'arme nucléaire ; Zogby International, octobre 2007 : 52 % appuient une frappe de l'armée américaine en vue d'empêcher Téhéran de se doter de l'arme nucléaire, tandis que 29 % s'y opposent ; McLaughlin & Associates, mai 2009 : 58 % se prononcent en faveur « de l'attaque et [de] la destruction par l'armée américaine des installations iraniennes nécessaires à la production d'armes nucléaires » ; Pew Research Centre, octobre 2009 : 61 % des personnes interrogées se disent prêtes à « empêcher l'Iran de mettre au point l'arme nucléaire, même au prix d'une action militaire », alors que 24 % préfèrent « éviter un conflit militaire avec l'Iran, même si cela permet aux Iraniens de mettre au point l'arme nucléaire ».

Bibliographie sélective

PRESSE AMÉRICAINE

American Forces Information Service
American Journal of Epidemiology
American Political Science Review
Anchorage Daily News
Atlanta Journal-Constitution
Augusta Chronicles
Billboard
Chicago Sun-Times
Chicago Tribune
Chronicle-Tribune
Courier Post
Defense News
Entertainment Weekly
Esquire Magazine
Foreign Affairs
Harper's Magazine
Hartford Courant
Information Clearing House
LA Times Magazine
Las Vegas Review Journal
Lewiston Sun Journal
Los Angeles Daily News
Lowell Sun
Military Review
Milwaukee Journal Sentinel
Mother Jones
National Catholic Reporter
New England Journal of Medicine
Newsweek
Psychological Science
Reading Record Searchlight
Richmond Times-Dispatch
Rocky Mountains News
Rolling Stone Magazine
San Jose Mercury News

Seattle Post Intelligencer
Slate
Soldier of Fortune
Tacoma News Tribune
Talking Points Memo
Time
The American Legion Magazine
The Army Times
The Baltimore Sun
The Boston Globe
The Buffalo News
The Christian Science Monitor
The Command Post
The Concord Journal
The Day
The Evening Standard
The Examiner
The Lancet
The Nation
The New England Journal of Medicine
The New Scientist
The New York Daily News
The New York Review Of Books
The New Yorker
The Politico
The San Diego Union Tribune
The San Francisco Chronicle
The Sun Sentinel
The Wall Street Journal
The Washington Post
The Washington Times
Tulsa World
USA Today
Vanity Fair

PRESSES FRANÇAISE ET INTERNATIONALE

Confluences méditerranéennes
Der Spiegel
La Libre Belgique
Le Devoir
Le Figaro
Le Monde
Le Monde diplomatique
Le Parisien
Libération

Ouest France
Revue française d'économie
Rock & Folk
The Daily Star
The Globe and Mail
The Guardian
The Herald Sun
The Observer
The Sunday Telegraph

TÉMOIGNAGES ET MÉMOIRES

Clarke Richard, *Against All Ennemies : Inside America's War on Terror*, Free Press, New York, 2004.

Doran J. K., *I Am My Brother Keeper, Journal of a Gunny in Iraq*, Caisson Press, Sneads Ferry, 2005.

Fleischer Ari, *Taking Heat : The President, The Press and My Years in The White House*, William Morrow, New York, 2005.

Goebbels Joseph, *Le Journal du Dr Goebbels*, Société française des Editions du Cheval ailé, Paris, 1948.

Rolland Romain, *Journal des années de guerre. 1914-1919*, Albin Michel, Paris, 1952.

Spiegelman Art, *A l'ombre des tours mortes*, Casterman, Paris, 2004.

Truman S. Harry, *Memoirs*, vol. 2, *Years of Trials and Hope. 1946-1952*, Doubleday, New York, 1956.

HISTOIRE DES ÉTATS-UNIS

Ambrose Stephen, *Eisenhower*, Flammarion, Paris, 1986.

Bacharan Nicole, *Les Noirs américains. Des champs de coton à la Maison-Blanche*, Perrin, coll. « Tempus », Paris, 2010.

Calvi Fabrizio et Carr-Brown David, *L'Histoire du Bureau par ses agents*, Fayard, Paris, 2009.

Kearns Doris, *Lyndon Johnson and the American Dream*, Harper and Row, New York, 1976.

Keegan John, *La Guerre de Sécession*, Perrin, Paris, 2011.

Kuykendall J. Edward, *The « Unknown War » : Popular War Fiction for Juveniles and the Anglo-German Conflict, 1939-1945*, university of South Carolina, 2002.

Nouailhat Yves-Henri, *Les Etats-Unis et le monde, de 1898 à nos jours*, Armand Colin, Paris, 1997.

Sherry Michael, *The Rise of American Air Power : The Creation of Armageddon*, Yale University Press, 1989.

Sorensen C. Theodore, *Kennedy*, Harper and Row, New York, 1965.

Tocqueville, Alexis de, *De la démocratie en Amérique*, M. I. et II, Gallimard, coll. « Folio Histoire », 2010 (rééd 1835 et 1840).

Wiley Bell Irvin, *The Life of Billy Yank. The Common Soldier of the Union*, Bâton-Rouge, Louisiana University Press, 1952 (rééd. 2008).

Zinn Howard, *Une histoire populaire des Etats-Unis de 1492 à nos jours*, Agone, Marseille.

PREMIÈRE ET SECONDE GUERRES MONDIALES

Audouin-Rouzeau Stéphane, *1914-1918, Les combattants des tranchées à travers leurs journaux*, Armand Colin, Paris, 1986.

Audoin-Rouzeau Stéphane, *La Guerre des enfants. 1914-1918*, Armand Colin, Paris, 1993.

Becker Jean-Jacques, *1914. Comment les Français sont entrés dans la guerre*, Presses de la Fondation nationale des sciences politiques, Paris, 1977.

Cochet François et Porte Rémy (dir.), *Dictionnaire de la Grande Guerre*, Robert Laffont, coll. « Bouquins », Paris, 2008.

Douhet Giolio, *La Maîtrise de l'air* (trad. Benoît Smith et Jean Romeyer), Economica, Paris, 1921 (rééd. 2007).

Gruchmann Lothar, *Justiz im Dritten Reich. 1933-1940*, Oldenburg, Munich, 2001.

Lilly Robert, *La Face cachée des GI's. Les viols commis par les soldats américains en France, en Angleterre et en Allemagne pendant la Seconde Guerre mondiale*, Payot, Paris, 2004.

Lormier Dominique, *Rommel, la fin du mythe*, Le Cherche-Midi, Paris, 2003.

Marcot François, Leroux Bruno et Levisse-Touzé Christine (dir.), *Dictionnaire historique de la Résistance*, Robert Laffont, coll. « Bouquins », Paris, 2006.

Marshall S.L.A (général), *Men Against Fire : The Problem of Battle Command in Future War*, Infantry Journal Press, Washington, 1947 (rééd. Peter Smith, Gloucester, 1978).

Maufrais Louis, *J'étais médecin dans les tranchées*, Robert Laffont, Paris, 2008.

Mitchell H. Arthur, *Hitler's Mountain : the Führer, Obersalzberg and the American Occupation of Berchtesgaden*, McFarland & Company, Jefferson, 2007.

Ricard Sébastien, *Theodore Roosevelt et la justification de l'impérialisme*, Publications de l'université de Provence, Aix-en-Provence, 1986.

Ricard Sébastien, *Theodore Roosevelt. Principes et pratiques d'une politique étrangère*, Publications de l'université de Provence, Aix-en-Provence, 1991.

Sutton C. Anthony, *Wall Street and the Rise of Hitler. The Astonishing True Story of the American Financiers Who Bankrolled the Nazis*, Clairview Books, Forest Row, 1976 (rééd. 2010).

Valentin Jean-Michel, *Hollywood, le Pentagone et Washington. Les trois acteurs d'une stratégie globale*, Autrement, Paris, 2003.

Weller George et Anthony, *First Into Nagasaki. The Censored Eyewitness Dispatches on Post-Atomic Japan and Its Prisoners of War*, Random House, New York, 2006.

Wong Scott Kevin, *American Firsts : Chinese Americans and the Second World War*, Harvard University Press, Cambridge, 2005.

GUERRE DU VIETNAM

Anderegg A. Michael, *Inventing Vietnam. The War in Film and Television*, Temple university Press, Philadelphie, 1991.

Appy G. Christian, *Working Class War : American Combat Soldiers and Vietnam*, université de Caroline du Nord, Chapel Hill, 1993.

Bonior E. David, Champlin M. Steven, Kolly S. Thimothy, *The Vietnam Veteran : a History of Neglect*, Praeger, New York, 1984.

Gibault Michèle, *Consciences révoltées et pratique de résistance des soldats américains pendant la guerre du Vietnam*, thèse de doctorat, Marianne Debouzy (dir.), Paris-VIII, 1994.

Heineman J. Kenneth, *Campus Wars : The Peace Movement at American State Universities in the Vietnam Era*, New York University Press, New York, 1992.

Hersh Seymour, *My Lai 4 : A Report on the Massacre and Its Aftermath*, Random House, New York, 1970.

Kolko Gabriel, *Anatomy of a War. Vietnam, the United States and the Modern Historical Experience*, Harper Collins Publishers Ltd., New York, 1986.

Lewes James, *Protest and Survive : Underground GI Newspapers during the Vietnam War*, Praeger, Westport, 2003.

McCoy Alfred, *The Politics of Heroin in Southeast Asia, CIA Complicity in the Global Drug Trade*, Lawrence Hill Books, 1972 (rééd. 1991).

Robin Marie-Monique, *Escadrons de la mort, l'école française*, La Découverte, Paris, 2003 (rééd. 2008).

Scott Peter et Marshall James, *Cocaine Politics, Drugs, Armies and the CIA in Central America*, University of California Press, Berkeley, 1991.

GUERRE CONTRE LE TERRORISME

Adler Alexandre, *J'ai vu finir le monde ancien*, Grasset, Paris, 2002.

Arnove Anthony et Abunimah Ali (dir.), *Iraq Under Siege, the Deadly Iimpact of Sanctions and War*, South End Press, Cambridge, 2000.

Bragg Rick, *I Am a Soldier, Too : The Story of Jessica Lynch*, Thorndike Press, Waterville, 2003.

Brisard Jean-Charles et Dasquié Guillaume, *Ben Laden. La vérité interdite*, Denoël, Paris, 2001.

Frachon Alain et Vernet Daniel, *L'Amérique des néo-conservateurs. L'illusion messianique*, Perrin, coll. « Tempus », Paris, 2010.

Friedman Devin, *This is Our War : A Soldiers Portfolio*, Artisan Publishers, 2006.

Hutcheson John, Domke David, Billeaudeaux André et Garland Philip, *U.S. National Identity, Political Elites, and a Patriotic Press Following September 11*, Taylor & Francis, New York, 2004.

Lieven Anatol, *Le Nouveau Nationalisme américain*, Gallimard, coll. « Folio documents », Paris, 2006.

Luizard Pierre-Jean, *La Question irakienne*, Fayard, Paris, 2002 (rééd. 2004).

Mulroie Laurie, *The War Against America : Saddam Hussein and the World Trade Center Attacks. A Study of Revenge*, Harper Paperbacks, New York, 2000.

Sammon Bill, *Fighting Back : The War on Terrorism from Inside the Bush White House*, Regnery Publishing Inc., Washington, 2002.

Sanger E. David, *L'Héritage*, Belin, Paris, 2009.

Silberstein Sandra, *War of Words : Language, Politics and 9/11*, Routledge, Londres, 2004.

Singer W. Peter, *Corporate Warriors : The Rise of the Privatized Military Industry*, Cornell University Press, Ithaca, 2004.

Todd Emmanuel, *Après l'Empire. Essai sur la décomposition du système américain*, Paris, Gallimard, 2002.

Unger Craig, *The Fall of the House of Bush : The Untold Story of How a Band of True Believers Seized the Executive Branch, Started the Iraq War, And Still Imperils America's Future*, Scribner, New York, 2007.

Wiener Tom, *Voices of War : Stories of Service from the Homefront and the Frontlines*, National Geographic, The Library of Congress, Veterans History Project, 2004.

Wright Evan, *Generation Kill : Devil Dogs, Iceman, Captain America and The New Face of American War*, Putman Adult, New York, 2004.

Zucchino David, *Thunder Run : The Armored Strike to Capture Baghdad*, Atlantic Monthly Press, New York, 2004.

MÉDIAS ET SOCIÉTÉ

Bardet Alexandra, *La Communication dans la Mode : une relation placée sous le signe de la médiatisation*, mémoire de fin d'études sous la direction de François Ohl, Institut d'études politiques de Lyon, juin 2002.

Barsamian David, *Stenographers to Power : Media and Propaganda*, Common Courage Press, Monroe, 1992.

Chomsky Noam et Herman Edward, *La Fabrication du consentement, de la propagande médiatique en démocratie*, Agone, Marseille, 2008.

Cluzel Jean et Thibaut Françoise (dir.), *Métier militaire et enrôlement citoyen : les enjeux de la loi du 28 octobre 1997*, Presses universitaires de France, coll. « Cahiers des sciences morales et politiques », Paris, 2004.

Corey Robin, *Fear. The History of a Political Idea*, Oxford University Press, 2004.

DelFattore Joan, *What Johnny Shouldn't Read. Textbook Censorship in America*, Yale University Press, 1994.

Feaver D. Peter et Kohn H. Richard, *Soldiers and Civilians : The Civil-Military Gap and American National Security*, MIT Press, Cambridge, 2001.

Grossman Dave, *On Killing : The Psychological Cost of Learning to Kill in War and Society*, Little, Brown and Co., Boston, 1996.

Harvey C. Robert, *The Art of the Comic Book : An Asthetic History*, University Press of Washington, 1996

Herr Michael, *Putain de mort*, Editions de l'Olivier, Paris, 1996.

Iyengar Shanto et Kinder R. Donald, *News that Matters. Television and American Opinion*, University of Chicago Press, 1989.

Kearny H. Cresson, *Nuclear War Survival Skills*, Oak Ridge National Laboratory, US Department of Energy, 1979.

Kitman Lincoln Jamie, *L'Histoire du plomb*, Allia, Paris, 2005.

Kosmin A. Barry, Mayer Egon et Keysar Ariela, *American Religious Identification Survey*, The Graduate Center of the City University of New York, 2001.

Lapham H. Lewis, *Gag Rule*, The Penguin Press, New York, 2004.

Lavisse Ernest, *Histoire de France. Cours élémentaire*, Armand Colin, Paris, 1913.

Loewen W. James, *Lies My Teacher Told Me : Everything Your American History Textbook Got Wrong*, The New Press, New York, 1995 (rééd. 2008).

Loubes Olivier, *L'Ecole de la patrie, histoire d'un désenchantement, 1914-1940*, Belin, Paris, 2001.

Montagutelli Malie, *Histoire de l'enseignement aux Etats-Unis*, Belin, Paris, 2000.

Mucchielli Alexandre, *L'Art d'influencer. Analyse des techniques de manipulation*, Armand Colin, Paris, 2000 (rééd. 2004).

Phillips Peter, *Censored 1997 : The News That Didn't Make the News-The Year's Top 25 Censored News Stories*, Consortium Book Sales & Dist., 1997.

Reynold Richard, *Super Heroes : A Modern Mythology*, University Press of Mississippi, 1992.

Robb L. Davis, *Operation Hollywood : How the Pentagon Shapes and Censors the Movies*, Prometheus Books, New York, 2004.

Robert Frédéric, *L'Amérique contestataire des années 60*, Ellipses, Paris, 1999.

Salmon Christian, *Storytelling. La machine à fabriquer des histoires et à formater les esprits*, Paris, La Découverte, 2007.

Smith E. R. Kathleen, *God Bless America : Tin Pan Alleg goes to the war*, The University Press of Kentucky, 2003.

Suid H. Lawrence, *Guts & Glory. The Making of the American Military Image in Film*, University Press of Kentucky, 2002.

Suskind Ron, *The Way of the World. A Story of Truth and Hope in an Age of Extremism*, Harper, New York, 2008.

Theimer François, *Les Jouets*, « Que sais-je ? », Presses universitaires de France, Paris, 1996.

Thomson David, *The Moment of Psycho : How Alfred Hitchcock Taught America to Love Murder*, Basic Books, New York, 2009.

Wakefield E. Wanda, *Playing to Win : Sportsand the American Military, 1898-1945*, State University of New York Press, Albany, 1997.

Wright W. Bradford, *Comic Book Nation : The Transformation of Youth Culture in America*, The Johns Hopkins University Press, 2001.

Index

Remerciements

Je tiens à remercier Benoît Yvert pour sa confiance, ainsi que mon éditrice, Charlotte Liebert-Hellman, modèle de patience dont chaque auteur doit rêver. Ses conseils furent précieux.

Pierre Nora et Marcel Gauchet ont accueilli dans *Le Débat* un article qui augurait du présent livre. Pour cette ouverture et leurs remarques, je leur adresse ma profonde gratitude.

Yannis Kadari et Yann Mahé m'ont souvent fait partager leur expertise en matière militaire. Qu'ils en soient vivement remerciés, de même que Jean-Marie Guillon, professeur d'université passionné et rigoureux.

A toutes les personnes d'outre-Atlantique qui ont eu l'amabilité de répondre à mes sollicitations, j'adresse mes chaleureux remerciements à commencer par Jenny Waite.

Les amis et connaissances venus m'offrir leur concours sont nombreux : Sébastien et Emilie, Jean-François, Nicolas Bernard, Annie Touati, Olivier de Pierrefeu, Jean-Christophe Landes, Olivier Poullot, Sébastien Lambert, Philip Le Roy, Gilbert Schlogel, Gilbert Luggara, Frédéric Couffy, Alexandre Erotokritou, Marion Gauthier, Julien Banchetti et Nicolas Lhermitte.

Jean-Charles Girard m'a transmis sa passion de l'Histoire. Ces pages lui doivent beaucoup.

Malgré le temps injustement partagé entre ce livre et elle, Sofia a toujours fait preuve d'une compréhension et d'un soutien sans lesquels *De la guerre en Amérique* n'aurait pas été le même.

Surtout, sans le soutien total et irremplaçable de mes parents, jamais ce livre n'aurait pu exister. Ma gratitude est infinie.

Table

II. PERSPECTIVES DE CHAOS

III. D'UNE GUERRE ESTHÉTISÉE
À LA RÉALITÉ DES COMBATS

TABLE   535

IV. LA CULTURE DE GUERRE EN REFLUX

Composition et mise en page

NORD COMPO
multimédia

Cet ouvrage a été imprimé en France
par CPI Bussière
à Saint-Amand-Montrond (Cher)
en mai 2011

N° d'édition : 2763. — N° d'impression : 110896/1.
Dépôt légal : juin 2011.